HARDPRESS.NET
HOME OF HARD-TO-FIND BOOKS

Oliver Cromwell
by B. T. M. Straeter

Address:
HardPress
8345 NW 66TH ST #2561
MIAMI FL 33166-2626
USA
Email: info@hardpress.net

OLIVER CROMWELL.

Ein Essay

über

englische Revolution des 17. Jahrhunderts.

Von

Dr. B. T. M. Straeter.

Leipzig.

1871.

INHALT.

		Seite
Einleitung		1— 18
I. England ohne Parlament		19— 43
II. Das kurze und das lange Parlament bis zur Republik		44—335
1. Process des Grafen Strafford, 1641		53
2. Die Scheidung der Parteien, 1641—42		73
3. Der erste Bürgerkrieg, 1642—47		93
4. Zwischen den beiden Bürgerkriegen, 1646—48		168
5. Petition der Armee. Armee-Manifest. Prayer-Meeting		179
6. Der zweite Bürgerkrieg, 1648		235
7. Die Verurtheilung des Königs von England		301
III. Die englische Republik und der Lord Protector von England		336—517
Uebersicht der Ereignisse und Original-Documente über:		
1. Dunbar Battle		405
2. Battle of Worcester		423
3. Das Barebone-Parlament		428
4. Der Lord Protector und sein erstes Parlament		464
5. Die ersten Reden Cromwells		428
Schluss		507
March of David Lesley		518

Einleitung.

Die Geschichte ist der Strom des Geschehens in Vergangenheit und Gegenwart, die Wissenschaft der Geschichte das begriffene Bild der Ereignisse im Bewusstsein der Lebendigen. Die Geschichtsschreibung ist der Ausdruck dieses Bewusstseins aus dem Einzelnen für alle Mitlebenden: je nach der grösseren oder geringeren Entwickelung und Reife desselben wird auch die Form der Mittheilung eine verschiedene Gestalt annehmen.

Wenn wir von den älteren Formen der Geschichtsschreibung absehen, so lassen sich unter den anerkannten Werken der neueren Zeit vorzugsweise zwei Formen oder Arten derselben unterscheiden. Ich nenne die erste die kritische Detail-Forschung, die andere die kunstvolle Darstellung. Jene ist die Bedingung dieser; aber sie kann auch für sich fixirt werden, ohne sich zu dieser zu erheben. Jedenfalls indess musste sie lange Zeit, man darf sagen Jahrhunderte lang vorausgehen, ehe sie ihr ideales Ziel in der künstlerisch komponirten und zu einem geschlossenen Ganzen abgerundeten Erzählung zu erreichen vermochte.

Es sind nicht blos die Thatsachen, die gesammelt, die Jahreszahlen und Monatsdaten, die festzustellen, die Charakter-

züge, die kritisch zu prüfen, die geschichtlichen Motive überhaupt, deren Verflechtungen in Ursachen und Wirkungen sämmtlich aufzunehmen sind, um die momentanen Erfolge und endlichen
Resultate in ihrer faktischen Motivirung für das Bewusstsein
des historischen Geistes aufspeichern zu können: dieses ge-
schichtliche Bewusstsein selbst hat vielmehr Generationen hindurch an der leitenden Hand solcher fleissigen und gelehrten
Detail-Arbeiten eine grosse Entwickelung in sich durchzumachen,
bis es in den glücklicheren Erben der überwundenen Vergangenheit zu dem fruchtbringenden Gedanken heranreifen kann,
dass solche Forschungen nur Mittel zum Zweck sind und nicht
Selbstzweck. Die Blüthen fallen, wenn die Frucht zu reifen
beginnt. Der Knabe wird ein Mann, wenn seine Studien beendigt, seine Lehrzeit abgelaufen, seine Reisen durch die Welt
und das Leben ihn zu einer Heimath geführt haben, in der er
arbeiten kann, wie es ihm selbst Noth thut und behagt. Ein
Volk wird frei, wenn jeder Einzelne zu arbeiten, zu forschen,
zu ringen, sich selbst und Andere zu überwinden und in seinem Berufe ein Meisterstück zu liefern im Stande ist. Und
die gelehrten Folianten werden lesbare Bücher, die grössten
Gelehrten selbst beliebte Schriftsteller, gern gelesene Dichter,
tiefsinnige und bewunderte Philosophen, wenn die Voraus-
setzungen erfüllt sind, die als unerlässliche Bedingungen dem
endlichen Reifen solcher edelsten Früchte zu Grunde lagen.

Solche Gedanken drängen sich unwillkürlich auf, wenn man
die Historiker unserer Zeit Revue passiren lässt. Ein Mommsen,
ein Curtius, ein Droysen, ein Duncker, ein Ranke, ein Sybel
und Giesebrecht lassen Wenig oder Nichts zu wünschen übrig,
was die Strenge der kritischen Forschung anbetrifft; ja der
Erstgenannte steht in einer der schwierigsten Partieen der ge-

lehrten Forschung, der Erklärung alter Inschriften, so hoch da, dass die meisten Arbeiten früherer Generationen in dieser Richtung wie unreife Schülerarbeiten dagegen erscheinen. Und dennoch ist seine Römische Geschichte in aller Welt Händen ein gern gelesenes und vielbewundertes Buch, und einzelne Partieen darin, wie die Darstellung Caesars, sind Meisterwerke ersten Ranges. Max Dunckers Geschichte des Orients und Griechenthums liest sich so leicht und angenehm, wie ein fremdartig spannender Roman: und doch enthält sie die durchgearbeiteten Forschungen der unermesslichen, in diese Gebiete einschlagenden Gelehrsamkeit in einer Vollständigkeit, die vielleicht nur in Einzelheiten durch grössere Werke — wie Grote's History of Greece z. B. — übertroffen werden dürfte. Und ähnlich ist es mit den übrigen: selbst Ranke, etwas breit und redselig zwar, aber auch reich und ausgiebig in mannigfachen Resultaten zuverlässiger Forschung, ist immer noch leicht zu lesen und interessant zu studiren, wenn man ihn mit unseren Historikern des vorigen Jahrhunderts vergleicht.

In Bezug auf die leichte und gefällige Form der äusseren Darstellung haben bekanntlich die Franzosen und Engländer lange Zeit den Vorrang vor uns zu behaupten gewusst. Zu weit würde es führen, wollten wir die berühmtesten derselben hier auch nur nennen. Es ist aber unter denselben seit einigen Jahrzehnten Einer aufgetreten, dessen Eigenthümlichkeit besonderes Interesse in Anspruch nehmen darf: es ist Thomas Carlyle. Er hat ausser den Werken über die „Französische Revolution" und über „Friedrich II. von Preussen" einige Bände „Briefe und Reden Oliver Cromwells" herausgegeben, mit Einleitung, Commentaren und Nebenbemerkungen, die zu dem Genialsten und Originellsten gehören, was die heutige Geschichts-

schreibung zu Tage gefördert. Sie sind die Veranlassung des
vorliegenden Essay: bedeutende Abweichungen in der Grund-
auffassung und das Bedürfniss einer kunstvolleren Gestaltung
des hochinteressanten Stoffes nöthigen dazu. Da über Oliver
Cromwell, den Lord Protektor der Englischen Republik, zudem
noch keine den gesteigerten Anforderungen der Gegenwart ent-
sprechende Monographie existirt, so wird es nicht unzweckmässig erscheinen, wenn der Versuch zur Ausfüllung dieser
Lücke gewagt wird.

Die englische Revolution des 17. Jahrhunderts, in welcher
Oliver Cromwell allmälig die Führung in die Hand bekam, obwohl die ganze Bewegung zuerst nicht von ihm allein ausgegangen war, diese Bibelhelden-Revolution steht mit ihrer eigenthümlichen altorientalischen Färbung genau in der Mitte zwischen der Deutschen Reformation des 16. und der französischen
Revolution des 18. Jahrhunderts. Jene, die deutsche Reformation,
war und blieb zunächst rein religiös: sie erneuerte die Tiefen des altbiblischen und neutestamentlichen Gottesbewusstseins
in germanischer Nationalform; aber sie ging nicht fort zur
politischen und socialen Revolution. Die französische Revolution
des 18. Jahrhunderts war wesentlich eine sociale, eine gesell-
schaftliche Umwälzung: es handelte sich im letzten Grunde
darum, die alte, faul, unsittlich und zahlungsunfähig gewordene
Aristokratie der Bourbonen zu beseitigen und das fleissige
Bürgertbum („le tiers état") an seine Stelle zu setzen. Die
englische Revolution des 17. Jahrhunderts dagegen war reli-
giös-politisch: sie begann mit dem Tode der Königin Elisabeth, als die Stuarts Religion und Staat zugleich in einer den
neuen Engländern nicht mehr zusagenden Art und Weise
zurückwenden zu können glaubten. Sie schloss, nachdem der

kurze, nur 11 Jahre dauernde Traum der englischen Republik durch eine neue Restauration der Stuarts abgelöst war, mit der nochmaligen Vertreibung derselben in Jacob II. und der Thronbesteigung Wilhelms von Oranien im Jahre 1688. Seit dieser Zeit haben Parlament und Königthum Frieden gehalten in England: und die Ursachen seiner welt- und meerbeherrschenden Macht seitdem sind im Wesentlichen in der selbstständigen Kraft aller am Staatsleben theilnehmenden Elemente zu suchen, wie sie durch die langen inneren Kämpfe und deren glücklichen Ausgang sich allmälig aufgebaut hatte. Die friedliche Lösung innerer Fragen hat seitdem die richtigen Bahnen gewonnen. Nach Aussen aber haben die grossen Interessen der Nation zugleich fast immer eine höchst energische Vertretung gefunden.

Vor Wilhelm von Oranien ist Oliver Cromwell der Mann, der in schwieriger Zeit zuerst wieder nach dem Tode der grossen Königin Elisabeth dieses alte englische Nationalgefühl in seiner ganzen Energie persönlich repräsentirt. Seine eigenthümliche Grösse besteht darin, dass er der Mann dazu ist, gegen eine Welt von tückischen Feinden und kurzsichtigen Freunden die grossen Intentionen durchzuführen, die dem englischen Nationalgefühl zu Grunde lagen, als es sich gegen die Principien der Stuarts empörte. Um die ganze Schwierigkeit seiner Stellung und seines Unternehmens zu würdigen, muss man einen Blick auf die damalige Weltlage werfen: welch ein Bild bietet sich uns dar, wenn wir von den furchtbaren inneren Kämpfen des englischen Bürgerkrieges aus die öffentlichen Zustände in Deutschland, Frankreich, Spanien und Italien betrachten.

Eine höchst auffallende Erscheinung tritt in der Lage all dieser Staaten ganz besonders in den Vordergrund: das merkwürdige Aufsteigen **Frankreichs** nämlich zu derselben Zeit, wo Deutschland · für Jahrhunderte unheilbar zerrissen wird, England sich im inneren Kampfe verzehrt und Italien und Spanien in einer Weise zu sinken beginnen, die ohne das vorherrschende Uebergewicht fremder Einflüsse in einer geschichtlichen Nation zu den unmöglichen Dingen gehört. Dass in der letzten Periode des unseligen 30jährigen Krieges Frankreich es ist, welches auf deutschem Boden den Herrn spielt und schliesslich Alles den französischen Interessen gemäss zu leiten, zu ordnen und abzuschliessen versteht, ist eine bekannte Thatsache. Ebenso aber hat die französische Diplomatie ihre geschickte Hand in den englischen Angelegenheiten, und es ist nicht weniger bekannt, dass Richelieu namentlich mit den Schotten in fortwährender Verbindung stand. Nimmt man alle Umstände, welche sich unter diesem Gesichtspunkte darbieten, zusammen,*) so liegt in der That die Vermuthung nahe, dass von dem leitenden Mittelpunkte der französischen Diplomatie aus, welche im letzten Grunde mit der römischen Hierarchie auf sehr vertrautem Fusse stand, geheime Einflüsse der entsetzlichsten Art, alles eigenthümliche Nationalleben der verschiedenen Völker bedrohend, sich über ganz Europa erstreckten, und dass die verschiedenen Haupt-Acteurs der damaligen geschichtlichen Ereignisse nur mit mehr oder weniger Selbstbewusstsein sich an den Fäden bewegten, die von Paris und Rom aus geleitet wurden.

Oliver Cromwell mit seinen Eisenmännern nimmt nun solchen Dingen gegenüber in England eine ähnliche Stellung ein,

---

*) Für weitere Details verweise ich auf **Ranke's** interessante **Analekten zur „Englischen Geschichte"** im 7. Bande dieser letzteren.

wie in Deutschland fast gleichzeitig der grosse Churfürst von Brandenburg: die Grösse beider Helden besteht wesentlich darin, dass sie von allen geheimen Einflüssen, fremden Intriguen und einheimischen Redensarten sich nicht imponiren liessen, sondern sich persönlich mit einem schlagfertigen Heere umgaben, und das fast schon verlorene Banner des Protestantismus — jeder in seiner Weise — neu emporflattern liessen zu gewaltigen Siegen, neue Staaten begründend und unermessliche Erfolge vorbereitend.

Von diesem wichtigen Gesichtspunkte aus wird es hohes Interesse darbieten, das Leben Olivers in seiner eigenthümlichen Entwickelung genauer durchzugehen.*) —

Was den äusseren Rechtstitel seines gewaltigen Auftretens betrifft, so ist zuerst hervorzuheben, dass er von mütterlicher Seite aus der königlichen Familie der schottischen Stuarts abstammte: denn seine Mutter war Elisabeth Stewart, nach genealogischen Tafeln unzweifelhaft eine freilich erst in neunter oder zehnter Linie mit den regierenden Stuarts derartig verwandte Dame, dass sie immer noch als eine ältere entfernte Cousine König Karls durfte betrachtet werden. Sie vermählte sich mit Robert Cromwell im Jahre 1591 und lebte glücklich mit ihm zu Huntingdon: ihr Einkommen betrug etwa 300 Pfd. Sterling jährlich, fast ebenso weit reichend damals, wie jetzt etwa 1000 Pfd. — es waren also wohlhabende Landedelleute (substantial Gentry), denen unser Oliver das Licht seiner Tage zu verdanken hatte. Aber — es floss königliches Blut in seinen Adern, aus guter alter Zeit. Er war unter zehn Geschwistern das fünfte Kind, unter den lebenden das vierte.

---

*) Aeltere Biographieen Cromwells siehe bei Carlyle Vol. I. pag. 12. ff.

Die älteste Schwester, Joan mit Namen, starb ein Jahr nach Oliver's Geburt, im Jahre 1600.

Aus den Jugendjahren Oliver's ist namentlich ein Besuch zu erwähnen, den König Jacob I. im Jahre 1603 zu Huntingdon und in dem nahegelegenen Hinchinbrook machte: letzteres war der Wohnort der Grosseltern. Oliver, geboren am 25. April 1599, war damals also kaum 4 Jahre alt. Zwei Nächte logirte die Majestät mit ihrem Gefolge bei den Cromwells: ob dabei verwandtschaftliche Rücksichten massgebend gewesen sind, wird uns nicht gesagt — genug, der König blieb zwei Nächte bei ihnen, ernannte die Hauptrepräsentanten der Familie zu Rittern (Knights) und mochte auch sonst manche Spuren seines Aufenthaltes hinterlassen, namentlich in Bezug auf die grossen Kosten, welche eine solche Ehre dem Gastgeber verursachen musste. Ob die geheimen Schicksalsmächte allen Kundigen mit diesem ersten Besuche bei Oliver bereits eine Andeutung von dem geben wollten, was die künftigen Ereignisse bringen würden, darüber wird uns Nichts berichtet.

Oliver wuchs auf, wie ein Knabe vom Lande damals aufwuchs, ohne dass besondere Umstände und Ereignisse seiner Kindheit ein näheres Interesse dargeboten hätten. Zu beachten ist nur die streng religiöse Umgebung seiner zahlreichen Verwandten, unter welchen seine erste Erziehung begann. Die ganze Zeit nahm allmälig einen religiösen Charakter an, und der Kampf der Parteien entbrannte in England, wie auf dem ganzen Continente, bald zu einer Schärfe und Wuth, dessen tragischer Bewegung zuletzt Niemand mehr sich zu entziehen vermochte. Im Jahre 1604 bereits, ein Jahr nach der Thronbesteigung Jacob I., fand die berühmte Hampton- (nicht Hampden-) Court Conference Statt, eine theologische Disputation

von der ernstesten Bedeutung, weil sich hier zum ersten Male
der Puritaner religiöser Eifer öffentlich zu messen hatte mit
der englischen Ceremonial-Hofkirche, wie sie die Stuarts wollten. König Jacob gebrauchte hier sein ganzes königliches Ansehen sogleich in jener Richtung, welche für die Stuarts so
verhängnissvoll werden sollte*): und die Folgen in der Stimmung
des Volkes liessen nicht auf sich warten. Die Pulver-Verschwörung
(Gunpowder Plot) im folgenden Jahre — 1605 — war schon ein
erstes Symptom der Schärfe, zu welcher das politische Treiben und
Gähren der Zeit allmälig sich steigerte. Fünf Jahre darauf
schon erfolgte in Frankreich jene scheussliche That, die das Princip
aller Versöhnung der Parteien selbst in's Herz traf: die Ermordung
Heinrichs des Vierten — 1610 — war das Vorspiel zu dem
entsetzlichen Kriege, der bald darauf fast zwei Generationen
in einen Abgrund von Fanatismus und Verderben hineinziehen
sollte. 1612 starb auch Prinz Henry von England, und Charles (I)
wurde damit Erbprinz — ein Wechsel, der von den entschei-
dendsten Folgen für die engliche Geschichte wurde. Um dieselbe Zeit wurde seine Schwester Elisabeth mit dem Pfalzgrafen
Friedrich vermählt — dem unglücklichen Winterkönig, an dessen
Persönlichkeit sich die ersten unglücklichen Entscheidungen des
30jährigen Krieges knüpften. Ein junger Doktor der Theo-
logie, Dr. Laud ("little" Dr. Laud) stieg um diese Zeit allmälig in den kirchlichen Würden der englischen Hochkirche
aufwärts: er wurde Erzdiakon von Huntingdon, bald darauf
Bischof, endlich Erzbischof — Alles um die Zeit, wo der
grosse Genius Shakespeare's der bösen Welt müde zu werden
begann, sich nach Stratford on Avon zurückzog und dort bald

---

*) Neal's „History of the Puritans." London 1754.

darauf starb. Es war an seinem Todestage, am 23. April 1616,
als der 17jährige Oliver Cromwell als Student in Cambridge
eingeschrieben wurde. Zehn Tage vorher war Cervantes in
Spanien gestorben, der grosse Komiker, dessen köstlicher
Humor mit unsterblicher Meisterschaft die mittelalterliche Ritter-
zeit ironisch aufzulösen verstanden hatte. Allerlei Anzeichen
deuteten darauf hin, dass eine neue Zeit beginne, entscheidende
Wendungen für die verschiedenen Völker im Schoosse bergend.

Dass alle diese Dinge, welche die grosse Welt allmälig
zu bewegen begannen, nicht spurlos an dem immer mehr auf-
merkenden Geiste des jungen Oliver vorübergehen konnten,
lässt sich erwarten. Als am 24. Juni 1617 sein Vater und
bald darauf auch sein Grossvater zu Ely gestorben waren,
siedelte er von Cambridge nach London über, und studirte in
der Haupstadt des Landes selbst die Rechte, indem er auch praktisch bereits manche Uebungen mitmachte, welche in das juri-
stische Leben einführen konnten. Hier hatte er nun offenbar Gelegenheit, von Allem immer unterrichtet zu sein, was von
diesem Jahre an die gesammte abendländische Welt wieder
einmal zu bewegen begann. Mochten auch die Nacbrichten noch
nicht mit jener Schnelligkeit, wie heutzutage, von einem Lande
zum andern dringen, so mussten doch in den Hauptstädten
wenigstens solche Ereignisse, wie die Bewegungen in Böhmen
im Anfange des dreissigjährigen Krieges, sehr bald zu allgemeiner Kenntniss gelangen. Die mit der Kunde solcher Dinge sich
verbreitende Aufregung theilt sich allmälig allen Schichten des
Volkes mit, wirkt aber namentlich energisch bestimmend auf
solche Naturen, deren persönliche Gemüthsrichtung ihnen ein
congeniales Verständniss für Alles gibt, was sich in gleicher
Richtung irgendwo und irgendwie zur Geltung bringt. Doch

waren in England selbst die Dinge noch nicht zur Reife gediehen.

Von besonderem Eindruck während seines Londoner Aufenthaltes wird auf Oliver die Hinrichtung des alten Walter Raleigh gewesen sein, welche am 29. October 1618 stattfand. Ein alter Seeheld, gebrochenen Herzens scheiternd noch am späten Abend seines Lebens, sterbend auf dem Schaffot, nachdem er ein ganzes Leben lang seinem Lande und Volke, wie seinem Gotte treu glaubte gedient zu haben — welch ein Bild des herben Unglücks! Welch ein tragisches Schauspiel für die Augen solcher jungen Zuschauer namentlich, die in dem bald beginnenden Drama der Zeit eine Rolle zu spielen berufen waren — Oliver selbst, Prinz Charles, Strafford vielleicht auch, und so vieler Anderen, deren Namen und Schicksale die nächsten Jahrzehnte erfüllen. Es war wie eine erste Andeutung, dass selbst die sehr hoch Stehenden nicht völlig sicher sein würden vor den zerschmetternden Blitzen, welche die eben heraufziehenden Gewitterwolken des dreissigjährigen Religionskrieges in allen Ländern entladen sollten.

Bis zum August 1620 blieb Oliver in London: am 22. August dieses Jahres vermählte sich der 21jährige junge Mann mit Elisabeth Bourcher und lebte mit der jungen Frau dann einige Jahre ruhig zu Huntingdon bei der Wittwe Elisabeth Stuart, seiner alten Mutter. Einige Kinder, (zwei Söhne) beglückten bald das junge Paar. Und das stille und friedliche Leben in Huntingdon wurde nun eine Zeit lang durch Nichts unterbrochen oder eigenthümlich charakterisirt, als durch die hereintönenden Nachrichten aus London, durch Oliver's Spleen-Anfälle und seine innige Theilnahme an dem religiösen Leben der „Stillen im Lande." Im Jahre 1623 hatte die Reise des Prinzen Charles nach Spanien stattgefunden: Buckingham hatte die spanische Heirathsangelegenheit glücklicherweise so verpfuscht, dass der Prinz ohne Braut-Infantin zurückkehrte. Er wurde König nach zwei Jahren — Karl I., König von England, nachdem sein Vater Jacob I. am 27. März 1625 gestorben war. Dieser hatte wenig Vernünftiges gewirkt, — sich immer an fremden Fäden kopflos herumbewegt, wie eine Spielpuppe auf dem Marionetten-Theater. Es musste sich bald zeigen, ob sein Sohn die Kunst, Männer von Verstand zu regieren, besser verstehen würde.

Alle Männer von Ernst und Verstand *) aber waren nicht auf Seiten der Stuart'schen Hochkirche, sondern auf der der Puritaner, die seit 1624 besonders überall im Lande herumziehende Prediger unterhielten (running lecturers). Oliver betheiligte sich eifrig, sprach auch selbst wohl einmal vor der Gemeinde des Herrn, besuchte fleissig die gottesdienstlichen Versammlungen und gründete sich überhaupt in dieser Zeit einen festen Ruf von grossem Ansehen, so dass vielleicht mancher schon im Stillen bei sich dachte, was später seine Freunde im Parlament aussprachen: „Wenn's einmal Ernst wird, soll der plumpe Gesell der grösste Held von England uns noch werden!" Es war etwas eigen Gewaltiges in dem jungen Landedelmanne, wie er seinen Acker baute, Ordnung im Hause hielt, dann mit einem rothen Halstuche um den Nacken (red flannel) in der Kirche sass und wohl einmal in kunstloser, aber eigenthümlich ernsthaft gemeinter Rede vor der Gemeinde sprach von den Wegen des Herrn und der nothwendigen Bekehrung. Seine

----

*) Der Englische Ausdruck sehr schön und energisch: „All the serious Thought and Manhood of England." Carlyle.

eigene Conversion — Umkehr von gedankenlosem Jugendleben zur ernsten Theilnahme an der Arbeit all seiner mitleidenden Brüder für die ewigen Zwecke des Lebens im Geiste — diese innere Wiedergeburt, die jeder tüchtige Mensch einmal in seinem Leben durchzumachen hat, wenn überhaupt Etwas aus ihm werden soll, sie fand wohl in dieser Zeit Statt. Und wir werden aus den uns erhaltenen Briefen ersehen, wie seltsam tief und energievoll der junge Oliver noch zehn Jahre später und dann sein ganzes Leben durch alles das aufzufassen verstand, was die hohen Geistesinteressen und letzten Lebenszwecke betraf, die den eigentlichen Lebensinhalt seiner Vereinigung mit den übrigen Brüdern und Freunden in London ausmachten. Es ist nochmals hier hervorzuheben: die massive Tüchtigkeit seines persönlichen Charakters in allem, womit es ihm eben voller Ernst war — das war das unterscheidende Kennzeichen der ihm bestimmten Grösse, welches immer bestimmter und intensiver von jezt an hervortrat.

Oliver sass nicht in Carl's erstem Parlament vom Jahre 1625. Erst im dritten Parlamente des neuen Königs, für das Jahr 1628, war Oliver Mitglied für Huntingdon. In demselben Parlamente sassen auch Elliot, Hampden, Pym, Selden, Holles und ausser vielen anderen auch Thomas Wentworth — später als Graf Strafford zu tragischem Ruhme aufsteigend — jetzt nur erst als glänzender Redner und tüchtiger Advokat bekannt und mit allen genannten und vielen anderen in der entschiedensten Opposition gegen die Politik der Stuarts, wie sie auch König Carl in verhängnissvoller Weise fortgesetzt hatte. In diesem Parlamente ging die berühmte „Petition of right" durch. Aus ihm theilt Carlyle den charakteristischen Brief mit vom 6. Juni 1628, höchst lebendig die ganze Situation schildernd, wie selbst alte Herren im Parlament vor Thränen nicht reden konnten wegen des in England ganz unerhörten Verfahrens, das der König mit seinen Beamten einschlug. Thomas Alured hiess der Mann, von dem wir das kostbare Dokument haben.*) „What are we to expect?" Was haben wir noch Alles zu erwarten? — Das ist der immer wieder-kehrende Refrain in allen damaligen Reden: er charak-terisirt am besten die angstvolle Stimmung des Volkes! Oliver sah all die bekannten Scenen mit an: wir denken uns dabei in seine Empfindung und seine Gedanken hinein; aber er sprach Nichts mit: still hat er dagesessen und sich das Seinige ge-dacht. Das Parlament wurde bald darauf aufgelöst oder ver-tagt vielmehr bis zum October des Jahres 1628, wie es hiess — faktisch bis zum Januar 1629. Bis es wieder zusammen-kam, war der Günstling Herzog von Buckingham, dessen Name öffentlich im Parlament genannt war als Anstifter alles Unheils, bereits beseitigt: Lieutenant Felton hatte ihn ermordet und musste dafür sterben als Verbrecher, obwohl ganz England ihm im Stillen für den erwiesenen Dienst dankte. Es wurde aber nicht besser dadurch: der Gegensatz verschärfte sich nur noch mehr.

Oliver trat zum ersten Male öffentlich auf in einer Com-mission für Religions-Angelegenheiten, die während der Sitzungen des Parlaments von 1629 gewählt war. „Er habe gehört von seinem alten Schulmeister zu Huntingdon, Dr. Beard," sagte er unter anderm, „dass ein gewisser Dr. Alablaster fade Popery („flat popery") gepredigt habe, und dass der Bischof von Winchester, Dr. Neile, ihm befohlen hätte, er solle durchaus nicht dagegen predigen."**) Ebenso sei ein anderer

---

*) Carlyle I, pag. 59.
**) Seine Worte bei Carlyle I, pag. 63.

Geistlicher, der vom Hause mit so vollem Rechte getadelt sei,
von demselben Bischof dennoch anderen vergezogen und gut
angestellt worden. „Wenn das die Stufen zu königlichen Ehrenstellen sind, was haben wir zu erwarten?" — „What are we
to expect?" —

Man sieht, der Gegensatz ist da in seiner vollen Schärfe.
Wenn Königin Elisabeth bei wichtigen Anlässen „ihre Kanzeln
zu stimmen pflegte" ('used to tune her pulpits') und dadurch
oft ihre grossen Erfolge in der zweckmässigsten Weise vorbereitete, so sehen wir dieses Verfahren von ihren Nachfolgern
in einer Weise fortgesetzt, die der Stimmung des Volkes auf's
Entschiedenste widersprach. Oliver Cromwell war einer der
Ersten, welcher dieser abweichenden religiösen Stimmung des
englischen Volkes bestimmten Ausdruck gab. Und die Annalen
des Unterhauses erwähnen bei dieser Gelegenheit zum ersten
Male öffentlich seinen Namen mit den Worten:

„An Dr. Beard in Huntingdon solle durch den Sprecher des
Hauses geschrieben werden, dass er nach London kommen und
Zeugniss gegen den Bischof abgeben solle; dieser Befehl für
Dr. Beard aber solle übergeben werden an Mr. Cromwell." —

Die Streitigkeiten gingen weiter, auch Bischof Laud's
Name wurde bereits genannt: eine Remonstration gegen solche
kirchliche Reaktionsversuche sollte schon beschlossen werden,
da trat der König Carl wieder dazwischen. Vierzehn Tage
darauf war das Parlament aufgelöst, und zwar unter Umständen,
wie sie in keiner parlamentarischen Geschichte ähnlich vorgekommen sind. Der Sprecher, in fortwährender Verbindung mit
dem König, weigerte sich nämlich eines Tages, die Frage zu
stellen, wie es das Haus befahl. Er behauptete, entgegengesetzte

Ordres zu haben, beharrte darauf, und begann zuletzt zu weinen.
Das Haus vertagte sich, eine ganze Woche lang war Nichts zu
machen. Am nächsten Montag wollte der Sprecher — Finch
war sein Name — wieder die Frage nicht stellen, überhaupt
Nichts zur Verhandlung kommen lassen: er habe Befehl vom
König, sofort wieder zu vertagen, weigerte sich demnach fortwährend, die vorgeschriebenen Formen zu erfüllen, wurde getadelt darüber, bedroht endlich, nahm wieder seine Zuflucht
zum Weinen, sprang zuletzt auf, um seiner Wege zu gehen. Da
aber ergriff der junge Denzil Holles, der zweite Sohn des Grafen von Clare, mit einigen anderen ehrenwerthen Mitgliedern
des Hauses, die auf diese Bewegung vorbereitet waren, den
Sprecher Finch, drückten ihn gewaltsam wieder auf seinen Sitz
und hielten ihn dort fest.   •

Eine Scene solcher Art, so bewegt in Worten, Mienen und
Geberden, war niemals zuvor im Parlament gesehen worden.
Das Haus war in der grössten Aufregung. „Lasst ihn gehen!"
riefen mehrere Mitglieder vom Geheimen Rathe, Minister seiner
Majestät, wie wir jetzt sie nennen würden — sie sassen in jener Zeit dem Sprecher zunächst, gerade gegenüber — „lasst
den Herrn Sprecher gehen!" riefen sie flehend. „Nein, bei
Gottes Wunden, da soll er sitzen bleiben, bis es dem Hause gefällt aufzustehen!" So rief der junge Holles. Das Haus ging
darauf ein, verschloss seine Thüren, liess Niemanden hinaus, auch
Niemanden hinein, selbst nicht den Ceremonien-Meister des Königs, redigirte rasch drei emphatische Beschlüsse, einen Protest
gegen den Arminianismus, einen gegen das Papstthum und einen
gegen das illegale Tonnen- und Pfund-Geld. Dann verschwanden sie rasch: sie vernahmen, dass Truppen kämen. Die Folge
dieser überraschenden Procedur war aber doch die Einkerkerung

von Holles, Elliot, William Strode, John Selden und Anderen;
von welchen der edle Elliot bekanntlich im Tower blieb, bis er
starb — eine Brutalität, die nicht wenig beitrug zur Aufregung
der folgenden Jahre.

Diese berühmte Scene fand statt am Montag den 2. März
1629. Gleich darauf wurde das Parlament durch königliche
Proklamation aufgelöst — es war in derselben von „einigen
Nattern" (vipers) die Rede, die in demselben gewesen wären.
Elf Jahre lang wurde seitdem kein Parlament mehr berufen:
und nun wurde ohne Parlament regiert, wie England es nie
erlebt.

Oliver kehrte nach Huntingdon zurück. Der König von
England mit seinen Hauptpriestern und getreuen Dienern ging
von nun an den einen Weg: die Nation von England ging nach
ewigen Gesetzen einen total anderen. Die Trennung und Spaltung wurde bald zu tief, um noch geheilt werden zu können:
nur einer von beiden Wegen konnte der richtige sein. Aber
jedes Volk ist geduldig lange Zeit — es bedurfte besonderer Veranlassungen noch, um die gährende Stimmung zum Ausbruch
zu bringen.

Höchst charakteristische Aeusserungen aber zeichneten
bereits diese Stimmung des Volkes in der bedenklichsten Weise.
Die Pamphlete jener Zeit*) enthalten die schlagendsten Beispiele dafür. Am empfindlichsten berührten die zahlreichen
Monopole, welche alle Waaren theuer und dennoch schlecht
machten. Sogar gute Seife war nicht mehr zu haben für

---

*) Eine grosse Sammlung derselben im British Museum zu London
harrt noch der kundigen Hand, die das Werthvolle unter ihnen vom Unbrauch-
baren zu scheiden versteht.

billigen Preis.   Und so entstand das schlagende Wort: „Eure
Seife war sehr theuer, und doch wollte sie nicht ordentlich
waschen — sie gab nur Blasen" (sie schäumte blos und
reinigte nichts!)*).

---

*) „Your soap was dear, and it would not wash, but only blister."
                                                              Carlyle.

I. England ohne Parlament.
1629 — 1640.

Nachdem die Bewegung, welche den Thron der Stuarts zuletzt stürzen sollte, einmal in der angedeuteten Weise begonnen hatte, gingen die Ereignisse mit unerbittlicher Consequenz ihren Gang weiter. Zunächst versuchte es der König, ohne Parlament zu regieren; er bedurfte also an höchster Stelle einiger Charaktere, in denen persönlicher Ehrgeiz, rücksichtslose Energie gegen alle, die nicht zur Clique gehörten, unbedingte Fügsamkeit dabei gegen alle Launen des königlichen Willens, und endlich mit Geschick und Kenntnissen verbundene absolute Gewissenlosigkeit in der Wahl der Mittel die hervorragenden Eigenschaften waren. Nur mit solchen politischen Charakteren oder vielmehr charakterlosen Politikern war es vielleicht eine Zeit lang möglich, allen parlamentarischen Traditionen des alten England consequent und methodisch in's Gesicht zu schlagen und den reinen kirchlich-despotischen Militairstaat auch in England zu begründen, wie er um diese Zeit überall sich fest consolidirte. Frankreich war hier wieder das Musterbild.

Seit Buckingham's Tode gab es nur Einen Mann in England, der in König Karl's Augen alle jene Eigenschaften, die er

2*

brauchte, in hervorragender Weise in sich vereinigte. Dieser Mann war Thomas Wentworth, der bekannte Advokat und heftige Oppositionsredner des Parlaments von 1628 und 1629.

Thomas Wentworth, später zum Grafen Strafford ernannt und als solcher tragisch endend, hatte wegen verweigerter Zustimmung zu den geforderten Anleihen bereits im Gefängniss gesessen. Das Volk von England belohnte ihn dafür mit einem Sitze im Parlament von 1628: seine leidenschaftlich heftige Opposition in demselben entsprach den gemachten bitteren Erfahrungen; die Gewandtheit und Schlagfertigkeit, die er als geschulter Advokat besass, kam ihm und seiner Partei dabei trefflich zu Statten. Es ist interessant, die Bahn zu verfolgen, auf welcher dieser merkwürdige Mann nun von einem Oppositionsredner der äussersten Linken zum allmächtigen Minister der äussersten Rechten sich entwickelte. Die Auffassung dieser entschiedenen Wendung in seinem Charakter und Schicksale zeigt bei den gewöhnlichen Historikern nicht diejenige Tiefe des Urtheils, mit der ein so interessanter Charakter betrachtet zu werden verdient.

Es mag sein, dass der erste Beweggrund für ihn, das Angebot des Königs anzunehmen, die unerwartet rasche Befriedigung eines glühenden persönlichen Ehrgeizes war: Männern von solchem Talente, solcher Thatkraft, solcher persönlichen Bildung überhaupt ist es immer und unter allen Umständen in erster Linie um sich selbst zu thun — sie sind alle raffinirte Egoisten. Darüber kann man empört sein und in sittliche Entrüstung gerathen, aber das ändert die Sache nicht! Es ist so und wird auch wohl immer so bleiben, so lange die Menschen eben wirkliche Menschen und nicht abstrakte Tugendideale sind. Wundern kann sich darüber also Niemand, der einigermassen Welt und Menschen, wie sie wirklich sind, kennen gelernt hat; höchstens wird ein verständiger und vorsichtiger Politiker es bedauern und in hohem Grade unvorsichtig finden, dass er bedingungslos eine Stellung einging, die doch all' seinen früheren Lebensgewohnheiten contradictorisch widersprach.

Es ist aber sehr wohl möglich, dass im Hintergrunde dieser raschen Zustimmung der Entschluss lag, sein England gross und mächtig zu machen um jeden Preis, auf welchem Wege es auch immer sei. Durch die ganze europäische Welt ging der Zug nach straffer Zusammenfassung aller nationalen Kräfte; zugleich brannte der wildeste Religions- und Interessen-Krieg im Mittelpunkte Europas schon ein ganzes Jahrzehnt lang: die französische Diplomatie hatte überall ihre Hand im Spiele und entwickelte bald eine solche Ueberlegenheit ihrer aufstrebenden Macht, dass eine vorzugsweise Handel treibende Nation wenigstens ein besorgtes Auge auf diese Nachbarmacht gerichtet halten musste. Da ist es nicht zu verwundern, wenn in begabten Köpfen der Gedanke auftauchen konnte, es mit dem sich so erfolgreich zeigenden französischen System lieber in England selbst einmal zu versuchen, statt dagegen unnütz anzukämpfen, zumal nun schon zwei Regierungen, mehr als 20 Jahre lang hindurch, vergebens in blos parlamentarischer Opposition waren bekämpft worden. Es ist sogar möglich, dass Strafford — nennen wir ihn mit seinem bekanntesten Namen — sich im Geheimen alle Mittel und Wege glaubte offen halten zu können, wieder in die parlamentarische Geschichte einzulenken, wenn er nur erst Minister sei und Das erreicht habe, worum es dem Könige zuerst und vor Allem zu thun sei — Soldaten, Schiffe und Geld, um im Nothfalle seinem Auftreten nach

Aussen den gewünschten Nachdruck geben zu können. Das spätere Auftreten Straffords zeigt wenigstens ganz unzweideutig, dass er ein zum Regieren geborener Kopf war, dass er zu organisiren und zu befehlen verstand, wie Einer, dass er auch diplomatische Gewandtheit in hinlänglichem Masse besass, um mit den Umständen rechnen und je nach der Lage der Dinge sich hierhin und dorthin wenden zu können, wie es das Interesse des Staatsganzen im besonderen Falle zu verlangen schien. Ein Charakter, in welchem alle derartigen Motive, durch lange Reizung und bittere Erfahrungen verbunden zu scharfangespannter Thatkraft, ungeschieden vereinigt lagen, ist nicht tief genug begriffen, wenn man sagt, er habe sich durch persönlichen Ehrgeiz zum Abfall von seiner Ueberzeugung hinreissen lassen.

Aber er bedachte nicht die ungeheure Kraft der zähesten Gewohnheiten, die nun schon Jahrhunderte lang das englische Volk mit all' seinen geheimsten Lebensfasern an das parlamentarische Leben nicht nur, nein, geradezu und mit besonderer Vorliebe an die parlamentarische Opposition fesselten. Er glaubte dieses unendlich tief und weit verzweigte Leben der englischen Nation selbst ungestraft in seinem innersten Lebenskeime verletzen zu können, indem er allein mit wenigen Gesellen das vollbringen wollte, was nur die loyalen Vertreter eines ganzen Volkes vermögen — den modernen Culturstaat in all' seinen reichverzweigten Formen zum Glanz, zur Macht, zum allgemeinen Wohlstand und zum Leben in der Idee des Ganzen, zur Religion, zur Schönheit, zur Tugend und Wahrheit in jedem Einzelnen erziehend emporzuführen. Das Alles wollte er allein mit Beamten, Soldaten und Polizisten zur Ausführung bringen, statt das ganze Volk durch seine Vertreter überall mitarbeiten zu lassen. Ein solcher Versuch musste in einem Volke, wie es das Englische von jeher gewesen — selbstbewusst, hartnäckig, wohlhabend und puritanisch streng in Religion und Moral — nothwendig auf die Dauer misslingen. Es sollte sich bald zeigen, auf welche Weise. —

Das schwächere Gegenbild zu einem solchen die politischen Verhältnisse unbedingt beherrschenden Minister war der Cultusminister L a u d — little Dr. Laud, wie ihn Carlyle gewöhnlich nennt — jetzt aber ein mächtiger Vertreter derjenigen Richtung, die in den englischen Protestantismus durch kleine Mittel allmälig wieder die Grundprincipien des Katholicismus einschmuggeln zu können hoffte. Da es hier vorzugsweise um eine Biographie Olivers zu thun ist, so halten wir uns nicht bei diesem zweiten Organe der Stuart-Politik auf. Es ist bekannt, wie die sogenannte h o h e C o m m i s s i o n ebenso die Gewissen der Unterthanen zu überwachen und durch Anwendung von Geldstrafen, Haft und anderen kleinen Zwangsmitteln in die gewünschte Bahn zu lenken suchte, als die S t e r n k a m m e r den politischen Widerstand zu brechen wusste. Jene war das Organ Laud's, diese das des Grafen Strafford. — So begann die Regierung ohne Parlament. —

Oliver war unterdessen ruhig nach Huntingdon zurückgekehrt. Er wurde dort 1630 Friedensrichter, zog dann im Jahre 1631 fünf Meilen den Fluss hinunter und siedelte sich in St. I v e s an. Seine Grossmutter Elisabeth blieb zu Huntingdon. Er erhielt im Jahre 1632*) bereits sein siebentes Kind, von denen jetzt noch fünf am Leben waren, und setzte im Uebrigen sein stilles, ländliches Leben, verbunden mit religiösen Ver-

---

*) In diesem Jahre ging bekanntlich V a n D y c k nach England an den Hof Karl's I.: Die berühmten Portraits in Windsor, in Blenheim, im Louvre u. s. w. stammen aus den folgenden Jahren. —

sammlungen, fort, ohne sich viel um die grossen Welthändel
zu kümmern. Diese setzten unterdessen ihren Gang fort in
derjenigen Richtung, die Oliver nicht gefiel. Im Jahre 1632
fiel Gustav Adolph, der Schwedenkönig, in der Schlacht bei
Lützen — ein Ereigniss, wodurch˙ der ganze Religionskrieg wieder eine bedenkliche Wendung zu Gunsten des Katholicismus
nahm. 1633 zog König Karl nach Schottland, um persönlich
die Umwandlung der schottischen Presbyterial-Kirche in die bischöfliche Hochkirche Englands zu leiten und anzuordnen.*)
Bischof Laud begleitete ihn, fand immer noch, wie er auch
schon früher erklärt hatte, durchaus keine Religion in Schottland, wollte sie selbst nach seinem System dort einführen
— in dieses ehrwürdige alte Schottland, das ihm bald klar
machen sollte, wie viel Religion auch ohne ihn dort seit
längerer Zeit schon gesicherten Bestand hatte. In England
selbst gingen die Massregelungen ihren Gang weiter: Prynne,
der Verfasser des Histriomastyx, stand am Pranger und büsste
beide Ohren ein. Viele wurden in's Gefängniss geworfen. Einige
starben in demselben. Unzählige mussten schwere Geldbussen
zahlen, wobei sich der Königliche Schatz nicht schlecht stand.
Die Katholiken genossen verhältnissmässig noch die grösste
Freiheit, aber auch sie mussten diese Sicherheit von Leben
und Eigenthum mit schweren Geldsteuern erkaufen. Endlich,
um dem künstlichen Gebäude die Krone aufzusetzen, ward die
Erhebung des Schiffsgeldes (ship-money) beschlossen: aus
dem Ertrage dieser nicht unbedeutenden Steuer sollten dann
so viel Soldaten und eine solche Flotte geschaffen werden, dass

---

*) „To get his Tulchans converted into real Calves" — wie der höchst
charakteristische englische Ausdruck lautet. Vgl. die Erklärung bei Carlyle.

der König im Nothfalle die Mittel in Händen hatte, sowohl um
Krieg nach Aussen zu führen, als auch um innere Unruhen gewaltsam niederzuschlagen.

Dieses sogenannte „Ship-money" war nicht eigentlich eine
neue Steuer, es bestand vielmehr schon seit alter Zeit als eine
Art Geldabfindung für die Lieferung von Schiffen zum Schutze
der Küsten, welche früher den Seestädten zur Last gefallen
war. Es war aber immer nur eine ausserordentliche Kriegs-
steuer in Zeiten besonderer Gefahr gewesen, und es war nur
von den Seestädten gezahlt worden. Jetzt sollte nun, obwohl
keine unmittelbare Kriegsgefahr für England vorhanden war,
eine über das ganze Land sich erstreckende und in jeder einzelnen Haushaltung zu erhebende allgemeine Steuer daraus
werden, von der Jedermann wusste, dass sie viel weniger für
die Flotte, als für das Landheer benutzt werden würde. Das
aber wurde nicht gesagt — es hiess immer nur „Schiffsgeld". —

Es war diese Erhebung einer so bedeutenden und durchgreifenden Steuer, einzig und allein auf königlichen (oder vielmehr ministeriellen) Befehl, ohne Bewilligung des Parlamentes, die äusserste Probe dafür, was man der englischen
Nation bereits glaubte bieten zu dürfen: bestand sie auch diese
Probe noch, ohne irgend welchen ernsten Widerstand zu leisten,
so war sie reif dafür, in den allgemeinen Schafstall zurückzukehren, aus dem sie sich vor hundert Jahren zu befreien verstanden hatte. Unter Heinrich VIII. und unter Elisabeth's glorreicher Regierung hätte man so Etwas nicht gewagt: jetzt wagte
man es.

Der Befehl erging und das Geld wurde erhoben. Man
murrte, man schimpfte, man machte die Faust im Sack, man
besprach sich im Geheimen, aber man zahlte — Jeder zahlte.

Was konnte der Einzelne gegen die wohlorganisirte Staatsmacht!

Strafford glaubte schon gesiegt zu haben, fünf Jahre kaum, nachdem er Minister geworden. Aus Irland, wohin er um diese Zeit gegangen, schrieb er bereits: „Alles gehe gut; nur noch ein paar ruhige Jahre, und die Nation wird sich an dies Regiment gewöhnen und der König ein grösserer und mächtigerer Herr sein, als irgend einer seiner Vorfahren."

John Hampden war der Mann, der in diese allgemeine Vertrauensseligkeit den energischen Protest des unabhängigen Landedelmannes hineinwarf. Noch heute gedenken die englischen Politiker gern des muthigen Mannes, der in jenem entscheidenden Augenblicke richtig aufzutreten wusste. Er war 1594 geboren zu London, stammte aber aus einer alten Familie in Buckinghamshire, die mit den Cromwells verwandt war: er selbst war der Vetter Oliver's. Er hatte zu Oxford studirt, wurde dann Advokat und erwarb sich als solcher so guten Ruf, dass er schon 1625 für den Flecken Grampound in's Parlament gewählt wurde. Hier zeichnete er sich sofort aus durch eben so ruhige, als entschiedene Haltung in Allem, was die wahren Interessen Englands und des Protestantismus betraf: er protestirte gegen die Vermählung des Kronprinzen Charles mit der spanischen Infantin, und rieth zur Unterstützung der evangelischen Kirche in Preussen. Er bestritt mit seinen Freunden das Recht zur Erhebung des Tonnen- und Pfund-Geldes ohne parlamentarische Zustimmung und trug nicht wenig dazu bei, im Parlament von 1628 die „Petition of right" durchzusetzen.*)

---

*) Vgl. D'Israeli „Elliot, Hampden and Pym." London 1632. — Nugent: „Some memorials of John Hampden, his party and his times." London 1631.

Nach der Auflösung des Parlamentes lebte er, wie Cromwell, 6—7 Jahre ruhig seinen Privatinteressen, bis er den Zeitpunkt für geeignet hielt, persönlich hervorzutreten. Er war keineswegs ein so blendendes rhetorisches Talent, wie Strafford; auch die revolutionäre Agitation, wie in Prynne und Anderen, war keineswegs sein specielles Fach: er hatte nur den Muth der Ueberzeugung und die Consequenz des politischen Charakters, und seine Kraft bestand in dem in neuerer Zeit mit Unrecht einigermassen discreditirten passiven Widerstande. Zu Zeiten ist auch ein solcher durchaus nicht gering anzuschlagen. Dieser Hampden also verweigerte, obwohl er ganz wohlhabend war, die kleine Summe von 20 Schillingen Schiffsgeld (etwa 1 Pfd. Sterling oder 6 Thlr. 20 Sgr.) zu bezahlen, zu denen er eingeschätzt war: und er berief sich dabei ausdrücklich auf das alte Recht des Landes, dass zur Bewilligung derartiger Steuern eine Bill des Parlamentes erforderlich sei.

Es kam zum Process, und der Process machte ein ungeheures Aufsehen. Die Richter der Schatzkammer mussten ihn auf ministeriellen Befehl verurtheilen, und es war ihnen nicht wohl dabei. Die Majorität der Richter, die ihn verurtheilte, war eine sehr kleine: in der Stimmung des Volkes hatte der Verurtheilte unbedingt gesiegt, obwohl er die kleine Summe bezahlen musste und eine Zeitlang in's Gefängniss kam. Kurz, das öffentliche Urtheil begann eine für die Regierung höchst bedenkliche Wendung nach der entgegengesetzten Seite zu nehmen: der zündende Funke war in die ermüdete Stimmung der Nation hineingeschleudert.

Zu allgemeinem Widerstande kam es freilich zunächst noch nicht. Vielmehr fuhr die Regierung zunächst ungehindert fort, in derselben ungesetzlichen Weise sich Geld zu verschaffen und

zu rüsten, die sich nun schon seit Jahren als praktisch für sie
bewährt hatte. So ungünstig gestalteten sich momentan die
Aussichten der parlamentarischen Partei, dass Hampden und
Oliver schon im Jahre 1637 den Entschluss fassten, mit vielen
anderen Patrioten ihr Vaterland für immer zu verlassen
und sich jenseits des Oceans eine neue Heimath zu suchen.
Die Regierung verweigerte ihnen aber auch dazu die Erlaubniss.

Eine entscheidende Wendung brachten erst die Ereignisse
in Schottland. Hier sass von alter Zeit her ein mächtiger
Adel zwischen den schönen Hochlanden, dem seine Hintersassen
als ihren wohlbekannten guten Herren von Alters her weit mehr
folgten, als dem fremden König, den sie ein- oder zweimal zu
sehen bekamen und von dem die schottischen Milchmädchen
spöttische Lieder sangen und die Redensarten gebrauchten, die
Tulchans, die falschen Kälber, mit deren Hülfe er Schottlands
Kühe melken wolle, seien immer noch nicht recht fertig. Sie
meinten seine Bischöfe damit. Neben diesem Adel waltete in
Schottland eine protestantische Geistlichkeit, die seit John Knox
durchaus auf den Ideen einer fast republikanischen Selbstregie-
rung der Gemeinde des Herrn basirte, dabei in Moral und Kir-
chenzucht eine höchst respectable Strenge zeigte und so im
ganzen Lande eine Bevölkerung schuf, von der jeder Einzelne
fest auf dem Boden des eigenen Gewissens und der presbyterianischen Gewohnheiten stand. Ein gewisses natürliches Feuer
verband sich in diesem schönen Lande von jeher mit seiner
hohen moralischen Kraft: jener feine Sinn, der in neuerer Zeit
die Gedichte eines Robert Burns und die Romane eines Walter
Scott erzeugt hat, ist seit alter Zeit heimisch in der schottischen Bevölkerung; und so musste hier Alles besonders em-

pfindlich berühren, was Karl und seine Minister so ohne Weiteres glaubten durchsetzen zu können.

Im Jahre 1637 sollte „die neue Liturgie" hier eingeführt und nach derselben der erste Gottesdienst in der Kathedrale zu Edinburg (am 23. Juli) gefeiert werden. Es schien, als wenn all' die gährenden Elemente, welche durch die papistische Reaktion, die Einführung der bischöflichen Hochkirche, die strenge Gerichtsbarkeit und alle möglichen Willkührmassregeln bereits in Bewegung gerathen waren, nur auf einen solchen entscheidenden Moment gewartet hätten, um jetzt mit einem Schlage vernichtend über das neue System herzufallen. Eine alte Frau, Jenny Geddes mit Namen, begann den Tanz: als der Gottesdienst anfing und das ungewohnte Ceremoniell ihr zu bunt und zu lärmend erschien, stand sie plötzlich auf, ergriff den Stuhl, auf dem sie gesessen, warf ihn mit dem lauten Rufe*): „Ein Pabst, ein Antichrist! Du schändlicher Dieb, willst Du hier Messe lesen vor meinen Ohren? Der Teufel soll Dir ja auf den Magen fahren!" — nach dem am Altare celebrirenden Erzbischofe: und damit war das Signal gegeben. Es war nicht sehr höflich von der alten Jenny, ganz gegen allen Anstand; aber es wirkte! Ein lärmender Volkshaufe drang in die Kirche ein, beschimpfte die prächtig gekleidete hohe Geistlichkeit, warf mit Bänken, Stühlen und Steinen nach ihnen, dass sie nur mit Mühe das Leben retteten und eine Fortsetzung des Gottesdienstes nicht möglich erschien, und erfüllte dann die ganze Stadt mit jenen Scenen des ärgsten Tumultes, mit denen der Pöbel alle geschichtlichen Bewegungen zu begleiten liebt.

---

*) Im englischen Texte, nach Carlyle I, 94: „De' il colic the wame of thee! Thou foul thief, wilt thou say mass at my lug?" — „A Pape, a Pape! Stane him!" — This in St. Giles' Kirk, Edinburgh, Sunday 23. July 1637.

Die Ruhe wurde nur dadurch wieder hergestellt, dass alle angesehenen Vertreter des Calvinismus in Edinburg und Schottland sofort zusammentraten und das in gesetzlicher Form durchführten, was das Volk in der Form des plötzlichen Scandals begonnen hatte. Niemand hatte diesen Widerstand erwartet: Freund und Feind waren überrascht davon. Aber der Calvinismus herrschte so unbedingt in den Geistern, dass, als die Bewegung einmal im Zuge war, Niemand mehr zweifeln konnte, wohin man sich zu wenden hatte. „Bileam's Esel" — hiess es jetzt auf allen Kanzeln — „sei sonst ein dummes Thier; aber jetzt habe ihm der Herr die Zunge gelöst zum Staunen aller Welt!"

Als König Karl und der Erzbischof Laud trotzdem fortfuhren mit der Durchführung ihres Systems, kam die Revolution in aller Form zum Ausbruch. Vertreter des hohen und niederen Adels, der Geistlichkeit und der Städte versammelten sich zu Edinburg, bildeten eine provisorische Regierung unter „vier Tafeln", die im ganzen Lande sofort Gehorsam fand, und erliessen eine geharnischte Erklärung gegen die papistischen Neuerungen, und zwar, wie es ausdrücklich hiess, „zur grösseren Ehre Gottes, zum Heile des Königs und des Landes!" Das war die Stimme der Nation: keiner blieb zurück; der höchste Adel, wie der letzte Plebejer schloss sich dem an, was hier ausgesprochen wurde.

Es war dieses der schottische Covenant vom 1. März 1638, die berühmte Uebereinkunft aller guten Schotten über die Grundlagen ihres religiösen und politischen Lebens, wie es im Gegensatze zu König Karl, Laud, Strafford und Consorten die Vertreter aller Stände als nothwendig erkannt hatten.

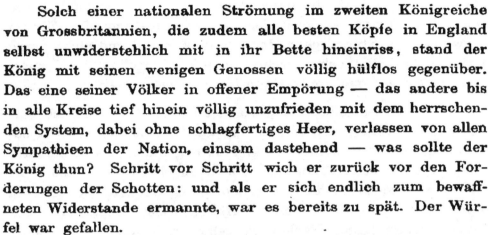

Solch einer nationalen Strömung im zweiten Königreiche von Grossbritannien, die zudem alle besten Köpfe in England selbst unwiderstehlich mit in ihr Bette hineinriss, stand der König mit seinen wenigen Genossen völlig hülflos gegenüber. Das eine seiner Völker in offener Empörung — das andere bis in alle Kreise tief hinein völlig unzufrieden mit dem herrschenden System, dabei ohne schlagfertiges Heer, verlassen von allen Sympathieen der Nation, einsam dastehend — was sollte der König thun? Schritt vor Schritt wich er zurück vor den Forderungen der Schotten: und als er sich endlich zum bewaffneten Widerstande ermannte, war es bereits zu spät. Der Würfel war gefallen.

Zunächst wurde von Allem, was der König zur Beschwichtigung der erregten Gemüther vorschlug, Nichts angenommen, als eine Generalversammlung in Glasgow, welche unter ungeheurem Zulauf am 21. November 1638 eröffnet wurde. Lord Hamilton, der Statthalter von Schottland, fungirte als Königlicher Commissar bei derselben. Das Erste, was sie beschloss, war eine Anklage wider sämmtliche Bischöfe auf Ketzerei, Simonie, Bestechung, Meineid, Betrug, Blutschande, Trunksucht, Spielsucht und ähnliche unerfreuliche Dinge, wie sie in der moralisch völlig unterwühlten höheren Gesellschaft Englands damals wohl nur zu sehr an der Tagesordnung sein mochten. Die Bischöfe protestirten dagegen. Der königliche Commissar löste die Versammlung auf, wegen Competenzüberschreitung. Aber nach allem Vorausgegangenen liess man sich nicht mehr so ohne Weiteres auflösen: die Generalversammlung widersetzte sich vielmehr in aller Form dem königlichen Befehle, blieb ruhig beisammen, und erklärte in einer Reihe von entscheidenden Beschlüssen die bischöfliche Gewalt und

ihre Gerichtsbarkeit, die hohe Commission, die kirchlichen Ca-
nons, die Liturgie — kurz den ganzen künstlich eingeführten
Schwindel der Stuart'schen Hochkirche für null und nichtig und
entband die schottische Kirche von jeder Verpflichtung des Gehorsams gegen jene unprotestantischen Neuerungen.

Es ist unbegreiflich fast, wie der König Karl einer so entschiedenen Haltung dieser aus den angesehensten Schotten zu-
sammengesetzten Generalversammlung gegenüber eine so schwankende Politik zeigen konnte. Entweder hätte er diese Versammlung überhaupt nicht zugeben, oder, wenn er sie auflösen
wollte, auch die Mittel bereit halten müssen, dem gegebenen
Befehl den gehörigen Nachdruck geben zu können: aber einen
entscheidenden Befehl geben und dann dulden, dass der Befehl
nicht zur Ausführung kam — das war eine so offenbare Schwäche,
dass von diesem Momente an er das Spiel zu verlieren beginnt.
Und als ob die Götter ihn mit Blindheit geschlagen hätten und
er selbst sich methodisch zu Grunde richten wollte, zeigt er
dann eine bewaffnete Macht, und gebraucht sie nicht, reizt
also zur Gegenrüstung, und zieht sich dann ohne Kampf wieder nachgebend zurück. In der That, solch ein schlechter Soldat und schwankender Politiker verdiente es, so vollständig besiegt zu werden, wie er es allmälig wurde. —

Er nahm also die drohende Miene an, als ob er jetzt wirklich zur Gewalt greifen wollte. Eine für jene Zeit ganz stattliche Heeresrüstung von 20,000 Mann zu Fuss, 6000 Cavalle-
risten und 3000 Mann Landungstruppen, die auf der Flotte um
die Küsten herumfahren und im Rücken der rebellischen Schotten landen sollten, stand bereits fertig da zum Ausmarschiren
und Absegeln: im letzten Augenblicke aber versagte ihm jene

Energie des Willens, die nur das Bewusstsein der grössten
Zwecke und das siegesgewisse Gefühl der unbedingten Einheit
mit Volk und Truppen verleihen können. Der Krieg begann im
März des Jahres 1639; aber er wurde nicht mit jener wider-
standlos Alles niederwerfenden Eile und Energie geführt, die
in einer so bedenklichen Lage allein den raschen Sieg zu sichern vermag. Er hatte also nur zur Folge, dass die Schotten
ebenfalls ernstlich rüsteten und bald ebenfalls eine Truppenmacht von wenigstens 20,000 Mann im Felde hatten. Alles gewann dadurch einen so bedenklichen Anschein, dass Karl nicht
weiter vorging, sondern, wenn auch vergeblich, zu unterhandeln
versuchte. Es mochte ihm wohl zu unsicher erscheinen, bei
der zweifelhaften Stimmung in England selbst gegen einen Feind
wirklich den Kampf zu beginnen, von dem er nicht wusste, wie
viel geheime Verbündete er in seinem eigenen Lande bereits
habe. Er versuchte also, nachdem er in Schottland zunächst
hatte nachgeben müssen, sich mit den Engländern im engeren
Sinne des Wortes zu versöhnen, um von ihnen die Mittel zu
erhalten, im Nothfalle einen ernstlichen und länger dauernden
Kampf durchzuführen: er berief ein Parlament — das erste
wieder nach elf Jahren — um Subsidien zum Kriege gegen
Schottland bewilligt zu erhalten. Dieses Parlament, das vierte
König Karl's, trat am 13. April 1640 zusammen. Die Schotten aber blieben unter den Waffen — mit ihnen stand der religiöse Puritanismus, wie die politische Opposition, d. h. überhaupt die ganze ungeheure Majorität der Nation in geheimem
Bunde. Die Scheidung der Parteien innerhalb dieser allgemeinen Opposition trat erst später hervor: diesem Ministerium
gegenüber fühlten sich Alle verbunden; auch nicht ein Mann
von allgemeinem Ansehen war für dieses System, unter dem

jetzt elf Jahre lang Alle gelitten, ausser einer sehr kleinen
Clique, die eben die höchsten Posten in Händen hatten.

Was machte Cromwell in all' dieser Zeit? Es wird interessant sein, einige Notizen über ihn zu geben, bevor wir zu der
folgenden Periode übergehen, in der er nun anfängt öffentlich
hervorzutreten. Die Wiedereinberufung des Parlaments nach
elf Jahren bildet eben einen entscheidenden Abschnitt: seitdem
beginnen die öffentlichen Angelegenheiten rasch solche Dimensionen anzunehmen, dass jedes Privatinteresse dagegen zu-
rücktritt.

Oliver Cromwell war also in St. Ives und bebaute ruhig
sein Land. Sein Leben verfloss hier sehr einfach von einem
Tage zum andern. Es wird uns nur von ihm erzählt, dass er
am Gottesdienste besonders fleissig Theil nahm — mit einem
rothen Tuche um den Hals soll er gewöhnlich still und andäch-
tig da gesessen haben — und dass er fleissig Briefe an seine
alten Freunde in London schrieb. Diese Briefe, von Carlyle
mit geistvollen Bemerkungen begleitet, herausgegeben, sind nun
allerdings die interessantesten Documente, die wir aus jener
Zeit haben: denn sie geben uns einen Blick in die geistige Stimmung
der Zeit und gewähren ein seltsames und zuerst ganz fremdartig berührendes Licht darüber, dass es sich im letzten Grunde
damals in den leitenden Geistern um etwas ganz Anderes handelte, als um einzelne politische Rechte oder um den Kampf
gegen ministerielle Willkür. Die geistige Stimmung, die in diesen Briefen zu Tage tritt, zeigt zuweilen einen solchen Tiefgang, dass wir uns jetzt, nach zwei Jahrhunderten fortgesetzten
geistigen Kampfes, verwundert fragen müssen, wo denn das
Alles geblieben sei, wohin die Töne verklungen seien, die in
diesen Harfen der Zeit einst gerauscht haben, und ob wir denn

wirklich seitdem in geistigen Dingen so gar viel weiter gekommen seien, als man uns von allen Seiten versichern will. Namentlich geht aus diesen Briefen Eins hervor, dass nämlich die seltsamen Manieren jener Puritaner in Bezug auf religiöse Dinge nicht ganz so unsinnig oder heuchlerisch waren, als es in manchen Darstellungen jener Zeit noch aussieht, dass es sich vielmehr um etwas sehr Ernstes und sehr Tragisches und tief Erschütterndes für Alle handelte, die sich erfasst fühlten in tiefster Seele von dem Gerichte, das durch die Welt hinzog. Dass wieder einmal Ernst gemacht wurde mit dem Gesetze des Geistes, wie es in den heiligen Büchern enthalten, dass eine Weltordnung praktisch gültig werden sollte, die seit Jahrtausenden den ernstesten Männern als Ideal vorschwebte, dass nicht die Lüge der Welt, sondern die Wahrheit Gottes, nicht die Frivolität der Zeit, sondern die männliche Tugend eines Willens, der sterben könne für seine Zwecke, herrschend werden sollte — das sind so einige von den bestimmenden Motiven, die uns aus Oliver's Briefen überraschend entgegenleuchten. Es ist da zuweilen die Rede von geistigen Tempeln, die der Mensch in seinem Inneren aufbauen müsse, von Vorlesungen, die wandernde Prediger zu diesem Zwecke halten: Ermahnungen werden gegeben, dass man solche Leute nicht ohne Unterstützung lassen dürfe, und dass es überhaupt gut sein werde, so verdienstliche Unternehmungen in jeder Weise zu fördern. Es klingt da zuweilen ein Ton heraus, der uns wie Offenbarung dessen erscheint, was eine Zeit und einen Bund zu heldenhaften Erscheinungen macht: einfach, überaus einfältig sogar mitunter, wenn wir ihn mit der geistreich vielstimmigen Musik unserer Tage vergleichen; aber es ist Etwas darin von der widerstandlosen geheimen Energie des Flammengeistes, der verzehrt, was ihm nahe kommt und

3*

widerstehen möchte. Es ist das ein eigen Ding und lässt sich kaum gut mit Worten bestimmt bezeichnen; es klingt heraus aus diesen alten Briefen, wie mahnender Geist grosser Vergangenheit. Gleich der erste Brief, den Carlyle mittheilt, ist ein so merkwürdiges Aktenstück, dass wir uns nicht enthalten können, ihn hier mitzutheilen — er ist noch nicht so allgemein bekannt, wie er zu sein verdient:

„An meinen sehr geliebten*) Freund Mr. Storie, am Hundszeichen in der königlichen Börse, London, dieses Schreiben zu übergeben.“

St. Ives, den 11. Januar 1635.

Mr. Storie!

„In der Reihe derjenigen guten Werke, welche Ihre Mitbürger und unsere Landsleute ausgeführt haben, wird dieses nicht als das geringste angesehen werden, dass sie für die Nahrung der Seelen gesorgt haben. Das Erbauen von Hospitälern sorgt für den Leib der Menschen; das Aufrichten äusserer Tempel (material temples) gilt als ein Werk der Frömmigkeit: die aber geistige Nahrung darbieten, die geistige Tempel aufbauen, das sind die wahrhaft barmherzigen, wahrhaft frommen Menschen. Solch ein gutes Werk war es, als Ihr die Predigt (Lecture) in unserer Landschaft einrichtetet, wobei Ihr den Dr. Wells angestellt habet, einen braven und thätigen Mann, geschickt, allerwege Gutes zu wirken, nicht nachstehend irgend Einem, den ich in England kenne: und ich bin überzeugt, dass, seit seiner Ankunft, der Herr viel Gutes durch ihn unter uns gewirkt hat.

---

*) Im Englischen steht eigenthümlicher Weise die aktive Form, die bei uns nicht gebräuchlich: „To my very loving friend.“ —

Es bleibt jetzt nichts Anderes übrig, als dass er, der Euch zuerst bewogen hat zu diesem, Euch vorwärts treibe, es fortzusetzen: es war der Herr; und deshalb erheben wir zu ihm unsere Herzen, dass er es vollenden möchte. Und gewiss, Mr. Storie, es wäre ein trauriges Ding, eine Predigt aufhören zu sehen, die sich in der Hand von so vielen klugen und gottbegeisterten Männern befindet, als nach meiner Ueberzeugung die Begründer hiervon sind, in diesen Zeiten zudem, worin wir dieselben mit zu viel Hast und Gewaltsamkeit durch die Feinde der göttlichen Wahrheit unterdrückt sehen. Fern möge es sein, dass so grosse Schuld Euch anhafte, die Ihr ja lebt in einer Stadt, so berühmt wegen des hell scheinenden Lichtes des Evangeliums. Sie wissen, Mr. Storie, dass das Predigen aufhören wird, sobald man den Predigern ihren Sold und Unterhalt entzieht: denn wer will wohl Kriegsdienste thun auf eigene Unkosten? Ich flehe Sie deshalb an in der Barmherzigkeit Jesu Christi, setzt die Sache fort und lasst den guten Mann seine Zahlung haben. Die Seelen der Kinder Gottes werden Euch deshalb segnen, und so werde auch ich thun und immer bleiben.

Ihr liebender Freund im Herrn

Oliver Cromwell.

Empfehlt mich in herzlicher Liebe dem Herrn Busse, Herrn Beadly, und meinen anderen guten Freunden. Ich hätte gern an Mr. Busse geschrieben; doch wollte ich ihn nicht mit einem langen Briefe belästigen und fürchtete, keine Antwort von ihm zu erhalten: von Euch aber erwarte ich eine so bald, als es Euch passend oder bequem erscheinen mag. Lebet wohl." —

Das sind die Prediger, gegen welche Bischof Laud mit seiner hohen Commission fortwährend arbeitet und gegen die er

bereits im Jahre 1633 nachdrückliche Edikte erlassen hat. Ein
älterer Historiker, Mark Noble, meint in Bezug auf diesen Brief,
er sei ein sehr seltsames Ding und ein deutlicher Beweis dafür,
wie weit Oliver um diese Zeit schon in religiösem Enthusiasmus gegangen war. „Jawohl" — urtheilt Carlyle darüber —
„jawohl, mein ehrwürdiger, schwachköpfiger Freund Noble, er
ist offenbar Einer von jenen seltenen und eigenen christlichen
Enthusiasten, welche noch glauben, dass sie eine unsterbliche
Seele haben, die gerettet werden müsse, ebenso wie Sie, mein
ehrwürdiger, schwachköpfiger Freund, fest glauben, dass Sie
einen Magen haben, der befriedigt sein will — er ist Einer von
jenen, die wirklich noch, es ist erstaunlich zu sagen, sich einigermassen Mühe darum geben. „Weit gegangen in der That
mein sehr ehrenwerther Schwachkopf!" —

Das Datum dieses Briefes ist übrigens dasselbe, an welchem
John Hampden, Oliver's Vetter, an der Spitze der Dorfbewoh-
ner, die zu seinen Besitzungen gehörten, seinen Antheil am
Schiffsgelde verweigerte: der 11. Januar 1635, historisch be-
glaubigt! Merken wir uns dieses Datum! Dem Leser bleibe
überlassen, sich irgend einen Zusammenhang dabei zu denken.

Bald darauf veränderte Oliver wieder seinen Wohnsitz —
im Jahre 1636 finden wir ihn in Ely. Er hatte dort eine kleine
Erbschaft von seiner Mutter Bruder gemacht, und hier blieb
er nun mit seiner Familie, bis er später ganz nach London
übersiedelte, im Jahre 1647. Während der Zeit bis zu dem
nächsten uns aufbewahrten Briefe fanden dann alle die Ereignisse Statt, die die grosse Erschütterung vorbereiteten: Prynne
und seine Genossen, mit abgeschnittenen Ohren am Pranger
stehend Stunden lang vor allem Volk in heisser Junisonne —
der Aufruhr in Edinburg, auf das Signal, das die alte Jenny

gegeben, eine Bewegung, vor der König Karl und alle seine
Bischöfe den Kopf verloren — dann der schottische Covenant
und die Generalversammlung zu Glasgow, und vor Allem auch
endlich der Process Hampden's, sich hinziehend bis in das Jahr
1638, wodurch Hampden selbst momentan der berühmteste
Mann in ganz England wurde. Der Beschluss lautete endlich:
„Consideratum est per eosdem Barones quod praedictus Johan-
nes Hampden de iisdem viginti solidis oneretur, et inde satis-
faciat." Er musste seine 20 Schillinge bezahlen. Und Hand
in Hand mit diesem Gange der öffentlichen Angelegenheiten
fand gleichzeitig eine wichtige landwirthschaftliche Massregel
statt, die Entwässerung der Fens nämlich, der grossen Mar-
schen an den Ufern der Ouse, die sich noch heute von Ely in
Cambridge an bis weit hinauf nördlich zur Stadt Lincoln erstreckten. Cromwell's Name wurde sehr populär dadurch, dass
er hier gegen die Regierung im Interesse der Landschaft auf-
trat. Man nannte ihn „Lord of the Fens." —

Das war im Jahre 1638 bereits. Aus den letzten Monaten
dieses Jahres ist nun ein zweiter Brief von Oliver erhalten, der
uns ebenfalls so merkwürdig erscheint, dass wir ihn wieder in
wörtlicher Uebersetzung anführen:

„An meine geliebte Cousine, Mrs. St. John, in Herrn William
Masham seinem Hause, genannt Otes, in Essex, dieses zu übergeben.

Ely, 13. October 1638.

Theure Cousine!

„Dankbar erkenne ich Eure Liebe an in Eurem gütigen
Gedenken an mich bei dieser Gelegenheit. Ach, Ihr schätzet
zu sehr meine Zeilen und meine Gesellschaft. Ich schäme mich
fast, Eure Ausdrücke anzunehmen, indem ich bedenke, wie

wenig ich werth bin und wie gering ich noch mit meinem Talent gewuchert habe.

Aber meinen Gott zu ehren durch offenes Aussprechen dessen, was er gethan hat für meine Seele, dazu habe ich Vertrauen und werde es ferner haben. Fürwahr also, dieses finde ich, dass er giebt Frühlingsquellen in trockener, dürrer Wüste (und Wildniss), wo kein Wasser strömet. Ich lebe, Ihr wisset, wo: in Meshec, was, wie man sagt, Verlangen und Hinziehen (Hinhalten — Prolonging) bedeutet — in Kedar, was Dunkel und Grausen (Blackness) bezeichnet. Aber der Herr verlässt mich nicht. Wenn er auch mich hinhält, so vertraue ich doch auf ihn, dass er mich bringen wird zu seinem Tabernakel, zu seinem Ruheorte. Meine Seele lebt in der Gemeinde des Erstgeborenen, mein Leib verharrt in Hoffnung; und wenn ich hier meinen Gott ehren darf, sei es durch Handeln oder durch Leiden, so werde ich sehr froh sein.

Fürwahr, keine arme Creatur hat mehr Ursache sich anzustrengen in der Sache ihres Gottes als ich. Ich habe den vollen Lohn voraus empfangen und ich bin sicher, ich werde niemals die geringste Kleinigkeit noch ferner gewinnen. Der Herr nehme mich an in seinem Sohne und verleihe mir zu wandeln in seinem Lichte, — und gebe uns Allen, zu wandeln in dem Lichte, da er ja das Licht ist! Er ist es, der unsere Nacht, unser Dunkel erleuchtet. Ich darf nicht sagen, er verberge sein Antlitz vor mir. Nein, er giebt mir zu schauen Licht in seinem Lichte. Ein einziger Strahl an einem dunklen Orte hat ausserordentlich viel Erquickung in sich: — gesegnet sei sein Name, dass er sein Licht ausgiesst über ein Herz, so dunkel wie das meine! Ihr wisst, welche Art von Leben ich früher geführt habe. Oh, ich lebte in der Finsterniss und liebte die

Finsterniss und hasste das Licht; ich war ein Meister, ein Haupt und Führer von Sündern. Dies ist wahr: ich hasste das Göttliche und alle Gottseligkeit und Frömmigkeit; und doch hatte Gott Erbarmen mit mir. O über den Reichthum seiner Gnade! Lobe (Preise) ihn für mich! Bete für mich, dass er, der ein gutes Werk begonnen hat, es vollenden wolle am Tage Christi.

Grüsset alle meine Freunde in jener Familie, von der Ihr noch ein Glied seid. Ich bin denselben sehr verbunden für ihre Liebe. Ich segne den Herrn für sie, und weil mein Sohn, durch ihre Fürsorge, sich so wohl befindet. Lasst ihn Eure Fürbitte haben, Euren guten Rath; lasst auch mich dieselben haben.

Grüsset Euren Gatten und Eure Schwester von mir: — er ist kein Mann seines Wortes! Er versprach mir, zu schreiben über Herrn Wrath von Epping; aber bis jetzt empfing ich keine Briefe; — beweget Ihr ihn doch dazu, für den armen Vetter zu thun, was mit Anstand (conveniency) gethan werden kann, — ich meine den, für welchen ich ihn gebeten habe.

Noch einmal, lebt wohl. Der Herr möge mit Euch sein: so flehet

Euer herzlich liebender Vetter

Oliver Cromwell."

Man hat aus diesem interessanten Briefe eine eigenhändige Bestätigung der alten Anekdote über Oliver Cromwell herauslesen wollen, dass er in seiner Jugend eine Zeit lang ein sehr dissolutes Leben geführt habe. Es geht vielen grossen Männern so: über Shakespeare, über Schiller, über Goethe, über Friedrich den Grossen existiren ähnliche alberne Gerüchte. Mark Noble ist dieser Ansicht ebenfalls. Carlyle aber bemerkt dazu: „O mein sehr ehrenwerther schwachköpfiger Freund, hattest Du selbst niemals irgend ein geistiges Leben, sondern nur ein sinnliches und vegetatives? Verlangte Deine Seele niemals nach den heiteren Höhen, die Dir gänzlich verborgen waren, und dürstete wie der Hirsch in wasserleerer Wüste? Es war niemals ein Kummer für Dich, dass der ewige Polarstern erloschen war, sich selbst verhüllend in dunklen Wolken — nur das ist Dir ein Kummer und Schmerz, dass dieser oder jene noble Patron Dich vergass, wenn eine gute Pfründe vacant wurde? Ich habe Christen gekannt, Mosleminen, Methodisten — und, ach, auch ehrenwerthe unehrerbietige Affen an dem todten Meere!" —

„Moderner Leser, dunkel, wie dieser Brief Dir scheinen mag, will ich Dir doch rathen, einen Versuch zu machen, ihn zu verstehen. Es ist da in demselben eine Tradition von Humanität, die all' das Uebrige aufwiegt — ein unbestreitbares Zeugniss, dass der Mensch einst eine Seele hatte, dass er einst in Gott wandelte — sein kleines Leben ein geheiligtes Eiland war, umgürtet von Ewigkeiten und Gotteshüllen (God-hoods). War das nicht eine Zeit für Helden? Ja, damals waren Helden möglich! Ich sage, Du musst verstehn, was der Sinn dieses Briefes: Du auch, hinausschauend in eine unwissende rohe Welt, wirst dann ausrufen mit Oliver Cromwell — mit dem Hebräischen David, wie noch jetzt die presbyterianische Bevölkerung in den nördlichen Kirchen zu ihm singen:

> „Weh' mir, dass ich in Meshec bin
> So lange schon verbannt,
> Und in den Zelten wohnen muss,
> So Kedar sind benannt!"

„Ja, es ist ein Ton in der Seele dieses Oliver, der an die Ewigkeit gemahnt (that holds of the Perenial im englischen Texte — der durch das Ewige bedingt ist, vom Unvergänglichen abhängig, ein Lehensmann gleichsam des Göttlichen). Mit einem

edlen Schmerze, mit einer edlen Geduldigkeit sehnt er sich und und strebt hin nach dem Ziele und Kampfpreise der hohen Berufung. Er hat, denke ich, den besseren Theil erwählt. Die Welt mit ihrem wilden Tumulte, wenn sie ihn nur wollten unberührt lassen! Aber auch er will es wagen, will handeln und leiden für Gottes Sache, wenn der Ruf kommen sollte. Wer könnte es mit besserem Grunde? Er hat den vollen Lohn voraus empfangen, er ist hinweggerissen worden aus der Dunkelheit in wundersames Licht: er kann nicht mehr gewinnen, nicht die geringste Kleinigkeit! Selbsttödtung, wie Novalis es nennt, Selbstdemüthigung am Fussschemel von Gottes Throne — „zu leben oder zu sterben für ewig, wie Du willst, nicht wie ich will."

„Bruder, hattest Du niemals, in irgend welcher Form, solche Augenblicke in Deiner Geschichte? Du kennst sie nicht, selbst nicht durch glaubwürdige Gerüchte, vom Hörensagen? Nun wohl, Dein irdischer Wandel war friedlicher, wie ich vermuthe. Aber der Höchste war nie in Dir, das Höchste wird nie aus Dir an's Licht treten! Du wirst ewig beim Staube wohnen, im besten Falle — als geschätzter Haushund den Staub bewachen — vielleicht mit enormem goldenen Halsband und vielem guten Futter: aber die Schlacht, und der Tod des Helden, und des Sieges Feuerwagen, der die Männer zu den Unsterblichen trägt — Das, wird nie Dein sein! Ich bedauere Dich! Ich habe Mitleiden mit Dir: aber prahle nicht in eitlem Stolze mit Deinem glänzenden Nichts, oder ich muss Dich auch verachten!" —

II. Das kurze Parlament,

April — Mai 1640,

und

Das lange Parlament bis zur Republik,

1640 — 1649.

Das Parlament, welches am 13. April 1640 zum ersten Male nach elf Jahren wieder zusammengetreten war, erfreute sich zwar nicht lange seines Beisammenseins; schon nach drei Wochen, am 5. Mai 1640, wurde es wieder von König Karl aufgelöst. Es ist daher bekannt unter dem Namen des „kurzen Parlaments".*) Aber diese kurze Zeit reichte hin, um der gährenden Stimmung des ganzen Volkes einen entscheidenden Ausdruck zu geben. Der König selbst sowohl, wie sein früherer Sprecher und jetziger Grosssiegelbewahrer Lord Keeper Finch meinten auch jetzt noch mit den hohlen Phrasen des bisherigen Systems dieses Parlament zu rascher und reichlicher Geldbewilligung — denn das war ihnen der einzige Zweck der Berufung — bewegen zu können. Es machte indessen für alle Kundigen einen sonderbaren Eindruck, jetzt noch von der „väterlichen Gnade des gerechtesten, frömmsten und huldreichsten der Fürsten" und von der grossen Ehre dieser „neuen Berufung" reden zu hören,

---

*) The short Parliament.

während doch in einer so dringlichen Weise sofort „Subsidien"
verlangt und die Schotten so ungenirt als „Verräther" bezeichnet wurden, dass die wirklich vorliegende Situation jenen
frommen Phrasen gegenüber auf das Unzweideutigste zu Tage
trat. Den hochkomischen Eindruck solch dringenden Verlangens nach Subsidien, in einer solchen Situation, und zwar zum
Kriege gegen Diejenigen, mit denen ganz England und alle her-
vorragendsten Mitglieder des Parlamentes im geheimen Bunde
standen, schildert ein neuerer Dichter, indem er den König
selbst in feierlichem Costüm, die Krone auf dem Haupte, das
Scepter in der Hand, vor dem soeben eröffneten Parlamente
folgende Rede halten lässt:

König Karl: „Auf's Neue, Gentlemen, seht Ihr mich heut'
    In Eure Mitte treten, in dem Ernste
    Der gegenwärt'gen Lage ernste Hülfe
    Von Euch zu heischen! So will's Englands Wohl!
    Nie hatte wohl ein König ernstere
    Und dringlichere Ursach', zu berufen
    Die Abgesandten seines treuen Volkes,
    Als ich in diesem Augenblicke: Schottland
    Ist von Verräthern aufgewühlt! Wir haben
    Von Schottlands Lords die Briefe aufgefangen,
    Gesandt an Frankreichs König! Rache fordert
    Solch frevelhaft Beginnen! Nur ein Feldzug
    Kann Englands Ehre retten: diesen Sommer
    Noch soll er enden, und im Tower büssen
    Wer solchem Aufruhr seinen Arm geliehen.
    Wir hoffen und erwarten, dass Ihr dazu
    Subsidien uns bewilligen werdet, so viel,
    Als irgend möglich, Heer und Flotte gleich
    In besten Stand zu setzen, und sofort
    Marschieren dann zu lassen gegen Schottland,
    Indess die Flotte, um die Küsten segelnd,
    Im Rücken der Verräther plötzlich landen
    Und Schrecken auf die Ufer werfen soll,
    Die Reih'n der Feinde gänzlich zu verwirren.

Die Zeit ist dringend: d'rum bewilligt gleich!
Und reichlich auch, damit der Sieg entscheidend! —

Der väterlichen Gnade Eures Fürsten,
Der Frömmigkeit, Gerechtigkeit und Huld
Des besten Königs habt Ihr Alles ja
Zu danken: so die neue Ehre auch
Von gegenwärtiger Berufung, welche
Ihr dankbar anerkennen durch Subsidien
Und ernste Warnung an das Volk nun sollt. —

Von den Beschwerden haben wir vernommen:
Wir werden überlegen, wie und wo
Zu helfen ist, und Rechnung soll getragen
Den Bitten werden, wenn nur die Subsidien
Zuerst bewilligt sind: dies thut am meisten Noth!"

Trotz solcher wiederholten Subsidienforderung war es aber
dem neuberufenen Parlament durchaus nicht so eilig mit der
Bewilligung. Ausnahmslos wurde das System Straffords und
Lauds verurtheilt. Selbst die später als Cavaliere oder Royalisten
sich von der gemeinsamen Bewegung Absondernden gingen in
diesem Parlament noch mit den Puritanern zusammen. Aus
allen Grafschaften kamen zudem zahlreiche Bittschriften, dem
11jährigen Greuel endlich ein Ende zu machen. Und nachdem
Grimstone, der erste Hauptredner der Opposition, den Zustand des Landes im Allgemeinen bezeichnet hatte — „das
Gemeinwesen schmählich zertreten und verstümmelt, Eigenthum
und Freiheit angetastet, die Kirche gespalten, das Evangelium
und seine Bekenner verfolgt, die ganze Nation überfluthet mit
Schwärmen von gefrässigen Raupen und Würmern, die Petition
of right nicht beachtet" — so trat ein zweiter Redner auf, der
nun in einer dreistündigen Rede die sorgsam gesammelten
Hauptpunkte aller Klagen im Lande darlegte — eine furchtbare Anklageakte, die im Fluge durch die ganze Nation ihren

Weg fand, eine aus dem bisher zerstreuten Material vollständig und übersichtlich zusammengestellte Sammlung und Schilderung erschöpfender Art von dem Zustande, den die ganze Nation anfing unerträglich zu finden. Dieser zweite Redner war Pym — König Pym nannte man ihn später, da er als Führer und Mittelpunkt der nationalen Opposition immer mehr an die Spitze der Bewegung trat. In drei Gruppen theilte er die Klagepunkte der Nation ein: die erste umfasste Alles, was gegen die Vorrechte und Freiheiten des Parlamentes geschehen war; die zweite brachte die jesuitisch-katholischen Neuerungen zur Sprache, mit denen man so ganz besonders das protestantische Gefühl der Nation zu verletzen verstanden hatte; in der dritten erschienen alle Beschwerden des Volkes über alle Rechtsverletzungen in Bezug auf das Eigenthum.*) Dabei kamen alle Misshandlungen zur Sprache, die Laud und Strafford sich gegen beliebte und berühmte Parlamentsmitglieder hatten zu Schulden kommen lassen: Elliots Tod im Kerker, („stets noch schreit sein Blut um Rache") — Leightons und Lilburns Schicksale**) — Prynnes und seiner Genossen grausame Bestrafung — kurz all' diese entsetzlichen und unerhörten Dinge, wie sie nie einer freien und grossen Nation schlimmer und abscheulicher sind zugemuthet worden. Die Wirkung dieser Rede war durchschlagend für die nächste Zeit, nicht blos im Parlamente, sondern für die ganze Nation. Die Gemeinen forderten erst Abstellung aller Beschwerden und verweigerten vorläufig die Subsidien. Die Nation war damit durchaus einverstanden. Wiederholt drängt der König auf Bewilligung.

---

*) Vgl. Cobbett. II. 540 ff
**) Siehe Hallam: „Constitutional History".

Vergebens! Zum vierten Male löst er darauf beide Häuser auf — es war das letzte Mal! Das nächste Parlament sollte seine ganze Regierung und die Monarchie der Stuarts auflösen. Die ganze hülflose Verlassenheit, in der sich König Karl jetzt befand, war bereits enthüllt worden durch das kurze, am 5. Mai nach Hause geschickte Parlament.

Oliver sass in diesem Parlament für Cambridge. Thomas Meautys, Esquire, war sein College. Er scheint sich ruhig beobachtend verhalten zu haben: seine Zeit war noch nicht gekommen. Wie lebhaft er aber Theil nahm an Allem, was vorging, zeigt ein kleines Briefchen aus dieser Zeit (der dritte Brief der Sammlung) datirt:

London, February 1640.

„An meinen lieben Freund, Mr. Willingham, in seinem Hause in Swithin's Lane: Dieses.

Mein Herr!

Ich ersuche Euch, mir die Gründe der Schotten zu übersenden, die sie aufgestellt haben, um ihr Verlangen nach Einigkeit in der Religion durchzusetzen, ausgesprochen in ihrem 8. Artikel — ich meine das, was ich vorher von Euch hatte. Ich möchte es nochmals durchlesen für den Fall, dass wir auf diese Debatte kommen sollten, was wohl schon bald der Fall sein wird.

Der Eurige
Oliver Cromwell."

Merkwürdig — in all' dem Streit und Lärm ist es die religiöse Frage, die ihn vorzugsweise fesselt: „Einheit des religiösen Lebens — Uniformity in Religion" — wie sie die Schotten eben wollen, das ist der Punkt, um welchen es sich handelt für Oliver Cromwell. —

Sie sollte noch nicht so bald zu Stande kommen. — König Karl suchte unterdessen Geld und Truppen auf andere Weise zusammen zu bringen: Lord Strafford unterzeichnete selbst sofort 20,000 Pfd. Sterling; er musste bereits ein hübsches Vermögen gesammelt haben, um das zu können. Andere Höflinge folgten diesem erhabenen Beispiele mit kleineren Summen nach. Eine Art erzwungener, durch den Anstand geforderter Anleihe kam auf diese Weise zu Stande, mit der nun die fernere Rüstung bestritten wurde. Die so zusammenkommende Armee rückte an die schottische Grenze: aber, aber — die Soldaten selbst nannten das Unternehmen einen Pfaffenkrieg (a Bishop's war), murrten und meuterten gegen ihre Officiere, erschossen einige derselben, brachten in den Städten, durch welche sie zogen, den puritanischen Predigern ein Hoch aus, warfen den Anhängern Laud's dagegen ihre Möbel aus dem Hause und demolirten ihre Wohnungen — es war in der That nicht zu erwarten, dass solche Männer fechten würden gegen arme, schottische Verkündiger des wahren Evangeliums. Die Vertheidiger derselben aber hatten unterdessen ebenfalls wieder ihre weit stattlicheren Truppen zusammengezogen, entschlossen sich sofort, in England einzurücken und ihre Klagen vor den König zu bringen, zogen am 20. August 1640 bereits über den Tweed (bei Coldstream) und warfen im ersten Anlauf die Truppen des Königs über den Haufen. Die Flüchtigen zogen sich nach York zurück, wo Se. Majestät und Strafford sich befanden; die Sieger rückten weiter vor, Alle in mörtelgrauer Uniform und blauen Mützen, Jeder einen mässigen Sack voll Weizenmehl auf dem Rücken zum Breikochen oder Brodbacken, setzten sich in den Besitz von Newcastle, von ganz Northumberland und Durham und nahmen dort feste Stellung in verschiedenen Städten und Dörfern, für

4

ein Jahr etwa. Trotz ihres entscheidenden Erfolges aber waren
sie sanft, nachgiebig und freundlich in ihrem Benehmen und
veröffentlichten „grenzenlos" brüderliche Erklärungen an alle
Brüder in dem Herrn, die das Evangelium Christi und Gottes
Gerechtigkeit in England noch werth hielten. Alle Puritaner in
England blickten auf sie als ihre Retter: „Gramercy, good
Master Scot" — sangen die Balladensänger bald darauf in
den Refrains ihrer Lieder auf den Strassen von London.

Gegen eine solche Volksstimmung, gestützt auf einen so
eben errungenen militärischen Sieg, der mit der weisesten
Mässigung benutzt worden war, hat keine Autorität der Welt
die Macht, sich dauernd zu behaupten. Strafford war in Verzweiflung, versuchte ein „Concil von Peers" zu berufen, wollte
mit den Schotten unterhandeln, gab gute Worte jetzt nach
allen Seiten — es half Alles nichts. Die Peers selbst baten
um ein Parlament und wollte ohne dieses auch nicht einen
Heller mehr hergeben; aus allen Grafschaften kam immer drohender die gleiche Forderung: das Parlament musste berufen werden, denn ohne dieses war mit den Schotten nicht fertig zu werden. Am 3. November 1640 trat es zusammen — das berühmte
lange Parlament, das unter so manchem Wechsel jetzt über
18 Jahre lang die Geschicke Englands leiten sollte. Oliver
sass wieder in diesem Parlament für Cambridge: sein College
war aber nicht mehr Mr. Meautys, sondern John Lowry,
Esquire, wahrscheinlich ein noch eifrigerer Puritaner, als sein
Vorgänger. In ihrer Freude über diesen Erfolg votirte die
Stadt London sogleich 200,000 Pfd. Sterling, und die Unterhandlung mit den Schotten kam allmälig, wenn auch sehr langsam, in Gang. Und jetzt begann ein Sturm gegen die bischöfliche Kirche, gegen die hohe Commission, gegen die Sternkammer,

gegen Laud, Strafford und alle ihre Helfershelfer, wie ihn kaum irgend ein anderes Land jemals grossartiger in seinem Parlament erlebt hat. Die Presse bearbeitete die ganze Nation, die Stadt London stand an der Spitze der Bewegung — der planmässige, methodische Angriff gegen die Träger der Politik der 11 Jahre begann jetzt. *)

Nachdem Pym wieder der Stimmung des Landes sein Wort geliehen, sagte ein Mitglied — schon am Schluss der ersten Debatte —: „Gesetze helfen uns nichts mehr. Bessere, als die, welche wir gegen die Monopolisten und in der Petition of right gegen die Störer der Freiheit gemacht haben, sind gar nicht denkbar! Und doch, als ob die Gesetze selber die Urheber des Missbrauchs wären, haben wir in diesen wenigen Jahren mehr Monopolien und mehr Frevel gegen äussere Freiheit erlebt, als seit der Eroberung durch die Normannen. Und wenn alle diese „feilen Dirnen", wie Königin Elisabeth sie zu nennen pflegte, die das verschuldet, die den Frieden unseres Israel gebrochen haben, ferner ungestraft einhergehen, so wird sich bei uns nichts bessern. Denn so lange das Parlament tagt, lassen sie, wie erfrorene Schlangen, ihr Gift trocknen; aber lasst nur das Parlament auseinandergehen, und ihr Unrath schmilzt und schwillt über und thut grösseren Schaden als zuvor. Ense recidendum est, ne pars sincera trahatur! — Ich sage mit dem König Salomo: Nimm den Gottlosen hinweg von dem König; und sein Thron wird in Gerechtigkeit befestigt sein."

Sofort folgt die Klage auf Hochverrath gegen Strafford, Laud, den Secretair Windebank, den Grosssiegelbewahrer Lord

---

*) Carlyle, I., pag. 103 ff. Cobbett, II., 649 ff. — Die eigentlichen Quellen für diese hochinteressanten Vorgänge sind bei Carlyle zu finden.

4*

Keeper Finch (früher Sprecher des Hauses) und gegen alle
königlichen Richter der Sternkammer und hohen Commission,
die jenen als willige Werkzeuge gedient hatten. Strafford war
nach Irland gegangen, wurde aber arretirt, sobald er zurück-
kam. Laud verlor den Kopf mit seiner Freiheit. Finch und
Windebank entflohen. Alle, die nicht entflohen, wurden gefangen gesetzt: in einem Augenblicke war das ganze klägliche
System gestürzt. Der König war momentan völlig isolirt.

Das Erste, was er in dieser Lage zugeben musste, war
die Triennial-Akte, d. h. ein Gesetz, nach welchem alle
drei Jahre wenigstens ein neues Parlament berufen werden
sollte und keines vor dem fünfzigsten Tage aufgelöst werden
könnte.

Zweitens wurden die Sternkammer und die hohe Commission nun auch förmlich für aufgehoben erklärt, nachdem
das Parlament sich bereits der schuldigsten Mitglieder derselben
bemächtigt und sie in sichere Verwahrung gebracht hatte.

Drittens wurden die Streitfragen über das Tonnen-, Pfund-
und Schiffsgeld jetzt definitiv erledigt und beseitigt.

Ferner wurden alle sonstigen Verfügungen revidirt, wie über
das Forst- und Jagdwesen und die Domänen, die ertheilten
Monopole und sonstigen Beeinträchtigungen des Eigenthums,
die besonders dazu beigetragen hatten, die Stimmung des Volkes
gegen die Regierung König Karls zu verbittern.

Und endlich ging man bereits so weit, das gesammte
Oberhaus umgestalten, namentlich die Vertretung der Bischöfe
in demselben decimiren und so in einer ganz wesentlichen
Abtheilung das bisherige System principiell vernichten zu wollen — die hohe Geistlichkeit sollte nicht ferner der Stuart'-

schen Reaktion zu dienen im Stande sein, der König sollte seiner letzten aristokratisch-kirchlichen Stütze beraubt werden.*)

Es war bereits die vollständigste Revolution, welche jemals der Sache des Volkes den Sieg verschafft hat über lang erduldete Misshandlungen einer regierenden Clique.

Die vernichtende Gewalt dieser siegreichen Revolution bewährte sich sofort in dem Process gegen den Hauptträger des bisherigen Systems, den Grafen Strafford, Lordstatthalter von Irland. Es treten in diesem alle Mächte des entbrannten Kampfes so entscheidend zu Tage, dass derselbe einer besonderen Betrachtung werth erscheint. Es ist der erste absolut durchgreifende Akt des langen Parlaments.

1. Process des Grafen Strafford.
1641.

Das Schicksal des Grafen Strafford, das sich jetzt zu erfüllen begann, war längst vorbereitet und principiell verursacht durch seine mit allen Traditionen der bisherigen englischen Geschichte in scharfem Widerspruch stehenden Tendenz, die ganze Regierung und Verwaltung in seiner und des Königs Person zu centralisiren und so eine ganz despotische Regierungform in einem Lande zu begründen, in welchem der altgermanische Nationalcharakter von jeher Nichts unerträglicher gefunden

---

*) Vgl. Carlyle I, pag. 105: Petition of the Londoners, signed by 15000 hands, craving to have bishops and their ceremonies radically reformed — 11. Dec. 1640; Petition and Remonstrance from 700 Ministers of the church of England — 23 Jan. 1641.

hatte, als Centralisation und Despotismus. Zu derselben Zeit, wo dieses System in Frankreich gelang und alle Kräfte des romanischen Landes und Volkes zu einer überraschenden, plötzlich alle europäischen Nationen überflügelnden Entwickelung brachte — zu derselben Zeit misslang es in England so vollständig, als es überhaupt misslingen konnte. Die Schotten und das englische Volk haben damals durch entscheidende Aktionen die europäische Freiheit gerettet, und zwar zu einer Zeit, wo im ganzen übrigen Europa das entgegengesetzte System herrschend wurde: hierin beruht das grosse Interesse, welches wir noch gegenwärtig an allen Einzelheiten dieses grossen Processes nehmen. Es handelte sich eben im letzten Grunde nicht um einzelne parlamentarische Rechte, auch nicht um den Gegensatz einer parlamentarischen und einer königlichen Regierung — das pitoyable Stichwort der geistlosesten unter den heutigen Parteien — nein, es handelte sich um das letzte Princip der protestantisch-germanischen freien Persönlichkeit, es handelte sich darum, ob jeder Einzelne — Ich, Du, Er, jeder überhaupt — in dem, was wir vor Gott und unserem Gewissen als das Rechte erkennen, in dem, was wir durch unsere eigene harte Arbeit Jeder uns erwerben, in dem, was wir durch vernünftige und ruhige Berathung als gemeinnützig erkennen, geschützt und gesichert uns fühlen und erscheinen sollen durch göttliche und menschliche Gesetze, oder ob persönliche Willkür und Laune des zufällig Regierenden, brutale Gewalt, und hierarchische Schrullen eines kirchlichen Systems, das seinen bestimmenden Mittelpunkt jenseits der Nation in einem wesentlich anders bedingten und gestimmten Lande und Volke hatte, mit unseren Ueberzeugungen, unseren Gewohnheiten, unserem Eigenthume, unserem Rechte, ja mit unserer Person selbst sollen schalten und walten können nach Belieben. Strafford glaubte vielleicht, im entscheidenden Augenblicke noch w e n d e n zu können, aber es war bereits zu spät — die Dinge und Verhältnisse waren ihm eben über den Kopf gewachsen, ehe er sich dessen bewusst war. Einer Nation, die ihr „I" immer gross geschrieben hat, durfte das nicht geboten werden, was Strafford ihr zu bieten gewagt hatte.

Es muss etwas Entsetzliches in seinem Geiste sich Bahn gebrochen haben, als er die ganze ungeheure Bewegung seines Volkes, die er vor 13 Jahren in derselben Richtung geleitet hatte, jetzt gegen ihn sich wenden sah — Aller Augen feindlich auf den einen Mann gerichtet jetzt, der zehn Jahre lang wie Keiner sonst in England mächtig gewesen war. Der Moment, in welchem die Ueberzeugung, dass er verloren sei, ihn innerlich erdrückte, war aber zugleich derjenige, in welchem er sich an der Gewalt seines Schicksals zu tragischer Grösse aufrichtete. Dieser Moment war ein durchaus dramatischer — die unerwartete Anklage bei seinem ersten Erscheinen im Oberhause: seine Vertheidigung darauf ist vielleicht das Glänzendste, was jemals in einer ähnlichen Situation zu Tage getreten ist. Begreiflich daher, dass mehrere englische und deutsche Dichter bereits den günstigen Stoff zu einem Trauerspiel benutzt haben: das dramatische Interesse concentrirt sich namentlich in der Anklage und Vertheidigung des Staatsministers.

Er war, wie gesagt, noch in Irland, als der Sturm begann: die Anklage auf Hochverrath war also bereits gegen ihn erhoben, als der König ihn nach London kommen hiess. Strafford weigerte sich zuerst, zu kommen — er hatte die für seine Lage einzig richtige und wieder sein vielgewandtes Talent als Diplomat und Staatsmann verrathende Idee gefasst, dem von zwei

Königreichen verlassenen Monarchen von dem dritten, von Irland aus eine entscheidende Diversion zu bereiten; denn Irland
war in der Mehrzahl seiner Bewohner, den Katholiken, mit dem
herrschenden System sehr wohl zufrieden, wenn irgendwo, so
war also hier noch ein Rückhalt für den auf's Aeusserste bedrängten König. Nur von hier aus bot eine royalistische Gegen-
bewegung gegen die schottische Revolution einigermassen Aussicht auf Erfolg dar. „In London," — schrieb er selbst an
König Karl — „im Parlament kann ich Eurer Majestät von
keinem Nutzen sein. Meine Gegenwart wird im Gegentheil Ihre
Gefahren vermehren und mich meinen Feinden überliefern. Erlauben Sie mir, mich in Irland oder bei dem Heere, wo Sie es
für gut finden, entfernt zu halten; dort kann ich Ihnen noch
dienen und mich dem mir drohenden Verderben entziehen."

Aber der König bestand darauf, er müsse kommen: „Ich
kann Eure Dienste hier nicht mehr entbehren" — antwortete
er ihm. „So wahr ich noch König von England bin, Ihr laufet
hier keine Gefahr: sie sollen kein Haar auf Eurem Haupte an-
tasten!" — Strafford gab widerstrebend nach, ihm ahnte nichts
Gutes: krank und müde traf er am 10. November in London
ein. Zugleich mit ihm zogen Prynne und seine Genossen, eben
aus dem Gefängnisse befreit, unter dem Jubel des ganzen Volkes durch die Strassen der Hauptstadt: die jetzt ihrerseits ver-
urtheilten Richter der Sternkammer hatten jedem der Leidens-
gefährten 5000 Pfund Sterling bezahlen müssen. Und in dieser
freudig siegreichen Stimmung erhielt das Volk die Nachricht:
„Strafford ist da!" Am 10. November war er gekommen, am
11. bereits beschloss das Unterhaus bei verschlossenen Thüren
auf Pym's Antrag die Anklage desselben vor dem Oberhause;
denn in diesem hatte er Sitz und Stimme. Strafford befand

sich beim Könige, als die Nachricht eintraf. Sofort eilte er in's Oberhaus; aber Pym war ihm bereits zuvorgekommen. Die Thüre fand er sogar verschlossen vor ihm, dem ersten Minister König Karl's: rauh fuhr er den Thürsteher an, dass er zögerte, zu öffnen, schritt dann stolz durch den Saal, seinen gewohnten Sitz einzunehmen — da begann eine Bewegung im Hause, vor der kein an höfliche Formen gewöhnter Mann Stand halten konnte. „Zurück, Graf Strafford!" tönte es von allen Seiten. „Hinaus mit ihm!" riefen Andere. „Beflecket nicht das Haus der Lords mit Eurer Gegenwart!" — Strafford stutzte, schwankte, sandte fragende Blicke nach allen Seiten: Niemand war für ihn — er musste gehorchen und wieder hinausgehen und im Vorsaal warten. Eine ganze Stunde dauerte es — peinliche 60 Minuten — bis man ihn zurückrief: als er wieder eingetreten, war sein Schicksal beschlossen — knieend musste er die Anklage des Unterhauses anhören — wieder begann die drohende Bewegung des ganzen Hauses gegen ihn, als er nur Miene machte, nicht gehorchen zu wollen — er musste sich beugen, der starke Mann mit dem eisernen Willen, er brach zusammen — mühsam hielten ihn die Diener des Hauses einigermassen — und so hörte er denn die vernichtende Anklage der Nation von England gegen den Staatsminister Karl's I.

Pym hatte diese Anklage im Unterhause vorbereitet. Er hatte gezeigt, wie ein bestimmter Plan durch alle die Ungerechtigkeiten und Misshandlungen der elf Jahre hindurchgehe, der Plan, das alte Recht des Landes zu stürzen, die alten verbrieften Freiheiten der Nation zu confisciren, einen militärischen, juristischen und hierarchischen Absolutismus einzuführen, der aller Tradition der englischen Geschichte und allen nationalen Gefühlen und Gewohnheiten des Volkes absolut widersprach. Wer aber sei der Urheber des Planes? Der König etwa? Keineswegs! „The king can do no wrong" — „der König kann kein Unrecht thun" — dieses alte englische Gesetz wird jetzt mit Geschick benutzt, um den ganzen Angriff auf seinen ersten Minister ausschliesslich zu concentriren und ihm dadurch den Erfolg zu sichern. Denn „kann Etwas noch" — hatte Pym fortgefahren — „unsere Entrüstung steigern über ein so ungeheuerliches und so frevelhaftes Project, so liegt es darin, dass wir unter der Regierung des besten der Fürsten unsere Verfassung angetastet sahen durch den schlechtesten der Minister, und dass die Tugenden des Königs sind geschändet worden durch gottlosen und fluchwürdigen Rath. Wir müssen untersuchen also, aus welcher Quelle alle diese Irrungen fliessen, und obgleich unzweifelhaft viele schlechte Rathgeber hier zusammengewirkt haben, so ist doch Einer zu nennen, welcher den Vorrang der Ruchlosigkeit behauptet, Einer, der durch Muth, Unternehmungslust und Begabung das Recht hat, unter diesen Landesverräthern den ersten Platz einzunehmen. Und das ist der Graf Strafford — „the wicked Earl", der böse Graf Strafford." Und nun folgte das lange Sündenregister des unglücklichen Mannes, der eine zehnjährige fast unumschränkte Macht in so schändlicher Weise missbraucht hatte. Die Flecken und Schwächen seines Privatlebens waren dabei keineswegs vergessen: man sagte unter Anderem von ihm, er habe selbst seine Frau durch einen Faustschlag auf die Brust getödtet oder wenigstens tödtlich verletzt, als sie unter seinen Papieren einen Liebesbrief von einer anderen Frau an ihn gefunden und diesen ihm vorwurfsvoll vorgehalten habe.

Alles dieses wurde jetzt dem demüthig wie ein armer Sünder Daknieenden vom Sprecher des Hauses in feierlicher

Anklage wiederholt. Als er es vernommen, bat er um Zeit, seine Vertheidigung vorzubereiten. Dann wankte er hinaus, ganz gebrochen, um in den Tower gesetzt zu werden als Staatsgefangener. Nie ist ein Sieg des Volkes über einen ihm widerwärtigen Minister vollständiger gewesen.

Erst im März des Jahres 1641 begann der Process vor dem Oberhause, aus welchem achtzig Peers sich als Staatsgerichtshof constituirt hatten. Ein Ausschuss des Unterhauses mit Pym an der Spitze vertrat die Anklage der Nation; neben ihnen befanden sich auch einige irländische Commissarien, welche als Mitankläger für die vom Grafen in Irland verfügten, oft sehr harten Massregeln fungirten (gegen Lord Mountnorris z. B.). In einer Loge über dem Sitzungssaale befanden sich während der Verhandlung König und Königin. Auf der Gallerie unter den Zuhörern waren viele Damen vom höchsten Rang: es war eine Versammlung und ein Schauspiel der glänzendsten Art, ein Criminal- und Staatsprocess von solchem Interesse, wie England und London kaum einen erlebt hatte seit den Tagen der Maria Stuart. Strafford's Vertheidigung ist uns glücklicher Weise ausführlich erhalten, stenographisch (in characters) nachgeschrieben damals von einem Clerk des Hauses*): Diesem interessanten Aktenstücke entnehmen wir die wichtigsten Daten der nachfolgenden Darstellung.

Es waren unter den 28 Artikeln, welche die Anklageakte des Unterhauses gegen ihn enthielt, vorzugsweise drei Punkte, auf welche sich Anklage und Vertheidigung concentrirten: sein

---

*) Rushworth, Historical collections. VIII. Trial of the Earl of Strafford. London 1700. — Vgl. die Note bei Carlyle I, pag. 58. — Ferner Hallam u. Cobbett (pag. 732 in II) so wie die Bearbeitungen von Dahlmann, Häusser und Ranke in den bekannten Werken. —

Verfahren in Irland — seine Absicht, die irische Armee gegen
England und Schottland zu benutzen — und die zahlreichen
Willkür- und Gewaltmassregeln, die er sich in England selbst
hatte zu Schulden kommen lassen, entgegen allem alten Rechte.
Aus Allem setzte sich die Anklage auf Hochverrath (High
Treason) zusammen. Strafford soll neuen Muth und Hoffnung
auf Rettung gefasst haben, als er die Artikel las: er stützte
sich dabei vorzugsweise auf den streng juristisch allerdings trif-
tigen Grund, dass das Alles zusammen noch keinen Hochverrath
ausmache, wie dieser Begriff durch das Statut Eduard's III.
festgesetzt war. Höchstens könne es als „Misdemeanour“, als
rechtswidriges Betragen bezeichnet und bestraft, aber doch nicht
mit dem Tode des Hochverräthers geahndet werden. Er suchte
demgemäss sein Verfahren im Einzelnen zu entschuldigen und
mildernde Umstände hervorzuheben und dadurch die Anklage
im Ganzen derartig abzuschwächen, dass der Begriff des Hoch-
verraths allerdings kaum noch darauf passend erscheinen konnte.
So machte er in Bezug auf die irischen Angelegenheiten geltend,
dass er als Vorsitzender des geheimen Rathes in Irland
wirklich eine grössere Autorität besessen habe, vom Könige
selbst ihm zugestanden und ausserdem von jeher im Gebrauch
dort und auch nothwendig, weil das ganze Land und Volk eben
weniger civilisirt sei, als das englische. In Bezug auf das Verfahren gegen den Lord Mountnorris, der zum Tode verurtheilt
war, konnte er nachweisen, dass dieses Urtheil nur in Folge
des allgemein geltenden Kriegsgesetzes und zwar ohne seine
(Strafford's) besondere Theilnahme, gefällt worden sei, ja dass
es eben auf seine Bitte sei nicht ausgeführt worden. Und
wenn man ihm vorwarf, 24,000 Pfund Sterling aus dem irischen
Schatze entnommen zu haben, so machte er dagegen geltend,

dass der König selbst ihm bis zu 40,000 Pfd. Sterling freie Disposition über die Staatsgelder gestattet habe. Kurz, wenn er auch nicht alles, in dieser Beziehung gegen ihn, Vorgebrachte völlig widerlegen konnte, so hatten seine Gegner doch einen schweren Stand gegen einen so gelehrten Advocaten und gewandten Redner, wie Strafford eben war.

Dann kam die schwere Beschuldigung, dass er die irische Armee habe gegen England führen wollen und so seine gewaltthätig landesverrätherischen Absichten offen documentirt habe. Hier hielt er nun zunächst an der Behauptung fest, dass das ihm durchaus nicht könne bewiesen werden. Da aber wurde ein Document vorgebracht, in welchem dieser Beweis allerdings ziemlich deutlich enthalten war; er sollte zum Könige gesagt haben, wie das Protocoll der Sitzung zur Zeit der Auflösung des letzten Parlamentes nachwies: „You have an army in Ireland; you may employ here to reduce that kingdom." So klar für uns jetzt auch die Absicht des Grafen wirklich aus diesen Worten hervorgeht, so sehr ferner dieser Plan zu dem ganzen Verfahren und Charakter Strafford's stimmt, er selbst wollte es nicht zugeben, bestritt es juristisch und machte ausserdem geltend, dass das im geheimen Rathe des Königs Vorgegangene nicht in dieser Weise dürfe an die Oeffentlichkeit gezogen und den Mitgliedern desselben zum Verbrechen gemacht werden: Niemand werde ja mehr den Muth haben, dem Könige die Wahrheit zu sagen und in schwierigen Fällen ungewöhnliche Rathschläge zu geben, wenn Alles in dieser Weise hinterher untersucht und gedeutet werde.

Es war nicht zu leugnen, diese Worte machten grossen Eindruck auf die Lords, wie auf die Zuhörer, namentlich aber auch auf die Zuhörerinnen, von denen manche sogar mitschrie-

ben, was er sprach. Er übte durch seine Persönlichkeit, wie
durch sein ganzes Auftreten voll Kraft, Ernst und Würde, Ge-
lassenheit und Selbstbeherrschung die günstigste Wirkung auf
diese aus. Und dieser Eindruck steigerte sich zu einem wahrhaft dramatischen Effekte, als er bei dem dritten Hauptpunkte
und zum Schlusse alle Momente seiner Vertheidigungsrede nochmals zusammenfasste und Alles auf die Hauptsache concentrirte: Alles das sei eben doch kein Hochverrath gegen den
König; davon aber spreche allein das Statut Eduard's III.

Die Artikel der Anklage, die sich auf diesen dritten und
Hauptpunkt bezogen, lauteten folgendermassen.*) Der Graf
wird angeklagt:

Art. I. Dass er in verrätherischer Weise darnach getrachtet
hat, die Grundgesetze und die Regierung der Königreiche
von England und Irland umzustürzen, und statt derselben
ein willkürliches und tyrannisches Regiment gegen
das Gesetz einzuführen, was er deutlich erklärt und ausgesprochen hat durch verrätherische Worte, Rathschläge
und Handlungen, so wie durch den Rath, den er Sr. Majestät gegeben, seine getreuen Unterthanen mit Waffengewalt dieser Regierung zu unterwerfen.

Art. IV. Dass er in verrätherischer Weise die Macht und Autorität seiner Regierung missbraucht hat, zur Stärkung, Aufrichtung und Ermuthigung der Papisten, um zwischen ihm
und dieser Partei eine gegenseitige Uebereinstimmung her-

---

*) Ich gebe die Artikel nach dem Wortlaute der kürzeren Zusammen-
fassung im 7. Abschnitte, die Cobbett II, pag. 737 bereits enthält. Die aus-
führlicheren Details sieh bei Rushworth pag. 61: „Articles (28) of the
Commons assembled in Parliament against Thomas Earl of Str. in main-
tenance of their accusation, whereby he stands charged with High Treason."

vorzubringen, und so seine bösen und tyrannischen Absichten und Pläne zu verfolgen und ausführen zu können mit ihrer Hülfe.

Art. VII. Dass er, um sich selbst zu bewahren davor, dass er wegen seines verrätherischen Verfahrens zur Rechenschaft gezogen werde, daran gearbeitet habe, das parlamentarische Recht zu zerstören (subvert), so wie den alten Gang (Lauf, course) parlamentarischen Verfahrens aufzuheben und durch falsche und boshafte Verleumdungen Se. Majestät gegen die parlamentarische Regierung überhaupt zu verstimmen.

Und so habe er also durch Worte, Handlungen und Rathschläge . . . darauf hingewirkt, die Herzen des getreuen Lehensvolkes des Königs Sr. Majestät zu entfremden, eine Trennung und Theilung zwischen ihnen zu bewirken und so Ruin und Zerstörung in die Reiche Sr. Majestät zu bringen — weswegen sie ihn hiermit des Hochverrathes gegen unseren höchsten Herrn den König, seine Krone und seine Würde beschuldigen. —

In der That, eine so furchtbare, so über alles gewöhnliche Mass hinaus entsetzliche Anklage war schon durch ihre Möglichkeit überhaupt ein Beweis dafür, wie tief der Abtrünnige alle gewohnten Rechte der Nation musste verletzt haben. Aber Hochverrath gegen den König? Nein, das lag nicht darin — um so mehr nicht, weil das ganze System weit mehr vom König und der Königin selbst ausgegangen war, als von Laud und Strafford, dieser also nur in seinem allerdings ungesetzlichen und widerrechtlichen Verfahren dem Willen des Königs auf seine Weise gedient hatte. Nur durch diesen Diensteifer gegen ein System, welches ihm ursprünglich durchaus antipathisch war, gegen welches er selbst besonders heftig in der Petition of

Right (1628) geeifert hatte, war er ja emporgestiegen zu dem hohen Posten, der sein Schicksal werden sollte. Es war also nur consequent von ihm und entsprach ganz seiner Lage, wenn er in seiner Vertheidigung, mit Berufung auf das Statut Eduard's III., auf's Schärfste unterschied zwischen der Person des Königs und den Rechten der Nation: gegen diese mochte er gefehlt haben — jenem hatte er stets nur gedient.

Auf diesen Punkt also concentrirte sich seine in der That meisterhafte und glänzende Vertheidigung: dass Alles, was er gethan haben mochte, nicht unter den Begriff des Hochverrathes falle, wie ihn die alten Gesetze bestimmt hätten, dass seine Ankläger also einen neuen Begriff dieses Verbrechens aufstellen und zugleich ihn auch schon danach richten wollten — ein so unjuristisches Verfahren, dass sie es jetzt vielmehr seien, die Recht und Ordnung in der bedenklichsten Weise störten. „Wo hat denn" — ruft er an dieser Stelle seiner Rede mit stolzem Pathos aus*) — „diese neue Gattung von Verbrechen so lange verborgen gelegen? Wo war diese Flamme vergraben Jahrhunderte lang, dass kein Rauch ihr Dasein verrathen, bis sie auf einmal hervorbrechen musste, um mich und meine Kinder zu verzehren? Hart ist es, äusserst hart meiner Meinung nach, dass eine Strafe der Verkündigung eines Gesetzes vorausgehen soll; dass ich also bestraft soll werden nach einem Gesetze, dass erst erlassen ist nach geschehener That. Ich ersuche Eure Lordschaften demüthigst, nehmt das in Berücksichtigung: denn fürwahr, besser wäre es, gar keine Gesetze zu haben und nur nach den Vorschriften einer schlauen Klugheit

---

*) Von Häusser nur theilweise und ungenau gegeben. Hier wörtlich nach dem Originale bei Rushworth VIII, pag. 659 und 660. —

zu leben, um sich so gut als möglich mit der Willkür eines Gebieters abzufinden, anstatt zu wähnen, wir hätten ein Recht, auf dem wir ruhen könnten, um am Ende zu finden, dass dieses Gesetz eine Strafe verhängt, noch ehe es verkündigt ist und uns vor Gericht wegen Vergehen belangen lässt, die unbekannt waren bis zum Augenblicke der Verfolgung. Niemand unter den Lebenden könnte ja in dieser Weise, wie ich es wenigstens verstehe, sicher sein, wenn so Etwas sollte zugelassen werden.

Meine Lords, es ist in der That hart, dass auch nicht einmal ein Warnungszeichen gegen solch Vergehen vorhanden war, woran es zu erkennen, dass keine Art von Zeichen gegeben war, keine Ermahnung, davor auf der Hut zu sein. Wenn ich die Themse hinuntersegle in einem Boote, renne auf einen Anker auf und zersplittere mein Fahrzeug, so muss ich entschädigt werden, falls kein Ankertau (zur Warnung) da war; war er aber angezeigt, dann ist mein die Schuld und der Schade. Nun, meine Lords, wo ist das Zeichen, zur Warnung gesetzt gegen dieses Verbrechen? Wo ist das Merkmal, an welchem ich die Gefahr entdecken konnte? Wenn sie nicht bezeichnet war, wenn das Zeichen unter Wasser lag, und nicht oben, so kann keine menschliche Klugheit das Verderben eines Menschen augenblicklich abwenden. Lasst uns denn nur bei Seite werfen Alles, was menschliche Weisheit ist und allein uns verlassen auf göttliche Offenbarung; denn fürwahr, nichts Anderes kann uns bewahren, wenn Ihr uns verurtheilen wollt, bevor Ihr uns sagt, wo der Fehler liegt, damit wir ihn vermeiden können.“

Nachdem derselbe Gedanke nochmals in verschiedenen Wendungen wiederholt, dasselbe Thema also mit einer in der That nicht gewöhnlichen Fülle juristischer Beredtsamkeit auf das Mannigfaltigste variirt worden ist, fährt der Angeklagte fort:

5

„Volle 240 Jahre sind es jetzt, dass vor mir irgend Jemand auf dieses Verbrechen, bis zu solchem Grade, ist belangt worden. Wir haben glücklich für uns in der Heimath gelebt, meine Lords, und glorreich nach Aussen für die Welt: lasst uns damit zufrieden sein, wie es unsere Väter uns hinterlassen haben; und lasst uns nicht aufwecken diese schlafenden Löwen zu unserem eigenen Verderben, indem wir einen Haufen alter Erinnerungen aufstöbern, die so lange Jahrhunderte bei Seite gelegen haben, vergessen oder nicht beachtet.

Meine Lords, da liegt der Punkt, der mich am meisten betrübt, dass es mein Unglück sein wird, zu allem Uebrigen noch, wegen meiner anderen Sünden, nicht wegen angeblicher Verräthereien, einen solchen Präcedenzfall zu schaffen, der in der angedeuteten Weise dem ganzen Königreiche zum Schaden gereichen muss. Denn das wird der Fall sein, fürchte ich, in Folge dieses meines Vorganges.

Ich ersuche Euch daher, meine Lords, dass Ihr doch ja ernstlich dieses bedenken möget, und meinen besonderen Fall so ansehen wollet, dass Ihr nicht durch mich das Interesse des Gemeinwohles verletzet: denn obwohl diese Herren auf der Richterbank sagen, sie sprächen für das Gemeinwohl, und sie es auch vielleicht glauben mögen, so glaube ich doch in diesem besonderen Falle ebenfalls für das Gemeinwesen zu sprechen. Und so versichere ich denn, es werden solche Schwierigkeiten und solches Unheil hierauf folgen, dass in wenigen Jahren das Reich zu jenem Zustand kommen wird, wie ein Erlass Heinrich's IV. ihn schildert: die Lage wird derartig sein, dass kein Mensch mehr wissen wird, was zu thun oder was zu sagen sei.

Legt deshalb nicht, meine Lords, so grosse Bürden auf die

Staatsminister, dass sie nicht mehr mit Freuden dem Könige und dem Staate dienen können. Denn wenn Ihr sie nach jedem Sandkorn oder kleinsten Gewichte prüfen und messen solltet, so wird das unerträglich schwer werden. Die öffentlichen Angelegenheiten des Königreiches werden wie verwaist und herrenlos sein, und Niemand wird sich damit befassen wollen, wer Verstand und weisen Sinn hat, und Ehre und Vermögen zu verlieren."

Und zuletzt schloss er dann seine Rede mit einer Appellation an das Mitleid seiner Richter: „Meine Lords, ich habe Euch jetzt weit länger bemüht, als ich gesollt hätte. Wäre es nicht für diese Pfänder der Liebe (auf seine Kinder hinweisend), die eine Heilige im Himmel mir hinterlassen, ich würde nur mit schwerem Herzen . . ." Hier unterbrachen ihn seine Thränen. Noch versuchte er Einiges hinzuzufügen: „aber ich sehe, es wird mir nicht mehr möglich sein, weiter zu reden, und daher will ich aufhören." Und so schloss er mit den Worten: „Und jetzt, meine Lords, was mich selbst betrifft, so danke ich Gott, dass ich durch seinen gütigen Segen über mich bin belehrt worden, dass die Betrübnisse dieses gegenwärtigen Lebens nicht zu vergleichen sind mit jenem ewigen Glanz und Ruhme, der uns nach diesem soll offenbaret werden. Und also, meine Lords, mit aller Demuth und mit aller Gemüthsruhe, unterwerfe ich mich mit vollkommener Freiheit Eurem Urtheile: mag nun dieses (gerechte) Urtheil auf Leben oder Tod lauten, Dich, Gott, loben wir, Dich bekennen wir als den Herrn."

Es war unverkennbar, die glänzende Rede übte eine äusserst mächtige Wirkung auf die Lords, die als Richter fungirten, wie auf alle Zuhörer aus — so mächtig in der That, dass die Unterhausmitglieder bereits erkannten, die Lords würden ihn auf diese

Anklage allein hin nicht verurtheilen. Siebenzehn Tage lang
hatte die Verhandlung gedauert. Die ungeheure Schuld gegen
das ganze Land, die auf dem Gewissen des Angeklagten lasten
musste, konnte für Niemanden mehr zweifelhaft sein unter all'
den Millionen, die durch dieses System gelitten hatten — und
jetzt hatte seine in den Worten allerdings sehr glänzende, in
den juristischen Bestimmungen sehr scharfsinnig unterscheidende,
im Ganzen überhaupt meisterhafte Vertheidigungsrede den
Eindruck hervorgebracht, dass er vielleicht durch die Lords
würde freigesprochen werden, nur deshalb, weil er sich gerade
nicht an der Person des Königs versündigt hatte! Aber was
war denn diese einzelne Person nach der ganzen Sachlage im
Verhältnisse zu den colossalen Interessen der Millionen eines
so mächtig aufstrebenden Landes, wie England seit 50 Jahren?
Was war namentlich für das Unterhaus der König jetzt, nach
dem System der Regierung ohne Parlament während der letzten zehn Jahre anders, als ein raffinirter und höchst gefährlicher Feind, nicht einmal zuverlässig gegen seine eigenen
Freunde und Diener? Und deshalb sollte man alle so mühsam
errungenen Erfolge wieder aufgeben? Deshalb sich auf's Neue
der Gefahr aussetzen, einer tyrannischen, reaktionären und papistischen Regierung alle grössten Interessen geistiger und materieller Art wieder hülflos preisgegeben zu sehen? Das konnte
unmöglich erwartet werden von so kalten, klugen, durch bittere
Erfahrung gereiften und mit dem klarsten Bewusstsein die wirklichen Interessen der Nation vertretenden Männern, wie es Pym,
Hampdon, Oliver Cromwell, Grimstone, Oliver St. John und so
viele Andere waren, die seit langer Zeit im Mittelpunkte der
Bewegung standen. Für diese Männer und die Hunderttausende,
die sie vertraten und die es mit ihnen hielten, war Lord Straf-

ford längst ein Mann, der ausserhalb des Gesetzes stand, weil
er sich selbst ausserhalb desselben gestellt, d. h. jeden gesetzlosen Uebergriff erlaubt hatte. Es gab ein altes Gesetz darüber,
nach welchem die vereinigten Staatsgewalten in solch einem
Falle eine B ill of Attainder*) oder allgemeine Achterklärung
über Jeden aussprechen konnten, der in solcher Weise sich los-
gesagt hatte von allen Bedingungen menschlicher Existenz.
Heinrich VIII. hatte dieses Gesetz zuweilen angewandt, um diejenigen zu beseitigen, die sich seinen Staats- und Religionsplänen
widersetzt hatten. Dieses Gesetz wurde jetzt hervorgesucht.
Nie war seine Anwendung wohl begründeter gewesen als in diesem Falle; denn niemals hatte ein einzelner Staatsdiener in
solchem Grade gesetzlosen Missbrauch mit seiner Gewalt getrieben, als dieser „böse“ Graf. Arthur Haslerig war es,
der zuerst den Vorschlag machte, ihn durch eine solche Bill of
Attainder für überwiesen des Versuchs zu erklären, die alten
Freiheiten des Landes zu vernichten. Ueber die Begründung
und die Rechtmässigkeit dieses ungewöhnlichen Verfahrens kann
man streiten; dass es aber ein Act der Nothwehr war und nur
als solcher zu rechtfertigen, liegt auf der Hand: die Parteien
standen so gegeneinander, dass es bitterer, grimmiger, furcht-
barer Ernst geworden war, und die rechtlos angegriffene Partei
hatte solche Dinge erlebt, dass für sie jetzt der Spass absolut
aufgehört hatte. Wir oder er — darum handelte es sich für
sie: und danach verfuhren sie.

Altem Gebrauche gemäss wurde die Bill dreimal verlesen:
und sie ging durch; nur 59 Mitglieder waren dagegen. Am

*) Vgl. St. John's Argument of Law., concerning the Bill of Attainder,
April 29., 1641, Rushw rth VIII, pag. 675 ff. —

Tage darauf las man die Namen dieser 59 öffentlich angeschlagen als Landesverräther und Straffordianer. An allen Strassenecken in London sammelte sich das Volk, um sie zu lesen. In die Freude über den endlichen Sieg mischte sich die Erbitterung gegen diejenigen, die nicht mit dem Volke gehen wollten in der grossen gemeinsamen Angelegenheit, die jetzt die Sache Aller geworden war. Die Aufregung wuchs mit jedem Tage mehr, die Bewegung der Hauptstadt wurde immer drohender; denn noch hatten Oberhaus und König das ausgesprochene „Schuldig" des Unterhauses nicht bestätigt. Und mitten in diese wachsende Aufregung fiel nun die zündende Nachricht hinein, der König conspirire heimlich mit den Officieren der Armee, um Strafford mit Gewalt aus dem Gefängnisse zu befreien, mit Waffengewalt sich gegen Parlament und Volk zu schützen und die ganze Kraft der Action wieder in die Hand des früheren Systems zu bringen. Solche wilden Pläne wurden natürlich bald entdeckt, um so mehr, da alles aus dem Egoismus Einzelner Hervorgegangene gewöhnlich auch an demselben Egoismus scheitert. In diesem Falle fing einer der Officiere, welcher mit der ihm zugetheilten Rolle keineswegs zufrieden war, zuerst davon zu sprechen an. Und bei der scharfgespannten Aufmerksamkeit, mit welcher die Führer der Bewegung jede Regung der Gegner jetzt beobachteten, konnte der Plan also nicht verborgen bleiben. Seine Entdeckung aber war ein herrlicher Fund für die Volkspartei: sofort wurde sie benutzt, um endlich solchen Dingen ein definitives Ende zu machen.

Es kam also jetzt darauf an, eine solche Pression auf das Oberhaus und dadurch mittelbar auch auf den König auszuüben, dass die Bestätigung der Bill und die wirkliche Execution Strafford's erfolgen konnte. Zu diesem Zwecke wurden die

Bürger und die Lehrjungen von London zunächst in Bewegung
gesetzt — eine für die Zwecke, welche im letzten Grunde die
ihrigen waren, äusserst brauchbare Masse, so lange sie dem
Commando der Führer folgte und sich in gewissen Grenzen
hielt. Tausende dieser braven Jungen und dieser ehrbaren
Männer zogen also den ganzen Tag lang auf und ab vor dem
Sitzungssaale in Westminster, und riefen jedem Lord, der hinein-
ging oder herauskam, die Worte entgegen: „Gericht über Strafford! Gericht über die Verräther!" Vielen dieser grossen
Herren musste eine solche Bewegung des Volkes von London
doch als eine höchst bedenkliche und gefährliche Sache erscheinen. Das Unterhaus aber redigirte unter solchen hereintönenden
Stimmen von draussen eine „Protestation" des Inhalts: „Wir
nehmen den Höchsten zum Zeugen, dass wir einer beim Anderen stehen wollen bis zum Tode in Verfolgung unserer gerechten Zwecke hier, in Vertheidigung des Gesetzes, der Loyalität und des Evangeliums." Eine vorausgeschickte Erklärung
hüllte dabei die Furcht vor Armeecomplotten, Todesgefahren
und weiteren Landesverräthereien in sehr kluge und wohlüber-
legte Wendungen derartig, dass jeder Kundige doch herauslas,
wie es gemeint sei. Und nun wurde die Unterzeichnung dieser
in der Form ebenso bescheidenen, als in der Sache energischen
Protestation als Agitationsmittel unter die Massen und in die
Grafschaften geworfen. Hunderte von Unterhausmitgliedern
unterzeichnen sie einstimmig — darunter auch Cromwell — jeder schickt sie an seine Wähler, ladet sie ein zur Unterschrift,
und Tausende aus allen Theilen Englands unterzeichnen sie
namentlich, mit einem Gefühle feierlichen Ernstes, wie es heutzutage kaum noch möglich wäre, da wir jetzt schon so viele
solcher Protestationen erlebt haben, ohne die Wirksamkeit der-

selben zu merken. In jenen Tagen aber kamen, nachdem die
Unterzeichnungen erfolgt waren, Tausende von den Landleuten
zu Pferde in die Stadt, Alle die Petition an ihre Hüte gesteckt,
zum unzweideutigen Beweise, was sie wollten und wie entschieden sie es wollten — eine Strassenemeute so deutlicher und
so nachhaltiger Art, so Entsetzen erregend für Alle, die ein
schlechtes Gewissen hatten in der Volkssache, dass Oberhaus
und König sich doch bewogen fanden, den drohenden Stimmen
der Hauptstadt und des Landes zu weichen und dem Drängen
des Unterhauses nach endlicher Entscheidung der Sache sich
zu fügen. Die Bill ging, obwohl nur mit geringer Majorität,
auch im Oberhause durch, und der König Karl unterzeichnete
sie, nachdem Strafford selbst ihn in einem Briefe gebeten hatte,
die auf diese Art allein noch mögliche Versöhnung des Herrschers mit dem Volke von England nicht seinetwegen zu ver-
späten. Er bot sich also selbst zum Opfer an — mochte es
sein, weil er doch wohl einsah, dass er verloren war, oder weil
er im Stillen hoffte, der König würde von seinem Begnadigungs-
rechte Gebrauch machen. Das Letztere ist wahrscheinlicher.
Denn als er die Nachricht erhielt, der König habe ihn wirklich
preisgegeben, da sprach er das ominöse Wort aus: „Verlasset
Euch nicht auf Fürsten, sie sind auch nur Menschen! Es ist
kein Heil in ihnen!" —

Am Mittwoch darauf, am 12. Mai 1641, wurde er hingerichtet,
vor allem Volke, auf dem Schaffot der Hauptstadt. Er starb, wie ein
Mann — Muth hatte er immer gehabt — wie ein Märtyrer ging
er entschlossen in den Tod.*) Der König verlor mit ihm den
einzigen Mann, der ihn hätte retten können.

*) Vgl. die Beschreibung seiner Persönlichkeit und seiner gefassten Hal-
tung beim Todesgange bei Rushworth p. 773. Er hatte drei Frauen gehabt:

Zugleich mit dem Todesurtheile Strafford's unterzeichnete der König eine andere Bill, dass dieses Parlament nicht sollte aufgelöst werden ohne seine eigene Zustimmung. Für ihn selbst hatte das freilich nur den Zweck, neue Geldsummen bewilligt zu erhalten, um zwei hungrige Armeen sättigen zu können, die sich noch immer gegenüber lagen, aber vorläufig Frieden hielten. Für ein Volk aber, welches nie den Respect gegen das Gesetz verleugnet hatte, welches selbst in dem wildesten Lärm der Schlachten und der Volksbewegungen sich eine fast religiöse Ehrfurcht vor dem friedlich ordnenden Stabe des Constablers bewahrte, für ein solches in allen Dingen Gesetz, Ordnung und feste Bestimmungen liebendes Volk war diese Bill ein Ding von der grössten Wichtigkeit: denn dem Willen des Königs waren jetzt die Hände gebunden; das Parlament ist in Permanenz erklärt — gegen seinen Willen kann es nicht mehr wie früher, nach Hause geschickt werden. —

Das war der erste grosse Sieg, den die Nation von England gegen das System der Stuart's erfocht. —

---

2. Die Scheidung der Parteien.
1641—42.

Wenn der König glaubte, durch das blutige Opfer der einzigen Capacität, die er im Cabinet besass, das empörte Volk versöhnen zu können, so hatte er sich über den Tiefgang,

---

von welchen die zweite ihm einen Sohn, William, und zwei Töchter, die dritte eine Tochter geschenkt hatte. Dieser Sohn wurde später in alle Titel und Würden seines Vaters wieder eingesetzt, die Bill of Attainder völlig widerrufen (repealed, revoked, and reversed). Rushworth VIII. p. 777.

den die Bewegung bereits genommen, in einer Täuschung befunden, die für ihn und seine Dynastie verhängnissvoll werden
sollte. Sein persönliches Auftreten in Folge dessen, seinem
früheren Charakter gemäss, brachte sehr bald das zu Wege,
was jetzt vor Allem Noth that, die schärfere Scheidung der
Parteien.

Oliver Cromwell hatte an dem Process gegen Strafford nur
als einer unter andern Theil genommen, er war nicht besonders
hervorgetreten; die Dinge hatten sich wie von selbst ihrer Nothwendigkeit gemäss entwickelt. Aber seinen Standpunkt überhaupt hatte er genau zu derselben Zeit, als die Bewegung gegen
die Willkürmassregeln Strafford's begann, in einer Weise documentirt, dass kein grösserer Gegensatz denkbar war, als der
„böse" Graf und der „gute" Oliver. Er hatte nämlich die Vertheidigung derjenigen übernommen, die unter dem früheren
System gelitten hatten. So überreichte er eine Petition von
John Lilburn, dem früheren Amannensis von Prynne, der mit
diesem in der empfindlichsten Weise war bestraft worden und
jetzt Genugthuung dafür verlangte. So vertheidigte er in sehr
entschiedener Weise eine ganze Schaar armer Pächter von den
Domänen der Königin, welche in ganz ungesetzlicher Weise
waren beeinträchtigt worden zu Gunsten des Grafen von Manchester und seines Sohnes Mandevil. In den alten Berichten
hierüber erhalten wir ein zwar parteiisch gefärbtes, aber sehr
anschauliches Bild von der Persönlichkeit des künftigen Lord Protectors von England, um so prägnanter gefärbt, je greller die Phan-
tasie seiner Gegner unwillkürlich die Gegensätze hervorhebt und
die Farben aufträgt. „Das erste Mal" — erzählt der Eine darüber *)

---

*) Philipp Warwick.

— „dass ich Notiz nahm von Herrn Cromwell, war im Beginn des Parlaments vom November 1640, als ich selbst, als Mitglied für Radnor, mich in meinen eitlen Gedanken für einen sehr hoffähigen jungen Edelmann hielt — denn unserer guten Kleider wegen schätzten wir Höflinge uns sehr hoch." — (Junge Aeffchen beiderlei Geschlechts lieben ja stets die bunten Flitter, und selbst in grossen Zeiten giebt es kleine Seelen in hinreichender Anzahl, um den Humor der Weltgeschichte nie versiegen zu lassen, wenn sie einmal anfängt, mit solchen Aeffchen Fangball zu spielen.) „Ich kam eines Morgens in das Haus, wohlgekleidet" — wie das von einem so anständigen und wohl erzogenen jungen Manne nicht anders zu erwarten war — „und da bemerkte ich einen Gentleman, redend, (aber ich kannte ihn nicht) der ein sehr gewöhnliches Aussehen hatte, denn er trug einen einfachen Tuchrock, welcher durch einen schlechten Schneider vom Lande gemacht zu sein schien. Auch sein Leinenzeug war ganz einfach" — ungekräuselt — „und nicht eben sehr reinlich; ja, ich erinnere mich sogar, einen oder zwei zwei Flecken Blut auf seinem kleinen Halskragen bemerkt zu haben" — wahrscheinlich von schlechten Rasirmessern herrührend oder auch von etwas derber Haut, in ihrer Unebenheit leichter zu verletzen, wie glatte Höflingsgesichter. „Sein Hut war ohne Hutband. Seine Gestalt war von gutem Masse" — an Grösse und kerniger Festigkeit Manchem überlegen, wie sich später zeigen sollte — „Sein Schwert steckte fest an seiner Seite; sein Antlitz war geschwollen und roth, seine Stimme scharf und übelklingend, und seine Beredtsamkeit voll hitzigen Eifers. Denn der vorliegende Gegenstand der Verhandlung hatte nicht viel Vernünftiges zu bedeuten: es handelte sich da um einen Diener des Herrn Prynne, der Schmähschriften verbreitet hatte. Ich

gestehe offen, es verminderte meine Achtung vor jener grossen
Versammlung sehr; denn diesem Herrn hörte man sehr aufmerksam zu" — was in der That, wie Carlyle ironisch bemerkt,
sehr seltsam war, da er doch gar nicht so fein gekleidet erschien, wie wir feinen Hofleute, und überhaupt wohl ein sehr
unhandlicher und unbequemer Patron sein mochte.

Ein zweiter Bericht, dem bekannten royalistischen Historiker der englischen Revolution, Hyde Lord of Clarendon entnommen*) — wichtiger für die Parteiauffassungen jener Zeit,
als für die Geschichte selber — giebt ebenfalls ein sehr leben-
diges Bild von dem seltsamen Eindrucke, den die derbe Gestalt Cromwell's in jener Zeit des beginnenden Sieges auf die
feinen Herren vom Hofe machen musste. „Das Comité, welches
über die Sache jener Pächter entscheiden sollte, hielt seine
Sitzung im Gerichtshofe der Königin (in the Queens Court).
Cromwell war ein Mitglied des Comités und schien sehr dabei
interessirt zu sein, die zahlreich mit ihren Zeugen versammelten
Bittsteller, eben jene Pächter, zu vertheidigen und ihnen auf
alle Weise behülflich zu sein. Er ordnete sie in der Art des
gerichtlichen Verfahrens und unterstützte sie mit grosser Leidenschaft in Allem, was sie sagten; und diese, welche eine sehr
rohe und unbehülfliche Sorte von armen Leuten waren, unterbrachen die Gegner mit grossem Geschrei, wenn diese Etwas
sagten, was ihnen nicht gefiel; so dass Mr. Hyde, dessen Aufgabe es war, Leute von aller Art in Ordnung zu halten, sich
gezwungen sah, einige scharfe Verweise anzuwenden, und einige
Drohungen, um sie zu solcher Stimmung zurückzubringen, dass
die Verhandlung mit Ruhe konnte zu Ende geführt werden.

---

*) Sieh über ihn R a n k e in den Analekten zur englischen Geschichte Bd. VII.

Da aber warf Cromwell in grosser Wuth dem Vorsitzenden (Hyde) vor, dass er parteiisch sei, und dass er die Zeugen durch seine Drohungen in Verwirrung setze; dieser aber wandte sich an das Comité, welches ihm auch Recht gab und erklärte, dass er sich nach Pflicht und Schuldigkeit benommen habe; und hierüber gerieth der ohnehin schon zu sehr aufgeregte Cromwell in noch grösseren Zorn. Und als Lord Mandevil am Schlusse zu reden verlangte und nun mit grosser Bescheidenheit erzählte, was gethan worden sei und auseinandersetzte, was gesagt war, da wandte sich Cromwell zur Erwiderung mit solcher Unanständigkeit und Rauheit gegen ihn, in einer Sprache, so widerwärtig und beleidigend, dass Jeder denken musste, ihre Interessen müssten immer eben so verschieden sein, wie ihr Charakter und ihre Manieren. Am Ende wurde sein ganzes Benehmen so wild und stürmisch und sein Auftreten so insolent, dass der Vorsitzende sich genöthigt sah, ihn zur Ordnung zu rufen, und ihm zu sagen, dass, wenn er (Cromwell) in derselben Weise noch ferner fortführe, er (Hyde) sofort das Comité vertagen, und am nächsten Tage vor dem Unterhause sich über ihn beklagen würde. Das hat er ihm niemals vergeben, und später jede Gelegenheit wahrgenommen, ihn mit äusserster Bosheit und Rachsucht zu verfolgen, bis zu seinem Tode hin." —

Ein vortreffliches Bild der ganzen Situation und ein schlagender Gegensatz der Parteien: Hyde und Cromwell, priviligirte Schurken von Hofleuten, die sich in betrügerischer Weise fremdes Eigenthum aneignen — und arme Bauern, kaum fähig, sich verständlich zu machen, aber vertheidigt von Oliver Cromwell, und zwar in grimmig energischer Weise, ohne den mindesten Respect vor der Ordnung liebenden Sanftheit, Demuth, Bescheidenheit und inneren Faulheit der grossen Herren, deren ganzes

System jetzt bald zusammengeschlagen werden sollte. Cromwell kannte diese armen Leute; sie waren von Sommersham, nahe bei St. Ives, und hatten viel gelitten, ehe sie zu ihrem Rechte kamen. Eine historische Scene in der That von einem Gerichtstag in England vor 200 Jahren, wie sie kaum besser für einen Maler kann gefunden werden.

Bald aber sollte es zu ernsteren Conflicten kommen: der Gegensatz war einmal da — er musste sich entladen.

Zunächst waren es zwei Ereignisse, die wieder eine neue Wendung vorbereiteten — die Reise des Königs nach Schottland und der entsetzliche Mord von mehr als 40,000 Protestanten in Irland. In welchem Zusammenhange beide stehen, wird wohl nie völlig aufzuklären sein. Die Königin Henriette bereitete zu gleicher Zeit ihre Abreise nach Frankreich vor; sie hatte Sehnsucht nach ihrem Geburtslande — es begann ihr unheimlich zu werden in diesem so tief im Inneren aufgeregten England. Auch die „Army Plotters“, die militärischen Verschwörer, waren theils bereits über die See geflohen, weil sie auch für sich das Schicksal Strafford's fürchteten, theils wussten sie sich auf andere Weise dem spähenden Auge und strafenden Arme des Volkes und des Parlamentes zu entziehen.

Am 10. August 1641 reiste König Karl nach Schottland ab. Er wollte dort ein Parlament berufen, wollte sich mit den Schotten vor Allem verständigen, wollte mit eigenen Augen sehen, wie viel brauchbare Elemente für seine besonderen Zwecke dort noch zu finden seien: „Malign Royalism“, sagt Carlyle darüber, „old or new elements of malign Royalism“ — alte oder neue Elemente eines bösartigen Royalismus, das war es, was er suchte; er hoffte dadurch sowohl die Beweise darüber, wie sich die letzten Dinge gemacht hatten, als auch die Mittel in die

Hand zu bekommen, sich seiner Gegner auf ähnliche Weise zu entledigen, wie diese sich Strafford's entledigt hatten. Cromwell ging wieder nach Ely; das Parlament hatte sich vertagt bis zur Rückkehr des Königs. Aber ein Ausschuss beider Häuser, Pym an der Spitze, sollte während dieser Zeit alle nationalen Angelegenheiten überwachen. Und einige besonders zuverlässige Herren begleiteten den König: die Lords Bedford und Howard, die Ritter Stapleton, Armyne, Fiermes und John Hampden, der alte Steuerverweigerer, jetzt aber wieder zu Gnaden angenommen bei Sr. Majestät. Man war wachsam und entschlossen: man wollte die so schwer errungenen Vortheile nicht wieder so leicht aus der Hand entschlüpfen lassen.

In Schottland schien Alles zuerst vortrefflich zu gehen. Die Hauptsache war errungen; die milde, wohlwollende und versöhnliche Stimmung der schottischen Ritter hatte also keine Ursache, dem Könige noch ferner zu zürnen. Rasch hatte er alle Gemüther wieder für sich gewonnen — er war wieder populär geworden; der Krieg, den man noch so eben gegen ihn geführt, war völlig vergessen. Wäre Karl nun wirklich ein echter König und grosser Charakter gewesen, so würde er schon aus politischer Klugheit das Gleiche gethan und redlich Frieden gehalten haben, um sich allmälig in der neuen Situation zurechtzufinden und wieder heimisch zu fühlen. Er hatte doch diesen Frieden auf das Theuerste erkauft: die Triennial Bill wurde auch in Schottland durchgesetzt, ausserdem aber noch bestimmt, dass das schottische Parlament das Recht haben solle, am Ende jeder Session auch gleich den Anfang der nächsten zu bestimmen, so wie auch den Ort, wo sie sollte gehalten werden. Und ferner: alle Rathgeber, alle Richter, alle Staatsbeamte des Königs wurden sofort jetzt vom Parlamente ernannt, die Gegner des-

selben abgesetzt; ja auch die trotzigen presbyterianischen Prediger, die seinem früheren System so scharf als irgend möglich
entgegenstanden, wurden jetzt mit Gnaden und guten Stellen
und Pensionen überhäuft: es schien Alles jetzt in Frieden und
Liebe und brüderliche Eintracht sich auflösen zu wollen.

Die Männer, die der König in Schottland an die Spitze
treten liess, mussten ihm dafür nur versprechen, sich nie in die
kirchlichen Händel der Engländer zu mischen. Er wollte diese
also isoliren, die Schotten bewegen, ihre Sache von England zu
trennen, und dann sie benutzen, die in England ihm lästig
Gewordenen zu vernichten. Und zu diesem Zwecke suchte er
in aller Stille und im tiefsten Geheimniss Actenstücke zu sammeln und verschiedener Briefschaften sich zu bemächtigen, die
ihm den gefährlichen Beweis in die Hand geben sollten, dass
die Häupter des schottischen Covenants mit denen des englischen Parlaments in geheimem Bunde gestanden hätten.

Während er damit beschäftigt war, nicht merkend, wie jede
seiner Regungen argwöhnisch beobachtet wurde, und sein über
alles Mass tückischer Plan also bald entdeckt werden musste,
brach in Irland die papistische Verschwörung aus. Vielleicht
glaubten die rohen Burschen, die an der Spitze dieses Massacre
standen, auch so Etwas machen zu können, wie die schottisch-
englische Revolution: es fiel aber aus, wie die jämmerlich sich
selbst zerfleischende Gestalt von Erasmus' Affen, der, da er
seinen gelehrten Herrn sich rasiren sah, nicht den mindesten
Zweifel hegte, er könne das auch: man weiss, was die Kreatur
für eine Jammergestalt aus sich machte, bevor ihm das gefährliche Spielzeug wieder konnte entrissen werden. Nie hat ein
so klassisches Modell, wie es die schottisch-presbyterianische
Revolution von 1640 für alle Zeiten ist, eine so elende Nach-

ahmung gefunden, wie es dieser irische Protestantenmord war. Leute, wie Phelim O'Neale und Roger O'More, Lord Macguirre, Lord Mayo und Colonel Plunkett waren nicht die Männer dazu, eine solche Bewegung nicht blos zu entbinden, sondern nun auch in ihren Schranken zu halten und zu einem praktisch vernünftigen und politisch realen Ziele hinzuleiten. Es bedarf dazu noch wesentlich anderer Elemente, als des religiösen Fanatismus, der in seiner exclusiven Rohheit immer etwas Bestialisches behält.

Es mochte immerhin der grauenhafte Rachekrieg, der jetzt in Irland begann, seit langer Zeit begründet sein durch ein wahrhaft grausames System, wie es die Engländer freilich gegen das eroberte Land lange geltend gemacht hatten. Strafford hatte hier mit Energie und Verstand zu mildern gesucht, was seine Vorgänger verschuldet hatten: er hatte es verstanden, das Land im Zaume zu halten. Kaum aber war er fort, als die Bewegung begann und das Unheil in einer Weise losbrach, wie es eben nur lange Misshandlung einer grossen Provinz ermöglicht. Ueber 40,000 sollen hingeschlachtet sein, ohne irgend ein ersichtliches Resultat oder einen dauernden Zweck, nur um dem langgenährten Rachegefühl endlich Befriedigung zu verschaffen. Es war eine zweite Bartholomäusnacht, wie sie widerwärtiger und unzweckmässiger kaum gedacht werden kann. Was ausser dem religiösen Fanatismus diese entsetzliche That besonders hervorgerufen hatte, das war namentlich der alte nationale Hass, verschärft noch bis zur grimmigsten Erbitternng durch die grossen Verluste an Gut und Geld, die eine frühere Empörung unter Jacob I. den Empörern bereitet hatte; namentlich die grossen Besitzungen in Ulster waren in Folge jener Unruhen an Tausende von englischen und schottischen Einwohnern vertheilt

6

worden. Und es war nur zu natürlich, dass die verarmten Söhne der früher Gerichteten stets auf dem Sprunge standen, die alten Besitzungen sich gewaltsam wieder anzueignen und den nicht durch ihre Schuld verlorenen Glanz ihres Hauses jetzt neu wieder aufzurichten. Die katholischen Iren bildeten zudem so sehr die überwiegende Mehrzahl, wohl fünf Sechstel der ganzen Bevölkerung, dass an Widerstand kaum zu denken war. Strafford hatte diese sowohl zu schonen, als auch zu bändigen und im Zaume zu halten verstanden; sie huldigten also willig der Regierung, die ihnen Alles gab, was diese weniger bildungsbedürftigen Massen nöthig hatten, ja, die sich entgegen den früheren Bedrückungen sogar dazu verstand, sie besonders zu protegiren und in bessere Verhältnisse zu versetzen, als die englischen Einwanderer. Mit dem Siege der Puritaner 1641 hörte das Gefühl der Sicherheit auf, was sie bisher zurückgehalten hatte. Sie mussten die Ausrottung des Papismus, von der früher schon oft die Rede gewesen, befürchten; und dieser wollten sie zuvorkommen durch Vernichtung ihrer Gegner. Unter wahrhaft barbarischen Grausamkeiten, in denen sich die ganze verhaltene Wuth einer lange straflos gereizten Bevölkerung zu erkennen gab und an welchen selbst Weiber und Kinder Theil nahmen, wurden über 40,000 allmällig von den herumziehenden Banden überfallen und geschlachtet. Die Privatrache fand dabei ebenfalls, wie gewöhnlich, ihre Rechnung.

Es compromittirte den König auf's Aeusserste, dass die Empörer erklärten, sie kämpften für Thron und Altar, für den Papst und den König, mit einem Worte für das soeben von den englischen Puritanern gestürzte System. Und da ja zu derselben Zeit, wo die irische Bewegung immer mehr den Charakter eines eigentlichen Massacre annahm, der Plan des Königs, die

Schotten auch gegen die Engländer zu benutzen, entdeckt wurde, da die bedeutendsten Männer, wie Hamilton, Argyle, Lesley darüber sogar persönlich in Gefahr geriethen — eine Sache, die 14 Tage später, nachdem sie erst geflohen und dann zurückgekehrt waren, vertuscht wurde durch Ernennung zu grossen Ehrenstellen — so entstand durch die Berichte, die über alle diese Dinge nach London kamen, wieder eine so gefährliche Stimmung und Alle befürchteten eine so schlimme Wendung der öffentlichen Angelegenheiten, dass sofort beschlossen ward, die Stadt London durch die dem Parlament ergebenen Truppen zu besetzen und Tag und Nacht die beiden Häuser durch die Milizen bewachen zu lassen. Graf Essex erhielt den Oberbefehl. Oliver Cromwell aber war der Ansicht, dass sofort alle Milizen des Königreiches zur Landesvertheidigung aufgerufen werden müssten — ein Plan, der bald zur Ausführung kommen und den ersten Keim seines späteren Parlamentsheeres bilden sollte. —

Dieser Moment — November 1641 — muss als der Augenblick einer entscheidenden Wendung angesehen werden: die Scheidung der Parteien als ernstlicher Kämpfer für ihre Interessen begann damit, dass sich jetzt allmälig ein Heer bildete, welches grösseren Interessen diente, als den persönlichen Launen eines nicht eben sehr einsichtsvollen Herrschers. Die Anführer dieses Heeres erwiesen sich später als Diener des Staates; denn die „Cavaliere“ waren ihnen gegenüber sehr bald eine geschlagene Partei. Von ihrem ehrbaren Haarschnitte nannten sich die puritanischen Gegner derselben „Rundköpfe“ — ein Spottname zuerst, ihnen beigelegt von den Cavalieren, von ihnen aber eben deshalb jetzt mit dem selbstbewussten Humor des geschichtlichen Lebens als unterscheidender Ehrenname acceptirt.

6 *

Gleichzeitig wurde der König gebeten, seine schlechten
Rathgeber, unter denen Hyde, Colepepper und Falkland die vorzüglichsten waren, zu entlassen. Diese und einige Andere waren
gegen Laud und Strafford allerdings mit dem Parlament zu-
sammengegangen, glaubten aber jetzt, dass genug reformirt und
revoltirt sei, und wollten um jeden Preis Ruhe haben. Sie
hatten also die Naivetät, eine so colossale und so schwer erkämpfte siegreiche Revolution in ihrem besten Zuge sistiren
und aufhalten zu wollen, vielleicht deshalb, weil sie allerdings
sich vollkommen wohl befanden und in einem persönlich ange-
nehmen Verhältnisse zum Monarchen standen. Die Führer der
bisherigen Bewegung aber, die Pym, Hampden, Holles, Oliver
Cromwell, Grimstone, hatten durchaus keine Ursache, sich in
der gleichen milden und versöhnlichen Stimmung zu befinden,
sobald die Nachrichten aus Schottland eingetroffen waren: es
war ja so offenbar auf ihr Verderben abgesehen, dass es sich
für sie um einen Kampf auf Leben und Tod handeln musste
— wie denn überhaupt jede Revolution verloren ist, welche,
nachdem sie einmal das Schwert gezogen hat, nicht die Scheide
wegwirft. Auf der Seite des Königs standen mit Hyde und
Consorten zusammen eben all' die Elemente, die den Puritanern
specifisch antipathisch waren, die Katholiken, die specifisch
Frommen der bischöflichen Hochkirche, deren Haupt Laud gewesen war, der hohe Clerus dieser Kirche, im schärfsten Gegensatze zu den Presbyterianern stehend, und die höchste Aristokratie des Landes. Und diese sehr rücksichtslosen Elemente,
welche mit dem Tode Strafford's allein noch keineswegs vollständig überwunden waren, sammelten sich jetzt wieder, um
ihre puritanischen Gegner mit einem Schlage zu vernichten.
Diese Situation muss man in's Auge fassen, um die Scheidung

der Parteien vollkommen zu verstehen, wie sie sich während der Reise des Königs nach Schottland und der gleichzeitigen Empörung in Irland, während das Parlament vertagt war, definitiv vollzog. Die strengen Protestanten aus Stadt und Land, denen religiöse und politische Freiheit ebenso zusammenfielen, wie auf der anderen Seite papistisch-hierarchischer und royalistischer Despotismus einen festen Bund geschlossen hatten, mussten, im Bewusstsein, persönlich grössere Interessen, reinere Lehren und höhere Zwecke zu repräsentiren, Alles daransetzen, dass ihnen diese eben erst errungenen Erfolge nicht wieder durch einen sehr tückischen Plan aus den Händen entrissen wurden. Demgemäss handelten sie also jetzt: und der Ausdruck der in der angedeuteten Weise jetzt stattfindenden Scheidung der Parteien ist die grosse Remonstranz vom Ende des Jahres 1641 einerseits, der versuchte Staatsstreich im Beginn des Jahres 1642 andererseits. Der Ausgang zeigte bald, welcher Seite der Sieg zu Theil werden sollte.

Unter dem Eindrucke der fortlaufenden und immer schrecklicher und widerwärtiger klingenden Mordnachrichten aus Irland kam die „Grand Petition and Remonstrance" am 22. November 1641 zu Stande, mit schwacher Majorität allerdings nur — ein deutlicher Beweis, dass die Parteien sich augenblicklich noch ziemlich gleich an Zahl waren. In 206 Paragraphen hatte der unermüdliche Pym nochmals alle Beschwerden wider das frühere System zusammengestellt und die Verdienste des Parlamentes um die Begründung und Vertheidigung der englischen Freiheit gebührend hervorgehoben. Darüber entspannen sich die lebhaftesten Debatten vom 9. bis zum 22. November; und ganz, wie wir es in unseren Tagen gesehen haben, ging die Taktik der sogenannten „Conservativen" (Ca-

valiere oder Royalisten im Sinne von Karl's System), in welcher
Partei sich alle Reste des geschlagenen Systems vereinigt hatten, wesentlich dahin, durch lange Debatten, Wortklaubereien,
Wortwitze und ähnliche heutzutage gänzlich verbrauchte Mittel
die Gegner abzunutzen und zu ermüden, die Entscheidung hinzuziehen und einen definitiven Beschluss zu hintertreiben. Durch
den beinahe 14tägigen Wortkampf kam erst der Gegensatz der
Parteien völlig zu Tage. Die Leidenschaften erhitzten sich
dabei immer mehr — bis zur äussersten Gluth. Aus diesen
Debatten stammt daher auch das welthistorische Wort, das Pym
wieder zuerst aussprach, die Gemeinen aber alle sich erhebend
wiederholten: „Elliot's Blut schreit noch um Rache! Sein Blut
schreit um Rache!"

Mit 159 gegen 148 Stimmen ging die „Remonstranz" am
22. November 1641 durch. Auch die Veröffentlichung wurde
beschlossen, „damit ganz England die Lage der Dinge genau
übersehe, die Verleumder der Gemeinen kennen lerne und denen
an die Seite trete, die ihre Sache vertheidigen." Der heftige
Widerstand Hyde's und Falkland's dagegen trug nur dazu bei‘
die Unterschiede schärfer hervorzuheben, die sich bereits geltend gemacht. Zwei Uhr Morgens war es, als die Sitzung zu
Ende ging. Oliver Cromwell soll beim Herausgehen, die Treppe
herabsteigend, müde, schwerfällig, erhitzt von der Debatte und
grimmig noch im Gefühl des Sieges, gesagt haben: „Er würde
Alles verkauft haben und nach Neu-England gegangen sein,
wenn die Remonstranz nicht durchgegangen wäre." Wie lebhaft die Debatte muss gewesen sein, erhärtet besonders aus
einer kleinen Notiz, die sich in einem Berichte findet: „Wir
würden uns schon jetzt mit den Schwertern zerfleischt haben,
hätte Hampden nicht die Sache so ruhig zu leiten verstanden."

Noch einen kurzen Aufenthalt der Entscheidung bringt die Rückkehr des Königs aus Schottland. Mit allen Ehren empfangen, die zuversichtlichsten Mienen zur Schau tragend, beseitigt er die Schutzwachen des Parlaments wieder; er meint, „so lange er keine Wache brauche, habe das Parlament auch keine nöthig!" Falkland, Hyde, Colepepper werden nicht entlassen, sondern gerade in seinen vertrautesten Rath gezogen. Und nun wird, mit ihrer Hülfe wahrscheinlich, etwas vorbereitet, was ein Staatsstreich ernstester Art gewesen sein würde, wenn es nur gelungen wäre.

Am 3. Januar 1642 kommt es zu dem entscheidenden Schritte. Im Oberhause wird eine königliche Botschaft übergeben, welche gegen Lord Kimbolton und fünf Gemeine eine Anklage auf Hochverrath in ganz ähnlicher Weise zu erheben sucht, wie es früher von Seiten der Puritaner gegen Strafford geschehen war. Nachahmer glauben eben Alles machen zu können; aber um das Ei des Columbus ist es ein eigenes Ding. Die Gemeinen beriethen zur selben Zeit über einen sehr höhnisch klingenden Bescheid, den ihnen der König hatte zukommen lassen. Während dieser Verhandlung kam die Nachricht, dass die Wohnung der Abgeordneten Holles und Hampden erbrochen und Schränke, Schreibtische, Kisten und Koffer versiegelt worden seien. Denn obgleich die im Oberhause eingebrachte Anklage durchaus rechtswidrig und daher mit allgemeinem Erstaunen und Unwillen aufgenommen war, so hatte man doch dafür gesorgt, sofort königliche Beamte nach der Wohnung der Angeklagten zu senden, um dem Versuche der Anklage noch vor der rechtlichen Begründung derselben eine thatsächliche Folge zu geben. Man kann sich denken, welche Aufregung dieser Vorgang bereits im Hause verursachte; und nun erschien

ein königlicher Sergeant mit dem Befehle im Namen des Königs, dass ihm die fünf Mitglieder Denzil Holles, Arthur Haslerig, John Pym, John Hampden und William Strode auszuliefern seien, damit sie in den Tower gesetzt und als überführte
Hochverräther bestraft würden. Diese Auslieferung fand aber
nicht statt; das Unterhaus lehnte zwar die Aufforderung nicht
geradezu ab, aber es rührte sich auch Niemand, dem Befehl
Folge zu leisten. Es wurde nur beschlossen, das Verlangen
des Königs in ernste Erwägung zu ziehen. Als der König die
Nachricht von dieser Verzögerung. erhielt, trat er in leiden-
schaftlicher Erregung unter die in seinem Vorzimmer versammelten Officiere, und mit den Worten: „Soldaten, Vasallen! Wer
mir treu ist, der folge mir!" führte er sie selbst aus dem
Pallaste hinaus zu der St. Stephanskapelle, wo das˙Unterhaus
tagte. Etwa 500 Bewaffnete folgten ihm. Mitten in einer heftigen Debatte über seine Botschaft trat er allein in den Saal,
während seine bewaffneten Begleiter die Ausgänge besetzten,
schritt höflich nach beiden Seiten grüssend auf den Sprecher
des Hauses zu, bat denselben, ihm einen Augenblick seinen
Platz zu überlassen und hielt dann in seiner gewöhnlichen etwas verlegenen Art und Weise eine Rede, in welcher er mit
scharfem Accent hervorhob, dass in Fällen des Hochverrathes
von keinem Privilegium mehr die Rede sein könne und dass
er daher auf seine gestrige Forderung nicht eine zögernde Antwort, sondern sofortigen Gehorsam verlangt habe. Als er sich
darauf nach den fünf Abgeordneten umsah, und. sie nirgends
fand — der französische Gesandte hatte sie warnen lassen, so
dass sie rechtzeitig entfliehen konnten — fragte er, wo sie
seien. Niemand antwortete ihm. Er wandte sich darauf mit
derselben Frage an den Sprecher des Hauses, dieser aber sagte:

„Verzeihung, Majestät, ich habe hier weder Augen noch Ohren, es sei denn auf Befehl des Hauses!" Der König sah also wohl ein, dass ein Einzelner, und wenn er noch so hoch stehe, Nichts vermöge gegen die ehrwürdigen Rechtsformen einer Versammlung, welche nun schon Jahrhunderte lang die eigentliche Trägerin der glorreichen Geschichte des Landes gewesen war. Er suchte sich deshalb mit einem leichtfertigen Witz über die fatale Situation hinwegzubringen und erwiderte demnach mit cavaliermässiger Nonchalance: „Schon gut! Ich sehe, meine Vögel sind ausgeflogen. Aber ich werde sie zu finden wissen! Ich muss sie haben!" Und im Hinausgehen fügte er noch hinzu: „Ich erwarte, dass Ihr mir die Leute schicken werdet, sonst muss ich selber die nöthigen Massregeln treffen. Ihr Verrath ist abscheulich, er ist derart, dass Ihr Alle mir danken werdet, dass ich ihn entdeckt habe." So verliess er den Saal. Ein lautes und unwilliges Murren von allen Seiten des Hauses zeigte ihm deutlich genug, auf welche Stimmung er hier zu rechnen hatte.

Nie vielleicht ist ein versuchter Staatsstreich so unglücklich ausgefallen und so vollkommen misslungen: der König hatte seinen Zweck nicht erreicht; und sich selbst hatte er dabei beispiellos blosgestellt. Die Scheidung der Parteien war damit definitiv erfolgt, und zwar zu Gunsten der bürgerlichen Bewegung. Der freilich durchsichtige Schleier, der den tückischen Plan des Königs vorher verhüllt, der Schleier des Wohlwollens und der Versöhnung, mit welchem er sich seit dem Opfertode Strafford's für ihn zu umgeben verstanden hatte, die Aussicht anf Frieden endlich und auf Beruhigung der tief erregten Strömungen in dem religiösen und politischen Leben des englischen Volkes, alles das zerriss jetzt mit einem Schlage wieder.

Die drohenden Wolken einer völlig ungewissen Zukunft thürm-
ten sich auf's Neue gewitterdrohend über der Britten Inseln
empor, und es sollte mancher Blitz noch vernichtend nieder-
fahren auf die Häupter der Unterliegenden,, bevor ein neuer
Himmel gesetzlicher Ordnung wieder beglückend lächeln konnte
über dem so schwer geprüften Lande.

Dass die Stadt London ihre bisherige Parteinahme nun in
noch entschiedenerer Art geltend machen würde, war voraus-
zusehen. Die ungeheure Aufregung, welche die Vorgänge vom
3. und 4. Januar 1642 in allen Bürgerhäusern erregten,
äusserte sich sofort in höchst gefährlichen Symptomen: als der
König am folgenden Tage ohne militärische Begleitung nach
Guildhall, dem damaligen Stadt- und Rathhause, fuhr, um vom
Lordmayor und Alderman persönlich die Auslieferung der fünf
Mitglieder zu fordern, musste er bereits erfahren, dass die Be-
hörden nicht mehr Herren über die Gemeinde waren. Und in
der Rathsversammlung selbst, wie auf den Strassen, tönten ihm
schon laute und drohende Rufe entgegen: „Privileg! Privileg!
Freiheiten des Parlaments! Auf das Parlament hören!" Der
Unterschied, welchen er persönlich darauf zwischen dem Parlamente und einigen aufrührerischen Mitgliedern desselben machen
wollte, stellte seinen Standpunkt und seine Meinung allerdings
sehr bestimmt und sehr entschieden hin: die grosse Mehrzahl
der Nation von England wusste es aber besser. In seinem
Wagen wurde ihm bereits eine Flugschrift geworfen mit dem
Titel: „Zu Deinen Gezelten, Israel!" Ein Verbot, die Flüchtigen aufzunehmen, eine Aufforderung an alle Beamten, sie zu
ergreifen und auszuliefern, hatten keine Wirkung mehr. Der
König liess Geschütze nach dem Tower führen und die Garnison verstärken: was bedeutete das jedoch gegen die ruhige, ge-

setzliche, aber massive Opposition der ganzen Bevölkerung!
Dieser gab das Parlament jetzt einen immer schärferen Ausdruck; die Führer der Bewegung leiteten von ihrem Versteck
aus Alles, wie vorher. Eine kurze Vertagung, bis die gebrochenen Privilegien des Parlamentes wieder zur Geltung gebracht
und gehörige Sicherheitsmassregeln getroffen seien gegen Erneuerung solchen bewaffneten Vorgehens gegen eine berathende
Versammlung, war der erste Protest gegen Karl's Verfahren.
Ein gewähltes Comité erklärte unterdessen die Illegalität des
vom König eingeschlagenen Weges und verbot die Ausführung
der erlassenen Haftsbefehle. Ja, im Vertrauen auf die Stimmung der Hauptstadt beschloss es bereits, die fünf Mitglieder
wieder an den Sitzungen Theil nehmen zu lassen und eine
militärische Garde für das Parlament zu organisiren unter einem
Officier, zu welchem die Stadt Vertrauen habe. Capitain
Skippon wurde dazu gewählt, ein Mann, der in Holland
den Krieg gelernt und sich von der Pike an heraufgearbeitet
hatte. Acht Compagnien waren binnen wenigen Tagen beisammen. Als General-Major trat der Hauptmann an ihre Spitze,
und jeder, der zu dieser Garde gehörte, musste sich mit einem
besonderen Eide verpflichten, dem angegebenen Zwecke zu
dienen. Nachdem dies geordnet, nahmen bereits am 10. Januar
die 5 „Members" wieder Theil an den Sitzungen. Hampdon
führte bald darauf dem Parlamente noch einige 1000 Mann
aus Buckinghamshire zu, welche sich erboten hatten, in der
Vertheidigung der Rechte des Unterhauses zu leben und zu
sterben. Und als das Gerücht plötzlich entstand, der König
habe Bewaffnete ausgeschickt, um die 5 gefangen zu nehmen,
da waren ausser den Hunderttausenden von Proletariern, die
seit den letzten Weihnachten bereits den Cavlieren mit Stöcken,

Säbeln und Piken einzelne Strassenkämpfe geliefert hatten, binnen einer Stunde 40000 bewaffnete Bürger aufgeboten — ein Heer, gegen welches in jener Zeit die Hand voll Soldaten, die dem Könige zur Disposition standen, unmöglich aufkommen konnte. Die Stellung der Hauptstadt war damit auf's Unzweideutigste markirt,

Der König sah jetzt ein, welch einen folgenschweren Fehltritt er mit dem bewaffneten Vorgehen gegen das Parlament begangen hatte. Wieder zeigte sich an einem entscheidenden Punkte· die Unfähigkeit seines Charakters, bedeutende Massregeln energisch durchzuführen. Es ist schon früher darauf aufmerksam gemacht worden, dass Nichts gefährlicher ist, als eine bewaffnete Macht zeigen und sie doch nicht so gebrauchen, dass an Widerstand nicht mehr zu denken. Zum zweiten Male machte er jetzt dies gefährliche Manoeuvre schwacher Regenten. Und zum zweiten Male provocirte er dadurch einen Widerstand, dem er weichen musste. Jetzt wurde derselbe ihm so unerträglich, dass er mit seiner Familie die Stadt verliess; am Abend des 10. Januar fuhr er mit Frau und Kindern nach Hamptoncourt, von dort bald darauf nach Windsor.

Am andern Morgen aber — es war den 11. Januar 1642 — hielten unter dem unbeschreiblichen Enthusiasmus der ganzen die Strassen London's durchwogenden Bevölkerung die fünf Verfolgten einen feierlichen Einzug durch die festlich geschmückte Stadt in das wieder erkämpfte Parlament. Alle Milizen der Stadt waren aufgeboten. Auf ihren Piken hatten viele die Protestation des Parlamentes gegen des Königs Verfahren. Die „Wasserratten" der Themse hatten alle ihre Schiffe und Kähne mit Flaggen und Wimpeln geschmückt, und ein Schuss nach dem andern (bonfires) ertönte, oft auch ganze Freuden-

salven, dem lärmenden Jubel der Bevölkerung Ausdruck zu
geben. Das ganze Parlament nahm an den Stufen des Hauses
seine fünf Mitglieder feierlich in Empfang; der Sieg der allgemeinen Volkssache hatte so einen Ausdruck erhalten, dessen
Bild unauslöschlich noch heute fortlebt im Andenken der englischen Nation. Der König von Gottes Gnaden aber, der eine
allen Traditionen der englischen Geschichte widersprechende
Religion und Politik mit Gewalt, Hinterlist und Verstellung
glaubte ein- und durchführen zu können, hatte fliehen müssen
aus seinem Palaste; und er sollte nie dahin zurückkehren, bis
er sein Haupt eben dort auf den Block legen musste, wo er
in unbeschränkter Herrlichkeit früher gethront hatte. — — —

3. Der erste Bürgerkrieg.
1642—1647.

Es ist ein durchgehendes Gesetz der geschichtlichen Bewegungen, dass, wenn einmal der Boden des festen Rechtes
durch willkürliches Vorgehen, erschüttert worden ist, sei es
von welcher Seite auch immer, die Rechtsverletzungen bis zu
einem Grade fortgehen müssen, bei dem Niemand zuletzt mehr
sagen kann, wo das Recht aufhöre und das Unrecht beginne.
Wenn eine Nation an diesem Punkte angelangt ist, wo die
gewöhnlichen Rechtsgewalten selbst ihre Befugnisse in einer
Art und Weise überschreiten, welche dem Unterdrückten nur
mehr die Selbstvertheidigung der Nothwehr übrig lässt, so beginnt die Revolution und der Bürgerkrieg eine Nothwendigkeit
zu werden. Dann wanken alle Grundlagen der göttlichen und

menschlichen Ordnung, die im Laufe der Zeit künstlich gelegt
und aufgebaut worden sind, und es beginnt wieder das alte
Naturgesetz auch in der menschlichen Gesellschaft Herr zu
werden, nach welchem der Kraft die Welt gehört und dem
nationalen Genie die Herrschaft über sein Volk. Solche Zeiten
sind es denn, aus welchen die grossen Heroen der Geschichte
über Blut und Trümmern und Brandstätten befreiend und ver-
söhnend emporsteigen, wie Meeresgötter über tobenden Wellen:
aus der grossen Tragödie ihrer Zeit hervorgehend, sind sie
berufen, die neue Ordnung der Dinge selbstständig in der den
veränderten Zuständen gemässen Art und Weise für die glücklicheren Erben solcher stürmischen Bewegungen vorzubereiten.
Ihre Macht wächst aus der Zeit empor. Ihr inneres Gesetz
ist die Zukunft ihres Volkes. Ihre persönliche Kraft ruht in
dem Zauber der Liebe, der Ehrfurcht und der Bewunderung,
welcher die disparaten Kräfte immer zwingt, einem überlegenen
Geiste zu dienen und unter ihm für gemeinsame Zwecke zu
arbeiten. Jedes Volk hat solch einen Heros aufzuweisen: die
Perser hatten ihren Cyrus, Griechenland den Perikles,
Rom seinen Cäsar, England seinen Cromwell, Nord-Amerika
Washington, Frankreich Napoleon, Deutschland Friedrich den Grossen. Jedes Volk ist verloren, welches in
Zeiten stürmischer Volksbewegungen keinen Mann besitzt, um
den sich willig Alles schaart, weil es in ihm seine Seele erkannt hat: denn die Parteien zerfleischen sich gegenseitig in
solcher Zeit; das Princip einer höheren Ordnung ist immer
eine mächtige und geniale Persönlichkeit. Es ist deshalb ein
nicht blos sehr prosaischer, sondern auch principiell falscher
Gesichtspunkt, wenn man, wie einzelne Geschichtschreiber noch
immer thun, solch grosse Bewegungen, wie es z. B. die eng-

lische und die französische Revolution waren, auf die formellen Rechtsfragen reduciren will: im Hintergrunde der einzelnen Bewegungen wirkte eben doch eine andere Macht, als das formelle Recht. Das Volk, die Nation als solche suchte die ihr gemässe Existenz: die einzelnen Bewegungen waren nur Versuche, den richtigen Weg zu finden.

Offenbar hatten in England aber die Stuarts und ihre Helfershelfer den Angriff in einer Weise begonnen, dass jede Nothwehr dagegen geboten und gerechtfertigt erschien. Die Nation von England war in der That an dem Punkte jetzt angelangt, wo der Bürgerkrieg nicht mehr zu vermeiden war. Einerseits war es dem König Karl nicht zu verdenken, dass er, den Ernst der Lage jetzt begreifend, mit allen ihm treu bleibenden Cavalieren Front machte gegen weitere Angriffe auf seine königliche Stellung. Andererseits hatten die Puritaner, die Rundköpfe, bis jetzt noch gemischt aus Presbyterianern und Independenten, zu deutlich begriffen, dass es sich für sie um einen Kampf auf Leben und Tod handelte, als dass sie jetzt auch nur noch einen Schritt hätten zurückweichen können. Die revolutionäre Strömung der Residenz musste jetzt aus der bisherigen Defensive gegen das falsche System des Königs zur Offensive gegen Alles übergehen, was irgendwie mit ihm in Zusammenhang stand. Und dass bei solchem Vorgehen auch die Person des Königs zuletzt nur als ein einzelner Feind unter anderen erscheinen musste, war die naturgemässe Consequenz des einmal entbrannten Kampfes.

In York sammelten sich die aristokratischen Elemente des alten Systems um die Person des Königs. Die Hauptstadt London dagegen war der Mittelpunkt der Revolution. Eine besondere Unterstützung erhielt die Partei der Cavaliere zu-

nächst durch die Sympathien einzelner conservativer Bestand-
theile des Landvolkes; denn der Heerd solcher Bewegungen
kann naturgemäss nur in dem bewegten Leben grosser Städte
sein: der Gutsbesitzer und Bauer ist schon durch seine Lebensweise und seinen geringen Verkehr mit Mitbürgern weniger
geistig entwickelt, weniger beweglich daher, zäher am Herge-
brachten haftend, zudem mächtigen Einflüssen von hoher Hand
zugänglicher durch seine isolirte Stellung. Und es hatten
die Dinge sich jetzt bereits so weit entwickelt, dass das Parlament
ebenfalls über alle ihm früher zustehenden Befugnisse weit
hinausging; das alte Rechtsgefühl der königstreuen Partei im
Lande musste sich daher jetzt eben so verletzt fühlen, wie
früher die parlamentarische Opposition durch die Willkür
Strafford's und Laud's. Bezeichnend für die Situation ist besonders die Forderung, die das Parlament in den noch lange
hin- und hergehenden Verhandlungen dem Könige stellte: „die
gesammte Miliz dem Parlament zur Verfügung zu stellen und
eine Liste von Officieren zu genehmigen, die diese Armee
führen sollten!" — Und als dies abgelehnt wurde, die immer
dringender werdende Bitte, wenigstens für eine bestimmte
Zeit es zu genehmigen, dass das Parlament mit Militärmacht
die Interessen des Landes wahrnehme und daher die freie
Disposition über Land- und Seemacht haben solle: „Nein, bei
Gott! Auch nicht eine einzige Stunde!" lautete da die Antwort,
nicht unerwartet nach allem Vorhergegangenen. So musste es
denn zu der Entscheidung kommen: der König suchte seine
Armee, das Parlament ebenfalls eine eigene Armee
zu organisiren. Der Unterschied war nur der, dass der
König mit Mühe einige tausend Mann für seine verlorene Sache
zusammenbrachte, und dass es ihm trotz sehr bedeutender

Opfer einiger seiner vornehmsten Anhänger an Geld in einem Grade fehlte, dass schon dadurch jeder dauernde Erfolg unmöglich wurde. Das Parlament von London aber hatte nur ein entscheidendes Wort auszusprechen: und in Zeit von zehn Tagen waren Mannschaften, Pferde, Silbergeräth, bis zu den silbernen Fingerhüten der Damen hinab, in einer Quantität beisammen, die unerhört war für jene Zeit. Es gab eine Bewegung im Lande, wie 1813 in Preussen, wo auch die Frauen und Mädchen nicht die Letzten gewesen sind, ihr Liebstes und Bestes hinzugeben, um Freiheit und Vaterland zu retten vor einem Systeme fremdartiger Unterdrückung, das nicht mehr zu ertragen war. An jeden Einzelnen trat nun allmälig die grosse Entscheidung heran: „Für wen? Für den König Karl Stuart, oder für die parlamentarische Freiheit der Residenz?" Durch alle Grafschaften ging die Frage hindurch, an jedes Herz immer ernstlicher klopfend, während freilich immer noch unter all dem Lärm der Vorbereitung für kommende Dinge der Stab des Constablers bürgerliche Ordnung aufrecht zu erhalten suchte, so lange es irgend möglich war. Und es verband sich damit gar bald die zweite Frage: „Katholicismus und bischöfliche Hochkirche, oder presbyterianische Kirche nach schottischem Ritus?" Es war indessen kaum noch fraglich, auf welche Seite der Sieg sich neigen würde: alle Sympathien der grossen Städte und derjenigen Landbezirke, in welchen die Führer der Bewegung irgendwie Einfluss hatten, sprachen sich mit einer an Einstimmigkeit grenzenden Majorität für die parlamentarische Freiheit und die presbyterianisch-protestantische Kirchengemeinschaft aus. Und als man die Ueberzeugung erlangt hatte, dass man den Sieg fest in Händen habe, stellte man sein Ultimatum in 19 Forderungen, deren

7

Sinn und Inhalt sich bereits auf das im Jahre 1688 wirklich
Erreichte concentrirte: das Parlament solle eben in allen Dingen
die eigentlich regierende und verwaltende Macht sein, der
König nur bestätigende und executive Gewalt haben — eine
Forderung bei der das Wohl des Landes gesichert und die
Person des Königs von der überlastenden Verantwortlichkeit
befreit war, Alles allein entscheiden zu müssen. In jeder
grossen Monarchie ist das nicht mehr durchzuführen: es
häuft sich zu Viel auf eine einzelne Kraft zusammen. Theil-
lung der Arbeit ist das gesunde Princip aller grossen Organisationen: es handelte sich darum, dies jetzt zu erkämpfen.

Nach den alten Vorstellungen der Könige von Gottes
Gnaden sah Karl I. freilich die Forderungen des Parlamentes
ganz anders an: „Gewährte ich sie,“ — meinte er — „so
würde man, wie bisher, entblössten Hauptes vor mir erscheinen,
mir die Hände küssen, mich Majestät anreden und die Formel
beibehalten: „des Königs Willen, ausgesprochen durch beide
Häuser!“ Ich dürfte Schwerter und Stab vor mir hertragen
lassen und meinen Spass haben an dem Anblik von Krone
und Scepter, wiewohl auch diese Reiser nicht lange blühen
würden, nachdem der Stamm, auf dem sie erwachsen, abge-
storben. Aber an wirklicher Macht und Bedeutung wäre ich
Nichts als die Aussenfläche, nur das gemalte Bild, nur der
Schatten eines Königs“.

Er hatte also noch die naive Vorstellung der älteren Zeit,
als ob die einzelne Persönlichkeit als solche überhaupt irgendwelche Macht repräsentire. Er begriff nicht, dass er ja doch
immer von einer bestimmten mehr oder weniger zahlreichen
Umgebung bedingt, getragen und bestimmt wurde: der einzige Unterschied bestand ja vielmehr darin, ob diese Umgebung

aus veralteten Köpfen und servilen Schurken, bestochen und verleitet von unenglischen Einflüssen, oder aus den wirklichen Repräsentanten der grossen Landes-Interessen zusammengesetzt sein sollte, und ob sich daher sein königlicher Wille in launenhaft subjectiver Weise bewegen, oder vielmehr die objective Vernunft und reale Macht der Nation zur Erscheinung bringen sollte. Diese jetzt allen Engländern so ganz geläufige Vorstellung wollte nicht hinein in den Kopf des zweiten Stuart. Er ging also seinen eigenen Weg eigensinnig weiter; er hatte die unausbleibliche Consequenz davon auch zu tragen.

Oliver Cromwell war einer der Ersten, die in bedeutenden Opfern es kundgaben, einstehen zu wollen mit Gut und Leben für Englands Zukunft. Er zeichnete 300 Pfd. Sterling, nach einer anderen Angabe sogar 500 Pfd. für die gemeinsame Sache. Der bedeutend reichere Hampden, der früher 20 Shillinge verweigert hatte, gab 1000 Pfd., beinahe 7000 Thaler nach heutigem Geldwerthe, damals wenigstens doppelt so viel bedeutend. Aehnlich erfolgten die übrigen Beiträge. Das ganze Jahr 1642 durch wurde gesammelt und gerüstet. Am 15. Juli machte Cromwell den Vorschlag im Parlament, der Stadt Cambridge die Errichtung von zwei Compagnien Freiwilliger zu gestatten und die Hauptleute über sie zu ernennen. Er selbst schoss wieder 100 Pfd. Sterling dafür vor und erhielt sie zurückbezahlt. Er verhinderte am 15. August durch seine Wachsamkeit, dass das Silber der Universität Cambridge entführt wurde, wohl 20,000 Pfd. Sterling an Werth. Er legt Beschlag auf dasselbe im Interesse des Parlaments. Er ergreift ebenfalls Besitz von dem Magazin im Schlosse dort. Es ist erstaunlich, wie er überall ist, wachsam und thätig bereits wie ein Oberfeldherr; und doch wusste noch Niemand, wohin diese Kämpfe

7 *

führen, und welchen Ausgang sie nehmen würden. Aehnliches
aber ging in allen Grafschaften Englands nun vor sich: wo
irgend ein eifriges Mitglied des Hauses Einfluss hatte, dahin
ging es, um für die gemeinsame Sache zu wirken, was es
konnte und durfte. Es war vielleicht die bewegteste Zeit, die
England jemals erlebt hat: in Bierwirthschaften, Wirthshäusern,
Gasthöfen, in den Kirchen und auf den Marktplätzen, kurz wo
irgend eine Versammlung möglich war, wurde debattirt, berichtet, gekämpft. Ganz England schied sich in feindliche
Gegner, die entschlossen waren, künftig mit Schwertern und
Kugeln die Sache zu entscheiden, für welche das blosse Stimmen und Abstimmen nicht mehr genügte. Im September 1642
war bereits eine ziemlich bedeutende Armee beisammen: Cromwell tritt ein als Hauptmann der 76. Compagnie, Mitglied für
Cambridge. Sein Sohn Oliver, etwa 20 Jahre alt — er selbst
war 43 Jahr alt — tritt ebenfalls ein: welch ein Entschluss
für friedliche Landleute frommen und gottergebenen Sinnes,
gegen den König und seine Cavalier-Armee die Waffen zu ergreifen. Freilich, „wir glaubten Alle, dass eine einzige Schlacht
Alles zu unseren Gunsten entscheiden würde und damit das
Ding zu Ende sein!" so heisst es in einem Berichte jener Zeit.
Aber diese Schlacht fand statt und fiel so bedenklich aus,
dass das Parlament im ersten Augenblicke sich für verloren
hielt: es war die Schlacht bei Edgehill am 23. October
1642, nahe bei Keinton. Der Sieg wurde zwar von beiden
Seiten in Anspruch genommen; aber Cromwell meint doch, im
Gespräch zu seinem Vetter Hampden: „Mit einem Haufen von
armen Kellnern und Lehrlingen würden sie nie im Kampfe
Männern von Ehre wirksam entgegentreten können. Wenn
man mit Männern von Ehre zu ringen habe, so müsse man

Männer von Religion dagegen einsetzen." Hampden meinte darauf: „das sei ein guter Gedanke; wenn er nur könnte ausgeführt werden". Oliver Cromwell bemühte sich demgemäss, die Ausführung zu ermöglichen und ins Werk zu setzen, ganz allmälig zwar nur („by and by"): aber er war der Mann dazu, er führte es durch. Namentlich war die Reiterei der Cavaliere eine Waffe, der die Parlamentsarmee nichts Aehnliches an die Seite zu setzen hatte: beim ersten Angriff schon warf Prinz Ruprecht den linken Flügel des Grafen Essex in die wildeste Flucht, und die Schlacht würde in Folge dessen beinahe zu einer völligen Niederlage geworden sein, wenn nicht die Reserve des Königs zu früh die Verfolgung begonnen, die gedeckte Stellung aufgegeben und dadurch dem Fussvolk der Parlamentsarmee Gelegenheit geboten hätte, die Feinde an einer anderen Seite wiede zu fassen. Hampden gebührte das Verdienst, diesmal die Schlacht wieder hergestellt zu haben, da sich sein Regiment behauptete. Dennoch war der Ausgang ein solcher, dass der König unaufhaltsam gegen London vordrang, das geängstete Parlament bereits zu unterhandeln begann und ein völlig unglückliches Ende des ganzen Feldzuges nur dadurch verhindert wurde, dass die Londoner Milizen sich mit Essex vereinigten, und so eine Armee von etwa 24000 Mann dem weiteren Vordringen der Cavaliere eine Grenze setzen konnte. Bis Brentford aber, 7 Meilen von London, waren die Königlichen bereits gekommen. Und hier wurden die Regimenter Hollis und Hampden nochmals angegriffen in plötzlichem Ueberfall und erlitten bedeutende Verluste. Nach dieser ersten Erfahrung sah Cromwell es ein, welch bitterer Ernst in dem begonnenen Kampfe lag. Er setzte jetzt Alles daran, den Kern des Mittelstandes in das Heer zu ziehen und ein wirkliches Bürger- und

Bauern-Heer zu schaffen; und das gelang ihm schon im Laufe eines Jahres so gut, dass er mit Thomas Fairfax, dem er zunächst untergeordnet war, fortwährend in den folgenden Gefechten kleine Erfolge errang, während die übrigen Truppenführer überall geschlagen wurden. Es war eine seltsame Gesellschaft, diese „Heiligen" Cromwells, aus denen er sich seine „Eisenseiten" schmiedete: ernste, stille, traurig blickende Männer, eifrige Genossen der Betstunden, religiöse Schwärmer mit einem eigenthümlichen Feuerfunken in ihrer Seele, äusserlich aber vierschrötige, plumpe handfeste, nicht eben höfliche Bürger und Bauern, in groben Landröcken, nur schwerfällig und mühsam in die kriegerische Disciplin und namentlich in den ungewohnten Reiterdienst einzuschulen. Aber es waren Männer vom Geiste, von jenem Geiste, der einst Israel mit der Feuersäule durch Nacht und Wüsten geführt hatte: — die Bibel und das Gesangbuch waren ihr Licht und ihre Stärkung, die Predigt ihre Unterhaltung, der härteste Dienst ihr bestes Leben. Fluchen, Schwelgen, Plündern, Brandstiften und sonstige Kundgebungen roher Leidenschaft der damals in allen Ländern noch sehr zügellosen Soldateska, waren in diesem Lager nicht zu finden: die Officiere waren wie die Priester ihrer Gemeinde, die den Psalm anstimmten und die Predigt zu halten hatten, aber auch die Gemeinen, wenn ihnen die Erleuchtung kam, konnten auftreten und mittheilen, was der Herr ihnen offenbarte. Zucht und Gottesfurcht war in diesem Lager zu finden, wie sie besser in keiner Gemeinde lebten, und das gab ihnen den Geist und die Kraft, dass ihnen keine Kriegszucht zu hart, keine Strapaze zu gross und kein tückischer Feind unüberwindlich schien. Es war ja alles zur Ehre Gottes und für das Heil ihrer Seele. Irdische Motive lockten sie nicht — sie lebten jenseits des

Fleisches. Zu allen Zeiten werden solche Leute, wo es ihnen gelingt, eine grössere Organisation zu bilden und einen genialen Führer zu finden, unüberwindlich sein. Gideon's Richtschwert über die Welt liegt in solchen Händen.

Das war die Frucht der sog. „Eastern Association," an deren Spitze Cromwell stand, einer der vielen Associationen, die sich in allen Grafschaften bildeten, um das Land vor den Räubereien des Prinzen Ruprecht zu schützen und dem Kriege einen besseren Nachdruck zu geben. Die übrigen verschwanden bald wieder, ohne grosse Spuren zu hinterlassen. Cromwells Gemeinde und Truppe aber bewährte sich und wuchs und erstarkte von Jahr zu Jahr mehr, bis ihr zuletzt die Palme des Sieges zu Theil wurde, um die sie ein ganzes Jahrzehnt lang gekämpft hatte. Von jener Zeit an (Anfang 1643) finden wir seinen Namen bereits als Colonel Cromwell erwähnt: er avancirte zum Obersten. Binnen kurzer Zeit hatte er etwa tausend Reiter um seine Person vereinigt und in der angedeuteten Weise einexercirt: es war der Grundstein der englischen Republik, die ein Jahrzehnt später etwa die bedeutendste Macht in ganz Europa sein sollte.

Zunächst freilich errangen die Cavaliere einen Erfolg nach dem anderen. Northumberland, Cumberland, Westmoreland, York, kurz fast alle nördlichen Grafschaften bis an die schottische Grenze wurden allmälig unterworfen; und auch in Cornwallis opponirten die Edelleute der vom Parlament angeordneten Aushebung, sammelten ihre Pächter und Hintersassen um ihre eigene Fahne, schlugen bei Stratton und bei Lanstown die gegen sie ausgesandten Truppen, besiegten sogar den General Waller bei Roundwaydown und schlossen sich bei Oxford der königlichen Armee an. Bald darauf fiel John Hampden, der angesehenste Vorkämpfer des Parlaments, in einem Reitertreffen nahe bei Oxford. Als er sich zum Tode getroffen fühlte, hatte er noch so viel Kraft, langsam wegzureiten, den Kopf bereits im Todeskampfe schwer auf die Brust senkend. Der König hörte davon, liess den Doctor G i l e s zu ihm geben, damit er ihm Nachricht brächte über den Zustand des Verwundeten und bot ihm dann seinen Wundarzt an, aber es war zu spät. Zwei Kugeln hatten seine Schulter zerrissen; sechs Tage lang lag er in den heftigsten Schmerzen — am 24. J u n i 1643 starb er. Nie hat England einen besseren Mann verloren. Vor seinem ebenso uneigennützigen, als entschlossenen Charakter hatten Freund und Feind stets die gleiche Achtung, und seinem entschiedenen aber reinen Willen beugten sich Alle, die es ehrlich meinten mit England's Zukunft. Mit ihm hätte der König es früher vielleicht noch versuchen können, ernstlich in die vom ganzen Volke gewünschte Bahn der parlamentarischen Freiheit einzulenken. Auch diese letzte Hoffnung einer gütlichen Ausgleichung war jetzt verschwunden. Seit dem Tode des grossen Mannes, der den Kampf zuerst in durchaus gesetzlicher Weise begonnen hatte, gewannen die Gegensätze eine Schärfe, welche beide Parteien immer entschiedener zu einem Kampfe auf Leben und Tod trieb.

Auch Bristol, die zweite Stadt des Königreichs damals, ging den Parlamentstruppen verloren. Ein Schlag folgte nach dem anderen. Eine ganze Reihe von Unfällen und grösseren oder geringeren Verlusten musste die jetzt als entschiedene Empörer auftretenden Parlamentstruppen erst darüber belehren, welch bitterer Ernst solch ein Kampf gegen eine mit tausenden von Familien und mit den mannigfaltigsten Interessen tief verwachsene alte Ordnung der Dinge sei. Sie dachten ja Alle,

eine Schlacht würde die Sache entscheiden — sie waren eben
Alle in einem grossen Irrthume befangen. Nach verschiedenen
kleineren Gefechten kam es schon am 20. September bei New-
burg zu einer zweiten heissen Schlacht, in der Falkland fiel
und welche den Grafen Essex zum Rückzug nach London
nöthigte, in aller Ordnung zwar; *aber der Vortheil blieb auch
hier im Wesentlichen ganz auf Seite der Königlichen. Ebenso
wurde im Norden das Heer des Thomas Fairfax kurz nach
einem Siege (bei Wakefield) fast vollständig bei Atherton Moor
zertrümmert. Nur Cromwell erlangte theilweise Erfolge und
behauptete sich fortwährend.

In diese Zeit der ersten Unfälle der Parlamentstruppen
muss die fernere, noch strenger durchgreifende Scheidung der
Parteien gesetzt werden. Die sogenannten Independenten —
eine religiös-politische Demokratie strengster Art, wie sie die
Welt seitdem erst in den Jakobinern und Terroristen der französischen Revolution wieder gesehen hat — beginnen sich zu
scheiden von den Anglikanern einerseits, den Presbyterianern andererseits. Die Independenten repräsentirten die
äusserste Linke der Puritaner. Die Presbyterianer konnten als
das linke Centrum gelten. Die Anglikaner, die noch an den
Traditionen der bischöflichen Hochkirche festhielten, waren
etwa dem heutigen rechten Centrum gleich. Die Cavaliere
repräsentirten diesen allen gegenüber die äusserste Rechte, vereinigt um die Person des Königs Karl. Die Anglikaner hätten
sich am liebsten mit König und Bischöfen friedlich vertragen,
wollten auch den Katholiken wohl, waren überhaupt für Ruhe,
Ordnung und friedliche Beilegung des ihnen zu grimmig ent-
brennenden Kampfes. Die Presbyterianer wären in Zeiten
friedlicher Verhandlungen gewiss die vernünftigsten gewesen.

Sie waren Calvinisten nach schottischem System, wollten keine
radicalen Neuerungen, hassten nur den Papismus tödtlich, würden aber mit allen sonstigen protestantischen Parteien sich
schon vertragen haben. Unglücklicher Weise war es zu spät
auch dafür. Wenn einmal die Schlacht begonnen hat, so siegt
derjenige, der das meiste Pulver zu verschiessen hat, der am
längsten die Schwerter zu schwingen vermag, der mit der rück-
sichtslosesten Energie seine Dispositionen zur Vernichtung
des Gegners durchzuführen im Stande ist. In solchen Kämpfen
sind alle Halben früher oder später verloren: Leben oder Tod
ist die Losung geworden — Wehe Jedem, der sich noch mit
halben Massregeln glaubt retten zu können! Der entschiedenen,
rücksichtslosen, selbstbewusst alle Brücken hinter sich ab-
brechenden Kraft und Genialität kann unter solchen Umständen allein der Sieg zu Theil werden. Alle Halbheit ist
Schwäche: und die Schwäche unterliegt in jedem ernstlichen
Kampfe.

Diese Gedanken bewegten auch damals alle entschiedenen
Charaktere. „Wer das Schwert gegen den König zieht" —
sagte Cromwell — „muss die Scheide in's Feuer werfen. Er
hasse die Zweideutigkeit" — versicherte er seinen Schwadronen
— „und wenn auch sein Auftrag laute, für König und Parlament zu streiten, so möge sich doch jeder, der unter ihm dienen
wolle, fragen, ob er, wie Cromwell, es über sich gewinnen
könne, den König niederzuschiessen, wie jeden anderen, falls
er ihn in einem Getümmel träfe. Wer das nicht könne, möge
unter einem anderen dienen, nicht unter ihm." Ihm war es
Ernst mit dem Kriege, weil er den Ernst seiner Feinde begriffen hatte. Die übrigen Parteien glaubten immer noch
unterhandeln zu können mit einem Feinde, der sie alle für des

Todes schuldige Hochverräther hielt und nur auf den Moment wartete, sie an den Galgen nnd auf's Schaffot bringen zu dürfen. Gegenüber diesen Halben und Lauen und unter dem Druck der vielfachen Niederlagen, bedurfte es der ganzen rücksichtslosen und unerbittlichen Energie des Parlamentsausschusses, in welchem Pym die leitende Kraft war, um die zaghafte Stimmung nicht völlig Herr werden zu lassen und mit eiserner Strenge die nothwendigen Massregeln zur Fortsetzung des einmal begonnenenen Krieges durchzusetzen. Zwangssteuern wurden auferlegt, Royalisten eingekerkert, Gütereinziehungen verfügt, die Anstifter einer bald entdeckten Verschwörung vor ihren eigenen Thüren aufgehängt, und endlich, um die früher bereits erprobte Hülfe aufs Neue zu versuchen, wurde ein Einverständniss mit den Schotten angeknüpft, welches ebenso', wie früher schon einmal, wieder eine entscheidende Wendung herbeiführen sollte.

Denn die Urheber des Covenants hatten natürlich mit der grössten Besorgniss die Siege der Königlichen jenseits des Tweed verfolgt: siegte Karl Stuart hier völlig', so war es nicht zu erwarten, dass er die Schotten schonen würde, die ihm früher all das Unheil angerichtet hatten.. Er hatte ihnen zwar bei seinem letzten Aufenthalte in Schottland, nach Strafford's Hinrichtung alle möglichen Forderungen zugestanden. Sein bekannter Charakter bot aber keine Garantien dafür, dass er nicht Alles sofort zurücknehmen und sich auf die grausamste Weise rächen würde, sobald er es könnte. Man zog es daher von beiden Seiten vor, rechtzeitig ein Schutz- und Trutz-Bündniss zwischen dem schottischen und dem englischen Parlamente abzuschliessen. Am 17. September 1643 kam dasselbe zu Stande. In parlamentarischen Dingen waren beide

völlig Eins: sie wollten eine parlamentarische Regierung, nichts
weiter. In den kirchlichen Angelegenheiten aber traten die
Unterschiede bei den Verhandlungen so bedeutend zu Tage,
dass der englische Unterhändler es für gut fand, der abschlie-
senden Formel folgende Fassung zu geben*): 1) „dass wir aufrichtig und beharrlich uns bemühen wollen um die Erhaltung
der reformirten Religion in der Kirche Schottlands gemäss
dem Worte Gottes und nach dem Muster der (reinsten
und) besten reformirten Kirchen; und wir wollen suchen
die Kirchen Gottes in den drei Königreichen in möglichst nahe
Verbindung und Uebereinstimmung in Religion, Glaubensbe-
kenntniss, Form des Kirchenregiments und Einrichtung des
Gottesdienstes und der Christenlehre zu bringen, damit wir
und unsere Nachkommenschaft als wie Brüder leben mögen in
Treue und Liebe, und der Herr mit Freuden wohnen möge in
unserer Mitte." —

2) Dass wir in gleicher Weise, ohne Ansehen der Person,
erstreben wollen die Ausrottung des Papstthumes (Popery), des
Prälatenthums, des Aberglaubens und der Ketzerei, der Kirchen-
trennung, Ruchlosigkeit und Alles dessen, was immer wird erfunden werden als entgegenstehend gesunder Lehre und der
Macht der Frömmigkeit; damit wir nicht Theil haben an anderer Sünde und deshalb in Gefahr gerathen von ihren Plagen
mitzubekommen, und dass der Herr nur Einer sein möge und
sein Name ein einziger in den drei Königreichen." — (Dann

---

*) Edward Husbands: „A Solemn League and Covenant, for Refor-
mation and Defence of Religion, the Honour and Happiness of the King,
and the Peace and Safety of the three Kingdoms of England, Scotland and
Ireland." 1643. (25. Sept.) Auf dem Titelblatte drei Stellen der heiligen
Schrift, namentlich Jer. I, 5: „Come, let us join ourselves to the Lord in
a perpetual Covenant that shall not be forgotten." — — (Originalausgabe). —

folgen die Artikel über die parlamentarischen Rechte und Freiheiten.) — — —

Die Schotten verstanden unter dieser Erhaltung der reformirten Kirche „gemäss dem Worte Gottes und nach (dem Muster oder) Beispiel der reinsten Kirchen*) natürlich ihre eigenen, die presbyterianische Kirchenverfassung, im Gegensatze zur bischöflichen Hochkirche, wie zu den Katholiken. Im englischen Parlament aber stritten die drei angegebenen Parteien mit einander, und auch die den Schotten am nächsten stehende presbyterianische Partei war nicht durchaus gegen die bischöfliche Stellung, wenn dieselbe nur nicht mit politischen Vorrechten verbunden war. Die Independenten dagegen gingen entschieden auf eine förmliche Revolution in Staat und Kirche aus, so dass sie unter dieser „Erhaltung der reformirten Religion" etwas total Anderes verstanden; als die Schotten. Unter obiger Formel aber liessen sich alle diese abweichenden Ansichten so ziemlich vereinigen: sie war geschickt gewählt, um eine vorläufige Vereinigung gegen den gemeinsamen Feind zu ermöglichen. Es blieb der Zeit überlassen, die Unterschiede allmälig bestimmter zu gestalten und derjenigen zuletzt den Sieg zu geben, die am tapfersten für ihre Principien zu streiten verstanden.

Cromwells Lager war die militärische Organisation der Independentenpartei. Ein seltsames Gemisch von alttestamentlicher Reminiscenzen der grandiosesten Art, von calvinistischen und schottischen Dogmen, gemäss der Lehre des neuen Testamentes und von politischen Grundsätzen, die von jeher die

---

*) „Preservation of the reformed religion . . . . . . according to the Word of God and the example of the best reformed churches"." — Husbands l. c.

Masse begeistert haben, weil sie Allen gleiche Rechte zu gewähren versprachen, wenngleich mit verschiedenen Rangstufen
für die bewaffnete Action, hatte in dieser Partei die alte Lehre
vom tausendjährigen Reiche zur herrschenden Grundvorstellung
erhoben. Es bildete sich in ihnen immer mehr eine Sekte aus
von stark mystischer Färbung: Zungenreden, religiöse Ver-
zückung, Liebhaberei für alttestamentliche Namen und Formen,
absonderliche Tracht, unterschieden sie specifisch von allen
nicht „Gottseligen". Sie nahmen es Ernst damit, die Heiligen
des Herrn zu sein und die streitende Kirche zu begründen
im Kampfe gegen eine Welt, die in der That am Rande des
Abgrundes taumelte. Mönchische Weltverachtung, finstere
Tugendstrenge und religiöse Begeisterung verbanden sich daher in ihnen mit kriegerischer sowohl als auch parlamentarischer
Tüchtigkeit. Jeder Gläubige als solcher war ihnen ein Priester
des Herrn — keiner sollte sich über den andern erheben.
Jede Gemeinde auch repräsentirte in sich eine religiöse und
politische Demokratie, wie sie im Princip, abgesehen von gewissen seltsamen äusseren Formen, kaum idealer gedacht werden kann. Wenn jemals die Lehre Christi von der Gleichheit
und Brüderlichkeit Aller, unter Uebung von Tugenden, wie sie
die alte Welt nur in wenigen Auserwählten gekannt hat, in
grösseren Kreisen zur Wirklichkeit werden soll, so wird sie
mehr oder weniger immer wieder auf die Grundprincipien zurückkommen müssen, welche Oliver Cromwell und seine Heiligen
einst begeistert hat. Die Formen freilich wechseln ewig.

Man irrt sehr, wenn man solche Erscheinungen mit dem
Begriffe der künstlichen Heuchelei glaubt abfertigen zu können.
Gewiss fanden sich auch hier die verschiedensten Elemente
beisammen, und es mochte nicht so ganz leicht sein, eine so

demokratisch gestimmte Sekte zu gemeinsamen Zielen hinzu-
führen. Aber es war Allen bitterer, grimmiger Ernst mit
ihrem Kampf gegen ihre bisherigen Verfolger. Und diese vernichtende Stimmung gegen die Halbheit der andern Parteien
wie gegen ihre eigentlichen Gegner war eine bindende Kraft,
welche im Kampfe die seltsamen Elemente so beisammen hielt,
dass sie sich willig den erprobten Führern unterordneten. Sie
waren Fanatiker, Schwärmer, Phantasten, wenn man will: aber
welch ein Feuergeist hinter dieser seltsamen Gestalt des echten
Puritaners steckte, das geht aus Cromwells Reden und Briefen
hervor, wie aus den Schlachten, in welchen sie starben und
siegten für ihre Ueberzeugung.

Durch solche Entschiedenheit eines reinen Willens
allein ist es einer Sekte, die nicht $\frac{1}{10}$ der Nation von England
zu ihren Mitgliedern zählte, gelungen, die drei Königreiche
über zehn Jahre lang nicht nur mit Nachdruck und Energie,
sondern auch mit wahrhaft grossartigen politischen Erfolgen
consequent zu beherrschen und England eine Stellung im Rathe
der Nationen zu geben, wie sie seit Elisabeth's Tode ihm verloren gegangen war. Die Politik der Stuarts, als eine wesentlich aus fremden Einflüssen hervorgegangene, wurde durch eine
in die tiefsten Gründe zurückgreifende und niedertauchende
Erregung des religiösen und nationalen Geistes zerbrochen, um
Raum zu schaffen für eine Tendenz, die der grossen Geschichte
der Nation entsprach.

Von diesem Gesichtspunkte aus sind allein die grossen
Erfolge Cromwells zu begreifen, welche er als Haupt und
Führer der Independentenarmee allmälig zu erringen wusste.
Der Feldzug des Jahres 1644 sollte erst einige entscheidende
Erfolge bringen: wiederholte Niederlagen vorher hatten erst

eine Armee von unwiderstehlichen Siegern zu schaffen ver-
mocht.*) Und welche Mühe es für Cromwell persönlich war,
diese Armee zu organisiren, das geht aus seinen Briefen sehr
deutlich hervor. Wenn der alte Fritz später sagte: „Den letzten Sieg wird der gewinnen, der den letzten Thaler in der
Tasche hat", so finden wir es auch hier schon bestätigt, welche
Noth das liebe Geld machte, das jede Armee verbraucht.
Fast in jedem Briefe hat Cromwell zu ermahnen, zu warnen,
zu treiben, dass man für Geld nnd Bezahlung der Leute sorgen
möge: es war ein hübsches Stück Arbeit, was ihm damit auferlegt worden war; auch dieses noch zu allem Exercieren und
Regieren und Commandiren, was er bereits vorzugsweise zu
besorgen hatte! Und dabei immer diese Geduld, diese Ruhe
und Sanftmuth bei äusserster Energie, dieses immer sich gleich
bleibende gottergebene Vertrauen auf den Sieg der guten
Sache: es ist fürwahr ein Bild, wie wir es in seiner grossartig
einfachen praktischen Tüchtigkeit fast nirgends so wiederfin-
den. Einige der preussischen Churfürsten und Könige haben
ähnlichen Geist in sich gespürt, nur freilich versetzt hier mit
noch ganz anderen Elementen. Nachstehende Beispiele mögen
das Gesagte bestätigen, bevor wir uns zu den entscheidenden
Ereignissen wenden.

Nach den drei früher mitgetheilten Briefen folgt zunächst

---

*) Bei der nachfolgenden Erzählung der bedeutendsten Schlachten und
der weiteren Verwickelungen mache ich darauf aufmerksam, dass sowohl
Dahlmann, als auch Häusser, denen wir die populärsten Darstellungen dieser Ereignisse verdanken, von militärischen Aktionen nur eine sehr unge-
naue Vorstellung haben. Sie im Einzelnen zu kritisiren, überlasse ich
einem Anderen. In parlamentarischen Dingen habe ich ihnen mehr folgen
können, obgleich sie auch darin nicht genau sind. Ranke ist weit gewis-
senhafter und zuverlässiger; doch kann ich auch seiner Darstellung nach
genauerer Prüfung nicht überall meine Zustimmung geben.   S.

ein vierter vom 23 Januar 1642, in welchem er demselben
Dr. Robert Barnard, der zwölf Jahre früher mit ihm und Dr.
Beard zusammen Friedensrichter in Huntingdon gewesen war,
in einem theils humoristischen, theils streng verweisenden Tone
mittheilt, dass er „allerdings so frei gewesen sei, seinen Lieutenant mit einigen Soldaten nach seinem Hause zu schicken, um
zu sehen, wie es eigentlich mit ihm stehe: er habe gehört, dass
er unter den Parteigängern gegen das Parlament und also
mit denen sei, die Frieden und Ordnung dieses Landes und
Königthums zu stören unternähmen, und bereits nicht wenige
Meetings gehalten hätten, zu Zwecken und in Absichten, zu,
zu sehr verdächtig. Er warnt ihn, diesem falschen Wege zu
trauen, versichert ihm, dass feine Schlauheit wohl, reine Gesinnung aber niemals täuschen kann, verspricht ihm, dass er,
Cromwell, ihm keinen Schaden thun werde, wie auch Niemanden sonst, vorausgesetzt, dass man ihm keine Veranlassung
dazu gebe: denn wenn man das thue, so müsse er Verzeihung für alle Gegenmassregeln finden, welche sein
Verhältniss zum Gemeinwesen von ihm fordern.
Uebrigens würden seinerseits schöne Redensarten die Leute
nie weder um ihren Besitz, noch um ihre Freiheit betrügen." —

Oliver wird erst Oberst nach der Zeit, in welcher dieser
Brief geschrieben, und doch ist bereits ein Ton darin, als ob
der Gouverneur einer Provinz einem missvergnügten und verdächtig gewordenen Landmann oder Bürger eine amtliche Ver-
warnung zukommen lasse. Dass er hier bereits so sprechen
konnte, wie er sprach, deutet auf eine Stellung und auf Verbindungen im Hintergrunde der auf der grossen Bühne noch
spielenden Persönlichkeiten hin, welche schon an diesem Punkte
die grössten Perspektiven eröffnet in den nothwendigen Gang

8

der kommenden Ereignisse. Er ist bereits „Lord of the Fens,"
Haupt der „Eastern Association" und überaus wachsam und
thätig nach allen Seiten im Interesse des Gemeinwohls. Das
Volk hat überall ein richtiges Gefühl dafür, ob ein Mann es
gut mit ihm meint oder nicht: hier glaubten sie bereits an
Oliver als den besten Vertheidiger ihrer gemeinsamen Interessen; und darauf beruhte schon jetzt eine Macht, die keiner
äusseren Stützen bedurfte, um fast unumschränkt zu sein.
Der Kampf gegen die noch Widerstrebenden konnte solch eine
rein auf persönlichem Werthe beruhende Macht nur noch weiter emportragen zu den Höhen des glorreichsten Sieges.

Der 5. Brief, unterzeichnet von Oliver Cromwell, Thomas
Martyn und „sechs Anderen", enthält eine Aufforderung an die
Einwohner von „Fen Drayton (in the Hundred of Papworth),
zwischen St. Jves und Cambridge liegend, beizusteuern zu der
Befestigung von Cambridge und sonstigen Vertheidigungsmass-
regeln gegen Prinz Ruprecht, wozu wenigstens 2000 Pfd. St.
nöthig sein würden — Alles zum Besten und zur Erhaltung
des Landes. Geschützt sein möchte das Land schon: aber die
eigene Börse dafür zu ziehen, ist immer unangenehm. Das
ehrsame Publikum von Fen Drayton bringt glücklich 1 Pfd.
19 Sh. 2 P. zusammen, unterzeichnet von 15 Personen. Es
scheint, hier in dem kleinen Dörfchen traute man der Sache
doch nicht recht. Die Befestigung von Cambridge kommt trotzdem bis zum Juli 1643 zu Stande; eine Garnison liegt seitdem
in der Stadt, befehligt von den Capitainen Fleetwood, Des-
borough, Whalley; die Stille der akademischen Studien wird
sehr entschieden durchbrochen und gestört vom Lärm der
Waffen, auch dieser und jener gelehrte Doctor und Professor
von Olivers Soldaten aufgegriffen, nach London geschickt und

in den Tower gesteckt, wo er traurige Jahre zu verleben hat, weil er die Zeit nicht begriffen und immer noch nach Erzbischof Laud's Manier Phrasen drechseln und Religionsformel- und Ceremonialwesen einführen oder einprägen möchte. Oberst Cook commandirt die Garnison von Cambridge. Aber die Seele aller Thätigkeit ist ein anderer Oberst, der bald hier, bald dort ist, rasch bei der Hand, wo immer Gefahr im Verzuge ist oder schnell irgend eine Arbeit gethan sein will.

Der folgende Brief, datirt Cambridge d. 10. März 1642 mahnt in sehr eindringlicher Weise die Verwaltungsbeamten der Grafschaft Suffolk, dem Capitain Nelson doch seine Bezahlung zukommen zu lassen, damit er seine Soldaten bezahlen könne: „Es thut mir zwar Leid," beginnt der Brief, „dass ich Euch so oft um diese Geldangelegenheit bemühen muss; ein angenehmer Gegenstand ist es allerdings nicht." Aber bezahlt werden muss er doch: „er hat wirklich schon von mir geborgt; sonst: ‚ . . . . . Und es ist doch wirklich ein Jammer, dass ein Herr von seinen Gesinnungen sollte muthlos werden müssen." Also gebt ihm das Nöthige!

Aehnlich lautet es in allen folgenden Briefen: Empörungen überall, rasch unterdrückt durch Olivers Truppen; diese aber ohne gehörige Bezahlung, worüber die Hauptleute sich bitter beklagen und Oliver eine Mahnung nach der andern an die Comités und Beamten der verschiedenen Grafschaften sendet. Erst ganz allmälig kommt ein wenig geordnete Haltung in die Sache, vorzugsweise durch Cromwell's stets sich gleichbleibende eifrige Bemühung. Aber nicht nur mit den nur langsam sich abklärenden Sympathien und Antipathien hat er zu kämpfen; es bilden sich auch Banden von Räubern, Plünderern und Mordbrennern, heimlich wahrscheinlich im Bunde mit den

8 *

königlichen Truppen, um der Sache des Parlamentes, und namentlich den sieben verbündeten Grafschaften (Lincoln, Norfolk, Suffolk, Essex, Cambridge, Herts, Hunts), in welchen Cromwell mächtig ist, störende Verlegenheiten zu bereiten. „Diese Plünderer ziehen heran, beginnt ein Brief vom 13. April 1643. . . . . „Es wird gut sein, solchem Unterfangen bei Zeiten entgegenzutreten." Ein gewisser Noël, Viscount Camden von Rutlandshire führt diese „Camdener": „sechs oder sieben Reiterschwadronen können wir hier etwa zusammenbringen, wenn Ihr, mein lieber Freund, (Baronet Sir John Burgoyne in Bedfordshire) auch Etwas dazu beitragen könnt, so beeilt Euch". Fast ein ganzes Jahr lang dauert es, bis diese blos lästigen, nicht gefährlichen Unruhen im Kleinen beseitigt sind: wenn andere Commandeure nicht mit den Widerspenstigen fertig werden, so kommt Oliver selbst; und Er wird mit Allen fertig.

Merkwürdig treffende Wendungen stehen ihm zu Gebote, wo er zu ermahnen hat: „Legt solch einem armen Soldaten nicht zu Viel auf", heisst es z. B. im elften Briefe: „Er will ja nichts Anderes, als ohne vielen Lärm sein Leben preisgeben und den letzten Blutstropfen opfern, der guten Sache und Euch zu dienen". — Im 12. Briefe: „Wenn ich Worte sprechen könnte, Eure Herzen, die immer noch zu hart sind für eine so grosse Sache, zu durchdringen mit dem Gefühl für unsere und Euere eigene Lage, ich möchte es schon!" Dazu erhalten wir die ausführlichsten Berichte über einzelne Gefechte und Schlachten, mit Aeusserungen im Einzelnen, die durch ihre drastische Kraft uns das feste Metall enthüllen, das der Kern dieser mannhaften Heldenseele war. Namentlich die Beschreibung des Treffens bei Gainsborough (vom 31. Juli 1643) ist reich an solchen bezeichnenden Wendungen: „Auf! Und seid thätig, und ich will bei Euch sein und Euch helfen! so strömt sein Segen hernieder auf uns zur rechten Zeit! Da ist Nichts zu fürchten, als nur unsere eigene Sünde und Trägheit! — „Es hat dem Herrn gefallen, uns einen grossen Sieg zu verleihen . . . . . . Wir trafen aufeinander, Pferd an Pferd; mit Schwert ·und Pistolen unterhielten wir das Handgemenge eine hübsche Weile: Alle hielten so festgeschlossene Ordnung, dass keiner den Gegner zu durchbrechen im Stande war. Zuletzt aber, als der Feind zu schwanken begann (shrinking a little), drängten unsere Leute, sobald sie es bemerkten, hart auf sie hinein, und warfen das ganze Corps. Einige flohen hiehin, andere dorthin; unsere Leute aber, sie verfolgend, hatten etwa fünf oder sechs Meilen weit Jagd und Execution über sie.“ Dann wird noch eine ungebrochen dastehende Reserve angegriffen mit Vereinigung aller Truppen; „und ich zwang sie, immer herandrängend, einen Hügel hinunter und hatte gute Execution über sie. Bis in den Sumpf hinein wurden sie getrieben, der feindliche General selbst sogar (General Cavendish), wo mein Lieutenant dann ihm noch einen Stoss unter die kurzen Rippen versetzte. Der Rest des Corps wurde dann völlig geworfen: keiner vermochte auf dem Platze Stand zu halten.“

„Having good execution of them:“ man glaubt das grimmige alte Soldatenherz förmlich mit den Zähnen knirschen und innerlich jubeln zu hören, dass er die Knechte der Sünde so hat zerbrechen können vor seinem reinen Gotte. Der Hügel, von dem hier die Rede ist, liegt etwa 2 Meilen südlich von Gainsborough, nahe bei dem Dörfchen und der Kirche von Lea. Auch der Sumpf ist (als nasse Wiese jetzt wohl) noch bezeichnet mit dem Namen „Cavendish Boy,“ sowie die Namen „Redcoats Field“ und „Graves Field“ noch auf die

Felder hindeuten, auf welchen einst die Schlacht hin und her wogte.

Charles Cavendish, der zweite Sohn des Grafen von Devonshire, ein hoffnungsvoller, äusserst gebildeter, sehr feiner junger General von 23 Jahren fand also hier seinen Tod. Man betrauerte ihn sehr auf Seiten der Gegner, wunderte sich noch mehr darüber, dass ein Mann wie Cromwell es hätte wagen dürfen, eine so hochstehende Persönlichkeit bis in den Tod zu treiben: „er befand sich freilich in offenem Kampf mit ihm," wurde vielleicht erklärend und entschuldigend hinzugefügt. Indessen begann „von diesem Tage an das grosse Schicksal Cromwells der grossen Welt sichtbar zu werden," die Gegner auch werden aufmerksam auf den Mann, der ihnen bisher unbedeutend erscheinen mochte. Bemerken wir uns also diesen Tag: es ist der 30. Juli des Jahres 1643.

Aber von entscheidenden Siegen ist trotzdem immer noch keine Rede. Im Gegentheil, alle soeben errungenen Vortheile gehen sofort wieder verloren, indem die Parlamentstruppen die errungene Position fast nirgends behaupten können. General Francis Willoughby schreibt darüber einen sehr dringenden Brief an seinen edlen Freund Cromwell: viele Soldaten wollen sogar nicht mehr weiter dienen, desertiren, laufen auseinander, weil sie keine Löhnung bekommen und keine entscheidenden Erfolge sehen. Cromwell schickt diesen Brief sogleich an das Comité in Cambridge und schreibt dazu selbst einige Zeilen, deren Hauptinhalt ist: „Es steht schlecht mit unserer Angelegenheit. Redensarten und Debatten helfen Nichts mehr. Zu den Waffen Alle, so viel Freiwillige irgend aufzubringen sind. Beeilt namentlich die Ausrüstung der Reiterei! Dasselbe muss sofort in Norfolk, Suffolk und Essex geschehen; schickt die

Briefe dahin. Schont Euch nicht, handelt ohne Verzug, so rasch als möglich! Vernachlässigt kein Mittel, was uns dienen kann!" Ein wahres Feuersignal, in die Grafschaft geschleudert, wie ein Warnungszeichen, dass durchaus nicht mehr zu zögern sei. Und es half denn auch einigermassen, wie aus den gleichzeitigen Notizen der Annalen des Unterhauses hervorgeht. Cromwell erhält 3000 Pfd. Sterling zur Bezahlung seiner Leute, freies Quartier für Alle auf dem Marsche und zugleich die Versicherung, dass sofort noch 2000 Mann aus den vereinigten Grafschaften ausgehoben werden. Dabei aber bemerkt der Sprecher des Hauses, Lenthall, in seinem Briefe darüber an Cromwell: „dass Nichts der Meinung des Hauses mehr widerstrebe und gefährlicher sei für die Sache dieses Königreiches, als der Widerwille dieser Truppen, ihre verschiedenen Grafschaften zu verlassen" und sich zu gemeinsamer grösserer Action zu vereinigen. Immer noch denkt Jeder nur an seinen Kirchthurm und seinen häuslichen Heerd. Freilich „was Euch selbst (Cromwell) betrifft, so billigt man durchaus Eure treuen Bemühungen um Gott und das Königreich." Sie fühlen eben alle allmälig den Unterschied zwischen dem egoistischen Privatinteresse der gewöhnlichen Seelen und dem hohen Gemeingefühle des Mannes, der der erwählte Kämpfer für Gottes Sache und Englands Freiheit ist. Zugleich ein kleiner Beweis dafür, dass feste Herrschaft und strenges, unerbittliches Commando immer Noth thut für alle solche, die nicht freiwillig der Sache des Vaterlandes zu dienen den Geist empfangen haben: die Sclavenseelen und der gemeine Egoismus müssen auch gezwungen werden zu dem, was das allgemeine Beste verlangt. Ohne zweckmässige Einrichtungen dafür ist keine gemeinsame Action, keine gebildete Gesellschaft, kein Culturstaat möglich. Revolutionäre Bewe-

gungen, die nicht zeitig auch für solche Einrichtungen sorgen,
so dass ein fester Mittelpunkt da ist, um den sich Alles grup-
piren kann, werden immer misslingen.

Marston-Moor, 2. Juli 1644.

Das Angegebene genügt, um die Situation klar zu bezeichnen,
innerhalb welcher sich die öffentlichen Angelegenheiten bis zum
Frühjahre des Jahres 1644 bewegten. Den wuchtigen Schlägen im
Felde gegenüber, die jetzt erfolgten, hat es weniger Interesse, die
Verhandlungen genauer zu verfolgen, welche im Parlamente zu
London einerseits, im Gegenparlamente des Königs zu Oxford andererseits noch eine Zeit lang geführt werden und zwischen beiden
durch Vermittelung des Grafen Essex hin und hergehen. Wichtig
ist nur der jetzt auffallend hervortretende Gegensatz, dass die Umgebung des Königs sich ängstlich, furchtsam, unfähig, das Parlament zu London dagegen nach der Verbindung mit den Schotten
entschlossen, muthig, opferfreudig und thatkräftig zeigt. Der König
entlässt daher sein „Sonderbundsparlament" sehr bald wieder und
ist fast ebenso froh, wie die Königin selbst, als er es glücklich wieder los geworden. Die Revolution dagegen organisirte sich in der
Hauptstadt unter sieben Lords, vierzehn Gemeinen und vier schottischen Commissarien und stellte im Felde fünf Armeen von
mehr als 50000 Mann auf: davon bildeten die Schotten allein
21000; Graf Essex hatte etwa 10500, Waller 5000, Manchester
14000. Unter dem letzteren stand Cromwell als Commandeur
der Reiter-Schwadronen, der von der nächsten Schlacht an in
aller Welt so berühmt werdenden „Eisenseiten" (Ironsides). Mit
Train- und Bagagemannschaften mochte diese für jene Zeit ganz
stattliche Armee wohl bis auf 56000 Mann aufsteigen. Der
König und Prinz Ruprecht hatten kaum die Hälfte an Zahl
ihnen entgegenzusetzen: sie concentrirten sich deshalb in die

festen Plätze, namentlich in Oxford und York, und beschränkten sich vorläufig auf die Defensive.

Der Operationsplan der Revolutionsarmee war damit von selbst gegeben: Ein Drittel derselben etwa, unter Essex und Waller hielt sich in der Nähe der Hauptstadt und bewegte sich gegen Oxford hin, um diesen neuen Königssitz zu bloquiren; die Hauptmasse aber campirte im Norden unter Fairfax, Manchester und Cromwell, um gemeinsam mit den Schotten York zu belagern. In Oxford commandirte König Karl selbst, in York sein General Newcastle. Gelang es, diese beiden Städte zu nehmen oder die beiden feindlichen Armeen herauszulocken und im offenen Felde zu schlagen, so war der vollständigste Sieg errungen, den man nur wünschen konnte. Demgemäss wurde also jetzt operirt. Die Situation hatte jedenfalls eine entschiedene Klarheit gewonnen: die beiden grössten Städte, die noch im Besitz der beiden feindlichen Armeen waren, wurden zugleich und zwar mit allen Kräften des Parlamentes angegriffen. Und diese Kräfte waren durch den Ernst der Lage, die Warnung des Unglücks und die unausgesetzten Bemühungen Cromwell's und seiner treuesten Anhänger in einem Grade verstärkt worden, dass man fast mit Gewissheit jetzt auf den Sieg der guten Sache hoffen durfte.

Schon gegen Ende Mai mussten sich die königlichen Truppen ganz in Oxford selbst zurückziehen, da die vorsichtige Annäherung der Parlamentsarmee, welche die hochschwangere Königin bereits bewogen hatte, nach Exeter zu entfliehen, sich allmälig in eine förmliche Einschliessung verwandelt hatte. Im Norden aber liess sich einige Wochen später Prinz Ruprecht verleiten, mit den unter ihm in Lancashire stehenden Truppen York entsetzen zu wollen. Auf die Kunde seiner Annäherung

hin rückten ihm die vereinigten Feldherren entgegen; er aber
setzte an einer anderen Stelle, als wo man ihn erwartet hatte,
über den Fluss, (die Ouse), und so gelang es ihm, die Gegner
zu umgehen und seine Truppen in die Stadt York zu werfen.
Hier aber machte er Newcastle gegenüber den Befehl des Königs
geltend, um jeden Preis eine Schlacht zu liefern. Es gelang
seinem derben und rücksichtslosen, ja rohen Auftreten, diese
seine Meinung auch durchzusetzen. Und am folgenden Tage
verliess die königliche Armee wirklich das feste York und bot
der Parlamentsarmee die Schlacht an. Bei Marston-Moor
einige Meilen nordwestlich von York, trafen die beiden Heere
aufeinander. Es war der 2. Juli des Jahres 1644. Erst gegen
sieben Uhr Abends begann der Kampf — um zehn Uhr war
er bereits entschieden. Der rechte Flügel der Parlamentsarmee
wurde zuerst geschlagen und löste sich in so wilde Flucht auf,
dass der linke Flügel der Königlichen in der Hitze der Verfolgung sich vollständig loslöste von den Mitkämpfenden. Diesen
Moment wusste Cromwell wahrzunehmen: mit demselben, Ross
an Ross und Mann an Mann herandrängenden Ungestüm, das
er bereits bei Gainsborough erprobt hatte, warf er sich seinerseits auf den feindlichen rechten Flügel, schlug ihn völlig mit
Hülfe der unterstützenden Infanterie Manchester's, wusste aber
dann, klüger als die Cavaliere, der Verfolgung Einhalt zu thun,
um nun in geordneter Haltung auch den Kampf mit dem siegreichen linken Flügel der feindlichen Armee aufzunehmen. Diese
unerwartete Wendung entschied Alles: binnen kurzer Zeit hatte
sich auch der Sieg des feindlichen linken Flügels in eine völlige
Niederlage verwandelt. Als das letzte Licht des Juliabends er-
losch, deckten 3000 Gefallene der königlichen Truppen das
Schlachtfeld. 15—1600 Gefangene blieben in den Händen der

Sieger; 100 Fahnen wurden erbeutet. Es war ein so vollständiger Sieg, dass von dem Tage von Marston-Moor an Cromwell und die Independenten das Heft in Händen haben. Sie waren die Männer auch, es fest zu halten.

Der Fall von York folgte 14 Tage darauf. Prinz Ruprecht und Newcastle hatten den Rest ihrer geschlagenen Truppen herausgezogen und verloren sich in die Grafschaften. Newcastle setzte nach dem Continent über. Die Stadt capitulirte.

Und als ob Alles jetzt darauf hindrängte, Cromwell und seine Anhänger an die Spitze zu bringen, hatten zu derselben Zeit, wo dieser erste grosse Sieg im Norden erfochten wurde, die Feldherren im Süden ein Unglück nach dem andern. Waller und Essex machten sich in Folge dessen unmöglich. Jener wurde am 29. Juni bei Copredibridge so vollständig von König Karl selbst geschlagen, dass dieser schon wieder Herr der Situation zu sein glaubte und Botschaft nach London sandte, um auf's Neue die Unterhandlungen beginnen zu lassen. Essex aber liess sich verleiten, in die gebirgigen Partien von Cornwallis einzurücken, wo er von den königlichen Truppen bald eng eingeschlossen wurde. Seine Armee capitulirte, nachdem er selbst sich zur See auf einem Boote mit wenigen Begleitern gerettet hatte. Es war diese Niederlage ein entscheidendes Ereigniss für die gesammte gemässigte Partei der Anglikaner und Presbyterianer, denn deren Haupt und Führer war Essex bis jetzt gewesen. Vielleicht fühlte diese Partei selbst, dass der massive, etwas schwerfällige Mann mit seinem langsamen, aber früher immer siegreichen Vorwärtsgehen schwer für sie zu ersetzen sei; vielleicht auch neigte sie wieder heimlich zur Versöhnung mit dem König und erschrak bereits vor dem beginnenden Uebergewicht der Independenten. Wenigstens lässt es nur so sich erklären, dass man ihn nicht persönlich zur Verantwortung zog, vielmehr in ihn drang, auf's Neue wieder das Commando zu übernehmen. Aber Essex erholte sich nicht wieder von diesem Schlage, eben so wenig wie Waller von seiner Niederlage: beide können von diesem Momente an als zurücktretend und im Grunde schon überflüssig betrachtet werden. Der Kern der Action ruhte in der Hand Manchester's und Cromwell's — ein zweiter Schlag sollte jetzt auch Manchester beseitigen. Alles drängte jetzt hin auf vollkommene Klärung der Principienfrage.

Am 27. October 1644 kam es bei Newbury — fast auf derselben Stelle, wo schon einmal geschlagen ward — zu einer zweiten Niederlage für die Königlichen. Die Truppen der Nordarmee hatten sich, nach raschen Märschen auf Befehl des Parlaments von London, mit den Resten der Südarmee und den neu ausgehobenen Truppen vereinigt, und diese warfen jetzt, nach hartnäckiger Gegenwehr, die vorher siegreiche Armee König Karl's bis nach Oxford zurück. Cromwell, dem Range nach unter Manchester stehend, drang nun mit all' jener Entschiedenheit, die wir bereits an ihm kennen, darauf, den Sieg so nachdrücklich zu benutzen, dass der Feldzug damit zu Ende sei. Ja, er stellte Manchester in so eindringlicher Sprache, als ihm irgend möglich und erlaubt war, die Nothwendigkeit vor, dass die geschlagene Armee jetzt durch unausgesetzte Verfolgung vernichtet werden müsse. Er bat deshalb um Erlaubniss, nur mit seinen eigenen Reiterschwadronen über die königliche Armee herfallen zu dürfen: der Graf könne, wenn er wolle, mit dem Reste der Truppen unthätig bleiben. Trotz seines immer ungestümer werdenden Drängens aber schlug Graf Manchester sein Begehren rundweg ab; und keinen anderen

Grund wusste er dafür anzugeben, als den: „würden wir geschlagen, so wäre es mit allen unseren Ansprüchen zu Ende, und wir würden Alle als Rebellen und Hochverräther von Rechtswegen hingerichtet werden"

So erzählt Cromwell selbst die Sache und wir haben keine Veranlassung, an der Wahrheit dieser Aussage zu zweifeln, in sofern sie Manchester's Worte betrifft. In der That aber konnte derselbe unmöglich glauben, dass Cromwell nach zwei solchen Siegen nicht mit der geschlagenen Armee auf ihrem Rückzuge vollständig würde fertig werden. Das eben wollte er aber nicht — sein Verbot war also nichts mehr und nichts weniger als offenbarer Verrath an der Sache im Interesse des Königs. Denn Graf Manchester, wie Essex, gehörten dem höchsten Adel des Königreiches an, und als so grosse Herren dachten beide, wie überhaupt alle presbyterianischen Generale, gar nicht daran, dass Zweck und Grenze des Krieges die völlige Vernichtung des Feindes sein müsse. Sie hatten sich nie völlig vom Hofe losmachen können, sie standen immer noch mit ihren Standesgenossen in geheimer Verbindung. Für sie war der Krieg nur ein nicht gar zu scharf anzuwendendes Mittel, um dem Könige von Gottes Gnaden die parlamentarische Regierung beizubringen. Es war jetzt vollkommen deutlich hervorgetreten, dass solchen Generalen ein vollkommener Sieg unerwünscht war: die Vernichtung des Königthums war ihnen bedenklicher, als eine Niederlage der eigenen Truppen. Vielleicht hatte diese Art des Verrathes bereits bei den Niederlagen von Essex und Waller eine geheime Rolle mitgespielt, jedenfalls gewannen die Dinge durch die Einsicht, die Cromwell und seine Independenten jetzt über die Sachlage bekamen, eine entscheidende Wendung.

Er hatte schon früher gesagt: „Wer das Schwert gegen den

König zieht, muss die Scheide in's Feuer werfen." Er begriff es gar nicht, dass man eine so ernste Sache, wie der Krieg sei, blos zum Spass betreiben könne; und er kannte hinlänglich den Charakter des Feindes, um sein Schicksal zu ahnen, falls es ihm nicht gelinge, solchen Tücken für immer die Möglichkeit der Ausführung zu benehmen.

Mit dem Gedanken an Rückkehr und Versöhnung hatte er ebenso längst gebrochen, wie der König Karl seinerseits. Er war jetzt entschlossen, all' dieser Halbheit definitiv ein Ende zu machen. Und während seine Gegner mit ihrer gewöhnlichen Langsamkeit hin und her beriethen, ob es nicht etwa zweckmässig erscheinen dürfte, den gar zu unruhig und gefährlich werdenden Mann in Anklagezustand zu versetzen, handelte er bereits mit solchem Geschick, dass binnen kürzester Zeit alle Hemmschuhe einer absolut energischen Action beseitigt erschienen und die Independenten mit raschen Schlägen dem Kriege ein Ende machen konnten.

Bevor wir das durchgreifende Mittel hierzu, die sog. Selbstverleugnungsbill (Self-denying-Ordinance) näher besprechen, haben wir noch einige Briefe nachzuholen aus dem Jahre 1644. Wir ersehen aus ihnen, mit welchen Gedanken die grosse Seele Cromwell's die entscheidenden Actionen begleitete.

Der officielle Bericht über die Schlacht von Marston-Moor, aus dem Lager von York, datirt 5. Juli 1644, ist nicht von ihm unterzeichnet, sondern von Leven, Fairfax, Manchester, Lindsay und Hatcher.*) Er selbst gehörte eben noch zu den Unterbefehlshabern: er war noch General-Lieutenant. Wir haben

---

*) Cobbett. III, pag. 277.

aber einen Brief von ihm von demselben Datum, der in folgender Weise über den wichtigen Sieg sich ausspricht:

„An meinen lieben Bruder, den Oberst Valentine Walton dieses:

Lager vor York, 5. July 1644.

Mein lieber Herr!

Es ist unsere Pflicht, aller Gnaden uns gemeinsam zu erfreuen und den Herrn zu preisen, in Züchtigungen oder Prüfungen, so dass wir auch das Leid gemeinsam tragen.

Fürwahr, England und die Kirche Gottes hat eine grosse Gunst vom Herrn empfangen, in diesem grossen Siege, der uns gewährt ist, wie nie ein gleicher war, seit dieser Krieg begann. Er ist das vollkommene Zeugniss eines absoluten Sieges, gewonnen vorzugsweise durch den Segen des Herrn, den er besonders der Partei der Heiligen gegeben. Wir griffen niemals den Feind an, ohne ihn auch zu werfen. Der linke Flügel, den ich befehligte, unsere Cavallerie, nebst einigen Schotten in der Arrière-Garde, schlug die ganze Reiterei des Prinzen (Ruprecht): Gott machte sie gleich Stoppeln vor unseren Schwertern.*) Wir griffen (auch) ihre Infanterie-Regimenter mit unserer Cavallerie an und warfen alle, die wir angriffen. Die Einzelheiten kann ich jetzt nicht erzählen; aber ich glaube, von seinen 20000 Mann sind dem Prinzen nicht 4000 übrig geblieben. Gebt Gott die Ehre, alle Ehre!

---

*) „God made them as stubble to our swords": so heisst das berühmte Wort im englischen Text. Es ist unverzeihlich, dass mehrere Bearbeiter, unter andern auch Häusser, die ungeschickte Uebersetzung davon gegeben haben: „Sie fielen gleich Stoppeln". Nein, sie fielen gleich Aehren und wurden so wie Stoppeln. Unserem Cromwell schwebt offenbar das biblische Bild vom Schnitter auf dem Acker vor. —

Sir, Gott hat Euren ältesten Sohn durch einen Kanonen-
schuss das Leben verlieren lassen. Die Kugel zerbrach ihm
den Schenkel. Wir sahen uns genöthigt, ihm das Bein abnehmen zu lassen — und daran starb er.

Sir, Ihr kennet meine eigenen Prüfungen in dieser Richtung: aber der Herr hielt mich aufrecht mit dem Gedanken,
dass er ihn aufnahm in die Seligkeit, nach der wir Alle lechzen,
für die wir Alle leben. Dort ist auch Euer herrlich' Kind, im
Glanze der Ehren, nie mehr Sünde oder Kummer zu kennen.
Er war ein tapferer Jüngling, und stand sehr hoch in der Gnade.
Gott gebe Euch seinen Trost.*) Vor seinem Tode war solche
Tröstung in ihm, dass er es Frank Russel und mir gar nicht
auszusprechen vermochte: „Es wäre so gross, so gänzlich über
seinen Schmerzen!" Dieses sagte er zu uns. In der That, es
war bewundernswerth. Ein wenig später sagte er, Etwas läge
ihm noch auf der Seele. Ich fragte ihn, was das wäre? Er
sagte mir, es wäre dieses, dass Gott ihm nicht länger erlaubte,
Richter zu sein über seine Feinde (executioner"). Bei seinem
Sturz, als sein Pferd von der Kanonenkugel getödtet war, und
noch drei weitere Pferde, wie man mir gemeldet hat, soll er
gebeten haben, „man möchte links und rechts offenen Raum
geben, damit er die Schurken laufen sehen könne". Er war

---

*) „He was a gallant young man, exceedingly g r a c i o u s. God give
you His comfort. Before his death he was so full of comfort that to Frank
Russel and myself he could not express it: „It was so great above his
pain." — Wie kann man nach diesem ganzen Zusammenhange, wo fortwährend von religiösen Troste die Rede ist, das „gracious" mit anmuthig
übersetzen, wie Carrière thut? Cromwell interessirte sich ungemein wenig
für „anmuthige" Erscheinung: das überliess er den Cavalieren. Aber ob
Einer vor Gott Gnade gefunden hatte und zu den Heiligen des Herrn gehörte, darauf kam es ihm an: in diesem Sinne muss daher offenbar auch
das „execedingly gracious" hier verstanden werden. —

wirklich ausserordentlich beliebt in der Armee, bei Allen, die ihn kannten. Aber Wenige kannten ihn. Denn er war ein köstlicher Jüngling (precious hier vielleicht auch pretiös, Etwas auf sich haltend, mit seiner Person kostbar thuend), bereitet für Gott. Ihr habt Grund, den Herrn zu verherrlichen. Er ist jetzt ein glorreicher Heiliger im Himmel, worüber Ihr Euch höchlichst freuen solltet. Lasst dieses Euren Gram verzehren: Ihr seht ja, es sind keine erheuchelten Worte, Euch zu trösten, sondern die Sache ist wirklich so und eine unzweifelhafte Wahrheit. Alles könnt Ihr ausführen in der Kraft Christi. Suchet dieses und Ihr werdet leicht Eure Prüfung ertragen. Lasset diesen allgemeinen Dank gegen die Kirche Gottes Euch Euren einzelnen Kummer vergessen machen. Der Herr sei Eure Kraft! so bittet

Euer wahrhaft treuer und liebender Bruder
Oliver Cromwell.

Meinen liebevollen Gruss an Eure Tochter und meinen Vetter Percival, die Schwester Desborow und alle Freunde, die mit Euch gehen." —

„Margaret Cromwell", die jüngere Schwester Oliver's, war die Frau des Oberst Walton, die Mutter des Gefallenen also. Aus dem Briefe erfahren wir unter Anderem auch, dass, wie dieser Neffe jetzt, so früher auch schon sein eigener Sohn, der junge Oliver, gefallen war, bei Knaresborough, einige Zeit vor der Schlacht bei Marston-Moor. „It went to my heart like a dagger," sagte er selbst später darüber: es drang wie ein Dolchstoss in mein Herz. Wir sehen aus allen solchen Aeusserungen, welche tiefe Empfindung auch für die Gefühle des Familienlebens den gegen die Feinde so harten und so energischen Mann

9

beseelte. Tiefes Herz, starker Geist, energischer Wille finden sich gewöhnlich vereinigt in allen wirklich grossen Heroen des geschichtlichen Lebens. —

Der hier erwähnte Frank Russel, der Sohn eines Baronets von Chippenham in Cambridgeshire, ebenfalls schon Oberst, wurde bald darauf an Oliver's Stelle Gouverneur von Ely. Henry Cromwell heirathete, etwa zehn Jahre später, die Tochter dieses Frank. Wir sehen hier in eine Menge von verwandtschaftlichen Verhältnissen der bedeutendsten Art hinein, die ohne Zweifel sehr viel zu den raschen Erfolgen werden beigetragen haben.

Es folgen darauf einige Briefe, in welchen Oliver sich dagegen verwahrt, dass die von ihm als verdächtig Bezeichneten eher wieder freigegeben werden, als bis er selbst „oder eine höhere Autorität" — nicht etwa eine niedere — in Bezug auf die vorliegende Angelegenheit befriedigt seien: „denn ich versichere Euch, ich danke dafür, Gouverneur (und Staatslenker) zu sein oder einen andern dazu zu verpflichten, unter mir solch' einen Posten zu übernehmen, auf so schwache Bedingungen hin" — wenn nämlich Jeder mir dazwischen kommen darf und das also, was nach langer Ueberlegung gemeinsam festgestellt wurde, immer wieder von Andern darf in Frage gestellt werden. Auf solche Weise wäre ja in der That gar keine gemeinsame Action möglich. „Wir müssen aber durchaus Herren im Felde sein," ja, „ich bin so empfindlich für die Nothwendigkeit, in der wir uns befinden, die gegenwärtige Gelegenheit zu benutzen, da wir ja Herren im Felde sind und keinen Feind mehr in der Nähe haben . . ., dass ich Euch dringend ersuchen muss, die überflüssige Last von zwei verschiedenen Comités für die verschiedenen Theile der Insel zu beseitigen. Und jenes eine

Comité, in March*) gewählt, mag für die ganze Insel hinreichen. Sendet daher einen von Euch," damit wir das überlegen können ... „Wir werden dem Königreiche ohne Streit unter einander dienen, inmitten all' unserer Noth. Wir hoffen, unsere Bedürftigkeit zu vergessen, die in der That gross ist und um welche man sich wenig kümmert; und wir verlangen nur, die vielen Verleumdungen, auf uns gehäuft durch falsche Zeugen, Gott anheimzustellen — welcher zur rechten Zeit der Welt es zeigen wird, dass wir uns um die Glorie Gottes bemühen und um die Ehre und Freiheit des Parlaments. Für dieses streiten wir einmüthig, ohne unser eigenes Interesse zu suchen. Und in der That, wir finden nie unsere Leute so munter, als wenn es Arbeit giebt („work do to"). Ich bin sicher, das werdet Ihr immer von ihnen hören. Der Herr ist unsere Kraft, und in ihm ist all' unser Hoffen. Betet für uns. Und meinen liebevollen Gruss an meine Freunde: ich bitte auch um ihre Fürbitten. Der Herr möge Euch ferner segnen.

Wir haben da Einige unter uns, die sehr langsam in der Action sind. Wenn wir uns doch nur um unsere eigensüchtigen Zwecke weniger kümmern wollten und ebenso um unsere Bequemlichkeit, so würde unsere Arbeit in dieser Armee wie auf Rädern zur That eilen. Aber weil wir Feinde des Raubens und anderer Schlechtigkeit sind, so sagt man von uns, wir seien parteiisch und suchten unsere religiösen Anschauungen mit Gewalt zu behaupten — was wir vielmehr verschmähen und verabscheuen. Ich gestehe, von der Gerechtigkeit dieses Krieges konnte ich mich nur überzeugen durch die Autorität des Parlaments in der Behauptung der ihm zukommenden Rechte, und

---

*) Stadt im Bezirk von Ely.

9*

in dieser Angelegenheit hoffe ich mich als ehrlichen Mann zu bewähren, und ein aufrichtiges Herz zu zeigen.

Verzeiht mir, dass ich so beschwerlich werde. Ich schreibe ja nur selten. Es giebt mir etwas Erleichterung, inmitten aller Verleumdungen, mein Herz auszuschütten in den Busen eines Freundes. Mein Herr, kein Mensch liebt Euch wahrhafter als

Euer Bruder und Diener

Oliver Cromwell.

Im Verhältniss zu solchen Briefen einerseits, zu der bald darauf nun erfolgenden Selbstentäusserungsacte andererseits hat es wenig Interesse, die parlamentarischen Verhandlungen genauer zu verfolgen, welche in Westminster und Uxbridge zwischen den verschiedenen Parteien wieder eine Zeit lang hin- und hergehen. Sie endeten resultatlos. Cromwell durchschnitt dieselben in höchst energischer Weise durch sein Auftreten im Parlament zu London. Jeder fühlte, dass in seinen Worten die Lage des Landes richtig gezeichnet sei; und er hatte daher auch einen Erfolg, der dem auf den Schlachtfeldern von Marston-Moor und Newbury gleichkam.

Die Reden, die Oliver zu diesem Zwecke hielt, sind uns in drei äusserst wichtigen Fragmenten aufbewahrt. Sie lauten folgendermassen:

1. Am Montag den 25. November 1644 brachte General-Lieutenant Cromwell, wie am Sonnabend vorher festgesetzt war, eine Klage vor gegen den Grafen von Manchester, folgenden Inhaltes:

„Dass der genannte Graf immer schlecht aufgelegt und nicht geneigt zu Kämpfen sei und zur Beendigung des Krieges durch das Schwert, und immer für solch' einen Frieden, dass ein vollkommener Sieg nur ein Nachtheil dagegen sein würde; — er hat

dies erklärt durch ausdrücklich ausgesprochene Grundsätze in
solcher Richtung, und durch eine zusammenhängende Reihe von
Handlungen, wie sie solch' einer Haltung überhaupt entsprechen.

Dass er also seit der Einnahme von York — bald nach
dem Tage von Marston-Moor — Alles vermieden hat, was immer auf weitere Vortheile über den Feind hinzielte; dass er
die Gelegenheiten zu solchem Zwecke vernachlässigt und absicht-
lich beseitigt hat, als ob er den König zu wenig und das Parlament zu sehr schätze, besonders im Schloss von Dennington;
dass er die Armee in solch' eine Stellung gebracht und in ihr
festgehalten, dass dem Feinde dadurch neue Vortheile geboten
wurden; und zwar habe er dies gethan vor seiner Verbindung
mit den anderen Armeen (des Essex und Waller), durch seinen
eigenen absoluten Willen, gegen oder ohne seinen Kriegsrath,
zuwider vielen Befehlen des Comités beider Königreiche und
mit Verachtung und Geringschätzung jener Befehle; und seit
der Vereinigung, bisweilen gegen die Meinung des Kriegsrathes,
und zuweilen dadurch, dass er denselben überredet und getäuscht habe, damit er eine Gelegenheit vernachlässige, indem
er eine andere vorgab, diese wieder durch eine dritte beseitigte,
und so sie zuletzt zu überzeugen wusste, dass es überhaupt unzweckmässig sei, zu kämpfen."

Der Graf Manchester antwortete darauf in ziemlich derber
Weise, dass Cromwell seinen Befehlen nicht habe gehorchen
wollen: gerade in den Tagen von Newbury habe er ihm befohlen, mit der Reiterei vorzugehen; und Cromwell habe geant-
wortet, die Pferde seien schon müde in ihren Beinen: „wenn
Eure Lordschaft Nichts als die Felle der Pferde haben wolle,
so sei dies der wahre Weg, sie zu bekommen." — Und ferner

soll er dann brummend hinzugefügt haben: „Es würde nie gute
Zeit in England geben, bis wir mit den Lords erst fertig seien!"
Und: „Wenn er jetzt den König in der Schlacht träfe, so würde
er auf den König sein Pistol abfeuern, wie auf einen Andern"
— Aeusserungen, die uns deutlich in die Welt von Streitigkeiten und Meinungsverschiedenheiten hineinsehen lassen, welche
auch in der siegreichen Partei momentan die Gegensätze nicht
schlummern liessen.

2. Im Unterhause, am Mittwoch den 9. December, als alle
in grosser Sitzung beisammen waren, war eine gute Weile eine
allgemeine Stille, indem Einer auf den Andern sah, um zu
sehen, wer das Eis brechen würde, in Bezug auf diesen deli-
caten Punkt, wie man unsere Essexe und Manchesters in sanfter
Weise aus der Armee entfernen könne — ein sehr delicater
Punkt in der That: — als General-Lieutenant Cromwell aufstand
und kurz folgendermassen sprach:

„Jetzt ist es Zeit zu sprechen, oder man muss für immer
das Maul halten. Die wichtige Gelegenheit ist jetzt keine geringere, als eine Nation zu retten aus einer blutenden, ja fast
sterbenden Lage heraus, in welche die lange Fortsetzung dieses
Krieges sie schon versetzt hat; so dass ohne eine eiligere, kräf-
tigere und wirksamere Verfolgung des Krieges wir das Königreich unserer müde machen werden und den Namen des Parlaments verhasst.

Denn was sagt der Feind jetzt? Ja, was sagen Viele, die
beim Beginnen des Parlaments Freunde waren? Eben dieses,
dass die Mitglieder beider Häuser grosse Stellen und Commandos
erhalten haben und das Schwert in ihren Händen tragen, und
dass sie, sei es durch ihr Interesse am Parlament, sei es durch
ihre Macht in der Armee, immerfort sich selbst in dieser Grösse

behaupten wollen und nicht gestatten, dass der Krieg rasch ein Ende nehme, damit nicht ihre eigene Macht damit zu Ende gehe. Dieses, was ich selbst hier uns in's Antlitz sage, ist nur dasjenige, was Andere da draussen hinter unserem Rücken äussern. Ich bin weit davon entfernt, an irgend einen Bestimmten zu denken. Ich kenne den Werth dieser Commandeure, Mitglieder beider Häuser, die noch in der Macht sich befinden: aber wenn ich mein Inneres aussprechen soll, ohne Rücksicht auf irgend Jemanden, so bin ich der Meinung, dass, wenn die Armee nicht in anderer Weise eingerichtet und der Krieg lebhafter betrieben wird, das Volk den Krieg nicht länger ertragen kann, und Euch zu einem unehrenhaften Frieden zwingen wird.

Dies aber möchte ich Eurer Weisheit empfehlen, nicht zu bestehen auf irgend einer Klage oder einem Versehen von irgend einem Commandeur en Chef, bei welcher Gelegenheit auch immer. Denn wie ich mich selbst schuldig bekenne gewisser Versehen, so weiss ich auch sehr wohl, dass sie selten vermieden werden können in militärischen Dingen. Indem wir daher eine genaue Untersuchung anstellen über die Ursachen dieser Dinge, wollen wir uns zu dem durchaus nothwendigen Heilmittel hinwenden. Und ich hoffe, wir haben solche echt englische Herzen und eifrige Liebe zu dem allgemeinen Wohle unseres Mutterlandes, dass kein Mitglied beider Häuser Bedenken tragen wird, sich selbst zu verleugnen und sein eigenes Privatinteresse für das öffentliche Wohl, noch auch das für eine ihm angethane Unehre ansehen wird, was immer das Parlament beschliesst in dieser wichtigen Angelegenheit." —

3. An demselben Tage, wie es scheint in einem folgenden Theile der Debatte, sagte General-Lieutenant Cromwell ferner Folgendes:

„Herr Sprecher, ich bin nicht der Ansicht, dass die Berufung der Mitglieder zum Parlament unsere Armeen zerbrechen
oder zerstreuen wird. Ich kann das sagen für meine eigenen
Soldaten, dass sie nicht auf mich sehen, sondern auf Euch; und
für Euch werden sie fechten und leben und sterben in Eurer
Sache. Und wenn Andere von jener Gesinnung sind, von der
sie sind, so braucht Ihr sie deshalb nicht zu fürchten. Sie ver-
ehren nicht mich abgöttisch, sondern sehen auf die Sache,
wofür sie kämpfen. Ihr könnt ihnen befehlen, was Ihr wollt,
sie werden Euren Befehlen gehorchen in der Sache, für welche
sie kämpfen." —

Nach diesen und sonstigen Reden*) erschien die Sache hinlänglich vorbereitet; und als daher ein gewisser Mr. Zouch-
Tate den Antrag stellte, durch eine sog. „Self-Denying-Ordinance"
zu beschliessen, dass „kein Mitglied eines der Häuser des Parlaments während dieses Krieges irgend welchen Civil- oder Mi-
litärposten bekleiden sollte", ging derselbe nach wiederholter
heftiger Debatte am 19. December 1644 im Unterhause durch.
Die Lords aber verwarfen ihn zuerst. Während Alles nun ge-
spannt auf den Ausgang wartete, nahm man den Process des
alten Erzbischofs Laud wieder vor, der nun schon seit mehr
als drei Jahren im Tower sass: fast gleichzeitig mit ihm und
bald nach ihm wurden Alexander Carew, John Hotham, Vater
und Sohn, und Lord Macguire hingerichtet, die Hauptträdels-
führer in den irischen Unruhen; in der Zeit vom 23. December
1644 bis zum 20. Februar 1645 wurde so fünfmal das Schoffot
aufgerichtet auf Tower-Hill. Auch die Neuerungen in der Li-

---

*) Von welchen einzelne Redewendungen mit Unrecht bei Häusser Crom-
well selbst zugeschrieben werden: sieh Cobbett III. pag. 326 ff. —

turgie wurden nun definitiv abgeschafft und die alte gottesdienstliche Ordnung wieder an die Stelle gesetzt. Es scheint fast, als habe man durch alle diese Nachgiebigkeit gegen die am weitesten vorgehende Partei ihre Aufmerksamkeit ablenken wollen von der Self-Denying-Ordinance. Die Sache war indessen von allen Seiten so wohl vorbereitet, dass der Widerstand der Lords auf die Dauer unmöglich war. Vor Allem konnte Essex nicht bleiben. Nach einer nächtlichen Berathung mit den Schotten, sowie mit Mr. Hollis, Sir Philipp Stapelton, Sir John Meyrick, Mr. Maynard und Whitelocke, in welcher die Frage aufgeworfen wurde, ob Cromwell nicht als radicaler „Brandstifter" („Incendiary") könne in Anklagezustand versetzt werden, fand Essex sich veranlasst, auf seine Stellung als Chef der Armee in öffentlicher Erklärung vor dem Parlament (Commission of Lord General) Verzicht zu leisten. Am 2. April 1645 las er diese Erklärung ab: der schwerfällige alte Herr hatte nie in seinem Leben grosse oratorische Fähigkeiten besessen.*) Die Grafen von Manchester und Denbigh, dann auch Warwick, Waller und Andere folgten ihm. Manchester gebrauchte dabei die treffende Wendung: „er nehme wahr, dass er den Häusern nicht ferner nützlich sein könne; ähnlich die andern. Diese Erklärungen nahmen beide Häuser entgegen als „ein gutes Zeugniss von ihrem pflichtmässigen Gehorsam gegen die Parlamentshäuser, denen sie ja so lange in hervorragenden Posten gedient hätten". Und in Folge dessen ging denn am 3. April die „Self-Denying-Ordinance" auch im Oberhause durch.

Auf diesen Ausgang der Sache hatte eine rechtzeitige Niederlage der Schotten unter Argyle, der Sieg des Montrose bei

---

*) Cobbett III, pag. 352.

Inverlochy, grossen Einfluss gehabt. Montrose, momentan ein glänzendes Meteor als siegreicher Royalistenführer in den schottischen Bergen, hatte sogleich darüber an den König Karl berichtet. Mit seiner gewöhnlichen Leichtgläubigkeit, sobald es sich um seine persönlichen Erfolge handelte, meinte dieser schon wieder ungemessenen Hoffnungen sich hingeben zu dürfen: die Conferenzen zu Uxbridge wurden daher bald unterbrochen, die Presbyterianer-Chefs kehrten mit gescheiterten Entwürfen nach London zurück, und die Independenten bemächtigten sich der Armee und des Krieges. General **Fairfax**, auf den sich namentlich seit einem bei **Selby** erfochtenen Siege und wegen seiner Theilnahme an der Schlacht von Marston-Moor Aller Augen gerichtet hatten, Thomas Fairfax, ein besonderer Freund des Cromwell und echter Gentleman, erhielt am 19. Februar 1645 das ausschliessliche Obercommando über die gesammte Armee und am 29. März durch einige Zusatzartikel noch besondere Verstärkung seiner Macht; nur die Lords verhinderten die Streichung des Zusatzes, dass er auch die Pflicht haben solle, „über die Sicherheit der Person des Königs zu wachen". Bald darauf kam Argyle von Schottland her: mit ihm knüpfen Cromwell und Henry Vane Connexionen an, da er momentan gegen die Cavaliere sehr erzürnt war; und es gelingt ihm, die schottischen Commissäre in London und durch sie die Lords des Oberhauses zum Nachgeben zu bewegen. So kam die Bill zu Stande.

Auch Cromwell war im Grunde durch dieses Gesetz verpflichtet, sein Commando niederzulegen. Als aber die neue Formation der Armee von Schloss Windsor aus, dem Hauptquartiere des Fairfax, begann, revoltirten die tapferen Reiterschwadronen, die Ironsides von Marston-Moor und Newbury, und erklärten, sie wollten nur unter Cromwell selbst fechten. Er musste also hin, zu einem „letzten Dienste", um sie zu bewegen, „ihre Pflicht zu thun". Von ihm liessen sie sich allerdings beruhigen. Als aber gegen Ende April die neue Organisation beendigt war und Cromwell nun zu Fairfax ging, um seinem verehrten General zum Abschied die Hand zu küssen, hatte dieser bereits zu erwirken verstanden, dass ihm in Anerkennung seiner Verdienste um die gute Sache sein Commando zuerst auf 40 Tage — später dann auf weitere drei Monate — erneuert wurde: statt ihm also den erbetenen Abschied zu gewähren, schickte er ihn sofort gegen den Feind, auf Befehl des „Comités für beide Königreiche". Mit seiner gewohnten Schnelligkeit und Schlagfertigkeit schlug er die Truppen der Cavaliere dreimal rasch nach einander, bei Islipbridge, Witney und Bambleton-Bush, nahm Blechington ein und berichtete darüber an das Parlament. In London war man jetzt durchaus der Meinung, ein so braver Soldat sei viel zu brauchbar, als dass man ihn entlassen dürfe: so blieb er bei der Armee; und seine lieben Soldaten jubelten darüber.

Der definitiv entscheidende Schlag, die Schlacht bei Naseby, am 14. Juni 1645, bereitet sich darauf langsam, aber unvermeidlich vor. Ueber Nichts muss man sich bei den folgenden Ereignissen mehr wundern, als über den Leichtsinn, mit welchem die Cavaliere dieses entscheidende Ereigniss über sich hereinbrechen liessen. Sie mussten doch endlich wissen, dass sie es hier mit einem Feinde zu thun hatten, dem es Ernst war mit seinem Kampfe: bei Marston-Moor und Newbury hatte dieser Feind ihnen gezeigt, wessen er fähig war, und die Self-Denying-Ordinance hatte der gesammten Armee einen so einheitlichen Charakter gegeben, dass von jetzt an von keinem Schwanken

nach irgend einer Seite hin mehr die Rede sein konnte. Im
Lager der Royalisten schwankte dagegen die Stimmung fortwährend hin und her, je nachdem die Ereignisse diese oder
jene Wendung nahmen. Sobald aber nur der kleinste Vortheil
wieder neue Hoffnungen schimmern liess, begann der alte leicht-
fertig spöttische Geist wieder Herr zu werden: aus diesem gingen dann jene Spottlieder hervor, die noch heute als charakte-
ristischer Ausdruck der herrschenden Stimmung jener Zeit
grossen Werth haben.*) Im April hatte der König seinen Sohn,
den späteren Karl II., in Begleitung von Hyde, Capel und
Colepepper nach den östlichen Grafschaften geschickt: er sollte
ihn nicht wiedersehen, eben so wenig die Königin, die er bereits früher entlassen hatte. Im Anfang Mai zog er selbst von
Oxford weg nach dem Norden und vereinigte sich mit Prinz
Ruprecht.**) Fairfax erhielt darauf Befehl, Oxford zu belagern.
Er begann damit am 22. Mai. König Karl nahm indessen
Leicester und belagerte Taunton, errang überhaupt mehrere
kleine Vortheile, welche die Presbyterianer momentan trium-
phiren, die Independenten dagegen sehr niedergeschlagen machten. Unter diesen Umständen war es, dass Fairfax das Commando der Cavallerie für Cromwell verlangte: eine Petition,
von ihm und 16 Obersten unterzeichnet, ging zu diesem Zwecke
aus dem Lager an's Parlament nach London; und obwohl die

*) Namentlich das schon von Guizot mitgetheilte berühmte Lied: „March,
march, pinks of Election!“, weltbekannt unter dem Namen „March of David
Lesley“. —

**) Seinen zweiten Sohn, den Herzog von York, liess er in Oxford zu-
rück, unter der Leitung des William Legge, eines durchaus „zuverlässigen
Officiers, um die Hauptstadt des royalistischen Englands gegen einen etwaigen
Anfall zu schützen“ (Ranke).

Lords wieder mit ihrer gewöhnlichen Langsamkeit, die indessen ihren wohlbewussten Zweck hatte, die Sache zu verschleppen und hinzuziehen versuchten, so bewilligte doch das Unterhaus sogleich die Forderung der Armee, sowie ihre Bitte, dass Fairfax die Belagerung von Oxford aufheben und sofort gegen den Feind vorgehen möge. Dieser hatte im Mai im Norden auch unter Montrose einen Sieg erfochten, bei A u l d e a r n in der Grafschaft N a i r n, und der König Karl hatte die gehobene Stimmung, in welche er sich in Folge dieses und seiner eigenen Siege wieder befand, in einem Briefe an die Königin vom 9. Juni 1645 offen ausgesprochen. Es war daher in diesen Tagen eine sehr gemüthliche, ja fast lustige Stimmung wieder im Royalistenlager: die eleganten Liebhabereien der englischen Grossen wurden wieder aufgenommen, namentlich die Jagd mit Vorliebe betrieben. Alle bewegten sich mit der ungezwungensten Freiheit, und Niemand ahnte das entscheidende Ereigniss, das wie ein Blitz aus heiterem Himmel über sie hereinbrechen sollte. Fairfax, in Eilmärschen mit sämmtlichen Corps von Oxford in der Richtung nach Northampton marschirend, traf am 12. Juni auf die Vorposten der königlichen Armee. Noch am 13. dachte trotzdem Niemand an eine bedeutsame Wendung. Aber seit einigen Stunden war auch Cromwell*) angekommen, mit seinem gewöhnlichen Feuereifer betrieb er alle Vorbereitungen; und am Morgen des 14. Juni 1645 begann die entscheidende Schlacht.

Die Stellung der beiden Armeen war dieses Mal gerade der bei Marston-Moor entgegengesetzt: Cromwell commandirte den rechten Flügel, sein Schwiegersohn Ireton den linken; Fairfax

---

*) „Begleitet von einigen Schwadronen neugebildeter Reiterei" (Ranke).

und Skippon befehligten die Infanteriebataillone des Centrums. Ihnen gegenüber stand Prinz Ruprecht mit etwa 2000 Reitern auf dem rechten Flügel der königlichen Armee, Marmaduke Langdale mit den Cavalieren aus dem Norden commandirte den linken: dieser stand also Cromwell selbst, jener Ireton gegenüber. Im Centrum aber war auch bei der königlichen Armee das Fussvolk aufgestellt, unter Lord Astley. Der König Karl stand in der Reserve; er hatte zu seiner persönlichen Deckung eine Leibgarde zu Pferde und ein Regiment Infanterie. Die beiden Armeen standen zwischen Harborough und Naseby, an der Quelle des Avon, nur wenige Meilen nordöstlich von jenem Stratford, welches das glänzende Gestirn Shakespeare's hatte auf- und untergehen sehen.

Es schien im Anfang, als ob die neu organisirte Armee den Truppen König Karl's nicht gewachsen sei. Prinz Ruprecht, mit seinem gewöhnlichen Ungestüm den Angriff beginnend, schlug den ihm gegenüberstehenden linken Flügel in die Flucht, und Ireton selbst gerieth sogar einen Augenblick in Gefangenschaft. Während aber Ruprecht die Fliehenden bis zu ihrer Reserve verfolgte, und von dieser energisch zurückgewiesen, wieder umwenden musste, hielt Cromwell seinerseits den Angriff der Royalisten ruhig aus, ohne auch nur einen Schritt zu weichen. In einem entscheidenden Momente, als mehrmals versuchte Angriffe die Kraft des Feindes bereits zu brechen begannen, kam ihm ein stattliches Reiterregiment unter Oberst Rossiter zu Hülfe: und jetzt plötzlich mit aller Kraft vorstürmend, warf er den linken feindlichen Flügel im ersten Anlauf zurück und trieb ihn in wildester Flucht vor sich her. Unterdessen war auch Ireton wieder frei geworden, und die Geschlagenen seines Flügels hatten sich wieder gesammelt; das Fussvolk in der Mitte,

ebenfalls eine Zeit lang in Verwirrung gerathen, vereinigte sich
nun mit ihnen und den Siegern des rechten Flügels zu einer
auf's Neue fest geschlossenen Masse. Als jetzt Prinz Ruprecht
zurückkehrte, schon nicht mehr in jener siegreichen Stimmung,
mit der er zuerst vorgedrungen war — die Artillerie der Reserve hatte er nicht bezwingen können — fand er die Situation
völlig verändert: nicht mehr im Stande, den immer ungestümer
auf ihn und das königliche Fussvolk zugleich eindringenden
Angriffen zu widerstehen, wich er immer weiter zurück, obwohl
sich alle seine Truppen „mit unglaublicher Herzhaftigkeit und
auf das Standhafteste" wehrten. Es blieb zuletzt nichts Anderes mehr übrig, als auch die Reserve, bei welcher der König
selbst stand, vorzuführen: als aber König Karl, dem es an persönlichen Muthe durchaus nicht fehlte, an der Spitze derselben
mitten in das dichteste Schlachtgewühl vordringen wollte, ritt
der Graf Carnewarth, ein schottischer Edler, rasch an ihn
heran, beschwor ihn, sein Leben nicht unnütz auf's Spiel zu
setzen, ergriff den Zügel seines Pferdes und wandte den Schritt
desselben ohne Weiteres nach rechts. Die Nächsten folgten,
Niemand konnte hinter den Führern zurückbleiben, obwohl Alle
höchlichst verwundert und überrascht waren: und in wenigen
Minuten wurde aus der ersten Bestürzung eine so allgemeine
Panique, da die Gegner natürlich diese schwankende Bewegung
sofort erkannten und benutzten, dass die Schlacht für die
Royalisten vollständig verloren ging und Fairfax mit Cromwell
den glänzendsten aller Siege davontrug. König Karl flüchtete
mit 2000 Reitern nach Leicester. Seine ganze Artillerie fast,
die ganze Bagage und Munition, 100 Fahnen, seine eigene
Standarte und alle Papiere seines Cabinets musste er dem
Feinde überlassen. An Todten hat er hier 5000 Mann, ausser-

dem eine Masse Gefangener verloren: seine ganze Armee war zersprengt und zerstreut. Der moralische Eindruck dieses Cromwell'schen Sieges war vernichtend für ihn.

Nach den alten Berichten ist diese Schlacht bei Naseby auch besonders deshalb merkwürdig, weil sie vorzugsweise nach alter Art durch persönliche Tapferkeit im Handgemenge entschieden worden ist. Nur einmal hat die Infanterie ihre Gewehre abgeschossen, um dann sofort auf einander loszugehen und mit Schwertern und Musketenkolben den Einzelkampf zu beginnen. Ebenso die Reiter. Die aus den „Freeholders" der verbündeten Grafschaften gebildeten Eisenseiten (Ironsides) Cromwell's waren es dann vorzugsweise, die den glücklichen Ausgang durch rasche Benutzung entscheidender Momente herbeizuführen verstanden.

Und dieser gewaltige Sieg, einer völligen Vernichtung der Royalistenarmee gleichkommend, wurde noch erhöht durch die Art und Weise, wie man jetzt die gefundenen Papiere des Königs gegen ihn zu benutzen verstand. Mit ihren officiellen Berichten an das Parlament in London, welche sofort eine neue Verlängerung von Cromwell's Commando zur Folge hatten, sandten Fairfax und Cromwell die äusserst wichtigen und inhaltreichen, ja verhängnissvollen Briefe und Documente hinüber, die ihnen in die Hände gefallen waren. Und während nun die Lords sowohl, als auch die schottischen Commissäre trotz solcher Siege wieder in voller Vertrauensseligkeit Unterhandlungen mit dem geschlagenen Feinde beginnen wollten, berief das Parlament alle Bürger nach Guildhall, um die Vorlesung dieser höchst aufregenden Actenstücke mit anhören zu lassen, vor Allem seine Briefe an die Königin. Hier kamen Dinge zu Tage, die ihm die letzten Sympathien des Volkes entfremdeten: der feste Entschluss, trotz aller Niederlagen nicht nachzugeben in irgend einer Sache, wofür doch alle diese Schlachten geschlagen waren, seine Absicht, sich mit den Katholiken immer mehr zu verbinden, den verhassten Papisten also nicht blos Duldung, sondern sogar Unterstützung zu gewähren, den mordbefleckten Irländern sogar Indemnität zuzugestehen, ja sie sowohl, wie auch andere ausländische Mächte, Personen und Interessen zur Unterdrückung des Protestantismus und der sonstigen englischen Freiheiten zu Hülfe zu rufen — das Alles trat unzweideutig aus diesen Correspondenzen zu Tage. Es war mehr als hinreichend, die siegreiche Opposition bis zur grimmigsten Wuth zu reizen: man kann annehmen, dass von diesem Momente an sein Untergang in London eine beschlossene Sache war. Eine Auswahl aus diesen Papieren wurde sofort gedruckt und verbreitete die gereizte Stimmung durch ganz England.*) Die Aufregung und Entrüstung war allgemein. Alle riefen nach neuem Kriege gegen solchen Feind. Die Rüstungen wurden energisch wieder aufgenommen. Ein zweiter Bürgerkrieg war nicht mehr zu vermeiden, sobald nur die geringste feindliche Macht sich wieder im Felde zeigte.

Seit dem Tage von Naseby und der Veröffentlichung seiner geheimsten Papiere ist aber König Karl so auffallend von allem Glück verlassen, dass der erste Bürgerkrieg damit als beendigt angesehen werden kann. Es hat nur geringes Interesse, die einzelnen Bewegungen genauer zu verfolgen, welche von den wenigen ihm bleibenden Anhängern noch versucht werden, denn

---

*) Cobbett III, pag. 377. Diese Veröffentlichung führt den Titel: „The king's Cabinet opened, or certain Packets of secret Letters and Papers, written with the kings own Hand, and taken in his Cabinet at Naseby Field June 14. 1645, by victorious sir Thomas Fairfax; where in many Mysteries of State etc." — London 1645.

selbst der Sieg des Montrose bei Kilsyth am 15. August 1645,
bereits der siebente, den er in diesem Feldzuge gewonnen, hat
keine nachhaltige Wirkung. Kaum einen Monat später wird er
von David Lesley, demselben, von welchem der berühmte In-
dependentenmarsch seinen Namen hat, völlig besiegt. König
Karl selbst, auf dem Wege zur Vereinigung mit ihm, wird ebenfalls wieder geschlagen. Prinz Ruprecht muss am 11. September das feste Bristol an Fairfax übergeben und geräth darüber
mit dem König selbst, wie mit den andern Commandanten in
Zerwürfniss: kurz, die innere Auflösung der Royalistenarmee,
die seit dem Tage von Naseby begonnen, vollendet sich mit un-
entrinnbarer Nothwendigkeit. Dem Könige bleibt zuletzt nichts
Anderes mehr übrig, als dem Rathe des französischen Gesandten
zu folgen*) und sich mit dem sehr zusammengeschmolzenen
kleinen Reste seiner Getreuen in's Lager der Schotten zu flüch-
ten. Ein Parlamentsdecret bedrohte bereits Jeden mit dem
Tode, der den Entweichenden auch nur beherbergen würde. Am
5. Mai 1646 kam König Karl, flüchtend vor den eigenen Unterthanen, vor Newark an, ein völlig Hülfloser, ein Geächteter.
Die Schotten nahmen ihn auf und verfuhren mit ihm nach
ihrem Interesse, nicht nach dem seinen: lassen wir ihn vorläufig in ihren Händen und wenden uns wieder zu Cromwell's
Briefen, welche über alle diese Dinge noch einige bemerkenswerthe Aufschlüsse geben.

Zu beachten ist dabei vor Allem das Eine, dass Cromwell
im Geheimen bereits der anerkannte einzige höchste Führer der
Independentenpartei war: im Zusammenhange mit den wichtig-

---

*) Lord Holland soll zuerst den Gedanken angeregt haben. Am 27. April
1646, Nachts 12 Uhr, ritt der König verkleidet von Oxford hinaus.

sten, oft höchst tiefsinnigen und geistvollen Aeusserungen in seinen Briefen, wird daher auf die entscheidende Strömung Rücksicht zu nehmen sein, welche die geistige Stimmung des englischen Volkes in der Zeit unmittelbar nach den grossen Schlachten nahm. Der bedeutendste Ausdruck dieser Stimmung sind die aus jener Zeit herstammenden Flugschriften des Dichters Milton, namentlich die in der „Areopagitica" benannten.*) „Die Nation," sagt er in dieser, „beginnt das Licht zu erblicken: vom Schlafe aufwachend, schüttelt sie ihre Simsonische Kraft bergenden Locken." Und eine solche Nation, aus solchen Siegen glorreich hervorgegangen, wollten die Anglikaner einerseits, die Schotten und Presbyterianer andererseits wieder mit allerhand halben Massregeln, Verhandlungen mit den Besiegten und Unduldsamkeit gegen Alle, die nicht auf halbem Wege stehen bleiben wollten, in die früheren beschränkten Zustände zurückbannen? Das konnten diejenigen sich nicht gefallen lassen, welche die Arbeit gethan hatten, auf die es ankam.

Aus dieser einfachen Reflexion ist die jetzt beginnende Ueberlegenheit der am entschiedensten auf dem Boden der bisherigen Erfolge Vorwärtsgehenden zu erklären. Sie, die Independenten, hatten die That gethan. Sie glaubten, dass es auch ferner ihnen gelingen werde: in dem Glauben an sich selbst aber ruhte von jeher die Gewissheit jedes Sieges.

Aeusserlich trat Cromwell selbst dabei immer noch höchst bescheiden und vorsichtig auf, wie das besonders aus dem Briefe hervorgeht, welchen er noch am Abend des Tages von Naseby geschrieben. Dieser Brief, der 29. der Sammlung, ist datirt

---

*) Milton's Prose Works II, 48.

von Harborough, der eroberten Stellung der feindlichen Armee also, und lautet in wörtlicher Uebersetzung folgendermassen:

„An den ehrenwerthen Herrn William Lenthall, Sprecher des Hauses der Gemeinen im Parlament von England: dieses!

Harborough, 14. Juni 1645.

Mein Herr!

Da ich durch Euch den Befehl zu diesem Dienste erhalten habe, so glaube ich mich verpflichtet, Euch Nachricht zu geben über die hülfreiche Güte Gottes gegen Euch und uns.

Wir marschirten gestern hinter dem Könige her, der vor uns von Daventry nach Harborough zog, und nahmen Quartiere, etwa sechs Meilen von ihm entfernt. Heute rückten wir zum Angriff gegen ihn vor. Er zog aus zur Schlacht: die beiden Armeen trafen aufeinander. Nach drei Stunden eines höchst ungewiss hin- und herschwankenden Kampfes, warfen wir zuletzt die feindliche Armee zurück, tödteten oder nahmen gefangen etwa 5000, worunter sehr viele Officiere, aber von welchem Range wissen wir noch nicht. Wir erbeuteten auch etwa 200 Wagen, alle, welche er besass; und all' seine Geschütze, 12 an der Zahl, darunter zwei Halb-Karthaunen, zwei Halb-Feld-schlangen (9Pfünder), und die übrigen Belagerungsgeschütze, wie ich glaube. Wir verfolgten den Feind von drei Meilen diesseits Harborough bis neun Meilen jenseits, ja bis wir Leicester schon sehen konnten, wohin der König floh.

Sir, hier ist nur der Finger Gottes sichtbar, ihm allein ge-bührt der Ruhm davon, und Niemand soll denselben mit ihm theilen. Der General Fairfax hat Euch gedient mit aller Treue und Ehre: und die beste Empfehlung, die ich über ihn geben kann, ist, dass ich sagen darf, er legt Alles Gott bei, und möchte lieber sterben, als sich selbst Etwas zuschreiben. Und das ist ein ehrlicher und gedeihlicher Weg: und doch darf ihm, in Bezug auf Tapferkeit, so viel Lob bei dieser Action gespendet werden, als irgend Jemandem. Auch die tapferen Leute haben Euch in dieser Action treu gedient. Sir, sie sind zuverlässig; ich ersuche Euch, im Namen Gottes, sie nicht zu entmuthigen. Ich wünsche, diese Action möge Dankbarkeit und Demuth erzeugen in Allen, welche dabei betheiligt sind. Derjenige, welcher sein Leben wagt für die Freiheit seines Landes, der vertraue auch, so wünsche ich, Gott dem Herrn wegen der Freiheit seines Gewissens, und Euch in Bezug auf die (politische) Freiheit, für welche er kämpft. Darin verharrt der, welcher Euer unterthänigster Diener ist,

Oliver Cromwell.“

Die gesperrt hervorgehobenen Worte werfen ein eigenthümliches Licht auf den Parteienkampf, der augenblicklich noch alle Mitkämpfenden bewegte: unter den tapferen Leuten („honest men“), die bei Naseby so brav ihre Pflicht gethan, für die Cromwell also eintritt mit der Bitte, sie ja nicht muthlos zu machen durch ungerechte Behandlung, sind die unter ihm vereinigten Independenten zu verstehen, d. h. jener beträchtliche Theil der Armee, der mit dem schottischen Covenant sich nicht in voller Harmonie befand, vielmehr in seinen politischen und religiösen Anschauungen noch bedeutend weiter ging und deshalb von der presbyterianischen Majorität im Parlament zu London noch als Schismatiker, Anabaptisten, Sektirer, Ketzer und unter anderen hartklingenden Namen verabscheut oder doch als ein gefährlicher und möglichst bald zu beseitigender Gegner betrachtet wurde. Die Herren vergassen dabei nur das Eine, dass gerade diese armen Heiligen die beste Arbeit gethan hatten: sie selbst mussten davon doch ebenfalls eine sehr lebhafte Empfindung

haben; und wenn sie auch im letzten Grunde mit Cromwell
Gott allein die Ehre gaben, so konnten sie darum doch nicht
Willens sein, sich blos von ihren Gegnern in London benutzen
und gebrauchen zu lassen, um dann wie ein Werkzeug, das seinen Dienst gethan, bei Seite geworfen zu werden. Es ist be-
wunderungswürdig, wie leise Oliver Cromwell diesen höchst gefährlichen Punkt zu berühren und eine erste Warnung in jener
Richtung auszusprechen versteht, die durch die folgenden Ereignisse immer mächtiger zur Geltung kam. Unmittelbar nach
dem grössten Erfolge sagt er nichts weiter, als: „Entmuthigt
diese armen ehrlichen Leute ja nicht! Sie haben in höchst
respectabler Weise ihre Schuldigkeit gethan! Sie haben Euch
treu gedient! Sie sind durchaus zuverlässig!" Wer zu lesen
verstand, musste daraus bereits ersehen, dass diese armen Heiligen des Herrn für solche Dienste auch eine andere Behandlung beanspruchen durften und erwarteten, als ihnen bisher zu
Theil geworden: factisch hatten sie unter Fairfax und Cromwell
momentan das Heft in Händen.

Aus den folgenden ziemlich zahlreichen Briefen desselben
Jahres und der beiden folgenden Jahre (1646 und 47) bis zum
Beginn des zweiten Bürgerkrieges (im Mai 1648) geht nun mit
vollkommener, ja wahrhaft durchsichtiger Deutlichkeit der con-
sequente Gang und die stetige Entwickelung hervor, welche die
Ereignisse den gegebenen Andeutungen gemäss im Einzelnen
nehmen mussten. Diese Briefe sind vorzugsweise theils an den
Sprecher des Unterhauses gerichtet, wie der letzte, theils an
General Fairfax, als den obersten Chef der Armee: nach beiden
Seiten war eben Cromwell noch untergeordnet und hatte die
politischen wie militärischen Berichte zu erstatten, in welchen
wir nun die eigentlichen Originalrelationen über Alles besitzen.

So erzählt der nächste Brief, datirt Shaftesbury, 4. August 1645 und an Fairfax adressirt, Cromwell's Zusammentreffen mit den sogenannten „Clubmännern" (Clubmen), Prügelknaben der Royalisten, Flegel- und Keulenschwinger, Knüttel- und Knotenführer, oder wie man auch immer das alte Wort übersetzen will: ein höchst unerwartet auftauchender Feind, der unter dem Vorwande, Haus und Heerd des Landvolkes gegen beide Armeen zu vertheidigen, sich von der royalistischen Gentry und Geistlichkeit hatte aufreizen lassen, die nächste beste Waffe zu ergreifen und in wild umherziehenden Haufen der siegreichen Parlamentsarmee Verlegenheiten zu bereiten. Ihre Zahl schwoll bald so gefährlich an, dass Fairfax sich veranlasst sah, ihre Abgesandten zu empfangen und mit einer gewissen Höflichkeit zu behandeln: als sie aber sicheres Geleit von ihm verlangten, um einige Petitionen von ihnen an den König und das Parlament gelangen zu lassen — eine unter den obwaltenden Umständen in der That höchst naive Forderung — schlug er ihnen das in milder und höflicher Form, aber doch sehr bestimmt und entschieden rundweg ab. Es wäre das ja auch in der That eine eigenhändige Unterstützung des kaum besiegten Feindes gewesen. General Cromwell wurde also mit Cavallerie gegen die grössten Haufen geschickt: einige liessen sich bewegen, ruhig auseinander und wieder nach Hause zu gehen; andere beantworteten die gleiche Aufforderung mit Flintenschüssen aus alten Jagdgewehren, mit denen einzelne sich vor den Knittelträgern hervorzuthun glaubten, mussten also ernstlich angegriffen werden, gaben aber vor den Cromwell'schen Eisenmännern so rasch Fersengeld, dass alle Welt sogleich einsah, mit welchem Gesindel man es hier zu thun habe. Oliver berichtete darüber im 30. Briefe an Fairfax. Am Schlusse dieses Briefes sagt er:

„Etwa 300 habe er gefangen genommen, kaum ein Dutzend seien beim Angriff gefallen; die meisten davon seien armselige schwache und einfältige Creaturen (poor silly creatures), und er bitte, sie nach ihren ländlichen Wohnungen heimschicken zu dürfen. Sie versprächen, künftig Ruhe zu halten und sich eher hängen zu lassen, als wieder auszuziehen. Die Rädelsführer freilich werde er festhalten und zum Kriegsgericht vor den General bringen." Es war nicht eben ein angenehmes Geschäft, mit diesen Clubmen aufzuräumen; aber es war nothwendig, weil sie alle Boten und Briefe auffingen, die die Armee aussandte, und sie, wie auch einzelne gefangene Soldaten, mit der grössten Grausamkeit behandelten. Cromwell besorgte deshalb auch diese unangenehme Arbeit mit gewohnter Meisterschaft.

Dann folgte der Sturm auf Bristol, die Einnahme von Bridgewater und Winchester (in Somerset und Hampshire) und die Zerstörung von Basing House, des sehr alten und sehr festen Schlosses des Marquis von Winchester. In diesen südwestlichen Theilen von England hatten sich nämlich noch einige Reste der geschlagenen Royalisten gehalten: im Felde wurden sie commandirt durch Sir Ralph Hopton, unter welchem Goring und andere dienten; unter den festen Plätzen waren die genannten die vorzüglichsten. Cromwell nahm sie einen nach dem anderen, ausserdem noch viele andere weniger wichtige; und in unaufhaltsamem Vordringen schlug die Parlamentsarmee Sir Hopton bei Langport, bei Forrington, und wo immer die Flüchtigen nur sich wieder sammelten, so nachdrücklich, dass dieser übrigens brave und in seiner Art ehrenwerthe General sich im Frühjahr 1646 genöthigt sah, sich zu ergeben und über die See hinüber ausser Landes zu gehen. Er lebte dann einsam und zurückgezogen auf dem Continent, nahm nicht weiter Theil an

den Ereignissen, und starb vor 1660 in Armuth und Anständig-
keit. Diese Expedition nach Süden und Westen aber war nothwendig gewesen, weil die Strassen von London nach den Häfen
hin fortwährend durch die raubritterlichen Banden unsicher gemacht wurden: ohne Escorte konnte sie kein Waarenzug mehr
passiren — ein unerträglicher Umstand für alle Geschäfte in
London. Cromwell machte also auch hier wieder freie Bahn
und bewies sich so als tapferer Kämpfer für das Gemeinwohl,
wo immer es Noth that: selbst diese kleinere Arbeit, nicht so
glänzend, wie die grossen Actionen bei Marston-Moor, Newbury
und Naseby, aber nicht weniger nothwendig, verschmähte er
nicht. Aus den Briefen über all' diese Dinge geht wieder die
ganze Grösse seiner Gesinnung hervor: eine rührende Demuth,
Bescheidenheit und Opferfreudigkeit spricht sich in allen aus,
trotz der glänzenden Siege, die ihm einer nach dem andern
fortwährend gelangen. Das Technisch-Militärische in diesen
Berichten, sehr ausführlich namentlich in der Darstellung des
Sturmes auf Bristol, hat nur noch antiquarisches Interesse;[*]
aber am Schlusse der Briefe folgt immer ein Passus, der in
höchst bezeichnender Weise die wirklich religiöse Stimmung
charakterisirt, welche die Independenten zu solchen Siegen geleitete. So heisst es in dem Briefe von Bristol, datirt den 14.
September 1645: „So habe ich Euch denn einen wahrhaften,
wenn auch nur unvollständigen Bericht von dieser grossen Arbeit (business) gegeben; und die Fliehenden[**]) mögen darin
lesen, dass alles dieses Niemandes Werk ist als Gottes. Das

---

[*]) Für Liebhaber ist Näheres zu finden in Sayer „History of Bristol",
mit Plänen und vielen Details. 140 Geschütze fielen dabei in die Hände
der Sieger: die Festung war also doch ziemlich bedeutend für jene Zeit.
[**]) „He that runs" im Englischen: der Ausdruck ist sehr vieldeutig.

muss ein wahrhaft gottloser Atheist sein, der das nicht anerkennt. Man könnte denken, dass wohl einiges Lob den braven Männern gebühre, deren Tapferkeit so vielfach Erwähnung geschah: — ihre demüthige Bitte aber an Euch und Alle, welche Antheil und Interesse an diesem Segen haben, geht dahin, dass sie in dem Gedanken an Gottes Ehre mögen vergessen werden. Das ist ihre Freude, dass sie Werkzeuge sind von Gottes Glorie und ihres Landes Wohl. Das ist ihre Ehre, dass Gott ihnen die Gnade gewährt, sie zu gebrauchen. Sir, Diejenigen, welche in diesem Dienste verwendet worden sind, wissen, dass Glaube und Gebet diese Stadt für Euch gewonnen haben: ich meine nicht allein unser Glaube und Gebet, sondern von allem Volke Gottes, Euch und ganz England einbegriffen, Alle überhaupt, welche mit Gott gerungen haben um einen Segen in eben dieser Angelegenheit. Unsere Wünsche gehen dahin, dass Gott gepriesen (glorified) werden möge durch denselben Geist des Glaubens, durch welchen wir alle uns noththuende Kraft erflehen und sie auch erhalten haben. Es ist schicklich, dass er allen Preis empfange. Presbyterianer und Independenten — Alle haben hier denselben Geist des Glaubens und Gebetes, dieselbe Haltung und Antwort (?): hier sind sie Eins, haben keine Namen feindlicher Trennung — ein Jammer wäre es, wenn es irgendwo sollte anders sein! Alle, welche glauben, haben die wirkliche Einheit, welche höchst glorreich ist, weil sie innerlich und geistig, im ganzen Körper der christlichen Kirche und hinauf bis zum Haupte (Christus). Um auch in der Form Eins zu werden, was man gewöhnlich versteht unter „Uniformity" (Einheit in der Religion), so wird jeder Christ um der Friedenssache willen studiren und arbeiten, so viel sein Gewissen es ihm erlauben wird. Und was die Brüder anbetrifft, so schauen wir in geistigen Dingen auf keinen Zwang, als den des Lichtes und der Vernunft. In anderen Dingen freilich hat Gott das Schwert in die Hand des Parlaments gelegt, — zu schrecken die Uebelthäter und zu belohnen die, so da Gutes thun. Sollte irgend Jemand eine Ausnahme davon beanspruchen, — der kennt nicht das Evangelium: und wenn irgend Einer dasselbe Euren Händen entringen oder es Euch nehmen wollte, unter welchem Vorwande auch immer, so hoffe ich, dass er darin keinen Erfolg haben wird. Dass Gott es in Euren Händen erhalten und Euch leiten möge im Gebrauche desselben, das ist das Gebet

Eures demüthigen Dieners

Oliver Cromwell."

Schon die alten Zeitungen sagen, dass dieser ganze Schluss des Briefes sehr merkwürdig sei. Es ist in der That nicht das, was die modernen Engländer im tadelnden Sinne „cant" nennen: vielmehr spricht sich einerseits die tiefste religiöse Stimmung des Independentenführers, andererseits der Wunsch darin aus, Einheit und Frieden zu stiften zwischen den sich im Grunde doch immer noch sehr nahestehenden parlamentarischen Parteien. Es gelang ihm das nicht, wie wir sehen werden: die Gegner drängten ihn vielmehr durch ihr Auftreten auch seinerseits immer weiter auf der einmal betretenen Bahn. Die Einnahme von Bristol aber war wieder ein so bedeutender Erfolg für Cromwell, dass es von Seiten seiner persönlichen Gegner gegenwärtig für jeden Unbefangenen als eine Naivetät ohne Gleichen erscheinen muss, wenn dieselben glaubten, ein so glücklicher Sieger lasse sich mit seiner ganzen Armee nach geschehener That als verbrauchtes Material und unnütz gewordenes Werkzeug einfach bei Seite werfen. So etwas liegt nicht

in der menschlichen Natur: je tüchtiger ein Mann, je grössere
Erfolge er schon erreicht und je mehr ergebene Mitkämpfer er
mit ihrem ganzen Schicksal an sein eigenes Schicksal zu knüpfen
verstanden hat, desto freier und selbstständiger steht er da und
desto weniger darf irgend Jemand es wagen, ihn als blosses
Mittel für seine Zwecke benutzen und dann, als unbequem, beseitigen zu wollen. Wie dieses Wagstück misslingen musste,
wird sich aus der Darstellung des zweiten Bürgerkrieges ergeben.

     Aehnlich, wie in diesem Briefe, heisst es am Schlusse des
Briefes über die Einnahme von Winchester, datirt vom
6. October 1645:

     „Sir, dies ist eine neue Gnade zu der vorigen. Ihr sehet,
Gott wird nicht müde, Euch Gutes zu thun: ich bekenne, Sir,
seine Gnade ist ebenso sichtbar für Euch, wenn er mit seiner
Macht über die Herzen Eurer Feinde kommt, bewirkend, dass
sie feste Plätze Euch überlassen, als wenn er Euren Soldaten
den Muth verleiht, harte Arbeit zu versuchen. Seine Güte hierin
ist besonders anzuerkennen: denn das Schloss war wohl bewaffnet mit 680 Mann zu Pferde und zu Fuss, worunter fast
200 Gentlemen, Officiere mit ihrer Bedienung. Es war ferner
wohl versehen mit Lebensmitteln, 1500 Pfund Käse, grossem
Vorrath von Weizen und Bier, etwa 20 Tonnen Pulver, sieben
Kanonen; und die Festungswerke waren alle ausserordentlich
gut und fest. Höchst wahrscheinlich würde es viel Blut gekostet
haben, das Castell durch Erstürmung zu nehmen. So aber
haben wir nicht 12 Mann verloren: das wiederhole ich Euch
nochmals, dass Gott alle Ehre davon haben soll; denn ihm
allein gebührt alle. Sir, ich bleibe

                         Euer ganz ergebener Diener
                                   Oliver Cromwell."

General-Lieutenant Cromwell's Secretair, Mr. Hugh Peters
überbringt diese gute Nachricht, erhält 50 Pfd. Sterling dafür
und hat die Ehre, vor den Lords und versammeltem Unterhause mündlich näheren Bericht über die Affaire zu erstatten.
Ober- und Unterhaus sind sehr wohl mit General-Lieutenant
Cromwell zufrieden und sprechen ihm wiederholt ihre volle
Anerkennung aus.

Auch über die Einnahme von Basing House, des Herrenhauses des Pawlet, Marquis von Winchester, darf derselbe Mr.
Hugh Peters dem Unterhause Bericht erstatten. Aus diesem
und dem Briefe Cromwell's erhalten wir ein historisches Bild
so eigenthümlicher Art aus jener Zeit, dass es fast so erscheint,
als läsen wir ein Capitel aus einem Romane Walter Scott's.
Basing House in Hampshire, nicht weit von Basing Stoke gelegen, wie die noch .vorhandenen Ruinen beweisen, hatte sehr
lange seine feindliche Stellung gegen die Parlamentsarmee zu
behaupten gewusst: dem Handel Londons mit den südwestlichen
Theilen Englands war der feste Herrensitz seit langer Zeit wie
ein Dorn im Auge, in der That sehr lästig, ja so störend, dass
kein Waarenzug, kaum irgend ein einzelner Geschäftsreisender
ohne starke Escorte den Weg nach den Häfen machen konnte,
wenn er nicht der schlimmsten Behandlung oder der Erlegung
eines grossen Lösegeldes gewärtig sein wollte. Es war gerade
wie Dennington Castle bei Newbury weiter nördlich. Vier Jahre
hindurch hatte mancher tapfere Oberst eine Belagerung nach
der anderen versucht: immer war sie gescheitert, so dass die
Truppenführer bereits Bedenken trugen, Namen und Ehre an
ein so schwieriges Unternehmen zu riskiren. Mit einem allerdings nur für Kenner der englischen Sprache verständlichen
Wortspiele hatten die jubelnden Royalisten die feste Ritterburg,

die so stolz noch immer das königliche Banner von England
flattern liess, als alle Truppen König Karl's bereits im Felde
geschlagen waren, scherzend umgetauft in Basting House:
andererseits wurde es Ehrensache für das Parlament, ja förmlich Leidenschaft — man musste das Schloss haben. „Wie
wäre es, wenn wir General-Lieutenant Cromwell auch dahin
schickten? So Manches ist ihm gelungen: vielleicht, wenn er
alle Artillerie zusammennimmt, feuert 200—500 herzhafte Schüsse
auf denselben Punkt, macht dadurch ein gehöriges Loch in die
colossalen Mauern, wovon der herabfallende Schutt uns einen
Weg zum Sturme bahnt, dass wir weniger Leitern nöthig haben — und dann plötzlich alle Mannen vorwärts wie ein Lava-
strom — versuchen könnte man's noch einmal!" Mancher
mochte etwa auch denken, das sei endlich eine Gelegenheit, den
gefährlichen Mann los zu werden: „geht er in die Falle, so
haben wir ihn!" Cromwell ging hinein: aber er sprengte die
Falle, und ein neuer Sieg krönte den bereits ergrauenden Schei-
tel des tapferen Helden. Er berichtet selbst darüber in folgendem Briefe:

„An den ehrenwerthen William Lenthall, Sprecher des Unterhauses: dieses.

Basing Stoke, 14. October 1645.

Sir!

Ich danke Gott, ich kann Euch eine gute Nachricht von
Basing geben. Nachdem wir unsere Batterien placirt hatten,
stellten wir die verschiedenen Corps zum Sturme auf: Oberst
Dalbier sollte auf der Nordseite des Hauses stehen, zunächst
dem Meierhofe; Oberst Pickering auf seiner linken Seite, und
Sir Hardress Waller's und Oberst Montague's Regimenter ihm
zunächst. Wir stürmten heute Morgen nach sechs Uhr: das

Signal zum Losbrechen waren vier Kanonenschüsse, worauf unsere Leute mit grosser Entschlossenheit und Freudigkeit vor-
stürmten. Wir nahmen die beiden Häuser ohne irgend nennens-
werthen Verlust für uns selbst. Colonel Pickering stürmte das
neue Haus, drang durch dasselbe hindurch weiter vor und gewann das Thor des alten Hauses, worauf sie zu parlamentiren
verlangten, wovon unsere Leute indessen nichts hören wollten.

Während dieser Zeit berannten Oberst Montague's und Sir
Hardress Waller's Regimenter das stärkste Werk, wo der Feind
seine Wache hatte, welches sie mit grosser Tapferkeit nahmen,
den Feind forttreibend von einer Feldschlange und aus jenem
Fort heraus: und nachdem dies besorgt war, zogen sie ihre
Leitern nach und machten sich über ein anderes Werk und
über die Befestigungswerke des Hauses, bevor sie eindringen
konnten in dieses. Dabei wurde Sir Hardress Waller, der seine
Pflicht erfüllte mit Ehre und Sorgsamkeit, in den Arm geschossen, aber nicht gefährlich.

Wir haben wenig Verluste gehabt: dagegen haben unsere
Leute viele von den Feinden erschlagen, auch einige Officiere
von Rang. Die meisten übrigen haben wir zu Gefangenen gemacht, unter ihnen den Marquis von Winchester selbst, und
Sir Robert Peak mit verschiedenen anderen Officieren, die ich
zu Euch zu senden befohlen habe. Wir haben etwa zehn Stücke
schweren Geschützes genommen, mit vieler Munition, und es
war das eine gute Aufmunterung für unsere Soldaten.

Ich ersuche Euch nun gehorsamst, diesen Platz gänzlich
schleifen zu lassen, aus folgenden Gründen: Es werden etwa
800 Mann nothwendig sein, um ihn zu behaupten; es ist keine
Grenzfestung; das Land rings herum ist arm, der Platz selbst
schon ausserordentlich beschädigt durch unsere Batterien und

Feuermörser, so wie durch eine Feuersbrunst, die das Schloss ergriff sofort nachdem wir es genommen. Wenn es Euch gefällt, so nehmt die Garnison zu Farnham, einige Truppen aus Chichester und einen guten Theil von den Fusstruppen, welche hier unter Dalbier waren, und macht daraus ein starkes Standquartier zu Newbury, mit drei oder vier Escadronen Reiterei — und ich darf die Zuversicht hegen, dass dieser Posten dann nicht allein Dennington im Zaume halten, sondern überhaupt der ganzen Gegend Sicherheit gewähren und wie eine Grenzfestung dienen wird; da ja Newbury oberhalb des Flusses liegt und so jeden Einfall von Dennington, Wallingford oder Farringdon her in diese Gegend unmöglich machen wird. Und eben durch seine Lage wird es den Handelsverkehr zwischen Bristol und London für alle Fuhrwerke durchaus sicher machen. Zudem glaube ich, dass die Herren von Sussex und Hampshire viel freudiger dazu beitragen werden, eine Garnison an der Grenze zu erhalten, als im Innern ihres Landes, was auch weniger Sicherheit gewähren wird.

Sir, ich denke ohne Aufschub morgen nach dem Westen zu marschiren und in meiner Expedition dahin so thätig zu sein, als irgend möglich. Ich muss meine Meinung aber gegen Euch aussprechen, dass, wenn Ihr Euer Werk gefördert haben wollt, Rekruten der Infanterie ausgehoben werden müssen und Veranstaltung zu treffen ist, Eure Armee regelmässig zu bezahlen; sonst, glaubt es mir, dürfte sie doch wohl nicht im Stande sein, dem Werke zu genügen, welches Ihr derselben aufgebürdet habt zur Ausführung.

Ich beauftragte den Oberst Hammond Euch seine Aufwartung zu machen. Er wurde in Folge eines Irrthums gefangen genommen, während wir vor dieser Festung lagen. Gott.

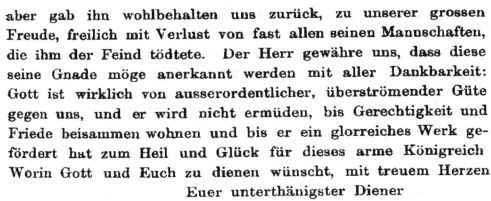

aber gab ihn wohlbehalten uns zurück, zu unserer grossen
Freude, freilich mit Verlust von fast allen seinen Mannschaften,
die ihm der Feind tödtete. Der Herr gewähre uns, dass diese
seine Gnade möge anerkannt werden mit aller Dankbarkeit:
Gott ist wirklich von ausserordentlicher, überströmender Güte
gegen uns, und er wird nicht ermüden, bis Gerechtigkeit und
Friede beisammen wohnen und bis er ein glorreiches Werk ge-
fördert hat zum Heil und Glück für dieses arme Königreich
Worin Gott und Euch zu dienen wünscht, mit treuem Herzen
Euer unterthänigster Diener

Oliver Cromwell."

Diesen Brief brachte Oberst Hammond, der spätere Gouverneur der Insel Wight, nach London: er empfing eine Belohnung von 200 Pfd. Sterling dafür. Und dann erstattete Mr.
Peters dem Wunsche des Unterhauses gemäss noch näheren
mündlichen Bericht, welcher ein höchst anschauliches Kriegsbild
jener Zeit gewährt. Mr. Peters erzählte folgendermassen:

„Ich kam nach Basing House kurze Zeit nach dem Sturm,
am Dienstag, den 14. October 1645. Ich gewann zuerst eine
allgemeine Uebersicht über das feste Schloss, dessen Befestigungswerke sehr mannigfaltig waren: die Umwallung betrug etwa eine
Meile im Umfange. Das alte Haus hatte, wie berichtet wird,
zwei oder dreihundert Jahre bestanden, ein Nest des Götzen-
dienstes. Das neue Haus übertraf dasselbe weit an Schönheit
und Stattlichkeit: und jedes von ihnen wäre schon hinreichend
gewesen für eines Kaisers Hof.

Die Gemächer in beiden Schlössern waren vor dem Sturme,
wie es scheint, alle vollständig ausgestattet: Vorräthe vielmehr
für einige Jahre, als für Monate berechnet; 400 Malter Weizen;
verschiedene Räume voll Schweinefleisch, enthaltend Hunderte

von eingesalzenen Speckseiten; ausserdem Hafermehl, Rindfleisch, Schinken; Bier verschiedene Keller voll, und zwar recht gutes Bier" — offenbar hatte Mr. Peters einen Trunk davon genommen, sorgsam mit Kennermiene geprüft und dann sein Urtheil abgegeben: „Very good, indeed!" —

Ferner: „Ein Bett in einem Zimmer, vollständig, welches 1300 Pfd. Sterling werth war" (8—9000 Thaler — ein einziges Bett, ein bedeutender Luxus!). „Viele papistische Bücher, ausserdem Chorröcke und ähnliche Utensilien. Wahrlich, das Haus stand da in seinem ganzen Stolze, und der Feind war überzeugt, dass es das letzte Stück Boden sein werde, welches vom Parlament würde genommen werden, weil sie so oft unsere Streitkräfte übermeistert hatten, die früher vor demselben erschienen waren. In den verschiedenen Räumen und in der Umgebung des Hauses wurden etwa 74 erschlagen, und nur eine Frau, die Tochter des Dr. Griffith, die durch ihre Spötterei unsere Soldaten, die eben in Aufregung waren, zu weitergehender Leidenschaftlichkeit herausforderte. Dort lag auch todt auf dem Boden Major Cuffle, — ein Mann von grossem Ansehen unter ihnen und notorischer Papist, erschlagen von der Hand des Major Harrison, jenes frommen und tapferen Mannes; ferner Robinson der Possenreisser, der, kurze Zeit noch vor dem Sturm, wie man wusste, das Parlament und unsere Armee verspottet und verhöhnt hatte. Acht oder neun Edeldamen von Rang, die zusammen flüchteten, wurden in etwas rauher Weise von den gemeinen Soldaten aufgehalten, aber doch nicht in ungesitteter Weise, wenn man die vorliegende Action berücksichtigt.

Die Plünderung der Soldaten dauerte fort bis Dienstag Abend: ein Soldat hatte 120 Goldstücke als seinen Antheil;

andere Silber, andere Edelsteine. Unter anderm fasste Einer
drei Säcke voll Silbergeschirr, welches, da er nicht im Stande
war, es geheim zu halten, als gemeinsame Beute erachtet wurde
wie alles Uebrige: und zuletzt blieb dem Burschen für sich
selbst nur eine halbe Krone. Die Soldaten verkauften den
Weizen dem Landvolke: eine Zeit lang zu guten Preisen; aber
dann fiel der Markt, und des eiligen Verkaufes wegen gab es
eine Baisse. Danach verkauften sie den Hausrath, wovon ein
guter Vorrath da war, und das Landvolk lud auf und fuhr
viele Wagen voll weg; und längere Zeit fuhren sie so fort, alle
Art von Hausrath herausholend, bis sie alle Sessel, Stühle und
anderen Plunder heraus hatten, was sie Alles an die Landleute
verkauften ("by piecemeal").

In all' diesen grossen Gebäuden liess man nicht eine Eisen-
stange in all' den Fenstern: noch vor Abend waren alle heraus-
gerissen, ausgenommen nur diejenigen, die im Feuer standen.
Und die letzte Arbeit von Allem war das Blei: gegen Donnerstag Morgen hatten sie kaum eine Dachrinne noch am Hause
gelassen. Und was die Soldaten zurück liessen, darauf legte
das Feuer Beschlag; und das machte seine Arbeit noch eiliger
als gewöhnlich, indem es in weniger als 20 Stunden nichts
übrig liess, als nackte Mauern und Schornsteine. Veranlasst
wurde es durch die Nachlässigkeit des Feindes, dass er nicht
gleich anfangs eine von unseren glühenden Kugeln zu löschen
verstand" — in der That, eine Scene und ein Bild, wie es nicht
entsetzlicher vorzustellen ist! Das war der Bürgerkrieg in
seiner abschreckendsten Gestalt: Brand und Mord, selbst von
Frauen, Verwüstung, Plünderung, Zerstörung und Verkauf aller
Habe eines alten reichen Edelsitzes an das vergnügte Landvolk
zu billigen Preisen! Aber wer hatte das Alles im letzten Grunde

11*

provocirt? Nur die falsche Politik einer Regierung, die eigensinnig ihren eigenen Weg gehen wollte, während die ganze Nation seit langer Zeit einen ganz anderen Weg ging — nach ewigen Gesetzen!

Die Erzählung fährt fort: „Wir wissen noch nicht, wie wir einen geauen Bericht geben sollen von der Zahl der Personen, die drinnen waren. Denn wir haben nicht ganz 300 Gefangene, und wir mögen wohl etwa 100 erschlagen gefunden haben — deren Leichen, da einige mit Schutt bedeckt waren, nicht gleich uns zu Gesicht kamen. Nur, da wir Dienstag Abend zu dem Hause hin ritten, hörten wir Verschiedene in unterirdischen Gewölben um Gnade flehen: aber unsere Leute könnten weder zu ihnen kommen, noch auch sie zu uns. Unter jenen, die wir erschlagen sahen, wurde einer ihrer Officiere, auf dem Boden liegend, gemessen, da er so ausserordentlich gross (lang) schien: und vom Wirbel bis zur grossen Zehe war er neun Fuss lang" (sic).

„Der Marquis, gedrängt durch Mr. Peters, der mit ihm disputirte, war nicht sehr höflich gegen ihn, brach vielmehr plötzlich mit seiner Rede gegen ihn los und sagte: „„dass er, wenn auch der König nicht mehr Grund und Boden in England hätte als Basing House, dennoch es wagen und bestehen könnte, wie er thäte, und sich behaupten bis zum Aeussersten."" Er meinte damit die Papisten und tröstete sich in diesem Unglück damit, „„dass Basing House L o y a l i t ä t genannt wurde."" Aber man brachte ihn bald zum Stillschweigen in Bezug auf die Frage, den König und das Parlament betreffend; und er konnte nur noch die Hoffnung hegen, „„dass auch für den König wieder ein Tag kommen möchte."" Und so gefiel es dem Herrn in wenigen Stunden uns zu zeigen, auf welch' vergänglichem

Boden alle irdische Glorie emporschiesst, und wie billig und gerecht die Wege Gottes sind, welcher die Sünder fängt in ihren eigenen Schlingen und die Kraft seines verachteten Volkes erhöht."

„Denn dies ist ja die zwanzigste (!) Festung, die von dieser Armee in diesem Sommer genommen worden ist; — und ich glaube, die meisten von ihnen sind Antworten auf die Gebete und Siegestrophäen des Glaubens Einiger von Gottes (wahren) Dienern. Der Befehlshaber dieser Brigade, General-Lieutenant Cromwell, hatte lange Zeit mit Gott zugebracht im Gebete, die Nacht vor dem Sturm; — und selten kämpft er ohne einen Text der Schrift, ihn aufrecht zu halten und zu stärken. Dieses Mal verweilte er auf jenem segensvollen Worte Gottes, geschrieben im 115. Psalm 8. Vers: „Die, welche sie mahnen, sind ihnen gleich; so ist Jeder, der auf sie vertraut."*) Was denn, mit einigen vorausgehenden Versen, jetzt in Erfüllung ging." —

So weit Mr. Peters. Er präsentirte ausserdem die eigene Fahne des Marquis, die er von Basing House mitbrachte; ihr Motto war: „Donec pax redeat terris". dasselbe, welches

---

*) Die Worte der heiligen Schrift, gewaltig wie die Worte des wahren Gottes, selbst, welche in Oliver Cromwell's Herzen waren in der Nacht vor dem Sturme, lauten folgendermassen: „Nicht uns, o Herr, nicht uns, sondern deinem Namen gieb Ehre, um deiner Gnade willen und für die Sache deiner Wahrheit. Weshalb sollten die Heiden sagen: „„Wo ist jetzt ihr Gott?"" Unser Gott ist in den Himmeln: er hat gethan, was immer ihm gefallen hat! — Ihre Götzenbilder aber sind Silber und Gold, Werke von Menschenhand. Sie haben einen Mund und reden nicht; Augen haben sie, aber sie sehen nicht; sie haben Ohren, aber sie hören nicht; Nasen haben sie, aber sie riechen nicht; sie haben Hände, aber sie handeln nicht; Füsse haben sie, aber sie gehen nicht, noch auch sprechen sie durch ihre Kehle! Die, welche sie verfertigen, sind ihnen gleich; so ist Jeder, der auf sie vertraut." Psalm 115, V. 8. —

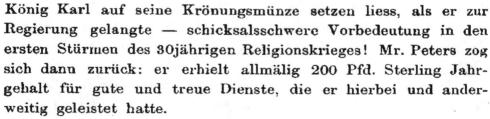

König Karl auf seine Krönungsmünze setzen liess, als er zur
Regierung gelangte — schicksalsschwere Vorbedeutung in den
ersten Stürmen des 30jährigen Religionskrieges! Mr. Peters zog
sich dann zurück: er erhielt allmälig 200 Pfd. Sterling Jahr-
gehalt für gute und treue Dienste, die er hierbei und ander-
weitig geleistet hatte.

Cromwell's Brief wurde nächsten Sonntag auf allen Kanzeln
gelesen, und im Auftrage des Parlaments dem Himmel Dank
abgestattet für die neuen Siege. Basing House aber ist wie
ausgelöscht vom Antlitz der Erde: nur verfallende, schwarzge-
gebrannte Mauern, von denen jetzt jeder sich Bausteine holen
kann für sein Haus und seinen Hof, bezeichnen noch die Stelle,
wo einst die glänzendste und festeste der königlichen Ritter-
burgen gestanden hat. —

Noch einige wichtige Plätze folgen: Langford bei Salisbury
capitulirt sogleich auf Cromwell's Aufforderung; dann Dennington
Castle — erst im Frühjahr 1646 an Oberst Dalbier, Oliver's
Lehrmeister im Technischen des Soldatenwesens, einen gebo-
renen Holländer, sich ergebend; ausserdem werden die letzten
Reste der königlichen Truppen, die sich unterdessen wieder
gesammelt hatten, noch dreimal geschlagen: auf der Rowton
Heath, einem freien Felde in der Nähe von Chester, dann in
Cornwall und zu Stow in Gloucestershire: Sir Ralph Hopton
und Sir Jacob Astley waren die beiden letzten, die sich für
besiegt erklären mussten; und der letztere sagte, als er sich
ergab, zu den Officieren des Parlaments: „Jetzt habt Ihr Eure
Arbeit gethan und dürft spielen gehen — wenn Ihr nicht unter
Euch selbst zerfallen wollt" und Euch gegenseitig zerfleischen,
eine Partei die andere, wie König Karl es allerdings hoffte und
erwartete. Denn erst dadurch glaubte er wieder wahrhaft

König werden zu können: er bedachte wohl nicht, dass die beiden Parteien, die den Sieg errungen hatten gegen ihn, die **Presbyterianer** und die **Independenten**, ihm dieses Vergnügen nicht machen würden, jedenfalls **nicht für ihn** miteinander kämpfen wollten: kam es aber doch dazu, so konnten die siegenden Parteiführer selbst unmöglich ein Interesse daran haben, ihn in alle die Macht wieder einzusetzen, die ihm mit so schweren Opfern abgekämpft worden war.

Zuletzt ergeben sich auch noch **Oxford** selbst, die alte Metropole des Royalismus, und **Ragland Castle**, das schöne Schloss, in welchem König Karl zum letzten Male wahrhaft königliche Tage verlebt hatte, als er schon im Felde besiegt war: jenes am 20. Juni, dieses im nächsten August. Oliver Cromwell war kurz vor der Flucht des Königs von Oxford in's schottische Lager auf seinen Platz im Parlament zurückgekehrt. Und unmittelbar vor der Uebergabe von Oxford selbst fand die Vermählung statt zwischen **Henry Ireton**, General-Commissär des Sir Thomas Fairfax, und **Bridget Cromwell**, Tochter Oliver's, des General-Lieutenants der Cavallerie im Heere desselben Fairfax. Mr. **Dell**, der Prediger des commandirenden Generals, wohlbekannt in der Geschichte jener Zeit, vollzog die Trauung in Holton, einem kleinen Dorfe, fünf Meilen östlich von der Stadt gelegen, und zwar in dem Hause der Lady **Whorwood**, am 15. Juni 1646. Alban Eales hiess der Rector, der das interessante Paar eintrug in die kirchlichen Register von Holton: wer die Reise dahin machen will, kann es noch lesen dort, obwohl eingetragen vor mehr als 200 Jahren.*) Der erste Bürgerkrieg war damit zu Ende. —

---

*) Carlyle I, pag. 245.

4. Zwischen den beiden Bürgerkriegen.
1646—1648.

Die Zeit zwischen dem ersten und zweiten Bürgerkriege gehört zu den merkwürdigsten und lehrreichsten Perioden der englischen Geschichte. Sie umfasst die Verhandlungen der Schotten mit den Presbyterianern über das Schicksal des Königs, die Versuche, den König zur Annahme des Covenant zu bewegen, die beginnenden Streitigkeiten zwischen Parlament und Armee oder Presbyterianern und Independenten, die Entführung des Königs durch die Cromwell'schen Reiter, den Marsch der Armee nach London, die sogenannte erste „Reinigung" des Parlaments und die Flucht des Königs nach der Insel Wight. Alles dies kann als Vorspiel zum zweiten Bürgerkriege betrachtet werden, welcher dann in drei Monaten, vom Juli bis zum 26. September 1648, die entscheidende Wendung bringt, die zuletzt zur Verurtheilung und Hinrichtung des Königs von England führt. Die Schwierigkeit, auch nach errungenem Siege im Felde wichtige Verhandlungen zu einem befriegenden Abschluss zu bringen, die noch grössere Schwierigkeit, auf einem völlig revolutionären Boden neue Zustände dauernder Art zu schaffen und die aufgeregten Geister allmälig wieder zu beruhigen, ohne doch irgend einen der errungenen Erfolge aufzugeben, erscheint in dieser Zwischenzeit in ihrer ganzen Bedeutung. Es ist daher äusserst belehrend und interessant, die Schritte im Einzelnen zu verfolgen, durch welche die Führer der Bewegung in dieser höchst schwierigen Lage alle Hemmnisse aus dem Wege zu räumen und sich freie Bahn zu machen wussten, bis das Ziel erreicht war, auf welches es ihnen ankam: die englische Republik unter dem Lord Protector Oliver Cromwell.

Vergegenwärtigen wir uns die Situation, wie sie nach der Uebergabe von Oxford im Juni 1646 vorlag, nochmals in ihren Hauptzügen: der König Karl als Flüchtling im schottischen Lager, Oliver Cromwell überall Sieger im Felde; im englischen Parlament die Einflüsse der Schotten und der Presbyterianer allerdings noch vorwiegend, aber doch in sehr bestimmten Grenzen gehalten durch die Abgeordneten der Independenten, von denen mehrere zugleich als Commandeure der Armee und der Flotte die ganze Land- und Seemacht hinter sich hatten. Zudem finden jetzt neue Wahlen statt, 230 neue Abgeordnete gehen hervor aus der momentan herrschenden Stimmung: alle sind entschiedene Puritaner, die meisten von ganzer Seele Independenten. So Oberst Blake, der spätere Admiral, Ludlow. Ireton (für Appleby), Algernon Sidney, Hutchinson, Fairfax, Oliver Cromwell selbst und viele andere hochberühmte Namen. Und in der Stadt London selbst, wie im ganzen Lande arbeitet eine unermüdliche Agitation in öffentlichen Reden, auf der Kanzel, in der Presse auf die Stimmung des Volkes, dass Jeder zuletzt begreifen muss, um welche grossen Interessen für ganz England es sich handle in dem Kampfe, der, wie es bis jetzt scheint, so glorreich durchgeführt worden ist bis zum Siege über das ganze System und alle Macht der Stuart's. Was war dem gegenüber der Versuch, den König Karl zum Nachgeben in religiösen Dingen zu bewegen, Anderes, als ein neuer Beweis, wie wenig dieser König seine Zeit und sein Volk verstanden hat! „Mit Thränen in den Augen und auf den Knieen" haben die Schotten ihn zuletzt gebeten, er möge den Covenant annehmen und sich ehrlich mit ihnen verbinden: dann würden sie fechten für ihn bis zum letzten Mann; ohne Erfüllung dieser Bedingung aber würde sich keine Hand mehr für ihn regen.

Ebenso suchten ihn die Abgesandten der Presbyterianer von
London zu bewegen, sich ihnen ehrlich und offen jetzt anzuschliessen. Alles vergebens! Seine Truppen waren alle besiegt,
seine letzten Festungen übergab er freiwillig jetzt dem Parlament, kurz, all' seiner weltlichen Waffen war er ledig: aber in
geistlichen Dingen wollte er nicht nachgeben; immer noch schien
er irgend eine unbestimmte Hoffnung und eine Art Hinterhalt
zu haben, aus welchen ihn keine noch so niederschlagende Erfahrung herauszulocken im Stande war. Es schien, als ob er
durchaus zum Märtyrer für seine Ueberzeugung werden wollte:
denn diese seine Ueberzeugung hielt er fest gegen ganz England, obwohl er im Felde völlig besiegt war. Mit Recht macht
Carlyle darauf aufmerksam, dass diese seine persönliche Festigkeit für uns gegenwärtig fast ebenso unbegreiflich erscheint, wie
die eigenthümliche Ehrfurcht, die ihm trotz all' der ernstlichen
Kämpfe und wiederholten Niederlagen doch immer noch von
allen Seiten bewiesen wurde. Noch längere Zeit stritten sich
die Parteien fast nur um seine Person, bis sein unverbesser-
licher Charakter und die bittere Nothwendigkeit auch noch die
letzten Freunde vertrieben, so dass er völlig einsam dem tobenden Meere einer grandiosen Volksbewegung gegenüberstand und
hülflos versinken musste in die über ihn erbarmungslos hinweg-
brausenden Wellen. Es liegt in gewissen Verhältnissen und
Ereignissen eine unwiderstehliche Kraft und zwingende Nothwendigkeit, in der Geschichte, wie in der Natur: wer ihr widerstehen will, wird unfehlbar vernichtet. Das ist das Schicksal
König Karl's I. von England gewesen.

Ein wirklich politisch begabter Kopf, d. h. ein verständiger, einsichtsvoller, bald die Umstände beherrschender, bald
dem Unvermeidlichen mit kluger Nachgiebigkeit sich fügender

Charakter wäre jedenfalls in ganz anderer Weise vorgegangen, als König Karl. Es handelt sich ja doch in der grossen Politik ungemein wenig um schöne Grundsätze, um religiöse Principien oder formelle Rechtsfragen: in erster Linie handelt es sich immer um bestimmte, handgreifliche, aller Welt sichtbare und mit Mass und Zahl nachweisbare Erfolge. Wer also einen Kampf beginnt in irgend welcher Richtung, der muss sich sehr genaue Rechenschaft darüber geben, über welche Kampfmittel in dieser Richtung er unbedingt zu verfügen hat: und wenn dieser Kampf in so entscheidender Weise auf das geistige Gebiet hinüberspielt, wie es damals in England unzweifelhaft der Fall war, so musste eine wahrhaft bedeutende Politik alle Mittel in Bewegung setzen, um sich auch der geistigen Waffen zu bemächtigen, die in solchen Kämpfen die Entscheidung bedingen. Das hat König Karl nicht verstanden: und seine Gegner hatten gerade darin ihre Hauptkraft. Die bedeutendsten Prediger des Landes, die ganze Presse, alle parlamentarischen Versammlungen waren in ihrer Hand: sie beherrschten damit die Stimmungen, die geistigen Strömungen in Stadt und Land jeden Tag, ja jede Stunde. Wie konnte und durfte ein einzelner Mann es wagen, mit einer solchen Handvoll Truppen, wie sie im besten Falle zusammenzubringen war, einer so tiefgehenden, äusserlich oft ganz unfassbaren Strömung entgegenzutreten und eigensinnig ein System durchführen zu wollen, das offenbar aus der Fremde stammte und Allen im Lande selbst, jedem einzelnen Bürger insbesondere, ganz und gar antipathisch war! Sobald nur der Widerstand organisirt war, musste ein solches System zusammenstürzen und mit ihm alle Personen zu Grunde gehen, die es vertraten. Eine Nation lebt nicht von Vornehmthuerei, kirchlichen Ceremonien, abstracter Königstreue und aristokratischem Glanze: eine Nation hat vielmehr ihre ganz bestimmten und sehr realen kleinen und grossen Interessen materieller, moralischer, religiöser, künstlerischer und wissenschaftlicher Art; und Niemand steht so hoch, dass er ungestraft dauernd auch nur eines dieser wesentlichen Lebensgebiete in seinem innersten Kerne verletzen durfte. Je intensiver eine Nation sich Eins fühlt mit einem Herrscher, der ihre wahren Gesammtinteressen persönlich energisch zu repräsentiren weiss, um so entschiedener wird sie sich früher oder später lossagen von einer jeden Dynastie, in der das hohe Lebensgefühl dieser Einheit namentlich auch mit dem geistigen Leben des ganzen Volkes nicht vorhanden ist.

In Karl I. war dies nicht vorhanden: er hatte Alles verletzt, was der Nation werth und heilig war seit alter Zeit: und jetzt hatte die Nation ihn besiegt. Was sollte nun aus ihm werden, was mit ihm geschehen?

Die Independenten, welche bestimmt waren, in dieser Angelegenheit das letzte Wort zu sprechen, hatten augenblicklich im Felde das Uebergewicht, aber noch nicht im Parlamente. Sie waren entstanden auf den Grenzgebieten der beiden mächtigen kirchlichen Organisationen, die England und Schottland bisher geschieden hatten, der anglikanischen Hochkirche und der presbyterianisch-schottischen Volkskirche. Gemeinsam mit der letzteren hatten sie die erstere bisher bekämpft und verworfen, weil König Karl in ihr ein zu gefügiges Werkzeug gefunden hatte für papistische und despotische Tendenzen; aber sie gingen bedeutend weiter, als diejenigen, welchen sie zu diesem Zwecke bisher mit freudiger Selbstaufopferung gedient hatten. Sie blieben Dissenters oder Separatisten auch diesen gegenüber: sie verwarfen principiell den Einfluss des Staates auf die Kirche,

die nationale Hierarchie, wie die römische; auch die General-
versammlungen der Schotten waren ihnen noch nicht die letzte
Form der kirchlichen Gemeinde: und eben so wenig fügten sie
sich unter die Autorität der englischen Presbyterien. Sie ver-
kündeten in reinster und strengster Form das allgemeine
Priesterthum der streitenden Kirche, und jeder Unterschied zwischen Clerus und Laien verschwand ihnen, wenn die
Erleuchtung Einen ergriffen hatte: auch ein Laie konnte dann
predigen; und wenn er gut predigte, so hörten ihm Alle mit
Andacht zu. Die verschiedenen kirchlichen Gemeinden sollten
alle durchaus coordinirt sein: ihre Einwirkung auf einander
durfte nur die Form brüderlicher und freundschaftlicher Vereinbarung haben.

Es war ein sehr hohes und reines Ideal, welches diesen
armen, ehrlichen und tapferen Leuten, den Heiligen Cromwell's,
unter oft sehr seltsamen äusseren Formen, vorschwebte: aber
seine praktische Durchführung für längere Zeit und in grösseren
Ländern wird immer mit den grössten Hindernissen zu kämpfen
haben.

Aus Cromwell's Briefen haben wir ersehen, wie leise und
vorsichtig er noch um schonende Behandlung dieser armen Heiligen bittet: man versagte ihnen eben noch die Toleranz, die
man doch für sich selbst gegenüber der Hochkirche in Anspruch
genommen und mit den Waffen durchgesetzt hatte. Ja, die englischen Presbyterianer begannen jetzt wieder mit den Schotten
in einer Weise zusammenzugehen, dass es bald aussah wie eine
Kriegserklärung gegen die doch siegreichen Independenten. Die
allgemeine Stimmung des Volkes war eben noch nicht für diese:
sie waren nur erst geduldete Hülfsmittel; aber freilich, bedeutend und gefährlich konnten sie durch ihre gewaltigen Führer

werden. Deshalb also wurde jetzt Mässigung, Ruhe, Frieden und Versöhnung gepredigt. Und deshalb auch vorzugsweise, um in der Anknüpfung an die alten legalen Zustände ein Gegengewicht gegen die gar zu gefährlich werdenden Sieger im Felde zu gewinnen, suchten jetzt die Schotten und Presbyterianer gemeinsam wieder mit dem geschlagenen König in Unterhandlung zu treten über eine definitive Ordnung aller politischen und religiösen Zustände des so tief erregten Landes.*)

Einer der bedeutendsten Schotten, Alexander Henderson, wurde deshalb zu ihm geschickt, um ihn vor Allem zuerst „wie ein guter Arzt von der Vorliebe zu heilen, die er für das bischöfliche System hatte". Es fand eine längere, streng theologische Disputation statt, und zwar schriftlich, so dass wir noch heute die gewissenhafte Sorgfalt bewundern können, mit der man gegen den König verfuhr. Dieser aber vertheidigte sich so geschickt gegen den gewandten Presbyterianer, dass wir auch ihm eine Anerkennung seiner theologischen und historischen Gelehrsamkeit nicht versagen dürfen. Aber es führte keineswegs zu dem gewünschten Resultate. So nachdrücklich auch der Kanzler von Schottland darauf bestand, dass der König unverzüglich die Propositionen annehmen müsse, die ihm am 24. Juli 1646 überreicht wurden, so bestimmt er ihm versicherte, dass er im Weigerungsfalle alle letzten Freunde im Parlament, in der City, im ganzen Lande verlieren, dass ganz England sich nochmals wie ein Mann gegen ihn erheben, dass man ihm den Process machen, ihn absetzen und das Reich zu seinem und seiner Nach-

---

*) Eine ausführliche, sehr in's Detail eingehende Darstellung dieser Vorgänge hat Ranke gegeben: Engl. Gesch. III, pag. 233 ff. Namentlich ist auch das Verhältniss zu Frankreich zu beachten, wie es hier nach den besten Quellen dargestellt worden ist. —

kommenschaft Verderben ohne ihn in Ordnung bringen werde, König Karl war zu Nichts zu bewegen, gab nur eine aufschiebende, unbestimmte Antwort darauf und nahm den Covenant und die presbyterianische Kirche nicht an; das Einzige, wozu er sich nach langen Verhandlungen verstehen wollte, war die Uebertragung der Waffengewalt zu Wasser und zu Lande auf zehn Jahre an's Parlament — nicht auf zwanzig Jahre, wie man verlangt hatte. Die bischöfliche Hochkirche wollte er nur für drei Jahre als aufgehoben oder vielmehr nur suspendirt gelten lassen, und noch dazu unbeschadet seiner eigenen persönlichen Freiheit in kirchlichen Angelegenheiten: nach Ablauf der drei Jahre möge dann von König und Parlament gemeinsam eine definitive Einrichtung getroffen werden.

Man kann sich denken, welchen Eindruck dieses Resultat in London, wie in Schottland machen musste: man beschloss einfach, die Regierung des Landes zu ordnen, ohne ferner Rücksicht auf den König zu nehmen. Was die Person desselben aber betraf, so ist es bekannt, wie man sie nun benutzte, um sich selbst einigermassen schadlos zu halten für all' die unermesslichen Opfer, die man in dem langen Kampfe hatte bringen müssen: man übergab ihn den Commissaren des englischen Parlaments, unter den höflichsten äusseren Formen, und man empfing dasjenige, was den Schotten schon lange zustand, eine bedeutende Geldentschädigung für die Kriegskosten — 400000 Pfd. Sterling im Ganzen, von denen die erste Rate, 100000 Pfd. Sterling, ihnen sofort bezahlt wurde, die weiteren aber erst, nachdem sie England verlassen hatten und nach Schottland zurückgekehrt waren. Die meisten Historiker, auch Häusser und Ranke, gebrauchen sehr starke missbilligende Ausdrücke in der Schilderung dieses Verfahrens: sie vergessen dabei nur,

wie mir scheint, das Doppelte, dass man einerseits vorher alle
Mittel gütlicher Verständigung vergebens mit dem Könige versucht hatte, so dass fernere Verhandlungen völlig zwecklos erscheinen mussten; und dass andererseits die Geldsummen eigentlich doch keineswegs als Kaufpreis für einen „schmählichen
Handel mit der Person des Königs" konnten betrachtet werden,
weil ihnen dieses Geld ja ohnehin schon zustand als Entschädigung für die im parlamentarischen Kampfe geleistete Hülfe
— ganz abgesehen davon, dass in einem so ernstlichen Kampfe,
wie er bisher war geführt worden, zuletzt doch wirklich alle
Rücksichten aufhören und jeder sich zu wehren und den erlit-
tenen Schaden zu repariren sucht, wie es ihm eben möglich
ist. Wer sich darüber wundern oder in moralische Entrüstung
gerathen kann, der beurtheilt eben Welt und Menschen von
seiner Studirstube aus; aber er hat wohl nie selbst ernstlich
im Feuer des Kampfes gestanden: sonst würde er es wissen,
dass es dort meistens nicht so zahm und höflich hergeht, dass
es im entscheidenden Momente vielmehr zuletzt immer heisst:
„du oder ich!" So rücksichtslos König Karl seinerseits gewesen
war, und zwar in seinen Absichten noch weit mehr, als es ihm
glücklicher Weise in der That möglich gewesen, ebenso rücksichtslos musste er jetzt, da er völlig besiegt war, die von ihm
selbst zuerst provocirte Bewegung sich gegen ihn wenden sehen.

Während man nun also in London ernstlich damit umging,
die bischöfliche Hochkirche ganz zu beseitigen, Presbyterien dafür einzusetzen, Laienälteste zu wählen und kirchliche Sessionen
einzurichten, so wie auch eine Confession und einen Katechis-
mus aufzustellen, ohne sich um den Einspruch des Königs gegen
alles dieses ferner zu kümmern, erschienen am 21. Januar 1647
die Repräsentanten der Engländer und der Schotten mit mili-

tärischer Bedeckung bei Nordhallerton und schlossen zunächst, unter Zahlung der ersten Rate, das Geldgeschäft definitiv ab. Dies war an einem Donnerstage (Thursday). Am Sonnabend darauf trafen schon die englischen Commissare in Newcastle ein, und Lord Pembroke meldete sich beim König Karl und theilte ihm unter den üblichen drei Verbeugungen mit, dass er vom Parlamente beauftragt sei, dem Könige nach Holmby zu folgen und ihm auf der Reise alle Dienste zu leisten, deren er bedürfe. Nach kurzer Bedenkzeit, die der König benutzte, um nochmals mit den Schotten zu sprechen, willigte er ein: die schottische Armee rückte am Sonnabend, den 30. Januar (!) von Newcastle ab, und die einrückenden Engländer liessen englische Wachtposten an die Stelle der schottischen treten. Er selbst bestimmte noch den Tag seiner Abreise, den 3. Februar. Seltsam berührt es uns, auf dieser Reise nun noch immer, nach all' den Niederlagen, die zauberartig wirkende Verehrung zu sehen, die seit Jahrhunderten an dem Träger der Krone haftete: die Berührung auch nur seines Gewandes, ja schon die Nähe und der Anblick des Königs galt als heilbringend und segensvoll; sogar Kranke sollten genesen, wenn es ihnen gelang, in seine Nähe zu kommen. Von allen Seiten strömten sie daher so massenhaft herbei, dass man der Aufregung durch eine förmliche Proclamation ein Ende machen musste. In Holmby wurde dann die strengste Absperrung befohlen: der König war ein Gefangener, wie einst Maria Stuart in Fotheringhay; man hatte sich überzeugt, wie gefährlich er noch werden konnte. Er war noch immer eine Macht in der Erinnerung des Landes.

Die Independenten, gegen welche der Kampf jetzt beginnen sollte, mussten schon aus dem Grunde nach Vernichtung auch dieser letzten Macht streben, weil die Presbyterianer dieselbe

12

gegen sie zu benutzen gedachten. Die Streitigkeiten zwischen Armee und Parlament, die nun folgen, zeigen das nur zu deutlich.

Durch ihre Entfernung aus England hatten die Schotten dem englischen Parlament zugleich den Gefallen erwiesen, dass sie den letzten Vorwand beseitigten, eine so bedeutende englische Heeresmacht ferner zu erhalten. Es gab keine feindliche Armee mehr, der Krieg war aus, der Schatz zudem erschöpft — so hiess es wenigstens — durch die grossen Kosten des Krieges und die letzten Zahlungen an die schottischen Truppen: wozu also noch das grosse Heer? Nur ein kleiner Rest genüge ja für den Nothfall: die Mehrzahl der Truppen könne jetzt entlassen, ein Theil auch nach Irland geschickt werden, um dort noch besser Ordnung zu schaffen. So sagte man. Und man dachte dabei an den Bruch mit der Partei, die im Grunde die beste Arbeit gethan hatte: denn in der Armee hatte diese ihre eigentliche Kraft.

Mit der Nachricht von diesen Plänen der parlamentarischen Majorität drangen aber noch andere höchst aufregende Gerüchte n's Lager. Am 8. März sollte beschlossen sein, dass kein Mitglied des Unterhauses ferner ein Commando in der Armee bekleiden, dass unter dem Obergeneral kein höherer Rang als der eines Obersten bestehen bleiben sollte, dass die Officiere sammt und sonders — also auch die Independenten — den Covenant annehmen und der durch das Parlament beliebten Kirchenverfassung sich fügen müssten — mit einem Worte, dass die Independentenarmee in ihrer innersten Kraft sollte gebrochen werden.

Glaubt man, dass irgend eine noch in Waffen befindliche

und aus den glorreichsten Siegen eben herkommende Armee sich derartiges wird bieten lassen?

Damals wenigstens verkannte das englische Parlament die faktisch vorliegende Situation vollkommen. Die Folge seiner Beschlüsse und der nun kommenden Ereignisse waren drei so merkwürdige Dinge, dass wir uns veranlasst sehen, sie in einer besonderen Ueberschrift recht deutlich hervortreten zu lassen. Es mag die unter dieser Ueberschrift zusammengefasste Darstellung als Vorspiel zum zweiten Bürgerkriege betrachtet werden; denn derselbe beginnt eigentlich bereits mit diesen höchst charakteristischen Aktenstücken:

5. Petition der Armee. Armee-Manifest. Prayer-Meeting.

Dem Hause der Lords wird zuerst durch einige Officiere, welche sich als Freiwillige für den Dienst in Irland anboten, mitgetheilt, dass eine Petition in der Armee umgehe zur Unterschrift und Uebergabe an Sir Thomas Fairfax, ihren General. Eine Copie davon wurde den Lords gezeigt und vorgelesen in folgenden Worten:

„An Seine Excellenz Sir Thomas Fairfax!

Wir haben immer, seit wir zuerst in diesen Dienst eingetreten sind, um die Macht des Königthums in der Hand des Parlamentes zu erhalten, demselben mit aller Treue und Ergebenheit gedient. Und obwohl wir unter mancher Entmuthigung gelitten haben, wegen Mangels an Bezahlung und anderer Bedürfnisse, so haben wir doch nicht ihre Befehle bestritten, sind

12 *

ihren Ordres nicht ungehorsam gewesen, noch auch haben wir
sie mit Petitionen belästigt; auch ist durchaus keine Streitigkeit sichtbar unter uns hervorgetreten zur Ermuthigung etwa
der Feinde und als Hinderniss der Angelegenheiten des Parlaments: sondern wir haben vielmehr mit aller Freudigkeit Som-
merdienst auch zur Winterzeit gethan und unsere Fähigkeiten
auf's Aeusserste angestrengt, um möglichst guten Dienst zu thun.
Und da wir nun sehen, dass Gott unsere Bemühungen gekrönt
hat mit der Erfüllung unserer Wünsche, nämlich der Zerstreuung der Feinde des Gemeinwohls und der Zurückführung derselben zum schuldigen Gehorsam, da ferner der König jetzt
überwunden ist und unsere Brüder, die Schotten, befriedigt sind
und das Königreich verlassen haben, so scheinen offenbar alle
Gefahren vorüber und Friede überall zu sein; und daher, ermuthigt durch des Parlamentes vielfache Versprechungen und
Erklärungen, dass es diejenigen vertheidigen und beschützen
wollte, welche in seinem Dienst thätig gewesen sind und sich
hervorgethan haben, präsentiren wir hiermit ganz gehorsamst
Eurer Excellenz die unterthänige Darlegung unserer Wünsche,
welche wir gehorsamst ersuchen, in unserem Namen dem Parlament zu empfehlen oder zu übergeben. Und die unterzeich-
neten Bittsteller werden Eurer Excellenz die Ehre davon geben
und für dieselben beten."

Diese „unterthänige Darlegung der Wünsche der Officiere
und Soldaten der Armee unter dem Commando Seiner Excellenz
des Sir Thomas Fairfax, zuerst Sr. Exc. selbst übergeben, um
dann durch ihn dem Parlament weiter übergeben zu werden",
lautet folgendermassen:

I. „Da die Nothwendigkeit und die nachdrückliche Führung
des Krieges uns zu manchen Actionen geführt hat, die das

strenge Gesetz freilich nicht erlauben kann und die wir in einer Zeit wohlbefestigten Friedens auch nicht begangen haben würden, so ersuchen wir gehorsamst, dass, bevor wir entlassen werden, eine völlig genügende Vorsorge möge getroffen werden durch förmlichen Parlamentsbeschluss (mit königlicher Zustimmung) für unsere Indemnität und Sicherheit in allen solchen Diensten."

II. „Dass Auditeure beauftragt werden mögen, sich zum Hauptquartier der Armee zu begeben, um aufzunehmen und festzustellen, unsere Rechnungen eben so wohl, als unsere früheren Dienste in dieser Armee; und dass vor der Entlassung der Armee die Petitionirenden mögen befriedigt werden, damit so die Last, die Mühe und der Zeitverlust, welche wir nothwendig uns gefallen lassen müssen in der Erwartung, das Verlangte zu erhalten, möglichst mögen vermieden werden; und dass kein Officier möge belastet werden mit irgend Etwas in seiner Rechnung, was nicht speciell ihn selbst angeht; denn wir haben schon die Erfahrung gemacht, dass viele zu kläglicher Noth sind heruntergebracht worden, ja fast verhungert sind aus Mangel an Unterstützung, in Folge des widerwärtigen Wartens."

III. „Dass diejenigen, welche freiwillig dem Parlament gedient haben in den letzten Kriegen, nicht etwa später gezwungen werden möchten durch heftiges Drängen (press) oder auf andere Weise, als Soldaten ausserhalb dieses Königreiches zu dienen; und ebenso diejenigen, welche als Reiter gedient haben, nicht möchten gezwungen werden durch Druck oder auf andere Weise, zu Fuss zu dienen in irgend einem künftigen Falle."

IV. „Dass diejenigen in dieser Armee, welche verstümmelt

worden sind, und die Wittwen und Waisen von solchen, welche im Dienst erschlagen worden sind, und solche Officiere und Soldaten, welche Verluste erlitten haben oder in ihrem Besitz beeinträchtigt worden sind, weil sie dem Parlament angehörten, oder in ihrer Person durch Krankheit oder Gefangenschaft unter dem Feinde, solche Vergünstigung und Entschädigung erhalten sollen, als die Gerechtigkeit und Billigkeit irgend zulassen."

V. „Dass, bevor die Armee aufgelöst würde, wie vorher gesagt wurde, doch einige Veranstaltung möge getroffen werden, sie mit Geld zu versehen, wodurch wir in den Stand gesetzt würden, unsere Löhnung zu bezahlen, damit wir nicht der nothwendigen Nahrung wegen den Feinden des Parlaments verpflichtet, seinen Freunden lästig oder unserem Lande beschwerlich werden, da wir ja für seine Erhaltung uns immer bemüht haben und in seinem Glück noch stets unsere Freude finden."

Offenbare in höchst merkwürdiges Aktenstück, klares Zeugniss gebend von dem ebenso patriotischen, als auch energievollen und selbstständigen Geiste, der die ganze Armee beherrschte! Es war also durch einige derjenigen Officiere, welche bereit waren zum Dienste auch in Irland, dem Parlament verrathen worden, dass überhaupt eine solche Petition in der Armee umgehe, und zwar noch eher, als die Petition wirklich zu Stande gekommen und abgeschickt war. Man kann sich denken, welche ungeheure Aufregung diese Nachricht unter allen Denen hervorbrachte, welche nicht im Geheimniss dieses Treibens waren: dazu gehörten nicht nur die berühmtesten Parlamentsredner der presbyterianischen Partei, sondern namentlich auch eine ganze Reihe von alten Officieren, welche durch die Self-denying-ordinance ausser Dienst gekommen waren, nachdem sie vorher bereits manche Misserfolge gemeinsam mit Essex, Denbigh, Manchester und Waller zu ertragen gehabt hatten. Diese konnten nämlich nicht die grossen Erfolge aufweisen, durch welche sich Cromwell und seine junge Armee in der letzten Zeit fortwährend ausgezeichnet hatten, und sie müssten nicht Menschen gewesen sein und nicht so respectable alte Herren, wie sie wirklich waren, wenn sie nicht ihre eigene Beseitigung und das siegreiche und unwiderstehliche Vorgehen der jungen Armee mit einem gewissen recht gründlichen Missbehagen angesehen hätten. Es wurde daher im Parlament jetzt vielfach gesprochen von Feinden des Staates und Störern des öffentlichen Friedens: man müsse suchen, diese möglichst bald los zu werden, im Interesse des Gemeinwohls; viele seien noch in dieser Armee, die nicht einmal den Covenant angenommen hätten; auch sei es nicht wahrscheinlich, dass sie ihn jemals annehmen würden. Gleich einer Hydra erhebe überall die Ketzerei ihr Haupt wieder: es sei durchaus nöthig, dass Etwas dagegen gethan werde.

In Folge solcher und anderer Parlamentsreden gelang es demselben Denzil Holles, den wir bereits früher kennen gelernt haben, am 30. März 1647 eine Declaration durch ein ziemlich schwach besetztes Haus durchzuschmuggeln,*) welche in der schärfsten Weise sich gegen alle derartigen Tendenzen innerhalb der Armee aussprach. Und ein solches Uebergewicht hatte die presbyterianische Partei noch immer, dass sie sogar so berühmte und hochstehende Officiere, wie den Oberst Hammond,

---

*) Carlyle: „This unlucky Declaration‘‘, Waller says, was due to Holles, who smuggled it one evening through a thin House. „Enemies to the State, Disturbers of the Peace‘‘: it was a severe and too proud rebuke; felt to be unjust, and looked upon as „a blot of ignominy‘‘; not to be forgotten, nor easily forgiven‘‘. I pag. 271—72.

den Oberstlieutenant Pride, ja sogar Ireton selbst, den Schwiegersohn Oliver's, vor das Parlament fordern und vor den
Schranken des Hauses über ihre Absichten examiniren konnten,
ohne dass momentan an Widerstand dagegen zu denken war.
Das aber machte viel böses Blut in der Armee: die Stimmung
der Soldaten wurde dadurch auf's Aeusserste gegen die presbyterianische Mehrheit im Parlament gereizt. Schon im folgenden Monat, am 30. April 1647, erschienen Edward Sexby,
William Allen und Thomas Sheppard im Hause mit neuen Klagen der Armee, namentlich auch darüber, dass man ihre durchaus patriotischen und gesetzlichen Wünsche und Forderungen
in solcher Weise verkenne, wie es die Declaration ausspreche.
Weitere Fragen über das, was in der Armee vorgehe, lehnten
sie mit der Bemerkung ab, sie seien nur Agenten oder Gehül-
fen (Agents, Adjutators, Agitators) — das erste Auftreten dieser
bei den folgenden Ereignissen so entscheidend mitwirkenden
Leute. Wir müssen uns diese Agenten der Armee wohl in der
Weise denken, dass sie den Officieren, welche durch die strengen Forderungen der militärischen Disciplin immer einigermassen
in ihrer freien Bewegung gehemmt waren, den guten Dienst
thaten, die nothwendige Agitation in ihrem Interesse zu leiten
und weiter zu führen; und diesen Dienst versahen sie denn in
der That mit einer Geschicklichkeit, Gewandtheit und Beweg-
lichkeit, dass es nicht lange dauerte, und die Soldaten erhielten
schon einen Theil des ihnen zustehenden Soldes und hatten
ausserdem die Ehre, eine Deputation von den Lords und Commons des Parlaments von London bei sich ankommen zu sehen,
die sich von dem Zustande der Armee persönlich überzeugen
und zugleich für die wirkliche Auflösung und Entlassung derselben sorgen wollte.

Das brachte denn die lange vorbereitete Meuterei zu offenem Ausbruch. Die Armee befand sich zu Saffron Walden, als die Deputation bei ihr erschien. Kurz vorher waren Cromwell, Ireton, Fleetwool und Skippon bemüht gewesen, ihnen wenigstens einen Theil des zustehenden Soldes, gemeinsam mit den Agitatoren, zu verschaffen. Cromwell verdient sich dabei sogar den Dank des Hauses, weil es ihm gelingt, die aufgeregte Stimmung momentan zu beschwichtigen: achtwöchentlicher Sold wird den Truppen zugestanden, und die Deputation erscheint wirklich zu Saffron Walden, um nun mit eigenen Augen die wirkliche Auflösung der Armee zu sehen. Aber die Begriffe dieser respectablen alten Herren und die Vorstellungen der etwas heissköpfigen jungen Armee gehen sehr weit auseinander: die meisten finden, dass sie statt 8 Wochen vielmehr 8 mal 8 Wochen Bezahlung erhalten müssten; und auch im Uebrigen erweisen sie den ehrwürdigen Herren durchaus nicht den übermässigen Respect, den dieselben in Anspruch zu nehmen gewohnt sind. Ja, es kommt wirklich dazu, dass die Soldaten ein förmliches Gegenparlament gegen dasjenige zu London zu bilden versuchen: zu diesem Zwecke kommen zuerst die Adjutatoren, mit Erlaubniss des Generals Fairfax, zu Bary St. Edmunds zusammen; jeder Mann zahlt vier Pfennige (fourpence), um die Kosten zu bestreiten, und man kommt überein, auf Auszahlung des vollen Soldes zu bestehen und dann am 4. Juni bei Newmarket auf der Kentford-Haide in den Eastern-Counties eine allgemeine Versammlung der Soldaten abzuhalten, in welcher Alles definitiv erledigt und festgestellt werden sollte. Diese Versammlung findet auch wirklich statt am 4. u. 5. Juni, und die Einheit der Armee documentirt sich in entschiedenster und durchaus nicht misszuverstehender Art und Weise. Noch wich-

tiger aber war das seltsame Ereigniss, welches offenbar mit diesen Vorgängen in inniger Verbindung stand — die Entführung
des Königs durch die Cromwell'schen Reiter unter Cornet
Joyce.

Man konnte an diesem Cornet Joyce so recht sehen, was
auch aus einem gewöhnlichen Menschen alles werden kann in
Zeiten, wo die gewöhnlichen Verhältnisse eben einmal in Bewegung gerathen: er war nämlich früher nur ein Flickschneider
in London gewesen, wurde jetzt ausersehen, einen meisterhaften
Handstreich im Dienste der Independentenarmee auszuführen
und avancirte bald darauf zum Capitain. Wer es eigentlich gewesen sei, der zuerst den momentan sehr klugen Gedanken gefasst hat, die Person des Königs für die Armee zu gewinnen,
wird nicht berichtet: dass aber die Führer auch hierbei die
Hand in Spiele gehabt haben, lässt sich wohl vermuthen. Faktisch machte sich die Sache in der Weise, dass am 2. Juni
1647 — es war an einem Mittwoch — der Cornet Joyce und
500 Reiter mit ihm, ohne einen höheren Commandeur, wie er
sonst eigentlich zu einer solchen Truppenzahl gehört, sich von
Oxford aus in Bewegung setzten, nach Holmby ritten, sich beim
Könige als Parlamentstruppen — ganz zu seinem Dienste bereit
— meldeten, zwei Tage lang durch den Cornet und andere ver-
ständige Männer mit ihm unterhandelten und ihn zum nicht
geringen Schrecken der Parlaments-Commissare wirklich zu
bewegen wussten, bereitwillig mit ihnen zu gehen. Er war
wirklich aus freiem Entschlusse mit ihnen gegangen, fühlte sich
offenbar wohler bei den Truppen, als bei den Parlaments-Com-
missaren, und lehnte sogar das Angebot eines von Fairfax abgesandten Obersten, ihn nach Holmby zurückzugeleiten, in sehr
bestimmter Weise ab. Capitain Titus bringt die Nachricht da-

von nach London, erhält 50 Pfd. Sterling für den grossen Dienst, den er damit geleistet, und erfüllt Alle mit Staunen und Schrecken über diese seltsame Neuigkeit. Alle Officiere, die sich noch als Abgeordnete im Hause befinden, erhalten darauf sofort Befehl, sich zu ihren Regimentern zu verfügen. Und am 7. Juni haben Cromwell, Fairfax und die übrigen Hauptführer bereits eine Zusammenkunft mit dem Könige zu Childerley-House, wo es sich unter Anderem aufs Neue bestätigte, dass Se. Majestät nicht nach Holmby zurück will, vielmehr sich hier bei der Armee besser zu befinden glaubt, als bei den Commissaren. Mannigfaltige Verhandlungen finden nun wieder statt, in welchen es sich wesentlich um die streitenden Interessen der Independenten und der Presbyterianer handelt, die Person des Königs aber in der That noch der Mittelpunkt ist, um welchen die Parteien kämpfen. Auch wird ein „Buss- und Bettag" angesetzt für alle Soldaten, damit jeder um göttliche Erleuchtung flehen möge, was in dieser schwierigen Lage am besten zu thun sei. Am 10. Juni 1647 hatte dann die ganze Armee eine neue Zusammenkunft parlamentarischer Art zu Royston auf der Triploe-Haide, eins der merkwürdigsten Ereignisse in der Geschichte Englands: ein bewaffnetes Parlament, dem bürgerlichen Parlament zu London sehr bestimmt sich entgegenstellend, ein Fairfax und Olivier Cromwell an seiner Spitze, regimenterweise die Abstimmung dirigirend, Agitatoren und Officiere in voller Thätigkeit, um feierlichste Ordnung zu erhalten — die Parlaments-Commissare von London zwar zugelassen dabei; aber nach jeder Abstimmung tönt es ihnen aus den massenhaft versammelten Soldaten eines jeden Regimentes mit tiefem und drohendem Klange wie eine einzige Volks- und Gottesstimme entgegen: „Gerechtigkeit!

„Gerechtigkeit für die Armee!" Es ist in der That ein Schauspiel gewesen, einzig in seiner Art, und kein anderes der modernen Völker hat ähnliche Bilder in seiner Geschichte aufzuweisen: die grösste Feierlichkeit, die strengste Ordnung, ja
etwas wahrhaft Andachtvolles in der Grundstimmung aller Be-
theiligten; und dennoch die grossartigste Revolution, mit welcher
jemals ein geschichtliches Volk all' seine nationalen Heiligthümer gegen unrechtmässige Angriffe, äussere Feinde und
innere Schwäche und Unklarheit zu vertheidigen verstanden
hat. Das ist das seltsame Schauspiel, welches am 10. Juni 1647
die weite Haidefläche bei Royston dem staunenden Auge der
Geschichte darbietet.

An demselben Nachmittage noch führt Cromwell die ganze
Armee nach St. Albans, in die Nähe von London, um hier zunächst eine drohende Stellung zu behaupten und dadurch vor
aller Welt offen zu verkünden, dass die Armee nicht gesonnen
sei, mit sich spielen zu lassen oder anderen Befehlen zu gehorchen, als denen ihrer Independenten-Führer. Und zugleich
wird nun von Royston aus das berühmte Manifest der Armee
— „Army Manyfesto" — nach London abgeschickt, welches
wir bereits als das zweite Haupt-Document dieser wichtigen
Ereignisse bezeichnet haben. Es lautet in sinngetreuer
Uebersetzung folgendermassen:

„An den sehr ehrenwerthen Lord Mayor, die Aldermen
und den Gemeinderath der City von London: dieses.

Royston, 10. Juni 1647.

Sehr ehrenwerthe und würdige Freunde!

Nachdem wir bemüht gewesen sind, durch unsere Briefe
und andere Zuschriften, von unserem General dem ehrenwerthen
Hause der Gemeinen übergeben, unsere rechtmässigen For-

derungen mit völlig genügender Klarheit darzulegen, und nachdem wir ebenfalls durch unsere öffentlichen Erklärungen die Gründe unseres Vorgehens in Verfolgung dieser unserer Rechte zur Geltung gebracht haben, was Alles schon durch die Presse bekannt geworden, so hegen wir jetzt das Vertrauen, dass es wirklich auch in Eure Hand gelangt ist und wenigstens eine nachsichtige Auslegung bei Euch wird gefunden haben.

Die Hauptsache bei allen diesen unseren Wünschen als Soldaten ist nichts anderes als dieses: Befriedigung unserer unzweifelhaften Ansprüche als Soldaten, und Entschädigung, welche Diejenigen zu leisten haben, die alle Gelegenheiten und Vortheile sich auf's Aeusserste zu Nutze gemacht haben durch falsche Rathschläge, Missdeutungen und auf anderem Wege, und zwar Entschädigung wegen der Beschimpfung dieser Armee durch den Schandfleck, unter dem sie noch immerfort leidet. Wir würden diese ungerechte Beleidigung nicht für so schwer halten, wenn sie blos unsere einzelne Person beträfe, indem wir ja stets bereit sind, uns selbst für das Wohl des Königthums zu verleugnen, wie wir es bereits in anderen Fällen gethan haben. Aber unter diesem Vorwande, finden wir, ist nichts weniger involvirt, als die Vernichtung der Privilegien von Parlament und Armee, und das Bestreben, das Königreich eher in einen neuen Krieg zu verwickeln, als die Pläne jener Leute scheitern oder uns empfangen zu lassen, was in den Augen aller Guten unser billiges Recht ist. „In einen neuen Krieg!" und zwar einzig durch Jene, welche, wenn die Wahrheit dieser Dinge soll offenbar werden, als die Urheber von jenen genannten Uebeln, die man fürchtet, sollen erfunden werden, und die keinen anderen Weg haben, um sich selbst zu schützen vor Untersuchung und Strafe, als den, dass sie das Königreich in

blutige Kriege verwickeln, unter dem Vorwand ihrer Ehre und
ihrer Liebe zum Parlament. Als ob das Jenen*) theurer wäre,
als uns, oder als ob sie grösseren Beweis von ihrer Treue gegen dasselbe gegeben hätten als wir.

Aber wir begreifen es, dass unter dem Deckmantel solcher
Vorwände sie die Stadt London für ihren Plan zu interessiren
suchen: — als ob jene Stadt die Verpflichtung hätte, ihr Vergehen gut zu machen, und als ob dieselbe einige wenige selbst-
süchtige Menschen dem öffentlichen Gemeinwohl vorziehen würde.
Und in der That, wir haben diese Männer so thätig gefunden
in der Durchführung ihrer Pläne, und sie wissen sich solche
geschickte Werkzeuge zu verschaffen für ihre Zwecke in jener
Stadt, dass wir Ursache haben zu dem Argwohn, dass sie vielleicht Viele durch falsche Vorspiegelungen gewinnen; denn es
lassen sich ja leicht Manche fangen in Zeiten von solchem Vorurtheil gegen Diejenigen, welche (wir dürfen das ohne Eitelkeit
aussprechen) vor aller Welt Zeugniss abgegeben haben von
ihren guten Gesinnungen gegen das Gemeinwesen und gegen
jene Stadt insbesondere.

Was nun die Sache anbetrifft, auf der wir als Engländer
bestehen — und gewiss hat der Umstand, dass wir Soldaten
sind, uns nicht jenes Interesses beraubt, obwohl unsere bos-
haften Feinde es behaupten möchten — so wünschen wir eine
gesetzliche Feststellung des Friedens im Königreich und der
Freiheiten der Unterthanen, gemäss den Abstimmungen und
Erklärungen des Parlaments, welche, bevor wir die Waffen ergriffen, vom Parlamente selbst gebraucht wurden als Ursachen

*) Es sind damit die Führer der presbyterianischen Partei im Londoner
Parlament gemeint: Holles, Stapleton, Harley, Waller u. s. w.

und Beweggründe, um uns und verschiedene unserer lieben
Freunde zum Ausrücken zu verleiten, von welchen einige ihr
Leben in diesem Kriege verloren haben. Da dieser nun durch
Gottes Segen beendigt ist, so glauben wir, wir haben eben so
viel Recht, einen glücklichen Abschluss des Friedens zu fordern und einen eben solchen Wunsch ihn zu erleben, als wir
auf unser Geld und auf die anderen gemeinsamen Interessen
der Soldaten haben, auf welchen wir bestanden haben. Wir
finden auch das treuherzige und ehrliche Volk in fast allen
Theilen des Königreiches, wohin wir kommen, voll von dem
Gefühle der Besorgniss vor Ruin und Elend, wenn die Armee
etwa sollte entlassen werden, bevor der Friede des Königreiches
und jene anderen vorher erwähnten Dinge eine gänzliche und
vollkommene gesetzliche Feststellung gefunden haben.

Wir haben es vorher gesagt und bekennen es jetzt auf's
Neue, wir wünschen keine Veränderung der Staatsverfassung,
eben so wenig wünschen wir die Einrichtung der Presbyterial-
verfassung zu stören oder auch nur im Geringsten uns unbe-
rufener Weise darin einzumengen. Auch strebten wir keineswegs dahin, der zügellosen Freiheit die Bahn zu öffnen, unter
dem Vorwande, zarten Gewissen Erleichterung zu verschaffen.
Wir bekennen, wie immer in diesen Angelegenheiten: wenn einmal der Staat eine gesetzliche Einrichtung getroffen hat, so
haben wir nichts zu sagen, sondern uns zu unterwerfen oder
Strafe zu erleiden. Nur das könnten wir wünschen, dass jeder
gute Bürger und jeder Mann, der friedlich einhergeht und nicht
sträfliche Reden führt und wohlthätig für das Gemeinwesen
wirkt, seine Freiheit haben und ermuthigt und unterstützt
werden soll; denn das entspricht der wahren Politik aller
Staaten, ja der Gerechtigkeit selbst. Das sind kurz unsere

Wünsche und die Angelegenheiten, welche wir vertheidigen; über sie hinaus werden wir nicht gehen. Und deshalb, um dieses zu erlangen, rücken wir auf Eure Stadt vor; wir bekennen dabei aufrichtig und von ganzem Herzen, dass wir nichts Böses gegen Euch beabsichtigen, und erklären mit aller Bestimmtheit und Zuverlässigkeit, dass weder wir, noch auch unsere Soldaten Euch den geringsten Anstoss geben werden, wenn Ihr nicht Euch feindlich gegen uns zeigt in diesen unseren billigen Wünschen, um jener schlechten Partei Beistand zu leisten, welche uns und das Königreich in Verwirrung bringen möchte. Wir kommen nicht deshalb, um irgend etwas auszuführen zum Nachtheil der Existenz von Parlamenten überhaupt, oder zum Schaden dieses Parlamentes zum Zwecke der gegenwärtigen Beruhigung des Königreiches. Wir suchen die Wohlfahrt von Allen. Und wir werden hier warten oder auch in weiterem Abstande uns entfernt halten, wenn wir erst Gewissheit haben, dass eine rasche Ordnung der Angelegenheiten im Werke — bis sie vollständig ausgeführt ist. Wenn das geschehen, so werden wir ganz bereit sein, uns aufzulösen oder auch nach Irland zu gehen — entweder wir Alle, oder wenigstens soviele von der Armee, als das Parlament für passend halten wird.

Und wenngleich Ihr Euch denken könnt, dass eine reiche Stadt ein verführerischer Bissen für arme hungrige Soldaten sein dürfte, um sie zu kühnem Wagniss zu bewegen, solchen Wohlstand für sich zu gewinnen, so versichern wir doch, wenn wir nicht durch Euch herausgefordert werden, dass die Soldaten eher durch unser Blut hindurch sich einen Weg bahnen werden, als dass solch ein Uebel jemals geschehen sollte. Und wir können dieses für die meisten von ihnen Eurer besseren Sicherheit wegen versichern, dass sie ihre Bezahlung so gering.

schätzen im Vergleich mit dem höheren Interesse, welches sie am öffentlichen Wohle nehmen, als Unrecht erleiden in Bezug auf ihre Ehrlichkeit und Unbescholtenheit (welche gelitten hat durch die Männer, die sie im Auge haben und über welche sie gerechtes Urtheil verlangen) oder als den Abschluss des Friedens des Königreiches und ihren eigenenen und ihrer Mituntergebenen Freiheiten entbehren. Und das mag eine kräftige Versicherung für Euch sein, dass sie nicht nur Euer Wohl suchen, sondern solche Dinge, welche gemeinsam auf Euer und ihr Wohl hinzielen. Damit sie diese erlangen, werdet Ihr gleich Mitunterthanen und Brüdern handeln, wenn Ihr für sie, um ihretwillen eine Bitte beim Parlament anbringen wollt.

Wenn aber nach alle diesem Ihr oder ein beträchtlicher Theil von Euch sich sollte verführen lassen, die Waffen zu ergreifen in Opposition gegen oder zur Verhinderung von diesen unseren rechtmässigen Unternehmungen, so haben wir hoffentlich durch diese brüderliche Warnung, für deren Aufrichtigkeit wir Gott zum Zeugen nehmen, uns selbst für nicht verantwortlich erklärt für all den Ruin, der dieser grossen und volkreichen Stadt widerfahren könnte, indem wir damit unsere Hände in Unschuld gewaschen haben.

      Wir verharren

          Eure wohlgeneigten Freunde und Diener

Thomas Fairfax.	Henry Ireton.
Oliver Cromwell.	Robert Lilburn.
Robert Hammond.	John Desborow.
Thomas Hammond.	Thomas Rainsborow.
Hardress Waller.	John Lambert.
Nathaniel Rich.	Thomas Harrison."
Thomas Pride.	

Wer zu lesen versteht, wird in diesem sehr bedeutenden
Actenstücke alle die Elemente in eigenthümlicher Weise vereinigt finden, welche die damalige Stimmung charakterisiren
und für die ganze Situation bezeichnend sind: beruhigende Versicherungen für die Furchtsamen und Aufgeregten, dabei aber
zugleich sehr bestimmte Forderungen, verbunden mit versteck-
ten Drohungen für einen gewissen, hoffentlich nicht eintretenden
Fall, Alles aber nicht ohne die ernsteste und feierlichste Verwahrung, dass man nicht Blutschuld auf sich laden, vielmehr
nach dieser Warnung denen die Schuld beimessen werde, welche
gerechte Wünsche nicht erfüllen und mit Gewalt der wohlor-
ganisirten Macht siegreicher Truppen sollten entgegentreten
wollen. Mit der grössten Entschiedenheit wird, bei im Allgemeinen toleranter Stimmung, nur die Wiederherstellung der
verletzten militärischen Ehre und die Bestrafung Derjenigen
verlangt, welche die Urheber jener von Holles durchgesetzten
Declaration sind: denn das konnte sich die Armee nach ihren
grossen Siegen in der That nicht gefallen lassen, dass man sie,
die alle Hauptarbeit gethan hatten, nun als Störer des Friedens
und mit ähnlichen harten Ausdrücken bezeichnen, zudem ihr
den rechtmässig zustehenden Sold nicht bezahlen und sie aus
England hinausschicken oder entlassen wollte. Sie verlangte
vor Allem mehr Rücksicht, als ihr bisher zu Theil geworden:
sehen wir also, welche Wirkung dieses nun hatte. Das Armee-
manifest gelangte nach London, wurde im Hause gelesen und
verfehlte nicht, den bedeutendsten Eindruck zu machen. Eine
respectvolle Antwort wurde aufgesetzt, und eine Deputation
überbrachte dieselbe in drei Kutschen, begleitet von einer gehörigen Zahl Reiter, an die Armee.
     Interessant ist es nun, die einzelnen Schritte genau zu

verfolgen, in welchen die Armee ihre Forderungen zu steigern beginnt. Am 16. Juni 1647 wird zunächst die Anklage gegen die 11 Mitglieder erhoben, welche als eigentliche Urheber jener Erklärung gegen die Armee betrachtet werden, es sind: Denzil Holles, Sir Philipp Stapleton, Sir William Waller, Sir William Lewis, Sir John Clotworthy, Recorder Glynn, Mr. Anthony Nichols, sieben Mitglieder des langen Parlaments, die bereits seit der ersten Berufung desselben an den Sitzungen Theil genommen haben; ausserdem vier sogenannte „Recruiters", die erst seit 1645 erwählt sind: Generalmajor Massey, Oberst Walter Long, Colonel Harley und Sir John Maynard. Sie werden geradezu angeklagt, die Urheber aller in letzter Zeit hervorgetretenen Verwirrungen zu sein, ja die Armee beschuldigt sie sogar des Verrathes und der offenen Feindseligkeit gegen das Gemeinwohl, und verlangt in sehr ernstlicher Weise ihre Bestrafung. Nach manchen Versuchen, diese Streitigkeit beizulegen, bleibt den Angeklagten nichts anderes übrig, als vorläufig für 6 Monate Urlaub zu nehmen: in der Hauptsache hat also die Armee ihren Willen durchgesetzt, die 11 Mitglieder sind so gut wie aus dem Parlament verwiesen, die Declaration gegen die Armee wird beseitigt, die harten Ausdrücke werden mit feierlichen Erklärungen zurückgenommen und den Truppen wird auch auf's Neue ein Theil des ihnen zustehenden Soldes ausgezahlt. Je nachdem nun in den folgenden Wochen die weiteren im Manifest angedeuteten Forderungen erfüllt werden oder nicht, rückt die Armee weiter von London fort oder wieder näher an die Hauptstadt heran; auch die Verhandlungen mit dem König werden von beiden Seiten noch immer eifrig fortgesetzt. Und in dieser Weise erhalten sich die Verhältnisse in einer gewissen Schwebe bis zum Ende Juli,

13 *

nicht ohne grosse Aufregung im Innern aller an den entscheidenden Bewegungen Theil nehmenden Herzen, äusserlich aber
mit einer ganz merkwürdigen Ordnungsliebe und ernsten
Würde im Auftreten gegen einander, so dass es höchstens
zum Schliessen aller Läden und Hausthüren in den Häusern
von London kommt, aber Niemandem ernstlich etwas zu Leide
gethan wird. Der König mochte vielleicht bei all diesen Bewegungen die geheime Hoffnung hegen, dass die beiden Haupt-
parteien, die Presbyterianer und die Independenten, sich ihm
zu Gefallen gegenseitig vernichten würden; aber merkwürdiger
Weise fanden sich die Parteien denn doch nicht veranlasst,
ihm diesen Gefallen zu thun. Alles schien sich vielmehr zuletzt in friedlicher Weise erledigen und zu dem von beiden
Seiten gewünschten Abschluss gelangen zu wollen.

Aber am 26. Juli 1647 geräth Londons Jugend in Bewegung: in ziemlich roher und tumultuarischer Weise dringen sie
in's Parlament ein, halten die Thüren gewaltsam offen, behalten ihre Hüte auf und machen so ihre Forderungen geltend,
dass die elf Mitglieder sollen zurückberufen und die Londoner
Miliz auf dem alten Fusse eingerichtet und zum ernstlichen
Kampfe gegen die Sectirer und andere widerstrebende Elemente soll befähigt werden. Mit dem lauten Rufe: „Abstimmen! Abstimmen!" (Vote!) beharrten sie in solcher drohenden
und ungesetzlichen Stellung bis zum Abend und brachten es
wirklich fertig, ihre Wünsche scheinbar erfüllt zu sehen. Am
nächsten Morgen aber vertagte sich das Haus auf fünf Tage:
die Mehrzahl der Mitglieder hatte wohl das Gefühl, dass solche
Scenen mit der Würde des Parlaments nicht vereinbar waren.
Am 30. Juli findet dann die entscheidende Sitzung statt: eine
Anzahl Mitglieder protestirt dagegen, dass das Parlament durch

die Lehrjungen London's sich bestimmen lasse. Es trifft die Nachricht ein, dass die Armee in raschem Anmarsch auf London begriffen sei, und eine grosse Anzahl der Parlaments-Mitglieder, die beiden Sprecher des Hauses unter ihnen, verlassen dieses Parlament und London und begeben sich gleich Schutz suchenden Flüchtlingen in's Hauptquartier der Armee zum General Fairfax. Gleich darauf erscheinen die verbannten Elf wieder im Parlament, es werden neue Sprecher gewählt, und es constituirt sich eine Art Rumpf-Parlament aus nur presbyterianischen Mitgliedern, während die Independenten zu ihren Freunden in's Lager eilen. Beiderseits rüstet man sich nun zu bewaffnetem Vorgehen: General Fairfax hält in der unmittelbaren Nähe London's, man könnte fast sagen vor den Thoren der Hauptstadt eine grosse Revue über die sämmtlichen Truppen ab, wobei über hundert der flüchtigen Parlaments-Mitglieder seinem Stabe folgen und mit lautem Jubel von sämmtlichen Regimentern begrüsst werden; in London selbst aber werden alle Läden und Hausthüren geschlossen, alle Milizen aufgerufen, sich in die Listen einschreiben zu lassen und in bestimmten Abtheilungen aufzustellen, und die Generale Massey und Poyntz treten an die Spitze derselben, um ihnen den Kampf zu verschaffen, nach welchem die Londoner Jugend verlangt hat.

So stehen die beiden Parteien in geringer Entfernung einander schlagfertig eine Zeit lang gegenüber: soll es wirklich zum Kampfe kommen? Sollen die geheimen Hoffnungen der Cavaliere und des Königs sich realisiren? Sollen die siegreichen Parteien die Strassen London's so lange mit Blut und Verwüstung erfüllen, bis sie beide schwach genug sind, um der nur auf diesen gefährlichen Moment lauernden Hydra der Contre-Revo-

lution als letztes Opfer des langen Bürgerkrieges zur Beute
zuzufallen? —

Ganz unmöglich! Es zeigen sich unter den Milizen London's so bedenkliche Symptome, dass an einen ernstlichen
Kampf mit der Independenten-Armee gar nicht zu denken ist.
Einige wollen nicht gegen ihre Brüder kämpfen, andere verbinden sich geradezu mit ihnen und gehen in ihr Lager über.
Die zurückbleibenden Milizen in Verbindung mit dem Presby-
terianer-Parlament rufen mit grosser Begeisterung ihr „One
and all", sobald die heranrückende Armee der Independenten
Halt macht; aber sobald sie wieder ernstlich vorrücken, heisst
es gleich: „Treat! Treat! Treat!" General Poyntz verliert
bei solchem Anblick auch den letzten Tropfen ruhigen Blutes
und schlägt endlich mit dem Säbel zwischen die eigenen Truppen, und General Massey meint, dass dreissig von solchen Milizen es nie und nimmer aufnehmen würden auch nur mit zehn
Independenten. So geht es die ganze Nacht durch in London
her — eine Scene der entsetzlichsten Verwirrung, die unmöglich vor dem Lichte des Tages sich sehen lassen durfte. Gegen
Morgen beschliesst man, ein demüthiges Schreiben an den General Fairfax zu schicken, die Bitte enthaltend um friedliche
Beilegung des Streites. Dann findet eine Zusammenkunft der
Parteiführer statt in Kensington im Hause des Earl of Holland,
und die bürgerlichen Autoritäten und die Ueberbleibsel des
Parlamentes versprechen völlige Unterwerfung unter den Willen
der Independenten-Armee. Darauf rücken Cromwell's Truppen
drei Mann hoch durch Hyde Park in das Innere der City ein,
alle mit Lorbeerzweigen an ihren Hüten. Der Sieg war errungen, ohne neues Blutvergiessen. Wie lange der Friede aber
sich erhalten lassen würde, das hing von dem Ausgang der

Unterhandlungen ab, welche jetzt auf's Neue beginnen. Jedenfalls ist die Freiheit und Würde des Parlaments durch die Armee der Independenten vorläufig wiederhergestellt, freilich vorzugsweise zu Gunsten ihrer Partei, vertreten durch die zur Armee geflüchteten Mitglieder.

Dies ist zugleich der Moment, in welchem sich demokratische Ideen von der grössten Tragweite in entscheidender Weise geltend zu machen beginnen. Die angesehensten Führer der Bewegung, augenblicklich vielleicht auch Cromwell noch, wären zufrieden gewesen, das bis jetzt Gewonnene fest zu behaupten und mit dem Könige ein solches Abkommen zu treffen, wie es der Geschichte der Nation und den Forderungen der neuen Zeit entsprach. Aber das war nicht die Meinung der Mehrzahl der Independenten. Cromwell selbst hatte mit dem klarsten Bewusstsein und der entschiedensten Planmässigkeit alle mit den alten Ordnungen dissentirenden Parteien in seiner Armee zu vereinigen verstanden: und diese ebenso religiös begeisterten, als eigenwilligen Elemente zeigten nicht die mindeste Lust, mit halben Resultaten nach so langen Kämpfen sich zufrieden zu geben. Es war aber nach ihrer Auffassung nur ein halbes Resultat, wenn das Königthum als Mittelpunkt der hohen Aristokratie und der bischöflichen Kirche überhaupt bestehen blieb: die dunkle Gewalt der demokratischen und republikanischen Sympathien, mit welchen Cromwell bisher so meisterhaft zu rechnen verstanden hatte, so lange es sich darum handelte, die entgegenstehende Gewalt niederzuwerfen, dieser altgermanische Freiheitsdrang in jedem Einzelnen empörte sich gegen die Zumuthung, dass trotz all der grossen Siege doch schliesslich vielleicht Alles wieder nach der alten Schablone sollte regulirt werden. Man kann vielleicht sagen, dass es die Grundtriebe und elementaren Bedürfnisse der alten angelsächsischen Bevölkerung, vorzugsweise in den mittleren und niederen Volksschichten, waren, welche sich jetzt immer entschiedener Bahn zu brechen begannen gegen die immer noch sehr mächtigen Traditionen der Monarchie Wilhelms des Eroberers und der durch ihn begründeten Feudal-Aristokratie. Mit bewundernswerth richtigem Gefühle hatten Cromwell und die ihm ergebenen Gottseligen es verstanden, diese mächtigen Grundtriebe mit der evangelischen Freiheit der christlichen Religion in die intimste und ernstlichste Verbindung zu setzen: wie konnte man solchen finsteren, traurig blickenden, in härtestem Kampfe um ihr ewiges Heil ringenden Männern zumuthen, den längst gänzlich verlorenen Respect vor all dem eitlen Weltglanze einer überwundenen Zeit künstlich wieder herzustellen? Für den tiefer Blickenden ist es eines der interessantesten Schauspiele in der modernen Geschichte, in diesem Augenblicke den angedeuteten Kampf und Gegensatz mittelalterlicher und moderner Principien bis in die innerste Seele der grossen Führer hinein sich fortsetzen zu sehen: selbst Cromwell hat eine Zeit lang geschwankt, wohin er sich zu wenden habe, bis die entschiedene Haltung der Armee einerseits, entscheidende Ereignisse und durchaus nicht mehr misszuverstehende Aeusserungen auf Seiten der Gegner andererseits ihm Licht gaben, wohin er sich nach seiner ganzen Vergangenheit nothwendig zu wenden habe. Wir haben über beide Momente noch einiges zu sagen, bevor wir zur Darstellung des Prayer-Meeting übergehen, welches uns dann unmittelbar zum zweiten Bürgerkriege hinüberführen wird.

Die Punkte, die dabei zur Sprache kommen müssen, sind: die Versuche der Truppen, ihren Willen gegen ihre höheren

Officiere zur Geltung zu bringen, das Verhältniss, in welches sich Fairfax und Cromwell dazu stellen, das Abkommen, welches vorläufig getroffen wird, die Entdeckung eines wichtigen Briefes des Königs und endlich die Flucht desselben nach der Insel Wight, mit welcher der unversöhnliche Gegensatz auf's Neue entscheidend zu Tage tritt. Es handelt sich für uns darum, diese Punkte ein wenig kürzer und übersichtlicher zusammenzustellen, als es bisher geschehen ist.*)

Es war das bereits erwähnte Institut der Agitatoren, welches von den Truppen jetzt benutzt wurde, um gegen die ihnen nicht convenirenden versöhnlichen Stimmungen der höheren Autoritäten Opposition zu machen. Jede Compagnie wählte ihre Wahlmänner, diese in zweiter Linie die Agenten oder Agitatoren (Adjutatoren): und so wurde eine Art parlamentarischer Vertretung auch der untersten Grade der Armee geschaffen, welche die abweichenden Meinungen der Soldaten zum Ausdruck bringen sollte. Es zeigte sich dabei auf's Unzweideutigste, dass die verschiedenen Manifestationen des allgemeinen Willens durchaus nicht alle von den Generalen oder höchsten Parteiführern allein ausgingen: vielmehr nahm die grosse Masse der gemeinen Soldaten und der niederen Avancement-Grade auch ihren eigenen

---

*) Vgl. die sehr eingehende Darstellung Ranke's Engl. Gesch. III, 281 ff. Er leitet dieselbe ein mit einer kurzen Bemerkung, die den obwaltenden Gegensatz im Momente der Scheidung der Principien erschöpfend bezeichnet: „Noch hätte Niemand sagen können, welchen Gang die Dinge nehmen würden; das Entgegengesetzte erschien noch einmal möglich: Abschaffung oder volle Herstellung der Monarchie, ausschliessende Herrschaft Einer Religionspartei oder Toleranz verschiedener, Fortsetzung oder Abbrechen des Parlaments, Alleinherrschaft der Armee oder Vereinbarung derselben mit andern Gewalten, Bestehen der Gesetze oder selbst eine sociale Reform. Um die wider einander laufenden Erwartungen zu ermessen, braucht man nur zu wissen, dass der Papst in Rom feierlich darüber hat berathen lassen,

Führern gegenüber schon eine ziemlich selbstständige Haltung
an. Sie verlangten eine vollständige Trennung von Kirche und
Staat und sprachen den bürgerlichen Gewalten jede Befugniss
ab, in Sachen der Religion und des Gewissens willkürlich einzugreifen; denn „Jedermann dürfte nicht nur glauben, sondern
auch predigen und thun in Sachen der Religion, was ihm in
seinem (christlichen) Gewissen als recht erscheine." Zudem
forderten sie, dass alle die Rechte und Freiheiten der Nation
von England, für welche sie die Waffen ergriffen hätten, nun
endlich wiederhergestellt und für immer gesichert werden sollten. Dazu sei eine Veränderung des Staates und der Regierung
von Grund aus erforderlich, und es sei noch nichts geschehen,
um diese wirklich zu realisiren. Die Vereinigung einzelner in-
dependentischer und parlamentarischer Grossen (grandees) mit
dem König dagegen würde doch nur wieder zu der alten Unterdrückung führen und weder die unsichere Rechtspflege, noch
die Willkür der parlamentarischen Comités, noch auch die
Last der Steuern und die Bedrückung und Benachtheiligung
der dissentirenden Parteien vollständig zu beseitigen geeignet
sein. Mit dem König selbst könne überhaupt gar nicht weiter
verhandelt werden: Gott habe offenbar sein Herz verhärtet —

---

inwiefern die englischen Katholiken ermächtigt werden sollten, sich den
Independenten anzuschliessen. Man behauptete mit einer gewissen Zuversicht, dass die Independenten den König und die bischöfliche Verfassung
herstellen, aber eine allgemeine Toleranz einführen würden." — Was das
Letztere betrifft, so habe ich übrigens hinzuzusetzen, dass nur die höheren
Officiere eine Zeit lang dieser Meinung waren, die demokratische Mehrheit
der Truppen aber gegen Nichts sich entschiedener erklärte, als eben gegen
die Wiederherstellung des Stuart'schen Königthums und der bischöflichen
Hofkirche. Hier eben war der Punkt, in welchem die Meinungen der Independenten selbst scharf auseinandergingen. —

sonst würde er die ihm gemachten Vorschläge schon längst angenommen haben. Die siegreiche Armee habe vielmehr jetzt die Verpflichtung, das Land nach ihren ursprünglichen Ueberzeugungen einzurichten. Und es müsse ein ganz neues Parlament berufen werden, in welchem wirklich das Volk seine Repräsentation finde, und nicht blos die früheren Parteien. Ja es taucht auch schon der Gedanke auf, die Armee müsse sich ihre Officiere selbst wählen und so eine ganz neue Autorität bilden, welche thatsächlich als der naturgemässe Ausdruck des Willens der Armee und Nation von England gelten könne.

Das sind denn in Wahrheit Ideen, wie sie nicht revolutionärer damals zu denken waren. Sehr bemerkenswerth ist es dabei, dass auch einige höhere Officiere, wie z. B. Oberst Rainsborough, und berühmte, federgewandte Parteiführer, wie Lilburne, sich auf Seite dieser Tendenzen stellten und in sehr heftiger und gereizter Weise selbst gegen Fairfax, Ireton und Cromwell aufzutreten begannen. Man warf dem Letzteren sogar vor, er wolle die Sache des Volkes und der Armee verlassen und sich vom Könige die Ernennung zum Grafen von Essex verschaffen: man sehe ihn ja neben den Usurpatoren sitzen, mit den Malignanten aus der Umgebung des Königs verkehren und so seiner früheren Ueberzeugung untreu werden. Das dürfe nicht so fortgehen, wenn er das Vertrauen der Armee noch ferner behalten wolle. Es kam sogar schon zu verschiedenen Unordnungen und Meutereien, welche in der unzweideutigsten Weise die höchst bedenklichen Stimmungen kund gaben, die immer mehr jetzt Raum zu gewinnen begannen.

Die Commandeure der Armee konnten sich das natürlich nicht gefallen lassen; aber schon war es gefährlich, sofort energisch gegen alle diese Tendenzen einzuschreiten, weil dann

vielleicht der offene Ungehorsam zu vollem Ausbruch gekommen wäre. Fairfax erlässt daher eine ausführliche Erklärung
gegen die eingerissenen Unordnungen, in welcher er sich weigert,
das Commando ferner zu führen, wenn dieselben nicht sofort
aufhörten; zugleich aber verspricht er, einige der angegebenen
Punkte zur Ausführung zu bringen, wenn erst der Gehorsam
wieder hergestellt sei. Als trotzdem einzelne Regimenter sich
noch nicht beruhigen und dem nicht zustimmen wollten, was
der Generalrath der Officiere in Sachen der Truppen und des
gesammten Königreichs beschliessen werde, wird auf offenem
Felde Kriegsgericht gehalten und über drei der vornehmsten
Meuterer das Todesurtheil gesprochen. Einer von Ihnen wird
sofort vor der Front des Regiments erschossen: sein Name
war Arnald, ein von den Levellers seitdem hochgefeierter
Name.

Das wirkte denn allerdings für einige Zeit. Gegen Ende
November konnte der militairische Gehorsam als völlig wieder-
hergestellt betrachtet werden, und das Parlament sprach den
Generalen seinen Dank aus für die glückliche Beilegung des
Streites. Aber man darf deshalb doch nicht glauben, dass
Alles einfach zu der früheren Ordnung zurückgekehrt war.
Wie die Situation bereits verändert war, dass geht am deutlichsten aus der Antwort hervor, welche dem von der Insel
Wight aus abgesandten Bevollmächtigten des Königs von einem
der früher mit ihm einverstandenen hohen Officiere zu Theil
wurde. „Erst in tiefer Nacht" — so erzählt Ranke — „hatte
jener ein Gespräch mit ihm, und der Officier sagte: es sehe
wohl so aus, als wenn sie die Oberhand behalten
hätten, aber in der That sei das nicht der Fall. Von
einem grossen Theile der Soldaten, vielleicht zwei Dritttheilen

von allen, sei Cromwell besucht und versichert worden, sie
seien entschlossen, von ihrem alten Sinn nicht zu weichen:
wenn er ihnen widerstrebe, würden sie eine Spaltung in der
Armee hervorbringen und ihre Gegner zu verderben suchen.
Im Gefühle der Gefahr, die hieraus für ihn entspringen könne,
habe sich Cromwell unter Vermittelung von Hugh Peters den
heftigen Enthusiasten angeschlossen: die Idee, sich an den König zu halten, sei nochmals in ihm aufgewacht; aber er habe
sie verworfen, weil selbst in dem Falle eines Sieges das Beste,
was er erwarten dürfe, doch nichts weiter sei als Begnadigung:
da er die Armee nicht auf seine Seite bringen könne, so bleibe
ihm Nichts übrig, als sich auf deren Seite zu werfen." Und
damit stimmt es denn auch ganz überein, was Cromwell selbst
dem Bevollmächtigten des Königs sagen liess: „Er werde dem
Könige dienen, so lange es ohne sein eigenes Verderben möglich sei; aber das dürfe man nicht erwarten, dass er für ihn
zu Grunde gehen wolle."

Was der König und seine wenigen Getreuen gehofft und
erwartet hatten, das war also nicht eingetreten: weder hatten
sich die Parteien gegenseitig völlig aufgerieben, noch auch
hatten die höheren Officiere der Armee völlig gesiegt, noch
auch waren sie völlig besiegt worden. Sie hatten sich vielmehr — und das hatte König Karl eben nicht erwartet — der
Gewalt der Verhältnisse klug nachgebend, den Ideen der Agitatoren und damit der grossen, gegen die frühere Ordnung der
Dinge gerichteten Bewegung der Independenten-Armee im Princip angeschlossen, ohne jedoch ihre höhere Autorität aufzugeben, welche zum Theil noch aus eben dieser früheren Ordnung herstammte. So wurde die Revolution, wenngleich mit
Unterdrückung der extremsten Tendenzen, fortgesetzt: und

der König fühlte bereits, dass sie ihn persönlich zu bedrohen beginne.

Um sich einer solchen Gefahr, wie sie ihm von den Agitatoren und gemeinen Soldaten zu drohen schien, zu entziehen, flüchtete der König am 10. November 1647 zur Nachtzeit von Hampton-Court nach der Insel Wight. Robert Hammond war hier Gouverneur: er hatte vor Kurzem sein Missvergnügen über die Unruhen in der Armee offen ausgesprochen und auf's Bestimmteste erklärt, er wolle nichts weiter damit zu thun haben. Bei ihm hoffte der König daher Schutz und Sicherheit für seine Person zu finden. Oberst Hammond gewährte diese, aber auch nichts weiter: in scheinbar grösserer Freiheit und unter Beibehaltung der gewohnten Formen äusserer Ehrerbietung war und blieb der König doch ein Gefangener der Armee. Der Gouverneur der Insel empfing seine Befehle von London her und folgte diesen und Cromwell's vertraulichen Briefen an ihn. Auf die Vorschläge des Königs zu ferneren Verhandlungen wurde keine Rücksicht mehr genommen, da er die bischöfliche Verfassung nicht aufgeben wollte. Die Regierung des Landes wurde von Parlament und Armee ohne ihn geordnet.

Noch im December desselben Jahres gingen vier Beschlüsse im Parlamente durch, deren wesentlicher Inhalt die Ordnung aller Regierungs-Angelegenheiten allein durch die herrschende Majorität in Parlament und Armee auch ohne Zustimmung des Königs war. Diese vier Bills dürfen zugleich betrachtet werden als Ausdruck der nun völlig hergestellten Versöhnung zwischen Soldaten und Officieren ebensowohl, als zwischen dem Parlament und der Armee. Nur ist dabei zu beachten, dass die Partei der Independenten, wenn auch noch nicht die am weitesten gehende Richtung derselben, bereits das entschiedene Uebergewicht über die Presbyterianer erlangt hatte. Das zeigte sich noch deutlicher in den bald darauf folgenden Beschlüssen vom 3. Januar des Jahres 1648: Da der König die vier Bills nicht annehmen konnte noch wollte, so fing man jetzt an, ihn mit einer gewissen entschiedenen Feindseligkeit zu behandeln. Das Parlament beschloss daher, von jetzt an überhaupt nicht mehr officiell mit ihm zu verkehren, keine Briefe oder Botschaften mehr von ihm anzunehmen, noch auch irgend welche Mittheilungen ihm zukommen zu lassen; ja es sollte sogar als Hochverrath bestraft werden, wenn Jemand ohne Erlaubniss des Parlaments Briefe von ihm empfangen oder an ihn richten würde. Zugleich wurde das bisherige regierende Comité beider Königreiche derart erneuert, dass die ausscheidenden presbyterianischen Mitglieder durch Independenten ersetzt wurden, und dass auf die Schotten, deren Politik mit der der Presbyterianer immer Hand in Hand gegangen war, überhaupt keine Rücksicht mehr genommen wurde. Sieben Lords und vierzehn Gemeine constituirten dieses neue Comité. Unter den Letzteren befanden sich Vane, Haslerigh und Cromwell; sie hatten momentan die höchste Gewalt in Händen. Am 15. Januar 1648 stimmte auch das Haus der Lords diesen Beschlüssen bei. Und damit begann jetzt die Herrschaft einer Oligarchie mit diktatorialer Gewalt, welche mit allen widerstrebenden Elementen ziemlich kurzen Prozess machte. Jede der regierenden Grössen, der sogenanten Grandees, stand an der Spitze einer wohl disciplinirten, bestimmte Interessen mit der grössten Entschiedenheit vertretenden Faction. Alle Rollen waren genau vertheilt, jedem Einzelnen war seine Aufgabe auf's Bestimmteste gestellt: sogar die Einzelheiten der parlamentarischen Verhandlungen, wie die Stellung der Frage, die Unterstützung oder

Bekämpfung des Antrages, die Herbeiführung des Schlusses
oder die Verzögerung der Abstimmung durch langes und breites
Hin- und Herreden, ja sogar die komischen Intermezzos zur
Erhaltung der guten Stimmung, was man in neuerer Zeit die
„Heiterkeitsmacherei" zu nennen beliebt hat — alles das soll
in den Comité-Sitzungen im Voraus festgestellt und angeordnet
worden sein. Wer daran nicht Theil nahm und also ausserhalb der Factionen, wie sie durch das Comité geleitet wurden,
eine selbstständige Stellung glaubte behaupten zu können, wurde
ohne Gnade durch tragische und komische Mittel beseitigt.
Die Presse wurde auf's Strengste überwacht. Das Theater
war vollständig verboten, die Schauspieler wurden als Land-
streicher bestraft, Gallerien, Sitze und Bänke aus den Räumen
der Schauspielhäuser entfernt. Das „merry old England" war
vollständig zu Ende: eine streng puritanische, ja ascetische
Lebensanschauung sollte mit Gewalt eingeführt werden in ganz
England, damit ja Alles beseitigt würde, was an die Sündhaftig-
keit des alten Zustandes auch nur erinnern könnte. Man wollte
Nichts mehr wissen von all der glänzenden Herrlichkeit, aus
der alle Verwirrungen der letzten Zeit hervorgegangen waren.
Namentlich richtet sich die Verfolgung mit Geld- oder Gefäng-
niss-Strafen gegen alle Papisten, Royalisten und sonstige „Malignanten." Ueberall trieben Späher und Denuncianten ihr
Unwesen, weil ihnen ein Theil der eingegangenen Strafgelder
zugesichert war. Wie später in der französischen Revolution,
so sehen wir auch hier, dass unter dem Namen der Freiheit
eine Regierung zur Geltung kam, welche im Grunde ebenso
tyrannisch war, als irgend eine von denen, zu deren Vernichtung man jetzt so lange schon die ungeheuersten Mittel aufgeboten hatte.

Es handelte sich eben in dem ganzen Kampfe nicht blos um parlamentarische Rechte und Freiheiten: der Kampf der Principien hatte sich vielmehr mit nothwendiger Consequenz in einen Kampf der Interessen und der die einzelnen Factionen leitenden Persönlichkeiten verwandelt, welcher die grössten Gefahren für die fernere Entwickelung des Staates in sich barg. Hier zuerst sehen wir jene Schärfe und eigenthümliche Spannung hervortreten, welche jeden neu sich Bahn brechenden Zustand in grösseren Verhältnissen zu charakterisiren pflegt — ich meine jene Schroffheit und Sprödigkeit, mit der eine neue Gewalt sich immer zuerst kund giebt, weil sie sich zu behaupten hat gegen eine Masse störender Elemente, welche ihr das eben erst erkämpfte Recht ihrer Existenz bestreiten möchten. An dem Widerstande, den eine solche Strenge dann gewöhnlich in der grossen Masse findet, die nicht so leicht von ihren alten Gewohnheiten abzubringen ist, in diesem Falle aber ausserdem noch ganz besonders an dem Gefühle des Unrechts, welches die Schotten zu erleiden glaubten, da sie ja früher so tapfer geholfen hatten und dennoch sich jetzt vollständig ausgeschlossen sahen, entbanden sich die ferneren Verwickelungen. Wir stehen hier bereits unmittelbar vor dem Beginn des zweiten Bürgerkrieges.

Aber bevor wir zur Darstellung desselben übergehen, müssen wir noch einen Blick werfen in die Seele jener Männer, die jetzt, mit finsterer Entschlossenheit gerüstet, die Geschicke Englands leiten und keineswegs gesonnen sind, das einmal ergriffene Steuer des Staates so bald wieder aus den Händen zu lassen. Vor Allem: wie stellte sich Oliver Cromwell persönlich zu dieser entscheidenden Wendung? Seine Briefe einerseits, sonstige Nachrichten aus den Memoiren und officiellen Docu-

14

menten der Zeit andererseits, und zuletzt der höchst eigenthümliche Bericht eines Zeitgenossen über das merkwürdige Prayer-Meeting geben uns einen Aufschluss darüber, den von den deutschen Geschichtsschreibern bisher noch keiner zu genügender Darstellung gebracht hat. Wir versuchen deshalb, diese Lücke hier auszufüllen.

Wie bereits erwähnt wurde, hatte auch er, um in der Sprache der Zeit zu reden, einen Augenblick der Versuchung. König Karl mochte allmälig wohl einsehen, dass Cromwell die Zukunft gehöre, dass, wenn irgend Einer, er der Mann dazu sei, das Banner Englands durch alle Meeresstürme der Zeit hindurch siegreich in den sicheren Hafen zu führen. Er suchte ihn daher durch Versprechungen zu gewinnen, freilich immer, wie wir jetzt bestimmt wissen, mit solchen Hintergedanken, wie sie kein wahrhaft politischer Kopf in Momenten von solcher Gefahr so bedeutenden Persönlichkeiten gegenüber haben würde, wie ein solcher aber noch weniger sie mündlich oder schriftlich kund geben würde, wenn er wirklich teuflisch genug wäre, sie zu hegen. Cromwell liess sich einen Augenblick bewegen, darauf einzugehen, er versuchte wirklich, gemeinsam mit Fairfax, Ireton und anderen höheren Officieren, sich dem Könige zu nähern und ihm wenigstens seine Krone zu sichern. Aber in den Verhandlungen trat die frühere durchaus unzuverlässige Natur des Königs wieder so auffallend zu Tage, dass die meisten Officiere sofort sich misstrauisch wieder zurückzogen. Die Memoiren der Zeit enthalten einige bemerkenswerthe Aeusserungen darüber. Cromwell und Ireton sollen zuerst mit einigen anderen, als der Kampf gegen die Presbyterianer noch nicht entschieden war, alle Chancen der zukünftigen Ereignisse in sorgsame Ueberlegung genommen und in Folge dessen dem Könige mit grosser Höflichkeit entgegengekommen sein. Sofort verbreitete sich nach allen Seiten, bis hinüber nach Frankreich, das Gerücht, es stehe eine bedeutende Wendung bevor: die berühmtesten Officiere der Armee würden sich dem Könige anschliessen, dieser also alle Macht wieder in seiner Person vereinigen. Zwei alte Anhänger desselben, John Berkley und Ashburnham, beide gefährliche Intriguanten von wenig innerem Gehalt, einst glänzende Cavaliere am Hofe, jetzt erbittert über ihre Verbannung nach Frankreich, glaubten dies rasch benutzen zu müssen. Mit Erlaubniss der Königin eilten sie hinüber nach England, um sich zur Vermittelung etwaiger Differenzen anzubieten. Sir Allen Apsley eilte ihnen entgegen, gesandt von Cromwell, Lambert und den übrigen Hauptleitern der Independenten, um die angebotenen Dienste dankbar entgegenzunehmen. Das Hauptquartier war zu Reading. Dahin begab sich Berkley sofort. Und um zehn Uhr Abends sah er Cromwell, Rainsborough und Hardress Waller bei sich eintreten. Alle versicherten ihn ihrer Ergebenheit für die Sache des Königs; Cromwell soll sogar geäussert haben, Keiner sei seines Lebens und seiner Habe sicher, wenn der König nicht in den vollen Besitz seiner Rechte wieder einträte. Berkley, geschmeichelt sich fühlend durch dieses Entgegenkommen, begab sich am folgenden Tage zum Könige. Aber dieser empfing ihn so kühl, dass er beschloss, die Ankunft Ashburnham's abzuwarten und unterdessen weiter mit der Armee sich zu verständigen. Ashburnham kam. Nachdem auch er mit Soldaten und Agitatoren gesprochen, meinte er im Gespräch mit Berkley. „Ich habe immer in guter Gesellschaft gelebt; mit dies en Bestien da kann ich mich nicht gemein machen. Man muss sich nur an die höchsten Officiere halten: durch sie werden wir schon

die ganze Armee gewinnen." Vergebens suchte Ireton ihnen
klar zu machen, dass zwischen Siegern und Besiegten doch ein
kleiner Unterschied sei. Als es zu einer Conferenz beim Könige selbst kam, versuchte er auch diesem nachzuweisen, dass
sie, die siegreichen Independenten, einzig und allein die Ver-
mittlung zwischen ihm und dem Parlament zu Stande bringen
könnten. König Karl aber verkannte so sehr seine Lage, dass
er mit ironischem und stolzem Lächeln die Vorlesung der Propositionen anhörte, sie mit trockenem Tone einfach abwies und
endlich sagte: „Sie können ohne mich gar nicht fertig werden,
sie sind verloren, wenn ich sie nicht aufrecht halte." Ganz
verblüfft über diese stolze Sprache im Munde eines Besiegten
sahen die Officiere einander an, blickten dann fragend auf
Ashburnham und Berkley, um Erklärung bittend; und dieser
näherte sich endlich dem Könige und warnte ihn leise, dass er
vorsichtiger sich äussern möchte. Aber es war bereits zu spät,
die Meisten hatten bereits ihren Entschluss gefasst. Rainsborough war sogar schon leise hinausgegangen, allen Kameraden mitzutheilen, dass mit dem Könige gar nicht zu verhandeln
sei. Die Conferenz endete ohne Resultat: man hatte kein Vertrauen mehr zu einander.

Darauf folgte der Marsch der Armee auf London, die Aus-
stossung der elf Parlaments-Mitglieder, die Einschüchterung des
Parlaments durch die Londoner Lehrjungen, die Flucht der
Independenten-Partei in's Lager und die Zurückführung derselben nach London durch die Armee. Zugleich mit diesen
Ereignissen war ein Brief des Königs an seine Gemahlin in die
Hände Cromwell's gefallen, worin nur zu deutlich die eigentliche Gesinnung des Königs sich verrieth: „Er wolle sich mit
den Schotten verbinden", äusserte er hier. „Wenn es auch

scheine, als ob er sich mit den Independenten einlasse, so werde er schon im rechten Augenblicke gegen diese Kerle aufzutreten wissen. Und statt des Hosenbandes von Seide, das er ihnen versprochen, werde er einen Strick von Hanf für sie drehen!" Das war denn nun wohl nicht mehr misszuverstehen. Zudem ersah Cromwell aus dem Auftreten der Agitatoren im Namen der Truppen sehr deutlich, dass all seine Macht auf dem festen Anschluss an diese beruhte: seitdem er das begriffen hat, geht er mit seiner gewohnten Entschiedenheit vorwärts und führt bald darauf das Heer zu neuen Siegen.

Seine Briefe geben weitere Aufschlüsse darüber, wie entschieden er noch immer im Mittelpunkte der Bewegung steht und alles Einzelne auf die letzten Zwecke zu beziehen weiss. Vierzehn Briefe (Nr. 45—58 der Sammlung, von Carlyle mit einzelnen höchst originellen Bemerkungen begleitet) fallen in diese Zeit. Da war z. B. ein Erzbischof Williams von York, der lange im Tower gesessen hatte, jetzt entlassen wurde, zur Sache des Parlaments überging, nachdem er lange für den König gefochten, und im Namen des Parlaments Conway-Castle in Wales verwaltete, von wo aus er in Sachen von Nord-Wales mit Cromwell correspondirt hat. „O Sohn des Morgens, wie tief bist Du gefallen!" heisst es deshalb über ihn in allen royalistischen Schriften jener Zeit. An ihn also schreibt Cromwell kurz, dass seine Rathschläge ernstlich sollen in Erwägung gezogen werden — „und zwar ohne Rücksicht auf Privat-Interessen, oder zur Befriedigung einer Laune, was in all den Verwirrungen nur zu häufig geschen ist."

Ferner gratulirt er dem Oberst Michael Jones, an den der Marquis von Ormond hatte Dublin übergeben müssen, „wegen eines bedeutenden Sieges, den er am 8. August bei

Dungan-Hill über die Rebellen in Irland erfochten hat. Der Brief ist bereits datirt „Putney, den 14. September 1647," und fällt also vier Tage vor der militärischen Versammlung in Putney-Church, einige Zeit nach dem Einrücken der Armee in die Hauptstadt. Bemerkenswerth ist besonders die Wendung: „Wenn auch momentan eine Wolke über unseren Handlungen liegen mag für Diejenigen, die nicht vertraut sind mit den Gründen derselben, so wird Gott doch unzweifelhaft unsere Reinheit und Unschuld an's Licht bringen, dass wir keine anderen Zwecke haben, als seinen Ruhm und das öffentliche Wohl. Dafür seid ja auch Ihr ein Werkzeug, und so werden wir Euch, wie es uns gebührt, bei allen Gelegenheiten die Euch zukommende Ehre geben. Ich namentlich werde immer bereit sein, Euch zu dienen."

Zwei weitere Briefe sind an Fairfax gerichtet, bemerkenswerthe Symptome der Unruhen in der Armee. Der eine spricht über einen gewissen Capitain Middleton, dessen Sache schlecht stehen solle: es werde hohe Zeit, seinen Process zu beendigen. Zugleich geht es heiss im Parlament her: „keinen Tag dürfe er fehlen" — meint Cromwell; es sind eben die entscheidenden Tage, October 1647. Auch das Armee-Parlament, die Adjutatoren an der Spitze, ist sehr thätig: Cromwell hat in und ausser dem Hause alle Hände voll zu thun. Namentlich am 13. October 1647 ist ein heisser Tag: es handelt sich um eine definitive Entscheidung uber die Presbyterial-Verfassung, dem Könige vorzulegen als Vorschlag vom Hause. Dreimal wird die Frage gestellt, ob eine bestimmte Grenze für die Presbyterien festgesetzt werden soll — ob überhaupt, ob auf drei Jahre, ob auf sieben Jahre. Cromwell bejaht die Frage jedesmal: aber dreimal nach einander wird er durch eine kleine

Majorität (3, 14, 8 Stimmen) geschlagen. Endlich kommt ein sehr unbestimmter Abschluss zu Stande: „sie solle dauern bis zum Ende der nächsten Session, nach Beendigung der gegenwärtigen" — die bereits als sieben Jahre langes Parlament gedauert hat. Kurz darauf findet eine Zählung statt: und sehr viele Mitglieder des Hauses fehlen als „aegrotantes" — Strafe des Himmels vielleicht für schlechte Abstimmungen, wie denn überhaupt in diesen Tagen des Wartens auf die Stimme der Vorsehung Krankheit häufig zu sein pflegt unter den ehrenwerthen Members of the house of commons. Einige Monate darauf fällt auch Cromwell in eine ernstliche Krankheit: wie viel Schwachheit in der sterblichen Natur! Selbst in den grössten Krisen der Geschichte solche Störungen durch jämmerliche Körperleiden! Was sind wir alle vor Gottes Gerichten! —

Der folgende, ebenfalls an Fairfax gerichtete Brief (Nr. 48), datirt Putney, 22. October 1647, enthält eine noch deutlichere Hinweisung auf die Unruhen in der Armee: die Garnison von Hull will nicht mehr ihrem jetzigen Gouverneur gehorchen; es muss also ein neuer hingesandt werden — ein Independent offenbar statt eines Presbyterianers, jedenfalls ein Mann, dessen Persönlichkeit bedeutend genug ist, um so schwierigen Zeiten die Stirn bieten zu können, da überhaupt das alte Formel- und Autoritäts-Wesen nicht mehr halten und nicht mehr ziehen will, vielmehr „eine gewisse unmittelbare geniale Anschauung der Verhältnisse von Menschen und Dingen" nothwendig ist, um in jedem Augenblicke mit überlegener Geistesgegenwart die Herrschaft in fester Hand zu halten. Oberst Overton, ein treuer und eifriger Anhänger Cromwell's, Robert Overton wurde zu dem wichtigen Posten ernannt, und er blieb in demselben, bis Cromwell Protector wurde.

Dann folgt etwa 3 Wochen später der wichtige Brief vom 11. November 1647, in welchem Cromwell dem Sprecher des Hauses, William Lenthall, die Mittheilung macht, dass der König von Hampton Court geflohen sei, geschrieben 12 Uhr Nachts. in folgender Weise:

„Sir!

. . . Die Majestät . . ist geflohen . . um 9 Uhr. Die Art und Weise wird verschieden berichtet; wir wollen darüber jetzt nur das sagen, dass Seine Majestät beim Souper erwartet wurde, als die Commissäre und Oberst Whalley ihn vermissten: — sie fanden, dass Seine Majestät Seinen Mantel zurückgelassen hatte in der Gallerie auf dem geheimen Wege („had left his cloak behind him in the Gallery in the Private Way"). Er ging über die Hinter-Treppe und durch das Gewölbe nach der Wasserseite zu.

Er liess einige Briefe auf dem Tische in seinem Gesellschaftszimmer, von eigener Hand geschrieben; darunter einer an die Commissäre des Parlaments in seinem Gefolge, zur Mittheilung an beide Häuser. Derselbe ist hier beigeschlossen.

. . . Oliver Cromwell."

Ich vermuthe sehr, dass bereits an diesem Punkte der höchst seltsame sarkastische Humor Cromwell's durch all seinen religiösen Ernst hindurchzubrechen beginnt, wie Rembrandtsches Schlaglicht durch dunkle Farbenmassen über seltsame Gestalten hin: ob ihm bei dem Zurücklassen des Mantels nicht das ehrwürdige alte Bild vom braven Joseph vorgeschwebt, wie er vor der ägyptischen Potiphar seine Unschuld rettet? Ich möchte es fast glauben. Wenigstens entspricht der eingeschlossene Brief des Königs in seinem Inhalte ganz einer derartigen von Cromwell etwa beabsichtigten hochkomischen Wirkung.

Der König spricht nämlich in diesem Briefe bekanntlich noch ganz in seinem alten königlichen Style, „jeder Zoll ein König", und beklagt sich über die Einschränkungen und Geringschätzungen, unter denen er in der letzten Zeit zu leiden gehabt habe: es scheine ja wirklich, als ob der Gehorsam der Leute gegen ihren rechtmässigen König kürzlich bedeutend nachgelassen habe. Sobald sie indessen nur zur rechten Gesinnung zurückkehren würden, werde er sofort durch diese Wolke seiner Zurückgezogenheit hindurchbrechen und sich bereit zeigen, Vater des Vaterlandes zu sein — „as I have hitherto done," bemerkt Carlyle dazu. Wir überlassen jedem sinnigen Leser, sich das schallende Hohngelächter vorzustellen, welches bei Ankunft und Vorlesung dieser beiden Briefe aus den Mitwissern aller Geheimnisse unwillkürlich hervorbrechen musste.

Cromwell wollte darum aber doch nicht, dass dem Könige durch unbefugte Angriffe auf seine Person irgend etwas zu Leide geschehen sollte. An seinen lieben Vetter, den Colonel Whalley, Commandeur der Wachen zu Hampton-Court, hatte er deshalb schon vor der Flucht des Königs folgendes Briefchen geschrieben:

„Es sind da draussen Gerüchte aufgetaucht von einem beabsichtigten Angriffe auf die Person Seiner Majestät. Ich bitte deshalb, habt ein wenig Acht auf Eure Wachtposten. Wenn etwas derartiges passiren sollte, so würde es angesehen werden als eine ganz horrible That." — Kurz darauf erfolgte die Flucht des Königs. —

Das Hauptquartier wird darauf nach Windsor verlegt, nachdem vorher der gefährlich glimmende Zunder der Empörung in der Armee ausgetreten war. Von hier aus schreibt

Cromwell: „An Dr. Thomas Hill, Master of Trinity College in Cambridge.

Windsor, 23. December 1647.

Sir!

Da man mir gesagt hat, dass der Herr, der diesen Brief überbringt, im Jahre 1641 Urlaub von seinem College genommen hat, um für 7 Jahre nach Irland zu reisen, und in seiner Abwesenheit (obwohl er doch wirklich damals gegen die Rebellen in jenem Königreiche ist verwandt worden) durch einen Irrthum seiner Rechte am College ist beraubt worden, indem man das College-Register nicht eingesehen hat, um nach der Ursache seiner Abwesenheit zu forschen — so kann ich es nur für eine gerechte und vernünftige Forderung halten, dass er in alle Vergünstigungen, Rechte und Privilegien wieder eingesetzt werde, welcher er sich vor seiner Abwesenheit erfreute; und ich wünsche daher, das Ihr gütigst demgemäss Anordnungen treffen wollt. Ihr werdet damit einen Gefallen thun und es wird das dankbar anerkannt werden von

Eurem wohlgeneigten Freunde und Diener

Oliver Cromwell."

Dudley Wyatt hiess der Mann, dessen kleine Privatangelegenheit einen Mann wie Cromwell bewegen konnte, ihm einen Theil seiner kostbaren Zeit zu opfern und einen Brief in seinem Interesse zu schreiben. Er war 1628 als „Scholar of Trinity College" eingetreten, 1631 B. A. geworden, 1633 Fellow, nach den bekannten ersten Graden der englischen Universitäten. Seit 1645 findet man seinen Namen nicht mehr in den Registern der Universität; auch jetzt, im Jahre 1647, wurde er zwar wieder zugelassen, aber er blieb nicht lange und wurde deshalb auch wohl nicht wieder in die Register eingetragen.

Obwohl also gute Freunde sich für ihn verwandt hatten, und Cromwell sogar seinen in Cambridge sehr mächtigen Einfluss zu seinen Gunsten in diesem Briefe geltend machte, so zeigte er sich doch all dieser Bemühung um ihn nicht besonders werth: er ging nämlich, vermuthend, dass er dort besser sein Glück machen werde, nach Frankreich an den Hof der Königin, entfaltete sich dort allmälig zu einem geschäftigen Spion und Intriguanten und wurde so zu dem bekannten „Sir Dudley Wyatt" in Clarendon's „History of the Rebellion." Hier interessirt er uns daher nicht ferner: seinen Lohn hat er empfangen.

Der folgende Brief ist wichtiger und interessanter. Er ist gerichtet an Robert Hammond, Oberst und Gouverneur der Insel Wight, der ja in diesen letzten Monaten eine so bedeutende Rolle zu spielen berufen war. Er ist noch ein ziemlich junger Mann, und schon Infanterie-Oberst, hat früher als Capitain unter General Massey in Gloucester gedient und hatte hier 1644 das Unglück, einen anderen Officier im Duell zu tödten. Er wurde aber freigesprochen, weil er zuerst heftig beleidigt worden war. Sein Grossvater war noch ein Arzt in Surrey gewesen. Ein Onkel von ihm, Thomas Hammond, Mitunterzeichner des Armee-Manifestes, ist Generallieutenant und besonders vertraut mit den Agitatoren: er gehört später zu den Richtern des Königs. Im starken Gegensatz zu ihm steht ein anderer Onkel, Dr. Henry Hammond, einer der bei seiner Majestät besonders gut angeschriebenen Geistlichen, eine wahre Musterblume der Loyalität. Der Onkel Thomas hatte dem jungen Robert zuerst einen Posten in der Armee verschafft: aber der Onkel Henry hatte ihn in den letzten Monaten auch bei Sr. Majestät zu Hampton Court eingeführt als einen jungen Mann von edlem und freiem Geiste, der alles Geschehene lebhaft bedaure oder wenigstens Theilnahme zeige und nicht ohne Loyalität sei. Vielleicht mochte diese Bekanntschaft eine Hauptveranlassung mit gewesen sein zu der Flucht des Königs gerade nach der Insel Wight, als Colonel Robert dort Gouverneur geworden war. Der junge Mann war nun aber offenbar zwischen zwei Feuer gerathen: einerseits hatte er höchst wahrscheinlich gewünscht, in gutem Einvernehmen mit dem Parlament und den höheren Commandeuren der Armee zu bleiben, wollte aber doch andererseits nicht gern unmittelbar Theil nehmen an den gar zu kühn werdenden Unternehmungen, welche sich an entscheidender Stelle vorbereiteten. Er war daher erfreut gewesen, ein wenig aus dem Centrum der Bewegung herausgetreten und in einiger Entfernung den ruhigen Posten als Gouverneur einer schönen Insel, ziemlich einsam gelegen, zu erhalten. Und nun sollte gerade dahin der König kommen! Welch eine „Versuchung" für einen jungen Officier im besten Avancement! Soll er dem König in dieser Krisis gehorchen? — Oder soll er dem Parlament und der Armee wie bisher dienen? Wenigstens soll er plötzlich erbleicht sein, als er die Nachricht bekam, der König sei angekommen. Doch entschied er sich bald für Cromwell und die Armee.

An ihn also richtet Cromwell folgenden Brief:

„Theurer Robin!

Jetzt kann ich, Gott sei Dank, frei schreiben und Du kannst meinen Brief erhalten. Ich sah niemals in meinem Leben tieferen Sinn und weniger Willen, ihn in unchristlicher Weise zu zeigen, als in dem, was Du an uns geschrieben hast, als wir zu Windsor waren und Du inmitten Deiner Versuchung

— welche in der That, so viel ich davon verstehe, eine grosse war und noch grösser gemacht wurde durch den Brief, den der General Dir zusandte; über welchen Du Dich aber nicht beirren liessest, als Du mich beschuldigtest, der Schreiber desselben zu sein.

Wie gut ist Gott gewesen, dass er Alles zur Gnade gewendet hat! Und obgleich es momentan eine Verwirrung gab, so ist es doch zu unserem Ruhme ausgeschlagen; dafür preisen wir den Herrn mit Dir und für Dich: und in Wahrheit, Dein Benehmen ist derartig gewesen, dass es dem Namen Gottes und der Religion viel Ehre bringt. Gehe denn vorwärts in der Kraft des Herrn; und der Herr wird ferner mit Dir sein.

Aber, mein theurer Robin, diese Angelegenheit ist für dieses arme Königreich und für uns Alle, das glaube ich fest, eine mächtige That der Vorsehung gewesen. Das Haus der Gemeinen ist sehr empfindlich gegen das Verfahren des Königs und gegen das unserer Brüder (der Schotten) bei dieser letzten Verhandlung. Du würdest wohl daran thun, wenn Du irgend etwas hast, was eine Täuschung zur Entdeckung bringen kann, solches hervorzusuchen und uns wissen zu lassen. Es dürfte das von bewundernswerther Brauchbarkeit zu dieser Zeit sein, weil wir, wie ich hoffe, sofort an unser Geschäft gehen werden, in Beziehung auf die Schotten, und zwar deshalb, um der Gefahr vorzukommen.

Das Haus der Gemeinen hat heute folgendermassen beschlossen: 1. Sie werden keine Adresse mehr an den König verfassen; 2. Niemand soll sich mehr an ihn wenden, ohne Erlaubniss der beiden Häuser, bei Strafe der Schuld des Hochverrathes; 3. Sie sollen Nichts mehr vom König annehmen, noch auch soll irgend ein Anderer etwas von ihm an sie überbringen,

noch auch selbst vom König Etwas annehmen. Endlich sind
die Mitglieder beider Häuser, welche zum Comité beider Königreiche gehörten, in all' jener Macht in derselben bestätigt worden, für England und Irland, welche sie früher hatten, um mit
England und Schottland zu verhandeln; und Sir John Evelyn
of Wilts ist beigeordnet in der Stelle des Registrators, und
Nathaniel Fiennes in der Stelle von Sir Philipp Stapleton, und
Mylord von Kent in der Stelle des Grafen von Essex. Ich
halte es für gut, wenn Ihr das, je früher desto besser, Euch
merken wolltet.

Lasst uns wissen, wie es mit Euch steht in Bezug auf
Eure Streitkräfte und was Ihr von uns nöthig habet. Einige
von uns denken, dass der König bei Euch gut aufgehoben sei,
und dass es unsere Sache ist, jene Insel sehr sicher zu bewachen, von wegen der Franzosen u. s. w.: und wenn wir das
thun, wo kann dann der König besser sein! Wenn Ihr mehr
Truppen zugesendet erhaltet, so werdet Ihr sicher auch völlig
hinreichende Lebensmittel für sie erhalten.

Der Herr segne Dich. Bete für Deinen

Freund und Diener

Oliver Cromwell."

Es wird zu diesem Briefe bemerkt, dass er in denselben
Tagen geschrieben sei, in welchen Lilburn den Cromwell angeklagt hat, dass er sich privatim mit dem Könige einlassen,
Graf von Essex und ein grosser Mann werden wolle u. s. w.
Die Anklage hatte aber nur unbequeme Folgen für den Ankläger: Das Haus der Gemeinen forderte ihn vor seine Schranken und wusste demselben dort schon seinen Standpunkt klar
zu machen.

Weniger wichtig für uns ist der folgende Brief, in welchem

es sich um die Vermählung von Cromwell's ältestem Sohne Richard handelt. Bekanntlich hatte dieser Sohn nicht das Zeug dazu in sich, seinem grossen Vater in der Protectorwürde von England zu folgen und seine grossen Intentionen als würdiger Sohn desselben fortzusetzen. Seine unbedeutende Persönlichkeit ist eine der Hauptursachen mit gewesen, dass das grosse Werk der ersten englischen Revolution so bald wieder vernichtet wurde, und dass eine zweite Revolution nothwendig erschien, um die Stuarts definitiv zu vertreiben.

Kurze Zeit darauf wird auch Oliver Cromwell, wie so viele andere Mitglieder des Hauses, ernstlich krank. Nach seiner Genesung schreibt er folgenden Brief an den General Fairfax:

London, d. 7. März 1647.

„Sir!

Es hat Gott gefallen, mich aus einer gefährlichen Krankheit zu erretten; und sehr gerne erkenne ich an, dass der Herr in dieser Heimsuchung das Herz eines Vaters gegen mich gezeigt hat. Ich empfing in mir selbst den Richterspruch des Todes, damit ich lernen möchte, auf Ihn zu vertrauen, der vom Tode errettet, und dass ich kein Vertrauen haben sollte zum Fleisch. Es ist ein gesegnetes Ding, täglich zu sterben! Denn was ist in dieser Welt, was zu schätzen wäre! Die besten Menschen und Dinge sind dem Fleische nach leichter, als die Eitelkeit selbst. Ich finde dieses allein gut, den Herrn zu lieben und sein armes verachtetes Volk, für sie zu handeln, und bereit zu sein, mit ihnen zu leiden: und Der, der werthgefunden ist dessen, hat grosse Gnade vom Herrn erhalten; und Der, der hier seine Wohnung hat (befestigt in Christo und Seinem Leibe, der Kirche) wird Theil nehmen an der Glorie einer Auferstehung, die Alles erfüllen wird.

Sir, ich muss dankbar Eure Gunst und Güte gegen mich in Eurem letzten Briefe anerkennen. Ich sehe, ich bin nicht vergessen; und wahrlich, in Eurer Erinnerung zu bleiben, das gewährt mir grosse Befriedigung; denn ich kann sagen in der Einfalt meines Herzens, ich setze einen hoben und wahren Werth auf Eure Liebe — wenn ich diese vergessen sollte, so würde ich aufhören, ein dankbarer und ehrlicher Mann zu sein.

Ich bitte demüthigst, mich Eurer Lady zu empfehlen, welcher ich alles Glück wünsche und alle Befestigung in der Wahrheit. Mein Herr, meine Gebete sind für Euch, wie es zukommt dem unterthänigsten Diener Eurer Excellenz,

Oliver Cromwell.

P.S. Sir, Mr. Rushworth wird an Euch schreiben wegen der Einquartierung und des kürzlich übersandten Briefes; und damit schliesse ich („and therefore I forbear")".

Eine auffallende Fähigkeit, ernste religiöse Empfindungen in äusserst treffender Sprache kund zu geben, wird in diesem Briefe wieder von Niemand können verkannt werden.

Noch in demselben Monat März verzichtet er freiwillig auf 1500 Pfd. Sterling und noch andere Summen, welche ihm nach allen für die gemeinsame Sache gemachten Ausgaben bereits seit längerer Zeit zugestanden; und da das Haus der Lords und der Gemeinen ihm eine bedeutende Jahresrente für all' seine trefflichen Dienste bewilligte, so bot er jährlich 1000 Pfd. Sterling davon an, um für den Dienst von England verwandt zu werden nach dem Willen des Parlaments. Das Haus nahm dieses freiwillige Anerbieten („Free Offer") mit grosser Anerkennung an und bezeugte dem Generallieutenant Cromwell ausdrücklich seinen Eifer und seine gute Gesinnung für die Sache.

Es folgen darauf einige Briefe, welche auf's Neue die Heirathsangelegenheit zum Gegenstande haben und die uns deshalb hier nicht weiter interessiren. Weit wichtiger ist wieder der Brief an Robert Hammond, in welchem von einem merkwürdigen Fluchtversuche des Königs die Rede ist. Er ist datirt: „London, 6. April 1648", und lautet folgendermassen:

„Theurer Robin!

Eure Angelegenheit im Hause ist zum Abschluss gekommen: Eure 10 Pfd. wöchentlich sind auf 20 Pfd. erhöht; 1000 Pfd. sind Euch zugestanden; und es ist Befehl an Mr. Lisle gegeben, eine Bill aufzusetzen, dass Euch und Euren Erben 500 Pfd. jährlich sollen ausgesetzt werden. Dies kam in zwangloser Weise zu Stande („with smoothness"), indem Eure Freunde Eure Sache ernstlich unterstützten. Ich kenne Deine Bürde: dies ist eine Vermehrung derselben. Der Herr leite Dich und halte Dich aufrecht.

Es ist Nachricht zu Händen eines sehr angesehenen Mannes gekommen, dass der König versuchte, aus seinem Fenster zu entkommen; und dass er eine seidene Schnur bei sich hatte, um sich an derselben hinunterzulassen, aber seine Brust war so stark, dass das Gitter ihn nicht durchlassen wollte. Dies geschah in einer der dunklen Nächte vor etwa vierzehn Tagen. Ein Gentleman von denen dort bei Euch ging ihm voraus und liess sich wirklich hinunter. Die Wache hatte jene Nacht ein ziemliches Quantum Wein bei sich. Dieselbe Quelle versichert, dass von London her Scheidewasser dorthin gelangt sei, um jenes Hinderniss zu beseitigen; und dass derselbe Plan in den nächsten dunklen Nächten zur Ausführung kommen soll. Es heisst auch, dass Capitain Titus und einige andere in der Umgebung des Königs nicht zuverlässig sind. Derjenige, der diese

15

indem wir unseren Weg nach unserer eigenen armen Weisheit (bestimmten) wählten: dies aber erwies sich als solch ein Fallstrick für uns und führte uns gegen das Ende jenes Jahres in solche Labyrinthe, dass eben die Dinge, welche wir zu vermeiden gedachten, durch die Mittel gerade, welche wir nach unserem Plane gebrauchten, alle auf uns wieder zurückfielen mit noch vielen anderen mehr von weit schlimmerer und noch mehr verwirrender Natur. Es war wie um unsere Geister zu zerbrechen, unsere Hände und Herzen zu entkräften; es erfüllte uns mit Spaltungen, Unordnungen, Tumulten und allen bösen Werken: und so brachte es die Gefahr herbei, jene heilige Sache wieder zu verderben, in welcher wir bis zu jener Zeit mit solchem Erfolge waren beglückt worden.

Denn jetzt begann der König und seine Partei, da sie sahen, dass wir ihren Zwecken nicht dienen wollten, für sich selbst zu sorgen durch einen Vertrag mit dem damaligen Parlament, welcher um den Beginn des Jahres 1648 in's Werk gesetzt wurde. Auch das Parlament war zu derselben Zeit in hohem Grade missvergnügt mit uns wegen dessen, was wir gethan hatten sowohl in Beziehung auf den König, als auf die Parlaments-Mitglieder. Und endlich begann auch das gute Volk, ja sogar unsere herzlichsten Freunde in der Nation, da sie sahen, dass wir uns von jenem Pfade der Einfalt („simplicity") abseits wandten, auf dem wir früher gewandelt, auf welchem wir gesegnet worden und dadurch ihrem Herzen theuer wurden — auch sie begannen jetzt zu fürchten und entzogen uns ihre Neigung auf diesem politischen Pfade („politic path"), den wir das Jahr vorher betreten hatten und auf welchem wir zu unserem Schaden gewandelt waren. Und eine weitere Frucht des Bedientenlohnes unserer abtrünnigen Herzen war es, dass wir auch erfüllt wurden mit einem Geiste grosser Eifersucht und vielfacher Spaltungen unter uns selbst: denn wir hatten verlassen jene Weisheit des Wortes, welches zuerst rein, dann auch friedenvoll ist; so dass wir jetzt zu wenig anderem fähig waren, als uns einander zu zerreissen und zu zerstückeln und dadurch uns und das Werk in unsern Händen vorzubereiten zur Vernichtung durch unsere gemeinsamen Feinde. Feinde, welche bereit waren zu sagen, wie viele Andere von gleichem Geiste in diesen Tagen*) thun, in Folge ähnlicher trauriger Veranlassungen unter uns: „Sehet, das ist der Tag, auf den wir gewartet haben!" Der König und seine Partei bereiten demgemäss das allgemeine Verderben vor, durch plötzliche Aufstände in sehr vielen Theilen der Nation: und die Schotten, in denselben Plänen wetteifernd, fallen in das Land ein mit einer mächtigen Armee unter dem Herzog Hamilton. Wir in der Armee in einer niedrigen, schwachen, gespaltenen, in jeder Hinsicht verwirrten Lage, wie vorher gesagt: einige von uns hielten es schon für unsere Pflicht, die Waffen niederzulegen, unsere Standquartiere zu verlassen und uns in den Stand von Privatleuten zurückzuziehen — da ja Alles, was wir gethan hatten und was noch ferner zu thun unsere Absicht war, obwohl es nach unserem Urtheil zum Heil dieser armen Nationen dienen sollte, nicht von ihnen angenommen wurde.

Ja, einige ermuthigten sogar auch sich selbst und uns zu solch' einem Entschlusse, indem sie für ein derartiges Beginnen das Beispiel unseres Herrn Jesus geltend machten, welcher, nachdem er ein hervorragendes Zeugniss nach dem Willen des Vaters auf thätige Weise gegeben hatte, dasselbe zuletzt be-

---

*) 1659 geschrieben.

siegelte durch sein Leiden; und das wurde uns als ein Muster
zur Nachahmung aufgestellt.   Andere waren indessen ganz anderen Sinnes: sie glaubten, dass Etwas von anderer Natur doch
auch ferner noch unsere Pflicht sein möchte; — und diese
wurden daher durch gemeinsame Ueberlegung, durch gute
Führung des Herrn, zu folgendem Resultat geleitet: nämlich,
feierlich daran zu gehen, unsere eigene Unbilligkeit zu erfor-
schen und in diesem Sinne unsere Seelen zu demüthigen vor
dem Herrn; denn wir waren überzeugt, dass unsere Missethaten
den Herrn gegen uns erzürnt hatten, solche traurigen Verwirrungen über uns hereinbrechen zu lassen an jenem Tage.
Und wir sahen keinen anderen Weg mehr, uns davon frei zu
machen.

Demgemäss kamen wir überein, eine Zusammenkunft zu
Windsor Castle zu halten im Anfang des Jahres 1648.   Und
dort verbrachten wir einen Tag zusammen im Gebete, forschend
nach den Ursachen jener traurigen Fügung: und wir kamen zu
keinem anderen Resultate an jenem Tage, als dazu, dass es
unsere Pflicht sei, noch ferner zu forschen.   Und am folgenden
Tage kamen wir wieder am Morgen zusammen: Viele sprachen
dort vom Worte und predigten; und der damalige General-
lieutenant Cromwell drängte sehr ernst Alle, die dort gegenwärtig waren, zu einer gründlichen Betrachtung unserer Handlungen als Armee und unserer Wege im Besonderen als einzelner
Christenmenschen: um zu sehen, ob irgend eine Missethat könne
in uns gefunden werden, und was es wäre, damit womöglich
wir es ausfinden möchten und so entfernen könnten die Ursache
solcher furchtbaren Vorwürfe, wie sie auf uns lagen zu jener
Zeit, wegen unserer Missethat, wie wir urtheilten.   Und der
Weg, auf welchen uns der Herr hiebei besonders leitete, war

dieser: zurückzublicken und zu betrachten, welche Zeit es war, als wir mit gemeinsamer Befriedigung zum letzten Male sagen konnten nach unserem besten Urtheil, dass die Gegenwart des Herrn unter uns war und Vorwürfe und Richtersprüche nicht wie jetzt auf uns lasteten. Und der Herr leitete uns gemeinsam, diese Zeit zu finden und darin übereinzukommen, und, nachdem das geschehen war, fortzugehen zu einer Untersuchung über alle unsere öffentlichen Actionen als Armee nach jener Zeit, wie wir es jetzt für unsere Pflicht hielten. Und der Herr half uns, Alles gehörig zu erwägen mit seinen Gründen, Regeln („rules") und Endzwecken, so eingehend als wir konnten. Und so beschlossen wir diesen zweiten Tag, übereinkommend, dass wir am folgenden Tage wieder zusammentreffen wollten. Was wir demgemäss auch thaten, indem wir die Betrachtung unserer Debatten vom Tage bevor wieder aufnahmen und noch einmal wieder unsere Actionen durchgingen.

Und durch diese Mittel wurden wir durch eine gnädige Führung des Herrn geleitet, eben die Schritte auszufinden (wie wir damals Alle gemeinsam überzeugt waren), durch welche wir uns vom Herrn entfernt und ihn erzürnt hatten, dass er von uns schied. Und wir fanden, dass es jene abscheulichen Zusammenkünfte waren, welche unsere eigene überschlaue Weisheit, unsere Furcht und unser Mangel an Glauben uns das Jahr vorher verleitet hatten mit dem Könige und seiner Partei zu halten. Und in diesem Augenblicke und bei dieser Gelegenheit machte der damalige Major Goffe Anwendung von jenem guten Worte, im Buche der Sprichwörter 1. und 23.: „Wendet euch zu meinen Worten; sehet, ich will ausgiessen meinen Geist unter euch, ich will euch meine Worte kund thun." Und dieses machte er, nachdem wir unsere

Sünde ausgefunden hatten, geltend als unsere Pflicht jenen
Worten gemäss. Und der Herr geleitete uns so durch seinen
Geist, dass es eine wohlthuende (sanfte) Wirkung hatte, gleich
einem Worte von Ihm, auf die meisten unserer Herzen, die dort
zugegen waren: und das erzeugte in uns ein grosses Gefühl,
ein sich Schämen und ein Widerwille und Abscheu vor uns
selbst wegen unserer Missethaten und eine Rechtfertigung des
Herrn als des Gerechten in Seinem Verfahren gegen uns.

Und auf diesem Wege leitete uns der Herr, nicht nur unsere Sünde zu sehen, sondern auch unsere Pflicht: und dies
senkte sich so einmüthig mit schwerer Last auf
jedes Herz, dass Keiner· fähig war ein Wort zu
sprechen zum Anderen wegen bitteren Weinens,
theils in der Empfindung und in dem Schamgefühl über unsere
Missethaten und über unseren Mangel an Glauben, theils wegen
unserer niedriger Menschenfurcht und unserer weltlichen Berathungen mit unserer eigenen Weisheit und nicht mit dem
Worte des Herrn, — welches allein ist der Weg der Weisheit,
der Kraft und des Heiles und von welchem seitwärts alle Wege
nur zu Fallstricken führen. Und dennoch wurde uns geholfen,
mit Furcht und Zittern uns im Herrn zu erfreuen: Seine Treue
und liebevolle Güte, welche zu sehen wir erschaffen wurden,
fehlte uns dennoch nicht; — Er gedachte unserer noch selbst
im Zustande unserer Erniedrigung, weil seine Gnade ewig
währet. Und sobald Er uns zu Seinen Füssen gebracht hatte,
dass wir Ihn erkannten auf diesen Seinen Wegen (nämlich unsere Missethat erforschend, beschämt über dieselben und entschlossen, von ihnen uns abzuwenden), so leitete Er auch unsere
Schritte: und sofort wurden wir geführt und uns wurde geholfen, dass wir gänzlich übereinstimmten unter einander und dass

auch nicht Einer anderer Meinung war, es sei wirklich die
Pflicht unseres Tages, mit den Kräften, die wir hätten, auszuziehen und zu kämpfen gegen jene mächtigen Feinde, welche
in jenem Jahre aller Orten gegen uns auftraten. Und das mit
einem demüthigen Vertrauen, im Namen des Herrn allein, dass
wir sie vernichten würden. Und wir wurden jetzt auch befähigt, nachdem wir ernstlich Sein Antlitz gesucht hatten, zu
einem ganz klaren und gemeinsamen Entschlusse zu kommen,
aus vielen Gründen, welche des Breiteren dort unter uns debattirt worden sind, dass es unsere Pflicht wäre, wenn jemals
der Herr uns wieder zurück brächte zum Frieden, Karl Stuart,
jenen Mann des Blutes, zu einer Rechenschaft zu rufen wegen
des Blutes, das er vergossen hat, und wegen des Verbrechens,
das er bis zum Aeussersten getrieben gegen die Sache und
das Volk des Herrn in diesen armen Nationen.

Und ich wünsche, dass es n i e möge vergessen werden,
wie der Herr uns führte und uns beglückte in allen unseren
Unternehmungen in diesem Jahre auf solchem Wege: es kurz
machend mit Seiner Arbeit, in Gerechtigkeit; es machend zu
einem Jahr der Gnade, gleichkommend wenn nicht noch über-
treffend irgend eins, seit diese Kriege begannen; und es würdig
machend der Erinnerung für jede begnadete Seele, die weise
genug war, den Herrn und die Werke Seiner Hände zu beachten." —

Das also ist der merkwürdige Bericht, welchen General-
Adjutant Allen elf Jahre später über dieses seltsame Prayer-
Meeting in Windsor Castle gegeben hat, um in dem Momente,
wo alle Früchte der grossen Revolution in Gefahr waren wieder
verloren zu gehen, an die grossen Entschlüsse zu erinnern'
welche früher in einem ähnlichen Momente von gleicher Gefahr

Alles zu einer unerwartet raschen Entscheidung gebracht hatten.
In der That, ein seltsamer Bericht für den modernen Leser!
Denn wir haben zu beachten, was für Männer es waren, die
hier in Windsor zusammen kamen, und die unter bitteren Thränen, drei Tage lang betend, predigend und ringend in schwerem
Kampfe um den Geist der Erleuchtung, ihrer eigenen Sünden
mit tiefem Schmerze gedenkend und dabei zugleich die fremden Frevel richtend, Entschlüsse fassten, die das Schicksal der
alten Monarchie von England zur Entscheidung bringen sollten.
„Denn es sind dies“ — so bemerkt der grösste Kenner der
modernen Revolutions-Geschichte dazu — „die längsten
Köpfe und die stärksten Herzen von England.“ Es
sind die Männer, welche in mehr als zwanzigjährigem Kampfe,
erst im Parlament, dann im Felde, erst mit Worten und Reden,
dann mit der blanken Waffe und mit der Schärfe des richten-
den Schwertes alle Hindernisse zu überwinden verstanden hatten, welche eine Welt von tückischen Feinden der grossen
Wiedergeburt des englischen Gemeinwesens fortwährend ent-
gegenstellte. Und das also ist der Weg, auf welchem diese
Männer — jeder einzelne ein Held im Dienste Gottes — ihrerseits an ihr Geschäft herangehen! In der That, eine seltsame
Art und Weise! Möge der Leser, wenn er selbst ein ernster
Mann ist, mit seinen eigenen Gedanken ernstlich bei einem
solchen Momente verweilen: hier eben hat sich Alles entschieden im Voraus, was nun der zweite Bürgerkrieg und seine
nächste Folge zur äusseren Erscheinung bringen sollte.

Mancher wird alles dies vielleicht auch als Unsinn oder
Verrücktheit ansehen. Unsere gelehrten Historiker, unsere
Universitäts-Professoren von der Sorte der „Dryasdust und Com-
pagnie“ erwähnen nichts davon oder fertigen es ab als eine

Mischung von Heuchelei und Tollheit, wie sie nie schlimmer und gefährlicher dagewesen sei. Ja freilich, es ist ein dunkles, dämonisch tiefes, gewaltig unheimliches Element, welches in solchen Geistern in solchen Augenblicken weltgeschichtlicher Entscheidung seine finsteren Flammen auflodern lässt; und gewiss, Tollheit und Wahnsinn lagen nicht gar weit von dem Wege ab, auf welchem diese Männer damals wandelten. Aber für Jeden, der in solchem Kampfe zu siegen versteht, für Jeden, dem die alte biblische Erzählung von Jacob's Ringen mit dem Engel des Herrn eine ganze lange Nacht hindurch ein verständliches und lichtvolles Wort ist, für Jeden, der noch glaubt an die Macht des alten Gottesreiches auf Erden, ist eben solche Tiefe und solche Finsterniss wie die alte Urnacht die Mutter des höchsten Lichtes und des reinsten Glanzes. Und wie die Tollheit nahe bei der höchsten Weisheit liegt, diese aber doch etwas ganz Anderes und zugleich der vollkommene Sieg über jene ist — so etwa mögen wir uns die geistige Strömung denken, welche in jenen alten Tagen die tapfersten Herzen und die gewaltigsten Helden der englischen Revolution bewegt hat. Sapienti sat! — — —

6. Der zweite Bürgerkrieg.
1648.

Zum besseren Verständniss der entscheidenden Wendung zum definitiven Abschluss aller schwebenden Streitfragen, an welche Wendung wir mit dem Beginn des zweiten Bürgerkrieges herantreten, dürfte es vielleicht nicht ungeeignet erscheinen,

einen kurzen Rückblick auf den gesammten Fortgang der grossen Bewegung zu werfen und dabei namentlich die Stellung der verschiedenen Parteien genau zu beachten, wie sie die verschiedenen Hauptphasen der englischen Revolution charakterisirt. Dieser Rückblick wird es uns erklären, dass die Armee der Independenten nach allem Vorausgegangenen nothwendig sich entscheiden musste in der Art, wie sie ihre Entscheidung damals getroffen hat. Momentan standen eben die Parteien so, dass die Independenten Front zu machen hatten sowohl gegen die Presbyterianer im eigenen Lande, als gegen die Schotten im Norden, als auch gegen den König selbst und die wenigen Getreuen, die ihm noch geblieben waren. Denn diese alle versuchten jetzt eine Allianz zu bilden, deren Spitze ausschliesslich gegen die allen zu mächtig werdende Armee der Independenten gerichtet war. Die factische Uebermacht Cromwell's aber erklärt sich vorzugsweise daraus, dass jene Allianz keine ehrliche war. Für die Schotten war die Wiederanknüpfung der Verhandlungen nur ein Mittel zum Zweck, um ihren gänzlich verlorenen Einfluss in England wieder herzustellen. Auch die Person des Königs, völlig hülflos und verlassen jetzt und jedem Einfluss preisgegeben, der irgend einen Hoffnungsschimmer nur in sich barg, war nichts weiter mehr, als ein Spielzeug ihrer geheimen Pläne. Leichter hätten sich vielleicht noch die Presbyterianer in London selbst mit den Schotten im Norden verständigt: denn hier lag wenigstens eine frühere ehrliche Allianz zu Grunde. Aber auch ihre leitenden Führer wollten jetzt mit demselben Könige, gegen dessen von Allen verworfenes System der ganze bisherige Kampf gerichtet gewesen war, wieder eine nähere Verbindung anknüpfen, die unmöglich ehrlich konnte gemeint sein. An Cromwell und seine

getreuesten Anhänger war, wie wir gesehen haben, dieselbe
Versuchung sehr ernstlich herangetreten: aber er hatte sie zu
überwinden verstanden, in sich selbst sowohl, wie in der Armee;
und in Folge dieses inneren Sieges, über den der am Schlusse
des vorigen Abschnittes gegebene Bericht den besten Aufschluss
enthält, beseelte jetzt ein einziger Geist die ganze Masse der
bewaffneten Heiligen des Herrn: und diese Masse war bereits
militairisch organisirt und durch die bedeutendsten Siege sieges-
gewiss geworden.

So weit also hatte sich die Situation bis jetzt entwickelt.
Zuerst hatte das gesammte Parlament, in Verbindung mit den
Schotten, Opposition gemacht gegen die Regierung Strafford's
und Laud's. Als nach langem parlamentarischen Kampfe diese
Regierung endlich gestürzt war, hatten sich die Gegner derselben in die Cavaliere und die Rundköpfe geschieden. Aus den
letzteren waren die am weitesten gehenden Puritaner zu einer
besonderen Einheit allmälig zusammengeschlossen worden durch
Cromwell und die ihm zunächst stehenden Officiere: diese hatten es verstanden, alle unruhigen und daher wesentlich zur
energischen Action geeigneten Elemente zu einem festen Heereskörper zu organisiren, und dadurch, wenn auch zunächst noch
in Einheit mit den das Parlament in London beherrschenden
Presbyterianern, ja im Grunde ihnen untergeordnet, die factische Entscheidung in allen ernstlichen Kämpfen unbedingt in
die Hand genommen. Jetzt aber war also die Wendung eingetreten, dass diese Entscheidung ihnen, die doch Alles gethan
hatten, sollte streitig gemacht und wieder aus der Hand genommen werden: und es handelte sich wirklich zuletzt nur darum, ob sie eine solche Zumuthung sich würden gefallen lassen,
d. h. ob Leute, wie Fairfax, Ireton, Cromwell selbst, Robert

Hammond und so viele andere **der tapfersten Helden vor Leuten** zurückweichen sollten, die ihnen **gegenüber doch eigentlich
nur Worthelden waren.** Wir werden sehen, wie auch die Independenten selbst unter einander zu streiten beginnen, sobald
alle ihre Feinde niedergeschlagen und vernichtet sind: selbst
einem Cromwell war es zuletzt nicht mehr möglich, die widerstrebenden Elemente so völlig zu beherrschen, wie es immer
und überall für entscheidende Actionen von grosser Tragweite
eine Nothwendigkeit ist; und als er gestorben war, folgte sehr
bald die Restauration des zweiten Stuart, der eine zweite Revolution, massvoller als die erste und beschränktere Ziele mit
grösserer Besonnenheit erstrebend, dann definitiv ein Ende
machte — nach 40 Jahren!

Das ist der Gang, den die englische Revolution genommen
hat bis zum Jahre 1688. An dem Punkte, wo wir jetzt stehen,
wird vor Allem die Situation in's Auge zu fassen sein, wie sie
sich gestaltete vor dem Einfall der Schotten.

Als die Aufregung in der Armee beseitigt, das Prayer-
Meeting gehalten*) und die entscheidenden Beschlüsse gefasst
waren, brachen die Unruhen im Volke an allen Ecken und
Enden zugleich aus: in London selbst, in den Grafschaften, in

---

*) Guizot erwähnt dasselbe nur ganz kurz mit den Worten: „Une
grande réunion eut lieu enfin au quartier général. Officiers, agitateurs et
prédicateurs passèrent ensemble **dix heures** (?!!!) en entretiens et en
prières; les intérêts communs surmontèrent, sans les dissiper, les rancunes
et les méfiances; il fut décidé que les prisonniers seraient mis en liberté,
que le capitaine Bray retournerait à son régiment, qu'on prierait les chambres
de rendre à Rainsborough ses fonctions de viceamiral qu'elles venaient de
lui retirer; et „„un dîner solennell"" (!) célébra cette réconciliation dont
la ruine du roi était le prix." Vgl. dagegen den Bericht des General-Ad-
jutanten Allen, am Schluss des vorigen Abschnittes.

Schottland — überall erhoben die Cavaliere und ihre Anhänger sich zur Contre-Revolution. In Wales suchten die Obersten Poyer, Powel und Langhorn Alles um sich zu vereinigen, was mit dem bisherigen Gange der Dinge unzufrieden war. Hamilton wurde in Schottland an die Spitze einer Armee gestellt von ganz stattlichem Ansehen, wenn sie auch die beabsichtigte Zahl von 40,000 Mann in der Wirklichkeit nicht erreichte: er und seine Anhänger hatten, vereinigt unter der Losung des gemässigten Presbyterianismus, in den inneren Kämpfen in Edinburg den Sieg davongetragen über Argyle und die strenge Partei der Geistlichkeit. Mit ihnen hatten seit längerer Zeit die Cavaliere des nördlichen Englands ein geheimes Einverständniss unterhalten: Langdale, Glenham, Musgrave, lebten seit längerer Zeit in Edinburg und verfolgten dort ebenso den Plan einer allgemeinen Insurrection zu Gunsten des Königs, wie in Irland zu gleicher Zeit Lord Inchiquin zu der Fahne des Königs überging, obwohl er bisher dort die sicherste Stütze des Parlaments gegen die Insurgenten gewesen war: als Präsident der wichtigen Provinz Munster hatte er dort eine besonders einflussreiche Stellung gehabt. Cromwell machte zuerst einen Versuch, die Unruhen namentlich in London selbst gewaltsam zu unterdrücken, ja er schlug den versammelten Officieren der Armee schon jetzt vor, eine gewaltsame Reinigung des Parlaments von seinen presbyterianischen Mitgliedern zu veranstalten und dadurch die Autorität des Parlaments gänzlich für die Independenten zu gewinnen. Als dies nicht bewilligt wurde, namentlich als auch Lord Fairfax sich dagegen erklärte, entschloss sich Cromwell, sofort mit 5 Regimentern London zu verlassen und draussen zu thun, was ihm nothwendig schien. Bitter aber beklagte er sich gegen

Ludlow darüber, dass man nach Allem, was er bereits gethan, so wenig auf ihn hören wolle: dieser aber soll ihm in der entschiedensten Weise darauf zugeredet haben, alle seine bisherigen Intriguen, seinen geheimen Ehrgeiz, kurz alles das principiell aufzugeben, was bisher das Misstrauen der republicanischen Partei immerfort gegen ihn aufgeregt habe. Cromwell hörte ihm mit grosser Aufmerksamkeit zu, besprach sich darauf auch noch mit mehreren einflussreichen presbyterianischen Geistlichen, die nicht minder sich geehrt fühlten durch die ehrfurchtsvolle Aufmerksamkeit, welche der berühmte General ihren Worten schenkte: und dann zog er aus zur Belagerung von Pembroke, höchst wahrscheinlich die ernstesten Entschlüsse im festen Herzen geheimnissvoll bergend.

Kaum aber hatte er London verlassen, als die Cavaliere auf allen Seiten in der drohendsten Weise ihr Haupt erhoben: 800 Freeholders aus der Grafschaft Surrey drangen gewaltsam nach London vor und in den Sitzungssaal des Parlaments ein und machten dort in so stürmischer Weise ihre Forderungen, vorzugsweise auf die Wiederherstellung der königlichen Gewalt gehend, geltend, dass sie mit Militairgewalt wieder mussten hinausgetrieben werden. Mehrere von ihnen wurden dabei erschlagen. In der Grafschaft Kent organisirten sich darauf verschiedene Corps, allmälig bis zu 7000 Mann ansteigend, zu demselben Zwecke, und bald wurde auch in der Grafschaft Essex von Charles Lucas, in Hertfort von Lord Capel, in den Umgebungen von Nottingham von Gilbert Byron offen für den Dienst des Königs geworben. Auch auf der Flotte kam die Bewegung zum Ausbruch. Rainsborough, der sich mit Cromwell wieder versöhnt hatte, eilte sofort hin, um sie zu unterdrücken und den Oberfehl über dieselbe zu übernehmen. Aber die Matrosen wollten nichts von ihm wissen, setzten alle ihre höheren Officiere in einer Barke an's Land und segelten nach Holland, um dem Prinzen von Wales den Oberbefehl zu übergeben. Ja, in London selbst sammelten Lord Holland und der junge Herzog von Buckingham etwa 1000 ihrer Anhänger um sich, verliessen die Stadt mit der Erklärung, sie wollten nur den König wieder in sein Recht einsetzen, ohne die Freiheiten des Landes zu beschränken, und suchten draussen die Freiheit zu gewinnen, die sie im Auge hatten. Die religiösen Grundsätze der Puritaner convenirten ihnen eben nicht.

Bis es nun aber wirklich zum Einfall der schottischen Armee in England kommt, werden alle diese Versuche einer momentanen Erhebung schon wieder niedergeschlagen. Drei Hauptrichtungen sind in diesen vorübergehenden Einzelkämpfen zu unterscheiden: Cromwell zieht nach Westen und belagert Pembroke; Lambert wird nördlich geschickt mit der geheimen Weisung, vor den Schotten scheinbar zurückzuweichen; und Fairfax räumt in höchst energischer Weise in der unmittelbaren Nähe der Hauptstadt auf mit Allem, was der Armee der Independenten im Wege ist: namentlich kommt es bei und in Maidstone am 4. Juni zu einem höchst erbitterten und blutigen Kampfe, der sich bis in die Strassen der Stadt hinein fortsetzt. Die Ueberreste der hier und überall geschlagenen und zerstreuten Royalisten sammeln sich dann im Osten, in Colchester: in dieser Stadt werden sie von Fairfax auf's Engste eingeschlossen. Diese Stellung haben die drei Armee-Corps der Independenten noch, als die Schotten kommen.

Sie hatten durch ihre Commissäre Loudon, Lauderdale und Lanerik mit dem gefangenen Könige auf der Insel Wight einen förmlichen Vertrag abgeschlossen, dazu bestimmt, ihren

16

Einfluss in England wiederherzustellen und die ihnen zu weit
gehende Revolution in ihrem besten Zuge zu mässigen und zu
sistiren. Sie schränkten deshalb ihre Forderungen noch mehr
ein, weil sie um jeden Preis sich der Zustimmung des gefangenen Königs vergewissern wollten: der einst von allen Parteien
beschworene Covenant, sowie die feste Verbindung zwischen
England und Schottland waren das Einzige, auf dessen Anerkennung von Seiten des Königs sie bestanden. Einige andere
Bedingungen, erinnernd an alte Streitigkeiten zwischen England
und Schottland, waren darin schon eingeschlossen: es versteht
sich von selbst, dass das besondere schottische Interesse in diesen gewahrt war. Die Annahme der presbyterianischen Kirchenverfassung sollte nur eine vorläufige sein, auf drei Jahre nur;
die spätere Einrichtung sollte einem parlamentarischen Beschlusse vorbehalten bleiben. Dagegen würden sie für die
Wiederherstellung der königlichen Autorität die Waffen ergreifen: die militairische Gewalt, das Recht der Ernennung zu den
hohen Staatswürden, die Verwaltung des grossen Siegels und
das Veto im Parlament sollten ihm wiederverschafft, dem gegenwärtigen Parlament möglichst bald ein Ende gemacht und
vermittelst eines neuen vollständigeren Parlamentes dem König
die Gelegenheit zur persönlichen Unterhandlung in voller Ehre,
Sicherheit und Freiheit möglichst bald verschafft werden. Die
Commissare versprachen im Namen Schottlands, Gut und Blut
hierfür einzusetzen.

Am 8. Juli 1648 überschritt denn auch wirklich die schottische Armee die Grenze. An ihrer Spitze stand, wie schon
gesagt, Lord Hamilton: von einer glänzenden Leibwache umgeben, von einem zahlreichen Adel begleitet, repräsentirte er
mit der prächtigen Aussenseite seines Stabes wieder eine voll-

ständige Cavalier-Armee. Seine Reiterei zumal war in der That eine der besten, die man jemals in England gesehen hat, namentlich, was ihre äussere Erscheinung betraf. An practischer Tüchtigkeit freilich waren Cromwell's Eisenseiten ihr gewachsen. Aber das Fussvolk Hamilton's machte auf jeden Kriegskundigen einen höchst bedenklichen Eindruck: der grösste Theil desselben war nur mit Piken, wenige nur mit schlechten Flinten ausgerüstet, mit deren Gebrauch sie als eben ausgehobene Rekruten zudem nicht völlig sollen vertraut gewesen sein. Er selbst hatte zwar einst unter oder neben Gustav Adolph gedient; aber doch war er sein Leben lang immer mehr ein sehr vornehmer Herr, als ein eigentlicher Soldat und Feldherr gewesen. Er mochte sich momentan geschmeichelt fühlen, eine so glänzende Stellung einzunehmen und mit einem elegant ausgeführten Feldzuge einen entscheidenden Einfluss auf die Geschicke Englands ausüben zu können. Aber seine Strategie stand zu sehr unter dem Einfluss seiner persönlichen Eitelkeit und er selbst war immer zu sehr bestimmt durch seine persönliche Stellung zu der von ihm vertretenen Sache und zu wenig getragen durch die Begeisterung für eine unwiderstehlich die Masse mit sich fortreissende Idee, als dass er einer Armee wäre gewachsen gewesen, wie sie die der Independenten und Cromwell's war. Es herrschte überhaupt bei dieser ganzen mit souverainer Suffisance vorrückenden Schotten-Armee die feste Ueberzeugung, der ganze Feldzug sei mehr ein kleiner welthistorischer Spaziergang, als eine ernstliche Campagne. In weiten Entfernungen von einander, als ob gar kein Feind zu fürchten sei, zogen die verschiedenen Abtheilungen mit jener Art von Lustigkeit vorwärts, wie sie der triviale Humor des gemeinen Kriegsvolkes eben überall zu entbinden pflegt, wo

16*

dasselbe nicht durch energische Schläge des Schicksals zu
ernsterer Stimmung gebracht wird. Dieser Humor wurde zu
wahrhaft genialem Jubel gesteigert, als die Truppen Lambert's
vor dem ersten Andrange der Schotten zurückwichen. Aber
nur wenige Tage dauerte dieser flüchtige Rausch des plötzlich
auftauchenden Eroberers von England: es stellte sich bald
heraus, dass im Grunde nur einige wenige Lords unbedingt für
die Eindringlinge waren, dass dagegen Volk und Parlament
von London sofort in die äusserste Aufregung geriethen, sobald sich die Nachricht vom Einfall der Schotten wirklich als
Thatsache erwies. Und nun kam Cromwell selbst über sie:
er hatte die Belagerung vom Pembroke glücklich mit der
Einnahme dieser Stadt beendigt, zudem von seinen vertrauten
Anhängern in London jede Art von Ermuthigung und Unterstützung erhalten, ja, von dem in Derby-House tagenden Comité
nicht nur entscheidende Befehle, sondern auch Geld und sonstige
Hülfsmittel reichlich zugeschickt erhalten. Aber es bedurfte
dessen kaum: mit jener widerstandslos Alles niederwerfenden
Energie, welche wir bereits an ihm kennen, beendigte er rasch
die Belagerung von Pembroke*) und wusste dann in Eilmärschen
kreuz und quer durch ganz England bis nach Edinburg hin
alle ihm entgegenstehenden Truppen so gänzlich zu vernichten,
dass auch die letzte Hoffnung des gefangenen Königs damit zu
Grabe ging. Es kam ihm dabei zu Statten, dass die feindliche
Armee nicht das war, wofür sie selbst sich vielleicht halten
mochte: die beabsichtigte Zahl von 40,000 Mann war nicht erreicht worden; der Hof von Frankreich hatte Unterstützung
versprochen an Waffen und Munition, sie aber bis jetzt zu

---

*) Am 11. Juli 1648. Sein Brief darüber sogleich.

senden noch unterlassen; der Prinz von Wales blieb in Holland, statt nach Schottland überzusetzen: und Langdale und Musgrave behielten ihr eigenes Corps für sich und weigerten sich, das Obercommando Hamilton's anzuerkennen. Auch waren alle Vorbereitungen noch durchaus nicht beendigt, als die verfrühten Aufstände der Cavaliere die schottische Armee bereits nöthigten, ihren Einfall zu beschleunigen. Es wird erzählt, dass, als Hamilton aus Edinburg auszog, die Volksmenge ihn mit Verwünschungen begleitete und den Untergang einer Armee prophezeite, die dazu bestimmt wäre, dem Könige seine Rechte zurückzugeben, bevor Christus wieder in die seinigen eingesetzt wäre.

Die Soldaten Cromwell's waren schlecht gekleidet, mangelhaft ausgerüstet, durchaus nicht so glänzend äusserlich, wie die Armee Hamilton's; auch an Zahl waren sie dieser selbst dann nicht gewachsen, als Cromwell und Lambert sich vereinigt hatten. Aber sie kamen von einem neuen Siege her und fühlten sich getragen von einer Idee, die jeden Einzelnen zum begeisterten Kämpfer machte. Cromwell zog von Pembroke her zuerst gen Osten, dann nach Norden in die Grafschaft York, die Grafschaften Gloucester, Warwick, Nottingham und Doncaster auf seinem Eilmarsche berührend. Auf seinem Wege verkündete er überall in Briefen, Anreden und Proclamationen, wofür er kämpfe: jeden Argwohn zu beseitigen, die Herzen aller echten Republikaner zu gewinnen, mit seinen Soldaten in herzlicher Sympathie zu leben und die christliche Gemeinde zu allen Siegen zu führen, die ihr in der Idee des Evangeliums bestimmt ist — als dem Kinde Gottes und der Gemeinschaft aller Heiligen — so würden wir jetzt vielleicht die von ihm zuerst ausgesprochenen leitenden Gedanken am besten zusammenfassen,

welche die grosse Seele des Mannes bewegten, dessen seltsames
Genie England noch einmal auf 10 Jahre retten sollte vor den
Schrecknissen einer entsetzlichen Contre-Revolution*). Am 27. Juli
bewerkstelligte er seine Vereinigung mit Lambert. Die schottische Armee, langsam und gemächlich vorrückend, vielfach
gespalten in sich zudem von religiösen, politischen und mili-
tairischen Streitfragen, weil jeder kleine Commandeur in ihr
eine bedeutende Persönlichkeit sein wollte, zudem nicht unterstützt durch das Volk im Lande und daher vollständig in Unwissenheit über die Bewegung der Armee Cromwell's, concentrirte sich allmälig auf Preston. Als Marmaduke Langdale,
der Commandeur der insurgirten Cavaliere, zur Linken der
Armee, plötzlich die Meldung machte, Cromwell sei da, wollte
Hamilton es durchaus nicht glauben, meinte, es sei gar nicht
möglich, so rasch zu marschiren**), oder es könne jedenfalls
nur ein sehr kleines Corps sein und er würde gewiss nicht
wagen, ihn anzugreifen. Kaum aber hatte er in Preston sein
Hauptquartier genommen, als bereits die Nachricht eintraf,
Langdale sei engagirt mit Cromwell. Er hielt sich tapfer, bat
wiederholt um Unterstützung, kämpfte mit all' seinen Leuten
in der besten Stimmung: Cromwell selbst gestand, er habe nie
einen so ernstlichen Widerstand gefunden. Aber die erwartete
und zugesagte Unterstützung kam nicht, obwohl er sich vier
Stunden lang hielt, um Hamilton Gelegenheit zur Sammlung
und Ordnung der Truppen zu lassen. Als er sich nicht mehr
halten konnte, liess Cromwell die Engländer ungestört fliehen
und marschirte sofort auf die Schotten los, warf sie im ersten

---

*) Vgl. die Memoiren der Mrs. Hutchinson.
**) An die heutige Geschwindigkeit darf man freilich nicht denken.

Ansturm über den Haufen und verfolgte sie zwei Tage lang
mit einer Wuth, einem Grimm, einem Nachdruck — am 17.,
18. und 19. August 1648 — dass die feindliche Armee sich als
vernichtet betrachten durfte. Preston, Whiggan, Winwick
und Warrington sind die Namen der Hauptorte, bei welchen
an den drei Tagen die Hauptschläge geschehen: namentlich bei
dem Pass von Winwick leistete die schottische Armee den letzten ernstlichen Widerstand. Als sie aber bei Warrington an-
kamen, waren alle Mannschaften völlig erschöpft: das Geschütz
und die Munition waren verloren, das Landvolk in feindseliger
Aufregung, Cromwell's Eisenseiten drängten unblässig von allen
Seiten — es war keine Rettung mehr, die sämmtlichen Ueberbleibsel der Armee ergaben sich kriegsgefangen, zuerst das
Fussvolk, dann am 25. August auch· die Reiterei. General-
Major Lambert vollendete damit den Sieg Cromwell's.

Diese Niederlage vollendete das Schicksal des Königs: er
selbst wollte auch gar keinen Trost mehr darüber hören, er
hielt diese Niederlage für das grösste Unglück, er fing an, sich
als verloren zu betrachten. Auch wurde in der That im Süden
Englands Alles durch diese drei Tage entschieden: Colchester
ergab sich bald darauf und auf der Flotte trat ein völliger
Umschwung der Meinung ein. Cromwell selbst aber, schon
ohne ausdrücklich Auftrag dazu zu haben, machte jetzt seinerseits eine Invasion in Schottland, ging über die Tweed und
drang vor bis nach Edinburg selbst. Und nun war es merkwürdig, wie in Schottland selbst eine Bewegung zu seinen
Gunsten ausbrach, als ob das alte Gottesgericht der Waffen
jetzt völlig für ihn entschieden habe: alle politischen Dissiden-
ten und alle Pfarrer an der Spitze ihrer Gemeinden erhoben
sich — das sogenannte Whiggamoore-Raid — trieben die

versammelten Stände aus Edinburg hinaus und machten so im Interesse Cromwell's jeden ferneren Widerstand der Royalisten unmöglich. Die Gegner Hamilton's, Argyle an der Spitze, hatten bereits die Geschäfte in die Hand genommen, als der Führer der Independenten-Armee triumphirend in die alte Residenz der schottischen Könige einzog. Es war der 4. October des Jahres 1648. Es versteht sich von selbt, dass jetzt die Rollen sämmtlich gewechselt wurden: die Besetzung aller Stellen war in andere Hände übergegangen.

Es wird nothwendig sein, die hier gegebene Uebersicht wieder durch die eigenhändigen Briefe Cromwell's zu ergänzen, um durch die in diesen Briefen deutlich hervortretenden Andeutungen über einzelne Motive der Hauptereignisse helleres Licht zu erhalten. Vier Briefe zuerst aus dem Lager von Pembroke, aus denen wir folgende Stellen besonders hervorheben:

„An den ehrenwerthen William Lenthall, Esquire, Sprecher des Hauses der Gemeinen: dieses.

Lager vor Pembroke, 14. Juni 1648.

Sir!

Alles, was Ihr von hier erwarten könnt, ist ein Bericht über den Zustand dieser Garnison von Pembroke. Er ist kurz folgender: Sie fangen an, sich in grosser Noth an Lebensmitteln zu befinden, so dass sie aller Wahrscheinlichkeit nach nicht 14 Tage leben können, ohne ausgehungert zu sein. Aber wir hören, dass sie vor 3 Tagen etwa gemeutert und geschrieen haben: „Sollen wir uns ruiniren lassen, zwei oder drei Leuten zu Gefallen? Besser würde es sein, sie über die Wälle zu werfen." Es ist uns bestimmt versichert worden, dass in 4 oder 6 Tagen sie dem Obersten Poyer die Kehle abschneiden werden und dass sie dann Alle zu uns kommen. Poyer hat ihnen gesagt am letzten Sonnabend, dass, wenn Montag Nacht keine Unterstützung käme, sie ihm nicht länger glauben, ja ihn hängen würden."

Dann folgen einige Bemerkungen über mangelnde Geschütze in der Belagerungsartillerie vor Pembroke, sowie über die Verluste, welche die Independenten bisher gehabt haben. In 14 Tagen, glaubt Cromwell, würden sie die Stadt eingenommen haben; und Poyer hat sich verpflichtet gegen die Officiere der Stadt, das Schloss nicht länger zu halten, als die Stadt sich halten kann. „Auch kann er es in der That nicht, denn wir können sein Wasser in zwei Tagen wegnehmen, indem wir eine Treppe zerschlagen, welche in einen Keller hinunterführt, wo er einen Brunnen hat. Sie gestatten den Leuten ein halbes Pfund Fleisch und ebensoviel Brod jeden Tag, aber es ist schon fast Alles verzehrt. — Wir freuen uns sehr über das, was der Herr für Euch in Kent gethan hat. Als wir wegen jenes Sieges von der See sowohl als aus dem Lager Dankschüsse abfeuerten, hat Poyer seinen Leuten gesagt, dass das der Prinz wäre, Prinz Karl und seine revoltirenden Schiffe, welche Unterstützung brächten. Die Nacht darauf meuterten sie in der Stadt. Die vorige Nacht setzten wir verschiedene Häuser in Brand, und dieses Feuer geht noch durch die Stadt: es erschreckt sie sehr. Ich habe das Vertrauen, wir werden die Festung in 14 Tagen haben, und zwar durch Aushungerung. Ich bin, mein Herr, Ihr Diener

Oliver Cromwell."

Ein zweiter Brief ist gerichtet an den Major Thomas Saunders, zu Brecknock:

Vor Pembroke, 17. Juni 1648.

„Sir!

Ich sende Euch das hier Eingeschlossene allein, weil es von grösserer Wichtigkeit ist. Das Andere mögt Ihr an Herrn Rumsey mittheilen, so weit Ihr es für geeignet haltet und ich geschrieben habe. Ich möchte nicht, dass er oder andere ehrliche Leute entmuthigt würden, weil ich es gegenwärtig nicht für gut halte, in Streitigkeiten uns einzulassen; es wird gut sein, ein wenig nachzugeben um des öffentlichen Wohles willen: denn fürwahr, das ist mein Endziel; und ich wünsche, dass Ihr darin sie befriedigen möget.

Ich habe, wie mein Brief erwähnt, hingeschickt, um Euch aus Brecknockshire zu entfernen; in der That, Ihr müsst in jenen Theil von Glamorlandshire, welcher zunächst Monmouthshire liegt. Zu diesem Zwecke: wir haben volle Entdeckung darüber, dass Sir Trevor Williams of Llangibby, etwa zwei Meilen von Usk in der Grafschaft Monmouth, sehr tief in den Plan verwickelt war, Chepstow-Castle zu verrathen, so dass wir gar keinen Zweifel mehr an seiner Schuld hierin haben. Ich autorisire Euch daher hierdurch, ihn festzunehmen, wie auch den High-Sheriff von Monmouth, Mr. Morgan, der in dasselbe Complott verwickelt war.

Aber weil Sir Williams der bei weitem gefährlichere Mann ist, so möchte ich, dass Ihr ihn zuerst fasstet, und der Andere wird dann leicht zu haben sein. Zu dem Zwecke, damit Ihr nicht vergebens bemüht und nicht getäuscht werdet, halte ich es für gut, Euch einige Charakterzüge des Mannes mitzutheilen und einige Nachrichten darüber, wie die Dinge stehen. Er ist ein Mann, wie man mir gesagt hat, voll Kraft und Feinheit; sehr kühn und entschlossen; er hat ein Haus zu Llangibby, wohl versehen mit Waffen und sehr stark; seine Nachbarn sind in hohem Grade Malignanten und ihm sehr ergeben — und sie sind fähig, ihn zu befreien, wenn er verhaftet würde, noch mehr aber irgend etwas zu entdecken, was das verhindern könnte. Er ist voll Argwohn; nicht völlig schuldig, aber weit mehr deshalb, weil er vermuthet, dass Einige, welche in der Angelegenheit mitwirkten, ihn herausgefunden haben, was in der That der Fall ist, und dann auch, weil er weiss, dass sein Diener hierher gebracht ist und ein Geistlicher, um hier verhört zu werden, und diese sind fähig, den ganzen Plan zu entdecken.

Wenn Ihr vielleicht direct in jenes Land und in seine Nähe marschieren solltet, so wette ich darauf, dass er entweder sein Haus vertheidigt, oder dass er Euch entschlüpft: ebenso auch, wenn Ihr zu seinem Hause gehen solltet und ihn dort nicht finden; oder wenn Ihr versuchen solltet, ihn gefangen zu nehmen, und die Ausführung verfehlen, oder wenn Ihr irgend eine bekannte Untersuchung gegen ihn anstelltet — so wird das Alles entdeckt werden.

Deshalb, was das Erste anbetrifft, so habt Ihr da einen hübschen Vorwand, aus Brecknochshire herauszugehen, um in der Gegend von Newfort und Caerlon Quartier zu nehmen, welches nicht mehr als 4 oder 5 Meilen von seinem Hause entfernt ist. Ihr könnt zu Oberst Herbert senden, dessen Haus in Monmouthshire liegt und dieser wird Euch gewiss benachrichtigen, wo er ist. Ihr habt auch zu Capitain Nicholas zu senden, welcher in Chepstow ist, um ihn zu bitten, dass er Euch beistehe, wenn er den Williams in sein Haus bekommen sollte. Er mag auf der Hut sein! Samuel Johns, welcher Quartiermeister bei den Truppen des Oberst Herbert ist, wird

Euch in jeder Weise beistehen, wenn Ihr nach ihm sendet, zu
Euch in die Quartiere zu kommen: er wird Euch sowohl wissen
lassen, wo er sich befindet, als auch wie es steht in allen Dingen.
Wenn es nothwendig sein sollte, so werden die Truppen des
Capitain Burges, welche jetzt in Glamorganshire einquartiert
sind, angewiesen werden, Befehle von Euch zu empfangen.

Ihr ersehet aus alle diesem, dass wir, ich darf das gestehen, ein wenig zu eifrig in dieser Angelegenheit sind; es ist
das unser Fehler: und in der That, solch' eine Gemüthsart
veranlasst uns oft, die Geschäftigkeit zu übertreiben. Wir überlassen daher es Euch ohne weiteren Lärm, und ebenso Euch
selbst der Führung Gottes in dieser Sache.

Ich bleibe der Eurige

Oliver Cromwell.

P. S. Wenn Ihr ihn ergreift, so bringt ihn, oder lasst ihn
durch eine starke Wache zu mir bringen. Wenn Capitain
Nicholas etwa in Chepstow auf ihn treffen sollte, so verstärkt
ihn mit einer starken Wache, um jenen hierher zu bringen.
Wenn Ihr seine Person fasst, so entwaffnet sein Haus; aber
lasst seine Waffen nicht unterschlagen werden. Wenn Ihr die
Truppen des Capitain Burges nöthig habt, so haben sie ihr
Quartier zwischen Newport und Chepstow."

Sir Trevor Williams zieht sich später in etwas dürftigerem
Zustande*) nach L a n g e v i e h o u s e zurück und verschwindet
aus der Geschichte: es ist eben immer schlimm für solche hochstehende Herren, wenn sie nicht zu rechter Zeit die richtige
Position zu ergreifen wissen.

Unterdessen haben die Aufstände der Cavaliere aus Surrey,

---

*) in a diminished state retires to Langevie-House.

aus Kent und anderen Grafschaften stattgefunden, Fairfax hat in Maidstone strenges Gericht gehalten — „etwa 7 Uhr Abends so hartes Kämpfen, wie ich jemals gesehen habe." — Lambert ist im Norden, und es wäre sehr zu wünschen, dass Cromwell Pembroke eingenommen hätte, um sich mit ihm vereinigen zu können. General Fairfax hat um diese Zeit seinen Vater verloren und ist dadurch Lord Fairfax geworden. Und an diesen neuen Lord schreibt Cromwell aus dem Lager folgendermassen:

„An Se. Excellenz den Lord Fairfax, General der Parlaments-Armee: dieses.

Vor Pembroke, 28. Juni 1648.

Sir!

Ich habe vor einigen Tagen Reiterei und Dragoner nach dem Norden abgesendet. Ich sandte sie auf dem Wege durch West Chester, indem ich es für gut hielt so zu thun mit Rücksicht auf den hier eingeschlossenen Brief, welchen ich vom Oberst Dukinfield erhalten habe; er bat sie, ihm auf dem Wege Beistand zu leisten. Und wenn es sich erweisen sollte, dass eine sofortige Hülfe nicht zweckmässig erschiene, so habe ich für den Fall den Truppen des Capitain Pennyfeather befohlen, beim Gouverneur Dukinfield zu bleiben; die Uebrigen sollen sofort nach Leeds marschieren, und zugleich ist nach dem Comité von York zu senden, oder auch zu ihm, welcher die Truppen in jenen Gegenden commandirt, wegen der Richtung, in welcher sie kommen sollen und wie über sie soll disponirt werden.

Die Zahl der von mir gesendeten Truppen beträgt 6 Escadronen: vier gewöhnlicher Reiterei und zwei von Dragonern; davon sind drei die des Oberst Scroop — eine Escadron gehört dem Rittmeister Pennyfeather, und die anderen beiden sind Dragoner. Nach dem Urtheil der hier befindlichen Obersten konnte ich nicht mehr entbehren, noch auch sie früher senden, ohne offenbares Wagniss für diese Gegenden. Es befindet sich hier, wie ich schon früher Ew. Excellenz berichtet habe, ein ganz verzweifelter Feind, welcher, da er alle Hoffnung auf Gnade verloren hat, entschlossen ist, bis zur äussersten Noth auszuharren. Sehr viele derselben sind Gentlemen von Rang und durchaus entschlossene Männer. Sie haben schon einige bemerkenswerthe Ausfälle auf Oberstlieutenant Reade's Abtheilung gemacht, zu seinem Schaden. Wir sind genöthigt, verschiedene Stellungen zu behaupten, sonst würden sie Unterstützung erhalten, oder mit ihrer Reiterei sich durchschlagen. Unsere Infanterie, mit welcher wir sie belagert halten, beträgt etwa 2400 Mann; wir sind aber genöthigt, einige in Garnison zu behalten.

Das Land umher, seit wir vor dieser Festung liegen, hat zwei oder drei Insurrectionen gemacht, und sie sind bereit, es jeden Tag zu wiederholen und indem wir also auf diese Rücksicht nehmen und unsere Reiterei zu dem Zwecke vertheilen, ferner auch stets Magazine halten müssen, ohne welche wir verhungern würden, da dieses Land so kläglich erschöpft und so arm ist, und wir kein Geld haben, um Lebensmittel zu kaufen — in der That, was man auch immer darüber denken mag, es ist ein Wunder, dass wir fähig gewesen sind, unsere Leute zusammenzuhalten inmitten solcher Noth, da die Nahrung des Fussvolkes grösstentheils nur aus Brod und Wasser besteht. Unsere Geschütze sind noch nicht zu uns gekommen wegen des unglücklichen Zufalles zu Berkley: und in der That, es war ein sehr unglücklicher Gedanke, dass sie dorthin gebracht wurden; der Wind war zudem immer so contrair, dass sie, obwohl vor dem Sinken gerettet, doch nicht zu uns kommen konnten: und doch kann diese Festung nicht erobert werden, ohne geeignete Belagerungsgeschütze, ausgenommen durch Aushungerung. Und fürwahr, ich glaube, dass die Verlegenheiten des Feindes sich sehr bedeutend vermehren und dass binnen wenigen Tagen dieses Geschäft wird beendigt sein; sicher würde dieses schon eher geschehen sein, wenn wir solche Dinge erhalten hätten, womit es zu machen gewesen wäre. Aber es wird gethan sein zur rechten Zeit.

Ich freue mich sehr, zu hören von dem Segen Gottes über die Bemühungen Eurer Excellenz. Ich bitte Gott, dass diese Nation und diejenigen, welche über uns sind und Ew. Excellenz selbst und wir alle, die wir unter Euch sind, unterscheiden mögen, was der Geist Gottes in alle diesem sein mag und was unsere Pflicht ist. Gewiss ist es nicht das, dass das arme Volk Gottes in diesem Königreiche noch ferner zum Gegenstande des Zornes und Schmerzes gemacht werde, noch auch, dass Gott unsern Nacken unter das Joch der Knechtschaft haben wolle. Denn diese Dinge, welche kürzlich geschehen sind, sind die wunderbaren Werke Gottes gewesen, indem sie die Zuchtruthe des Unterdrückers zerbrochen haben, wie in den Tagen von Midian, — nicht mit Gewändern, die im Blut gewälzt sind, sondern durch den Schrecken des Herrn; und Er wird noch sein Volk retten und seine Feinde zerschmettern, wie an jenem Tage. Der Herr vermehre seine Gnade über Euch und segne Euch und halte Eure Herzen aufrecht: dann werdet Ihr, wenngleich nicht entsprechend den Menschen dieser Welt noch auch ihrer Weisheit, kostbar sein in den Augen Gottes und Er wird Euch ein Schutz und Schirm sein.

Mein Herr, ich weiss nicht, dass ich einen Brief erhalten

habe von irgend Einem in Eurer Armee über die glorreichen Erfolge, die Gott Euch gewährt hat. Verzeihet, das ich darüber klage. Ich wünsche mit Euch in Einheit zu bleiben. Ich nehme Abschied und bleibe, Mylord,

Euer demüthiger und getreuer Diener

Oliver Cromwell.

P. S. Mein Herr, ich wünsche, dass der Oberst Lehunt eine Commission erhalte, ein Regiment Reiterei zu commandiren, von welchem der grösste Theil vom Feinde her zu uns gekommen ist; und dass es Euch gefallen möge, die Patente für seine niederen Officiere zu übersenden — so eilig, als möglich." —

Lord Fairfax, als „General aller Parlamentstruppen, die bereits ausgehoben sind oder noch ausgehoben werden sollen", hat eben in letzter Instanz für Alles zu sorgen, was die Armee betrifft, also auch Belagerungs-Artillerie zu schicken und unausgefüllte Officiers-Patente*), die erst durch Eintragung der Namen Gültigkeit erhalten. Leider hatte die Fregatte Schiffbruch gelitten, welche die Geschütze bringen sollte: die Batterien zur Belagerung sind daher noch immer nicht ganz in Ordnung und die Einnahme von Pembroke verzögert sich in Folge dieses unglücklichen Zufalles („unhappy accident at Berkley") zu Berkley. Einige Cavallerie-Escadronen desertiren unterdessen und gehen zur Parlaments-Armee über: Lehunt soll ihr Commandeur werden. Wir sehen aus all' diesen einzelnen Zügen, die ganze Situation im Anfange des zweiten Bürgerkrieges immer deutlicher uns entgegentreten.

Es folgt darauf der Untergang des Herzogs von Buckingham,

---

*) „Blank commissions for his officers."

Sohnes des ermordeten Herzogs, seines Bruders Francis und des Earl of Holland: selbst Cromwell's ehemaliger Lehrer (Dutch Dalbier) hat sich verleiten lassen, zur anderen Seite überzugehen — die Soldaten des Fairfax haben ihn dafür in Stücke gehauen, als sie ihn zu fassen bekamen. Von Van Dyck existiren noch die Portraits der beiden hübschen jungen Buckinghams, die so leichtsinnig hier in's Verderben eilten, in Hampton-Court. Freilich hatten sie ihr Leben lang am Rande des Abgrundes einhergetaumelt — wie es bei allen solchen vornehmen jungen Herren gewöhnlich ist. Dies geschah am 5. Juli 1648: am 8. Juli folgt darauf der Einfall der Schotten unter Hamilton; etwas über 20,000 Mann*) waren glücklich zusammengebracht. Zu „Annan 8. Juli", an der Grenze beider Königreiche, wird der entscheidende Beschluss gefasst, einzurücken und einen König zu befreien, von dem sie doch nicht wissen, was sie mit ihm machen sollen. Das arme Schottland hatte schlimme Tage verlebt, die Einsichtsvollen waren überstimmt worden durch Hamilton's Anhänger und Argyle hat momentan zurücktreten müssen gegen die vornehmen Herren. Vielleicht aber erspart Oliver Cromwell denselben alle ferneren Verlegenheiten: wenigstens nimmt er nach drei Tagen schon Pembroke ein, am 11. Juli, worüber folgender Brief:

„An den ehrenwerthen William Lenthall Esquire, Sprecher des Hauses der Gemeinen. Dieses.

Pembroke, 11. Juli 1648.

Sir!

Stadt und Schloss Pembroke wurden mir heute übergeben,

---

*) Nach Rushworth nur 6500 zu Fuss und 2600 zu Pferde.

17

am 11. Juli, auf die Bedingungung hin, welche ich Euch hier eingeschlossen mitsende. Was für Waffen, Munition, Lebensmittel, Geschütze oder andere Kriegsnothwendigkeiten in der Stadt sind, darüber habe ich Euch noch nichts Gewisses zu sagen, weil die Commission, welche ich hineingeschickt habe, um dieselben zu übernehmen, noch nicht zurückgekehrt ist, noch auch sobald zurückkehren wird; und ich wollte es nicht aufschieben, Euch einen Bericht von diesem gnadenvollen Tage zu geben.

Die Personen, welche nicht freigesprochen sind, sind diejenigen, welche Euch früher in einer sehr guten Sache gedient haben; aber da sie jetzt abgefallen sind, so wählte ich sie mir lieber aus, als Diejenigen, welche immer für den König gewesen waren. Denn ich glaube, dass ihr Verbrechen ein doppeltes ist, weil sie sich verfehlt haben gegen so viel Licht und so viel Beweise der göttlichen Vorsehung, die eine gerechte Sache immerfort begleiteten und begünstigten: und sie hatten selbst Antheil an der Führung derselben.

Ich bleibe Euer demüthiger Diener

Oliver Cromwell."

Die Bedingungen, unter welchen sich Pembroke ergab, waren folgende:

1) Die Hauptanführer, wie Langhorne (oder Langhern), Poyer, Humphrey, Matthews, William Bowen und David Poyer sollten sich dem Parlament auf Gnade und Ungnade ergeben.

2) Andere, wie Charles Kemish etc. hatten binnen 6 Wochen das Königreich zu verlassen und durften erst nach Ablauf von 2 Jahren zurückkehren.

3) Alle nicht namentlich erwähnten Officiere und Mann-

schaften sollten ruhig nach Hause gehen und sich als entlassen betrachten, ohne irgend Etwas zu verlieren.

4) Alle Kranken und Verwundeten sollten sorgfältig gepflegt werden, bis sie wieder hergestellt sind.

5) Die Einwohner der Stadt sollten durchaus geschont, nicht ausgeplündert oder sonst geschädigt werden, sondern ihre Freiheit wie bisher geniessen.

Unter diesen Bedingungen wurde die Stadt mit allem darin Befindlichen an General-Lieutenant Cromwell übergeben. Der Krieg in Wales ist damit beendigt: Cromwell marschirt nordwärts, erhält in Leicester die 3000 Paar Schuhe, die er sich für seine armen Soldaten ausgebeten, lässt seine Gefangenen in Nottingham zurück, auf dem Schlosse des Oberst Hutchinson, dessen Misstres H. durch ihre Memoiren berühmt geworden, vereinigt sich mit Lambert in dem Hügellande von Yorkshire, bei Barnard Castle — am 27. Juli 1648 — und nimmt sofort den Kampf auf, der die entscheidende Wendung bringen sollte.

Nach einigen Kreuz- und Querzügen zur Orientirung kommt es denn zur berühmten Preston-Battle, über welche hier der eigenhändige Bericht des siegreichen Generals in mehreren Briefen:

„An das ehrenwerthe Comité von Lancashire, sitzend in Manchester.

(Ich ersuche den Commandeur der dortigen Streitkräfte, diesen Brief zu öffnen, falls er nicht in die Hand Jener gelangen sollte.)

Preston, den 17. August 1648.

Gentlemen!

Es hat Gott gefallen, an diesem Tage seine grosse Macht

17*

dadurch zu zeigen, dass er die Armee siegreich gemacht hat
gegen den gemeinsamen Feind.

Wir lagen die vorige Nacht etwa 9 Meilen von Preston
bei dem Hause des Herrn Sherburn of Stonyhurst, etwa 3 Meilen von den schottischem Quartieren. Wir rückten zeitig am
nächsten Morgen gegen Preston vor mit dem Wunsche, den
Feind zum Kampfe zu bewegen; und während unsere Vorposten
bereits mit demselben engagirt waren, waren wir etwa vier
Meilen von Preston und von dort rückten wir mit der ganzen
Armee vorwärts: und nachdem der Feind in ein Marschland
ausgerückt war, zwischen uns und der Stadt, geriethen die Armeen von beiden Seiten in's Gefecht. Und nach einem sehr
heftigen Kampfe, welcher etwa drei bis vier Stunden dauerte,
gefiel es Gott, uns zu ermächtigen, dass wir ihm eine Niederlage beibrachten; ich hoffe, dass wir diese bis zu ihrer äussersten
Vernichtung weiter führen werden: und in diesem Dienste haben Eure Landsleute etwas Bedeutendes geleistet.

Wir können noch nicht in das Einzelne eingehen, da wir
noch keine Zeit hatten, die Erschlagenen und die Gefangenen
zu zählen; aber wir können Euch versichern, dass wir viele
Gefangene haben und zwar viele von hohem Range; und viele
Erschlagene, und die Armee so zersprengt, wie ich sage. Der
Haupttheil derselben mit dem Herzog Hamilton ist auf der
Südseite der Ribbel und der Darvin-Brücke, und wir liegen
jetzt mit dem grössten Theil der Armee ganz nahe bei ihnen:
Nichts verhindert die Vernichtung der feindlichen Armee, als
die Nacht. Es wird unsere Sorge sein, dass sie nicht irgend
eine Furth passiren sollen unterhalb der Brücke, um nach
Norden zu ziehen oder um zwischen uns und Whalley zu
kommen.

Wir hören, dass die Truppen des General Ashton sich zu Whalley befinden; wir haben sieben Escadronen gewöhnliche Reiterei oder Dragoner, welche, wie wir glauben, zu Clitheroe liegen. Diese Nacht habe ich Befehle gegeben ausdrücklich für diese bestimmt, dass sie nach Whalley marschiren sollen, um sich mit den dort liegenden Compagnien zu vereinigen; so werden wir die Vernichtung dieses Feindes zu erreichen suchen. Sie entnehmen aus diesem Briefe, wie die Dinge stehen. Durch solche Mittel ist die Macht des Feindes gebrochen: der grösste Theil ihrer Reiterei ist nordwärts gegangen, wir haben einen beträchtlichen Theil unserer Truppen ihnen unmittelbar auf den Fersen; und da der Feind fast alle seine Munition verloren hat und fast 4000 seiner Bewaffneten, so dass der grösste Theil des Fussvolkes preisgegeben ist, so fordern wir zum Zweck der Vollendung dieses Werkes Euer Land zum Aufstand auf und zur Verwendung Eurer Streitkräfte zur vollen Vernichtung jener Feinde, welchen Weg auch immer sie gehen mögen; und wenn Ihr demgemäss Eure Schuldigkeit thut, so zweifelt nicht an ihrer völligen Vernichtung.

Ich hielt es für gut, dieses eilig an Euch abzusenden, zu dem Zwecke, dass Ihr Euch nicht verwirren lasst, wenn sie gegen Euch marschiren, sondern dass Ihr Euer Interesse wahrnehmen sollt, wie vorher gesagt, damit Ihr Gott preisen könnt für diese unaussprechliche Gnade. Dieses ist gegenwärtig Alles, was ich Euch zu sagen habe.

Euer sehr demüthiger Diener

Oliver Cromwell.''

Indem wir uns aller weiteren Bemerkungen über diesen interessanten Brief enthalten und Jeden, der sich über weitere Einzelheiten noch näher belehren möchte, auf Thomas Carlyle und Rushworth verweisen, fügen wir gleich den zweiten, äusserst wichtigen und interessanten Brief hinzu, in welchem Cromwell die Beschreibung der ganzen Affaire bis zum Tage von Warrington zusammengestellt hat.

„An den ehrenwerthen William Lenthall Esquire, Sprecher des Hauses der Gemeinen. Dieses.

Warrington, den 20. August 1648.

Sir!

Ich habe diesen Herrn*) zu Euch gesandt, um Euch einen Bericht zu geben von der grossen Güte und Macht Gottes gegen Euch in dem letzten Siege, erfochten gegen den Feind in diesen Gegenden.

Nach der Verbindung der Heeresabtheilung, welche ich mit mir aus Wales gebracht habe, mit den Streitkräften im Norden bei Knaresborough und Wetherby, marschirten wir, da wir hörten, dass der Feind mit seiner Armee in Lancashire vorgerückt sei, am nächsten Tage, den 13. August, nach Otley. (Wir hatten unseren Train bei Seite gelassen und nach Knaresborough gesandt wegen der Schwierigkeit, mit demselben durch Craven zu marschiren, und zu dem Zwecke, dass wir mit grösserer Freiheit die Bewegung des Feindes erwarten könnten.) Und so marschirten wir am 14. nach Skipton, am 15. nach Gisburne, am 16. nach Hodder Bridge, jenseits der Ribble: und dort hielten wir einen Kriegsrath. In diesem überlegten wir, ob wir in jener Nacht nach Whalley marschiren sollten und weiter, um uns zwischen den Feind und sein weiteres Vordringen in Lancashire und südwärts einzuschieben —

---

*) Major Berry brachte diesen Brief, Edward Serby den vorigen; jener erhielt 200 Pfd., dieser 100 Pfd. Sterling dafür.

denn wir hatten Nachricht erhalten, dass der Feind das beabsichtigte, und wir sind seitdem gewiss geworden, dass sie sogar bis nach London selbst hinwollten — oder ob wir unmittelbar über die genannte Brücke marschiren sollten, indem dort
keine andere war bis nach Preston hin, und ob wir dort den
Feind zum Kampfe veranlassen sollten. Wir glaubten nämlich,
dass er dort Stand halten würde, weil wir Nachricht erhalten
hatten, dass die irischen Truppen unter Monro vor Kurzem
aus Irland gekommen wären, welche aus 1200 Mann zu Pferde
und 1500 Mann zu Fuss bestanden, und dass sie auf dem
Marsche nach Lancashire wären, um sich mit jenen zu vereinigen.

Man glaubte, dass den Feind zum Kampfe zu bewegen,
unsere eigentliche Aufgabe sei; und da der vorher angegebene
Grund uns Hoffnung gab, dass unser Marsch auf der Nordseite
der Ribble das bewirken würde, wurde beschlossen, dass wir
über die Brücke marschiren sollten; was wir demgemäss auch
thaten. Und jene Nacht lagerte die ganze Armee in dem Felde
bei Stonyhurst Hall, dem Hause des Mr. Sherburn, ein Platz,
neun Meilen von Preston erntfernt. Sehr früh am nächsten
Morgen marschirten wir dann in der Richtung auf Preston:
denn wir hatten Nachricht, dass der Feind sich von allen seinen Quartieren ringsherum dorthin zusammenzog, und wir
schickten deshalb eine Vorhut von etwa 200 Mann zu Pferde
und 400 zu Fuss voraus, die Reiter commandirt durch Major
Smithson, das Fussvolk durch Major Pownel. Unsere Vorhut
an Reiterei marschirte bis auf eine Meile an den Punkt heran,
wo der Feind aufgestellt war — in den geschlossenen Gründen
bei Preston, auf jener Seite, die uns zunächst lag; und dort
auf einem Marschfelde, etwa eine halbe Meile entfernt von des

Feindes Armee, trafen sie mit ihren Spähern und äusseren
Vorposten zusammen: und sie benahmen sich mit solcher Tapferkeit und solchem Muthe, dass sie jene Vorposten (welche sowohl aus Reiterei als Fusstruppen bestanden) veranlassten,
ihren Standort zu verlassen; sie machten verschiedene Gefangene, hielten diesen Kampf aufrecht mit ihnen, bis unsere
Vorhut von Fusstruppen herankam zu ihrer Befreiung; und so
war es uns möglich, unsere ganze Armee heranzuschaffen. Sobald unsere Truppen zu Fuss und zu Perde herangekommen
waren, entschlossen wir uns, noch in jener Nacht den Kampf
zu beginnen, wenn wir es könnten; und deshalb, vorrückend
mit unserer Vorhut und die übrige Armee in eine so gute
Stellung bringend, als der Boden erlaubte (der aber für unsere
Reiterei ganz ungeeignet war, indem Alles coupirtes Terrain
und sumpfiger Boden war), drängten wir auf sie heran. Die
Regimenter zu Fuss waren in folgender Weise aufgestellt: da
dort ein Heckenweg war, sehr tief und gefährlich, bis hin zur
Armee des Feindes und zur Stadt führend, so commandirten
wir zwei Regimenter Reiterei, das erste des Oberst Harryson,
das nächste mein eigenes, jenen Engpass hinauf den Angriff zu
beginnen, und an jeder Seite derselben avancirte die Haupt-
schlacht („the Main Battle“); die Schlachtreihen waren gebildet aus den Truppen des Oberstlieutenant Reade, des Oberst
Dean und des Oberst Pride auf der Rechten, des Oberst
Bright und des Obergenerals auf der Linken; Oberst Ashton
mit den Lancashire-Regimentern bildete die Reserve. Wir
geben dem Oberst Thornhaugh und dem Oberst Twistton
Befehl, ihre Reiterregimenter zur Rechten aufzustellen; und ein
Regiment in Reserve für den Engpass; die übrige Reiterei auf
dem linken Flügel: — so dass wir zuletzt zu einem Hecken-

kampfe kamen; der grösste Nachdruck vom Feinde her geschah auf unseren linken Flügel, auf die Hauptschlachtordnung an beiden Seiten des Hohlweges und auf unsere Reiterei in dem Hohlwege selbst: und an allen diesen Punkten wurden die Feinde gezwungen, ihre Stellung aufzugeben nach einem Kampfe von vier Stunden; — bis wir endlich zur Stadt kamen, in welche vier Compagnien von meinem eigenen Regimente zuerst eintraten; und da sie durch Oberst Harrison's Regiment wohl unterstützt wurden, so griffen sie den Feind in der Stadt selbst an und räumten mit ihm in allen Strassen auf.

Keine Abtheilung Eures Fussvolkes kam an diesem Tage zum Gefecht, oder es geschah mit unglaublicher Tapferkeit und Entschlossenheit. Unter ihnen hatten die Truppen des Oberst Bright, die des commandirenden Generals, die des Oberstlieutenant Reade und des Oberst Ashton die grösste Arbeit: oft kamen sie dazu, mit den Piken anzugreifen und aus nächster Nähe zu feuern, und immer brachten sie den Feind zum Weichen. Und ich muss in der That nothwendig sagen, Gott hat sich so sichtbar bewiesen in der Tapferkeit der Officiere und Soldaten in den genannten Truppen, als in irgend einer vorher stattgehabten Action; denn der Feind leistete, obgleich er wieder besiegt wurde, sehr festen und hartnäckigen Widerstand. Die Regimenter des Oberst Dean und des Oberst Pride, welche den Feind überflügelten, konnten nicht zu so vieler Theilnahme an der Action kommen, denn der Feind rückte in einzelnen Stössen gegen die Brücke vor; und erhielt fast Alles in der Reserve, so dass er oft frische Kräfte in's Gefecht brachte. Da wir dieses noch nicht wussten, so stellten wir, um nicht unsererseits überflügelt zu werden, zwei Regimenter zur Verstärkung unsres rechten Flügels auf; dieses war die Ursache,

dass sie zu jener Zeit nicht einen so grossen Antheil an dieser
Action erhielten.

Zuletzt gerieth der Feind in Unordnung: Viele wurden erschlagen, Viele gefangen genommen; der Herzog mit den meisten
der schottischen Reiter und Fusssoldaten zog sich über die
Brücke zurück; dort, nach einem sehr heissen Kampfe zwischen
den Lancashire-Regimentern, einem Theil der Truppen des
commandirenden Generals und ihnen, in welchem sie oft zum
Handgemenge kamen, wurden sie von der Brücke vertrieben;
und unsere Reiterei sowohl als unser Fussvolk folgte ihnen,
tödtete Viele und machte verschiedene Gefangene; so hatten
wir also die Darwig-Brücke in Besitz genommen und einige
Häuser dort; der Feind war bis auf Schussweite von uns zu-
rückgetrieben und dort blieben wir jene Nacht — indem wir
nicht fähig waren, fernere Angriffe auf den Feind zu machen,
da die Nacht uns verhinderte. In dieser Stellung verharrten
also der Feind und wir den grössten Theil jener Nacht. Als
wir die Stadt betraten, flohen viele von der feindlichen Reiterei
nach Lancaster; einige Abtheilungen unserer Reiterei jagten
hinter ihnen her, verfolgten sie beinahe zehn Meilen weit und
hatten Execution über sie und nahmen etwa 500 Pferde und
viele Leute gefangen. Wir nahmen in diesem Kampfe sehr
viel von des Feindes Munition: ich glaube, sie verloren 4 oder
5000 Gewehre, die Zahl der Erschlagenen wird nach unserem
Urtheil etwa 1000 sein; wir machten etwa 4000 Gefangene.

In der Nacht zog der Herzog mit seiner Armee ab nach
Wigan. Wir waren so ermüdet vom Kampfe, dass wir nicht
so gut, wie es wohl hätte sein sollen, den Abzug des Feindes
beachteten: und so kam es, dass der Feind mit seiner Arrière-
garde bereits wenigstens drei Meilen entfernt war, ehe die

Unsrigen an sie herankamen. Ich befahl dem Oberst Thornhaugh, zwei oder drei Regimenter Reiterei zu commandiren,
um dem Feinde zu folgen, und ihn, wenn es möglich wäre,
wieder zum Stehen zu bringen, bis wir unsere Armee heranschaffen könnten. Der Feind marschirte fort in der Stärke
von etwa 7 oder 8000 Mann zu Fuss und etwa 4000 Reitern;
wir folgten ihm mit etwa 3000 Mann zu Fuss und 2500 Pferden und Dragonern; und bei dieser Verfolgung wurde jener
würdige Gentleman, der Oberst Thornhaugh erschlagen, weil
er zu kühn vorwärts drängte und dabei durch die feindlichen
Lanciers im Leibe, in der Lende und im Kopfe verwundet
wurde. Erlaubt mir hinzuzufügen, dass er ein Mann war, so
treu und tapfer in Eurem Dienste, als irgend einer. Er hat
schon vorher oft sein Blut in diesem Kampfe vergossen für
Euch, und jetzt sogar sein Leben gelassen. Er hat einen Sohn,
die Ehre seines Vaters zu erben und eine traurige Wittwe,
Beide jetzt der Sorge des Gemeinwesens empfohlen.

Unsere Reiterei verfolgte den Feind noch weiter, tödtete
und nahm gefangen Viele auf dem ganzen Wege. Zuletzt stellte
der Feind sich auf etwa drei Meilen vor Wigan*); und als
während dieser Zeit auch unsere Armee herangekommen war,
zogen jene wieder fort und erreichten Wigan, bevor wir irgend
etwas gegen sie versuchen konnten. Wir lagen in jener Nacht
im offnen Felde ganz nahe bei dem Feinde: es war äusserst
schmutzig und beschwerlich, und wir hatten zwölf Meilen auf
einem solchen Boden marschirt, wie ich niemals in meinem
ganzen Leben einen zu Pferde passirt habe; denn es regnete

---

*) Whiggan oder Wigan — wir finden den Namen verschieden ge-
schrieben.

den ganzen Tag. In der Nacht hatten wir ein kleines Schar-
mützel mit dem Feinde nahe bei der Stadt: dort nahmen wir
den General van Druske und einen Oberst gefangen, und tödteten einige höhere Officiere und machten ausserdem etwa 100 Gefangene; dort empfing ich auch einen Brief vom Herzog Hamilton, in welchem er um humane Behandlung seines Verwandten,
des Obersten Hamilton, bat, den er dort verwundet zurückliess.
Wir nahmen auch den Oberst Hurry und den Oberstlieutenant
Innes gefangen, die einst in Eurem Dienste waren. Am nächsten
Morgen marschirte der Feind nach Warrington, und wir
ihnen unmittelbar auf den Fersen. Die Stadt Wigan, eine
grosse und arme Stadt und sehr missvergnügt, wurde von ihnen
geplündert und fast gänzlich ausgeraubt.

Wir konnten den Feind nicht zum Kampfe bringen, bis
wir etwa drei Meilen von Warrington waren: da hielt der
Feind Stand bei einem Orte in der Nähe von Winwick. Wir
hielten die Schlacht, bis unsere ganze Armee herankam. Sie
behaupteten den Pass mit grosser Entschlossenheit viele Stunden lang; unsere und ihre Truppen gelangten zum Lanzen-
kampfe und Handgemenge und zum Feuern aus nächster Nähe
— das zwang uns zuerst, ein wenig zu weichen; aber unsere
Leute sammelten sich bald wieder, durch · den Segen Gottes,
und indem sie nun aus nächster Nähe feuerten und dann
daraufstürmten, schlugen sie jene völlig zurück: und wir tödteten dort etwa 1000 Mann und machten, wie wir glauben, etwa
2000 Gefangene; auch verfolgten wir sie bis nach der Stadt
Warrington. Dort hatten sie die Brücke besetzt, und diese
hatte einen starken Brückenkopf und ein Festungswerk auf
derselben, welche früher zu sehr starken Vertheidigungswerken
eingerichtet waren. Sobald wir dorthin kamen, erhielt ich eine

Botschaft vom General Bailli, der eine Capitulation wünschte. Ich gewährte dieselbe. Indem ich die Stärke dieses Punktes berücksichtigte und ebenso, dass ich nicht über den Fluss Mersey gehen könnte bis zur Entfernung von etwa 10 Meilen von Warrington, gestattete ich ihm folgende Bedingungen: dass er sich mit all seinen Officieren und Soldaten zu Kriegsgefangenen ergeben sollte, mit seinen Waffen, aller Munition und allen Pferden, und zwar an mich (to me): ich gewährte ihm Pardon für's Leben und versprach humane Behandlung. Demgemäss wurde es ausgeführt: und die Commissare, welche von mir abgesendet wurden, haben all die Waffen und alle Munition empfangen und sind noch mit der Uebernahme beschäftigt; wie sie mir sagen, werden es etwa 4000 complette Ausrüstungen sein, und ebenso viele Gefangene: und so habet Ihr die ganze Infanterie des Feindes ruinirt und zwar vollständig. Ich habe noch nicht die Liste der Obersten und Officiere empfangen, welche sich bei General Bailli befinden.

Der Herzog selbst aber (Hamilton) ist mit der ihm noch bleibenden Reiterei, etwa 3000 an der Zahl, auf dem Marsche nach Nantwich: und dort haben die Gentlemen der Grafschaft etwa 500 von ihnen gefangen genommen, worüber sie mir heute mündlich Botschaft sandten. Das Land wird kaum irgend einem von meinen Leuten erlauben, hindurchzupassiren, ausgenommen, dass sie ein Handschreiben von mir haben; denn sie sagen, sie seien Schotten. Sie fangen ein und tödten viele derselben, wenn sie unvermuthet auf dieselben treffen. Die meisten vom hohen Adel Schottlands sind mit dem Herzog. Wenn ich nur 1000 Pferde hätte, welche nur dreissig Meilen traben könnten, so würde ich unzweifelhaft eine sehr gute Abrechnung mit ihnen halten: aber wahrlich, wir sind so abge-

mattet (harassed and haggled out) und aufgelöst von dieser
Arbeit, dass wir nicht fähig sind, mehr zu thun, als im lang-
samen Schritte ihnen nachzumarschiren. — Ich habe zum Lord
Gray gesandt, zu Sir Henry Cholmely und Sir Edward Rhodes,
Alles eilig zu ihrer Verfolgung zu sammeln, sowie auch den
Gouverneur von Stafford damit bekannt zu machen.

Ich höre, Monro ist in Cumberland mit der Reiterei,
welche (am Abend des ersten Schlachttages) davonlief, und mit
seinen eigenen irischen Reitern und Fusssoldaten, welche einen
beträchtlichen Heereskörper ausmachen. Ich habe die drei
Infanterie-Regimenter des Oberst Ashton, mit sieben Escadronen Reiterei (sechs von Lancashire und einer aus Cumberland)
zu Preston gelassen; und ich habe dem Oberst Scroop mit
fünf Escadronen gewöhnlicher Reiterei und zwei Trupp Dragonern „und" mit zwei Regimentern zu Fuss (Oberst Lascelles
und Oberst Wastell) befohlen, sich mit ihnen zu vereinigen;
zugleich ist Ordre gegeben, ihre Gefangenen niederzumetzeln,
wenn die Schotten sich anmassen sollten, auf sie heranzu-
rücken; denn sie können dieselben nicht mit Sicherheit fort-
bringen.

So habt Ihr hier eine Erzählung von den Einzelheiten des
Erfolges, den Gott Euch gegeben hat: ich habe dieses kaum
zu dieser Zeit jetzt thun können, wegen des Uebermasses der
Geschäfte; aber fürwahr, wenn ich einmal damit begonnen habe,
so kann ich kaum weniger sagen, da sich darin so viel von
Gottes Gnade zeigt; und ich bin nicht Willens mehr zu sagen,
damit es nicht scheinen möge, als ob irgend etwas von Mensch-
lichem darin sei.

Einzig erlaubet mir, Ein Wort hinzuzufügen, nämlich die
Ungleichheit der Kräfte auf beiden Seiten hervorzuheben, so

dass Ihr sehen und mit aller Welt anerkennen möget, die mächtige Hand Gottes in dieser Angelegenheit. Die Schottenarmee konnte nicht geringer, als volle 12,000 Mann zu Fusse sein, alle wohlbewaffnet, und 5000 zu Pferde; Langdale nicht weniger, als 2500 zu Fuss und 1500 Reiter: im Ganzen also 21,000 Mann; — und fürwahr, sehr wenige von ihren Fusssoldaten ausgenommen, waren sie alle ebenso gut bewaffnet, als die Eurigen, wenn nicht besser, und in verschiedenen Kämpfen fochten sie zwei oder drei Stunden, bevor sie ihre Stellung aufgaben. Eure Truppen dagegen betrugen etwa 2500 Mann gewöhnlicher Reiterei und Dragoner von Eurer alten Armee; etwa 4000 zu Fuss von der alten Armee; ferner etwa 1600 Fusssoldaten aus Lancashire und etwa 500 Reiter ebendaher: in Allem etwa 8600 Mann. Ihr seht, wenn Ihr Alles zusammenrechnet, etwa 2000 der Feinde erschlagen; zwischen 8 und 9000 zu Gefangenen gemacht, ausser denen, welche in Hecken oder einzelnen Plätzen herumlauern, welche das Land täglich einbringt oder tödtet. Wo Langdale und seine zersprengten Streitkräfte sind, weiss ich nicht; aber sie sind auf's Aeusserste zerschmettert.

Wahrhaftig, mein Herr, dies ist Nichts anderes, als die Hand Gottes: wo irgend etwas in dieser Welt hoch erhoben ist, oder sich selbst erhebt, da wird Gott es erniedrigen; denn dies ist der Tag, an welchem der Herr allein will erhoben sein. Es ist nicht passend für mich, Rath zu geben, noch auch ein Wort zu sagen darüber, welchen Gebrauch Ihr von diesem machen solltet; — vielmehr möchte ich Euch bitten und Alle, welche an Gott glauben, dass sie doch Ihn erheben möchten — und auch nicht hassen sein armes Volk, welches ist wie der Augapfel desselben und vor welchem

selbst Könige werden verworfen werden; und nun
sollt Ihr Muth fassen, das Werk des Herrn zu thun,
indem Ihr den Endzweck Eurer obrigkeitlichen Würde
erfüllet und Frieden und Wohlfahrt für *dieses* Land
suchet — damit Alle, welche in Frieden leben wollen, Unterstützung von Euch erhalten mögen, und damit Diejenigen, welche
unfähig sind und es nicht lassen können, das Land zu verwirren, eilig mögen aus demselben herausgeschafft werden.
Und wenn Ihr zu diesem Zwecke Muth fasset, so wird Gott
Euch segnen, und tapfere Männer werden Euch beistehen, und
Gott wird gepriesen werden und das Land wird glücklich sein
durch Euch trotz all' Eurer Feinde. Das wird das Gebet sein
          Eures sehr demüthigen und treuen Dieners
                                        Oliver Cromwell.
          P.S. Wir haben bei all' diesem nicht einen Officier von
Bedeutung verloren, als nur Oberst Thornhaugh; und auch
nicht viele Soldaten in Anbetracht solchen Dienstes: aber viele
sind verwundet und unsere Reiterei ist sehr ermüdet. Ich ersuche gehorsamst darum, dass irgend welche Veranstaltung
möge getroffen werden über die Gefangenen zu disponiren.
Die Verwirrung und äusserste Belastung des Landes, wo sie
liegen, ist bedeutender als die Gefahr, dass sie entrinnen könnten. Ich glaube, sie möchten wohl nicht nach Hause gehen können, ohne ein Geleit, solche Furcht haben sie vor dem Lande,
um welches sie sich so schlecht verdient gemacht haben. Zehn
Leute werden hinreichen, 1000 zu verhindern, fortzulaufen." —
          So weit der berühmte Originalbericht Oliver Cromwell's
über Preston Battle. Das Schreiben ist in hohem Grade charakteristisch und zeigt uns den berühmten Independentenführer
von all' seinen bedeutendsten Seiten: seine eigenthümliche

religiöse Stimmung, seine Schonung des Volkes, sobald es ihm keinen Widerstand mehr leistet, sein grosses Gemeingefühl für die nationalen Interessen von England, seine strategischen Fähigkeiten, ein gegebenes Terrain rasch richtig zu benutzen, einem jeden Officier die ihm gebührende Stellung anzuweisen und die erprobten Leute nicht unnütz zu opfern — nur ein einziger Oberst war bei der ganzen Affaire gefallen — und endlich wieder dieser eigenthümliche derbe Humor inmitten der heissesten Action, den richtig zu verstehen man freilich den englischen Text sehr genau ansehen und zu lesen (englisch read) verstehen muss: „There being a Lane, very deep and ill — on either side of them advanced the „Main"-battle — Reade's, Dean's and Pride's on the right — Bright's and my Lord General's on the left; and Colonel Ashton with the Lancashire regiments in reserve ... so that, at last, we came to a Hedge-dispute etc. etc. bis zu dem Schlusse and cleared the streets." Wenn die Leute in London damals nur den zehnten Theil von dem Witz besessen haben, dessen die Berliner sich heute erfreuen, so müssen derartige Wendungen eine unwiderstehliche Wirkung auf die Lachmuskeln ausgeübt haben. Aber übersetzen oder genauer erklären lässt sich das nicht: wie gesagt, man muss eben zu lesen verstehen. Nur stelle man sich recht genau das Bild des tiefen Hohlweges vor, in welchem die lange feste Linie der Cromwell'schen Reiterregimenter vorsichtig aber unwiderstehlich vordrang — und man hat das mächtige Schlachtbild vor Augen, um welches es Cromwell zu thun war. In solchem Humor waren die Engländer von jeher sehr komisch. Ueberhaupt gehen Einem merkwürdige Schlaglichter auf, wenn man die einzelnen Züge genauer durchgeht, wie sie Rushworth Tag für Tag zusammengestellt

18

hat. Bei dem Einfalle der Schotten schreibt Hamilton sehr höflich an Lambert und dieser antwortet in demselben Toue, wenn auch ablehnend. Ferner kommen eine Reihe von Briefen aus dem Norden an das Unterhaus in London, worunter einer, am 14. Juli geschrieben und am 19. in London gelesen, mit klaren Worten die Warnung ausspricht: „die Schotten unter Hamilton wollten die ehrlichen Presbyterianer nur für ihre Zwecke benutzen und ausbeuten, um sie dann wieder bei Seite werfen zu können, wie unnütz gewordene Schuhspitzen, wenn sie verschlissen sind („as useless Shooing-Horns"); das Volk von London solle daher vorsichtig sein, sich näher mit ihnen einzulassen." Der Brief war unterzeichnet: T. T. In denselben Tagen stand die Armee in Appleby, rückt am 19. nach Bowes vor und statt Lambert besetzt Hamilton Appleby. Mr. Boulton und Mr. Strong werden am 26. in London aufgefordert, am nächsten Fasttage zu predigen. Die Einwohner von Colchester gehen fast zu Grunde vor Hunger, so enge hält Fairfax sie eingeschlossen: sie verzehren schon Hunde, Katzen und Pferde und sind froh, wenn sie nur welche bekommen können. Dazwischen gehen noch immer Briefe hin und her zwischen dem gefangenen König Karl und dem Parlament in London, ebenso zwischen dem Prinzen Charles und den Schotten, die ihn bereits einladen, mit der Flotte hinüberzukommen — kurz, ein seltsames Durcheinander der verschiedensten unsicheren Bemühungen, bis der entscheidende Schlag von Preston, Wigan und Warrington erfolgt und Cromwell damit die Situation wieder vollständig abgeklärt hat. Das Haus der Gemeinen votirt darauf für den 7. September eine allgemeine Danksagung gegen Gott und ernennt ein Comité, um den Soldaten Cromwell's neue Schuhe und Strümpfe zu besorgen — was in der That vor Allem Noth that, da sie so lange im Schmutz herumgewatet waren. Zugleich wurde ein zweites Comité in die nördlichen Grafschaften gesandt, um den Schaden genau festzustellen, den die Schotten unter Hamilton dort angerichtet hatten: man wollte wieder gut machen, was noch gut zu machen war; es kostete freilich einige Anstrengung.

Noch folgen zwei kleinere Briefe über dieselbe Affaire, welche den Zustand, in welchem sich beide Armeen nach der Schlacht befanden, höchst anschaulich zur Darstellung bringen. Wir lassen dieselben hier ebenfalls noch folgen, um das Bild der Situation, wie sie an diesem entscheidenden Wendepunkte des zweiten Bürgerkrieges lag, zu vervollständigen. Der erste ist an das Comité zu York gerichtet und datirt vom selben Tage:

„Warrington, 20. August 1648.
Gentlemen!

Wir haben unsere Pferde in der Verfolgung des Feindes vollständig ermüdet: wir haben all' ihr Fussvolk getödtet, gefangen genommen oder ausser Gefecht gesetzt (kampfunfähig gemacht); und wir haben ihnen nur einige Reiterei gelassen, mit welcher der Herzog in den Delamere-Wald geflüchtet ist, ohne alles Fussvolk und ohne Dragoner. — Man hat 500 gefangen genommen — ich meine die Streitkräfte des Landes haben das gethan, wie sie mir heute gemeldet haben.

Sie (die Schotten) sind so erschöpft, in solcher Verwirrung, dass, wenn meine Reiterei nur noch ihnen nachtraben könnte, ich sie alle gefangen nehmen würde. Aber wir sind so ermüdet, dass wir kaum fähig sind, mehr zu thun, als langsam hinter ihnen herzumarschiren. Ich ersuche Euch deshalb, sendet sogleich zu Sir Henry Cholmely, Sir Edward Rhodes,

18*

Oberst Hatcher und Oberst White und allen Landschaften
um Euch herum, dass sie sich mit Euch erheben sollen zur
Verfolgung Jener. Denn sie sind die jämmerlichste Partei von
allen, die jemals existirt haben: ich möchte mich verpflichten,
mit 500 frischen Pferden und 500 schnellen Fusssoldaten sie
alle zu vernichten. Aber meine Reiterei ist wie zerschlagen
vor Müdigkeit; und ich habe dazu 10,000 Gefangene.

Wie viele wir getödtet haben, weiss ich noch nicht, aber
eine sehr grosse Zahl, da wir sie im Ganzen über 30 Meilen
weit verfolgt haben — ausserdem, was wir in den beiden grossen
Schlachten getödtet haben, der einen zu Preston, der anderen
zu Warrington oder am Winwick-Pass. Der Feind hatte
etwa 24,000 Mann zu Pferde und zu Fuss, davon 18,000 zu
Fuss und 6000 zu Pferde *): und unsere Zahl betrug höchstens
6000 zu Fuss und 3000 Reiter.

Dies ist ein glorreicher Tag: — Gott helfe England, solcher
Gnade zu entsprechen! — Ich habe Nichts weiter zu sagen;
aber sehet zu, dass Ihr Euch in allen Landestheilen zu bestimmten Corps vereiniget und die Feinde verfolgt. Ich bleibe

Euer sehr demüthiger Diener

Oliver Cromwell.

P. S. Der bei weitem grösste Theil des hohen Adels von
Schottland ist mit dem Herzog Hamilton."

Der zweite Brief, ebenfalls an das ehrenwerthe Comité von
York gerichtet, ist datirt:

„Wigan 23. August 1648.

Gentlemen!

Ich habe eben jetzt Nachricht erhalten, dass der Herzog

---

*) Ganz soviel waren es wohl nicht; Oliver Cromwell konnte sie auch
unmöglich genau gezählt haben.

Hamilton mit einer Abtheilung ganz ermüdeter Reiterei sich
nach Pontefract hinzieht; dort wird er wahrscheinlich Quartier
nehmen und seine Pferde sich ausruhen lassen, denn in jenen
Gegenden, woraus wir ihn vertrieben haben, kann er nicht
bleiben; das Landvolk erhebt sich in solcher Zahl und versperrt
ihm den Weg bei jeder Brücke.

General-Major Lambert folgt ihm auf dem Fusse nach mit
einer beträchtlichen Armee. Ich wünsche, dass Ihr zusammen-
nehmt, was Ihr an Truppen bekommen könnt, um ein Ziel zu
setzen allen weiteren Plänen, die sie etwa haben könnten;
macht Euch also fertig, Euch mit General-Major Lambert zu
verbinden, wenn es nothwendig sein sollte. Ich marschire nordwärts mit dem grössten Theil der Armee, wo ich mit Freuden
von Euch Nachricht empfangen werde. Ich bleibe

'Euer wohlgeneigter Freund und Diener

O. C.

Ich möchte wünschen, dass Ihr auszöget mit allen Streitkräften, die Ihr habet, um entweder ihm auf dem Fusse zu
folgen, oder seinen Marsch zu verhindern, denn ich bin überzeugt, wenn er oder der grösste Theil derjenigen, welche bei
ihm sind, gefangen genommen wären, so würde das der schottischen Angelegenheit ein definitives Ende machen."

Wir sehen aus diesem Briefe erst, wie schlimm es mit dem
Herzog stand. Eine andere Quelle aus jener Zeit fügt noch
hinzu, auf der Flucht habe jeder der grossen Herren dem andern die Schuld des Misslingens beigemessen — eine schöne
Soldatenwirthschaft das! — und es sei „beim Souper" zu sehr
harten Worten darüber gekommen. Der Herzog, sehr krank
und verstimmt, gänzlich unfähig, weiter zu marschiren, ergab
sich, wie schon gesagt, am Freitag, den 25. August zu Uttoxeter

in Stoffordshire: als die höheren Officiere, D a l g e t t y, R o b e r t
O v e r t o n und andere, fortritten, hielten sie am Fenster des
Herzogs: er sah heraus, sprach einige gütige Worte zu ihnen
— dann nahmen sie Abschied auf ewig von ihm. Jene wurden
in Hull gefangen gesetzt; der Herzog selbst starb auf dem
Schaffot für dieses Unternehmen — ein Earl of Cambridge und
Peer von England und Schottland! Mit all seiner Vornehmheit,
all seiner schottischen Schlauheit und all seinem glänzenden
Auftreten war das also das Ziel, welches der unglückliche
Mann erreichen sollte — in der That ein tragisches Schauspiel!

Auch Colchester ergiebt sich jetzt, am 28. August, auf
Gnade und Ungnade die Vorgesetzten, die Untergebenen mit
der Zusicherung, geschont zu werden. Zwei Officiere, Sir
Charles Lucas und Sir George Lisle, werden sofort verurtheilt
und auf der Stelle erschossen, Lord Goring und Lord Capel
wurden zu Westminster verhört und auch dieser erlitt den Tod
durch Henkershand. Es ging damals grimmig her: von den
„merry old England" Shakespeare's war Nichts mehr zu entdecken.

Prinz Charles kehrt auf all diese Nachrichten hin nach
Holland zurück und zieht in 30 Kutschen in den Haag ein —
um später von dort die Contrerevolution zu organisiren und als
Charles II. wieder König von England zu werden. In Schottland selbst aber erheben sich Argyle und die Geistlichen mit
ihren Gemeinden, und hier erscheint zuerst der Name der
W h i g s, später so hochbedeutend in der Englischen Geschichte
geworden im Gegensatze zu der Tory-Partei: dieses Whiggamore
Raid kam Cromwell trefflich zu Statten, um auch den letzten
Rest des Widerstandes gegen ihn zu beseitigen. An der Spitze
dieser Erhebung standen ausser Argyle auch David Lesley und

der alte Feldmarschall Leven, bekannte Namen jener Zeit und bereits früher erwähnt. Auf dem Wege zu ihnen hin schreibt Cromwell 13 Briefe, aus denen wir nur das Wichtigste hier hervorheben. Zuerst ein vollständiger Brief wieder, gerichtet an Oliver St. John, unseren alten Bekannten aus der ersten Zeit des langen Parlaments. Er war ein specieller Freund Cromwell's und immer ein sehr bedeutender Mann in hohen Stellungen, im Comitée für beide Königreiche, im Derbyhouse-Comité, und bekannt im Volke unter dem Namen „The Dark Lantern". Der Brief ist datirt:

Knaresborough den 1. September 1648.

„Mein theurer Herr!

Ich kann Nichts sagen, als nur das, dass der Herr unser Gott ein grosser und glorreicher Gott ist. Er allein ist würdig, dass man Furcht vor ihm und Vertrauen zu ihm haben, und dass man auf seine Offenbarungen ganz besonders achten soll. Er will seinem Volke nicht fehlen. Lasst Alles daher, was Athem hat, den Herrn preisen! —

Bringt meinen liebevollen Gruss meinem theuren Bruder Vane: Ich bitte ihn, dass er nicht zu wenig, wie auch ich nicht zu viel aus äusseren Mittheilungen uns machen mögen: Gott bewahre uns Alle, dass wir in der Einfalt unseres Geistes geduldig auf ihn warten mögen. Lasst uns Alle nicht darum besorgt sein, was die Menschen aus diesen Thaten machen werden. Sie werden, mögen sie wollen oder nicht wollen, den Willen Gottes erfüllen; und wir werden unserem Geschlechte dienen. Alles Uebrige erwarten wir anderswo: und das wird dauernd sein. Sorgen wir nicht für morgen, noch für irgend Etwas. Diese Stelle der Schrift ist eine grosse Stütze für mich gewesen; leset auch Ihr sie — Isaiah 8., 10, 11, 14; leset das ganze Capitel.

Ich bin von guter Hand benachrichtigt worden, dass ein armer gottgefälliger Mann in Preston starb vor dem Tage der Schlacht; und als er krank dalag und die Stunde seines Todes nahe fühlte, bat er die Frau, welche ihn pflegte, ihm eine Handvoll Gras zu holen. Sie that so, und als er es empfing fragte er, ob es jetzt verwelken würde oder nicht, da es jetzt geschnitten sei? Die Frau sagte: „Ja." Er antwortete, so würde es auch mit dieser Armee der Schotten gehen und sie völlig vernichtet werden, sobald die Unsrigen nur erscheinen würden; und unmittelbar darauf starb er. — —

Meinen Gruss an Herrn W. P., Herrn J. E. und die übrigen unserer guten Freunde. Ich hoffe, dass Ihr oft meiner gedenket.

Der Eurige

O. C."

Aus dem folgenden Briefe, der an einen uns hier nicht näher interessirenden Lord Warton gerichtet ist, heben wir nur folgende Stelle hervor: „Ich bitte darum, dass der Herr uns empfänglich machen möge für diese grosse Gnade hier, die in der That weit grösser war, als der Sinn dessen, was das Parlament darüber gesagt hat.*) Ich hoffe, dass ich durch Gottes Güte noch Zeit und Gelegenheit finden werde, mit Euch von Angesicht zu Angesicht davon zu sprechen. Wenn wir an

---

*) Das Haus hatte nämlich den Sieg bei Preston als „eine wunderbar grosse Gnade und herrlichen Erfolg" bezeichnet, und war dann zu anderen Gegenständen der Berathung übergegangen — als ob sie gar kein Bewusstsein davon gehabt hätten, dass ihrer Aller Leben durch diesen grossen Sieg gerettet worden war. An Ort und Stelle hatte Cromwell eine ganz anders lebhafte Empfindung davon, was es heissen wollte, eine solche Gefahr mit zwei oder drei ernsten Schlägen zu beseitigen. Eine dreitägige Schlacht — die Herren in London hatten sie freilich nicht mitgemacht. —

unseren Gott denken, was sind wir dagegen! O, Seine Gnade
gegen die ganze Gemeinde der Heiligen — der verachteten,
verspotteten Heiligen! Lasst sie darüber spotten; ich möchte,
wir wären nur Alle heilig! Die Besten von uns sind, Gott weiss
es, arme, schwache Heilige — aber doch Heilige, wenn nicht
Schaafe, so doch Lämmer — und sie müssen genährt werden.
Wir haben täglich das Brod des Lebens und werden es haben
trotz all' unserer Feinde. Da ist genug in unseres Vaters
Hause, und er vertheilet es. Ich denke, durch diese äussere
Gnade, wie wir sie nennen, werden die Tugenden des Glaubens,
der Geduld, der Liebe und der Hoffnung geübt und vervoll-
kommnet — ja, Christus der Herr selbst gestaltet sich
dadurch und wächst in uns zu einem vollkommenen
Menschen. Ich weiss nicht genau, wie ich das unterscheiden
soll: die Verschiedenheit liegt allein im Subjecte, und nicht
im Objecte; einem Weltmenschen ist es äusserlich, einem Heiligen inneres Christenthum — aber ich will nicht streiten!"

Merkwürdige Worte das in all ihrer Einfachheit — eine
philosophische Anschauung von der Einheit des Menschen in
Gott durch Christus, wie sie aller Speculation zu Grunde liegt.
Oliver drückte das aus, wie er es in der Einfalt seines Herzens
in sich erlebt hatte. Es ist zu beachten dabei, dass damals
noch keine deutsche Philosophie existirte: aus der Bibel und
aus seinen Schlachten holte sich Oliver seine Ueberzeugungen.

Am 8. September befindet sich Cromwell zu Durham und
erlässt von dort aus folgende „Declaration":

„Da die schottische Armee unter dem Befehl des Herzogs
James von Hamilton, welche vor Kurzem einen Angriff auf
diese Nation von England gemacht hat, durch den Segen
Gottes über die Kräfte des Parlamentes, ist besiegt und ver-

nichtet worden; da ferner einige Tausend ihrer Soldaten und
Officiere als Gefangene in unseren Händen sind, so dass sie,
wegen ihrer grossen Zahl und wegen des Mangels an hinreichender Bewachung . . . . . wohl entrinnen könnten, zumal da
viele an einzelnen Orten im Lande zerstreut liegen, in Folge
der Verfolgung: so habe ich es für gerecht und nothwendig
gehalten, Allen hiermit kund zu thun, dass, wenn irgend welche
schottische Officiere oder Soldaten, die vor Kurzem Mitglieder
der besagten schottischen Armee waren, gefangen genommen
oder entronnen in oder seit der letzten Schlacht und Verfolgung gefunden werden, herumstreifend im Lande oder fort-
laufend von den Plätzen, welche ihnen bezeichnet sind, um dort
zu bleiben, so lange, bis der freie Wille des Parlamentes oder
Seiner Excellenz des Obergenerals darüber bekannt geworden
ist — dass es dann als ein sehr guter und angenehmer Dienst
gegen das Land und Königthum von England wird angesehen
werden, wenn irgend Jemand ergreift und festnimmt solche
Schotten; ebenso, wenn er sie hinschafft zu irgend einem Officier, der mit der Sorge für solche Gefangene beauftragt ist;
oder, wenn kein solcher Officier in der Nähe ist, zu dem
Comité oder Gouverneur der nächsten Garnison in der Grafschaft, in welcher sie auf diese Weise gefangen genommen
werden; dort sollen sie in sicherem Gewahrsam gehalten werden, wie es am Passendsten erscheinen wird.

Und das angegebene Comité, oder der Officier oder Gouverneur werden ersucht, demgemäss diejenigen von den besagten
Gefangenen sicher zu bewachen, welche auf diese Weise gefasst und zu ihnen gebracht werden. Und wenn irgend einer
von den Schottischen Officieren oder Soldaten irgend welchen
Widerstand leisten und verweigern sollte, sich gefangen zu

geben, so können und werden alle diejenigen Personen, welche dem Dienste des Parlamentes und Königthums von England wohl ergeben sind, hiermit ersucht, sie zu überfallen, mit ihnen zu kämpfen und sie im Falle des Widerstandes zu erschlagen; wenn aber die besagten Gefangenen ruhig in den Plätzen und unter der Bewachung bleiben, welche für sie bestimmt sind, dann soll keine Gewalt, kein Unrecht und keine Beleidigung ihnen irgend wie angethan werden.

Auch ist dafür gesorgt und besondere Sorgfalt ferner zu treffen, dass kein Schottländer, welcher in diesem Königthum residirt und der kein Mitglied besagter Armee gewesen ist, und ferner auch, dass keiner von den besagten schottischen Gefangenen, dem die Freiheit wiedergegeben ist und ein gehöriger Pass, um zu irgend einem bestimmten Platze zu gelangen, hierin soll gestört oder gehindert werden. — O. C."

Wir sehen, Cromwell hat die Regierung des Landes bereits vollständig in der Hand. Auch wendet sich Alles an ihn, wo dringende Hülfe Noth thut für den Einzelnen oder für ganze Grafschaften. So erfahren wir aus dem folgenden Briefe, dass die Wittwe eines gefallenen höheren Officiers, des Oberstlieutenants Cowell, sich an ihn wendet, um durch seine Vermittelung die Unterstützung zu erhalten, auf die sie Anspruch hatte. Denn der Gefallene war früher ein grosser Kaufmann in London gewesen, hatte grosse Opfer für die gute Sache gebracht, war dann sogar selbst in die Armee eingetreten und hatte als Oberst eines Regiments noch manche Forderungen an die Staatskasse. Auf seinem Todesbette hatte er Oliver gebeten, für seine Wittwe und die kleinen Kinder zu sorgen; Cromwell schreibt gleich darüber an Lord Fairfax, und die Wittwe Cowell erhält auf diese Weise vom Parlament Alles, was ihr zusteht. Auch für solche Privatangelegenheiten fand der grosse General noch Zeit und Musse!

Cromwell rückt weiter vor bis in die Nähe von Berwick und richtet im 70. Briefe eine Aufforderung an den Gouverneur dieser Festung, ihm dieselbe zu übergeben; Ludovic Lesley, der schottische Gouverneur derselben, lehnt die Aufforderung zunächst in einer höflich hinhaltenden Antwort ab, muss aber später doch dem Verlangen nachgeben. Aus seinem Hauptquartier „Near-Berwick" richtet Cromwell darauf ein kleines Schreiben an die Führer der beginnenden Erhebung:

„An den sehr ehrenwerthen Lord Marquis of Argyle, und die übrigen wohlgesinnten Lords, Gentlemen, Geistlichen und an alles Volk, jetzt in Waffen im Königreiche Schottland: Gegenwärtiges.

Den 16. September 1648.

Meine Lords und Gentlemen!

Nachdem ich in Verfolgung des gemeinsamen Feindes mit der Armee unter meinem Commando vorgerückt bin bis an die Grenzen von Schottland, so habe ich es für gut gehalten, um irgend ein Missverständniss oder Vorurtheil zu verhindern, welches sich deshalb erheben könnte, Euren Landschaften diese Herren zuzusenden, den Oberst Bright, den Späher-General Rowe und Mr. Stapylton, um Euch mit den Gründen davon bekannt zu machen: in Bezug auf welche ich Eure Lordschaften ersuche, ihnen Glauben zu schenken. Ich verharre, Mylords,

Euer sehr demüthiger Diener

O. C."

Die hier genannten Personen spielen keine unbedeutende Rolle in dem grossen Drama der Zeit, und werden oft in den alten Schriften erwähnt. Oberst Berwick wird in demselben

Monat (September 1648) nach Carlisle gesandt, um auch diese Stadt für die Parlamentstruppen in Besitz zu nehmen. Robert Stapylton ist ein Feldprediger in der Armee und bei Cromwell seit langer Zeit besonders beliebt, folglich auch ein Mann von Gewicht und Bedeutung. Der „Scoutmaster-General" Rowe steht an der Spitze des ganzen Späher- und Spionirsystems, welches Cromwell seit längerer Zeit arrangirt hat, wie jeder Oberfeldherr das im feindlichen Lande thun würde: ein Mann vom grössten Scharfsinn und der vielseitigsten Erfahrung und jetzt besonders geeignet, einen spähenden und prüfenden Blick in das aufgeregte Schottland zu werfen und zu sehen, wie sich die neu auftauchenden Elemente dort für England und Cromwell möchten benutzen lassen. Noch ist zu erwähnen, dass der genannte Mr. Stapylton später am 29. September 1650 in der Kirche von Edinburg eine ergreifende Predigt hielt, unter grossem Zuströmen des Volkes, bei welcher die Schotten in der ihnen gewöhnlichen Weise des Seufzens und Stöhnens ihre Anhänglichkeit an die Doctrin zu erkennen gaben. Wir sehen an alle diesem, durch was für eine Welt Cromwell hier sich durchzuschlagen hatte, bevor er zu seinen entscheidenden Erfolgen gelangen konnte: versuche es Einer ihm gleich zu thun!

Diese drei genannten Vertrauten Cromwell's hatten also das schwierige Geschäft durchzuführen, die beginnende Wendung in Schottland selbst zu einem definitiven Abschluss zu bringen und den Einmarsch Olivers in Edinburg vorzubereiten. Sie müssen das in aller Stille meisterhaft eingeleitet haben. Denn die Wendung, von welcher hier die Rede ist, vollzog sich innerhalb weniger Tage, und die Documente, in denen Cromwell selbst die fortschreitende Entwickelung dieser Angelegenheit dargelegt hat, folgen jetzt Schlag auf Schlag aufeinander.

Am 16. September richtet er noch ein Schreiben an das frühere Comité von Schottland um sein Einrücken zu rechtfertigen. Am 18. September folgt bereits ein zweites Schreiben an das neue Comité, Loudon, Argyle und ihre Genossen und Anhänger. Am 20. September folgt eine Proclamation an die Armee, welche für den Einmarsch die strengste Mannszucht gebietet: dann findet dieser Marsch selbst statt, ohne auf irgend welchen Widerstand zu stossen; und 'am 4. October zieht Cromwell triumphirend in Edinburg ein, ordnet gemeinsam mit dem neuen Comité die Regierung des Landes und begründet auf's Neue die Vereinigung Schottlands mit England. Ein festliches Bankett im alten Schlosse von Edinburg, bei welchem Leven, der Gouverneur des Schlosses und Commandeur en Chef der schottischen Truppen die Honneurs macht, besiegelt darauf die neu geschlossene Freundschaft zwischen beiden Ländern: und unzählige Freudenschüsse verkünden es allem Volke, dass der zweite Bürgerkrieg jetzt als in der Hauptsache beendigt darf betrachtet werden. Wir lassen die vorzüglichsten Documente bis zu diesem Punkt (Anfang October 1648) hier nachfolgen, um mit diesen unsere Darstellung dieses Krieges zu beschliessen. Zuerst also die Rechtfertigung seines Einmarsches in Schottland:

„An das sehr ehrenwerthe Comité der Stände für das Königreich Schottland: dieses.

Bei Berwick, 16. September 1648.

Sehr ehrenwerthe Herren!

Da ich mich den Grenzen des Königreiches Schottland nähere, so habe ich es für passend gehalten, Euch mit dem Grunde davon bekannt zu machen.

Es ist wohlbekannt, auf wie unrechtmässige Weise das Königreich England ist angegriffen worden durch die Armee des Herzogs Hamilton, zuwider dem Covenant und unseren freundschaftlichen Verbindungen und allen Verpflichtungen zur Liebe und Brüderlichkeit zwischen beiden Nationen. Und ungeachtet der Behauptung Eurer letzten Declaration, veröffentlicht, um das Volk dieses Königreiches zu umstricken, haben die Gemeinen von England, versammelt im Parlament, erklärt, dass die so einrückende genannte Armee diesem Königreiche feindlich sei, und dass Diejenigen in England, welche ihr anhängen würden, Verräther seien. Und da ich Befehl empfangen habe, mit einem beträchtlichen Theile der Armee zu marschiren, um einer so grossen Verletzung der Treue und Gerechtigkeit entgegenzutreten — so wird nun nicht nur von Euch selbst, sondern auch von diesem Königreiche, ja sogar einem grossen Theile der ganzen bekannten Welt anerkannt werden, darauf vertraue ich fest, welch' ein Zeugniss Gott, zu dem wir gerufen haben, in dem Kampf der beiden Armeen gegen die Ungerechtigkeit der Menschen gegeben hat. Welch' ein gefährliches Ding ist es, einen ungerechten Krieg zu wagen, ja noch mehr, sich auf Gott, den gerechten Richter darin zu berufen! Wir vertrauen darauf, Er wird Euch eines Besseren belehren durch dies offenbare Zeichen seines Missfallens, damit nicht seine Hand gegen Euch und Euer armes Volk auch noch ferner ausgestreckt werde, wenn es denn will betrogen werden. ·

Das was ich von Euch zu bitten habe, ist die Uebergabe der Garnisonen von Berwick und Carlisle im meine Hand, zu Gunsten des Parlaments und Königreichs von England. Wenn Ihr mir das versagt, so muss ich auf's Neue unseren Ruf zu Gott erheben, und ihn anflehen um Beistand auf dem Wege, den er uns leiten wird; — und darin sind wir und werden wir so weit entfernt davon sein, dem wohlgesinnten Volk des König-

reiches Schottland Wehe bereiten zu wollen, dass wir bekennen
wie vor dem Herrn: wir werden uns aufs Aeusserste darum
bemühen, dass die Verwirrung fallen möge auf die Anstifter und
Urheber dieses Friedensbruches, und nicht auf das arme unschuldige
Volk, welches in diese Action hinein verleitet und gezwungen worden
ist, wie viele arme Seelen, die jetzt Gefangene sind, uns gestehen.

Wir hielten uns verpflichtet, dieses Verlangen an Euch zu
stellen und auf diese Weise unser Bekenntniss abzulegen; zu
dem Zwecke, unsere Reinheit vor der Welt kund zu thun und
Tröstung in Gott zu haben, was auch immer der Erfolg sein
mag. Antwort von Euch wünschend, bleibe ich Eurer Lordschaften demüthiger Diener"   O. C.

Als dieses Schreiben ankommt in Edinburg, hat der Um-
schlag bereits stattgefunden: das frühere Comité kann daher
den Brief nicht mehr beantworten; aber während die Rollen
wechseln und die Staatskleider von diesen an-, von jenen aus-
gezogen werden, gehen bereits freundschaftliche Botschafter hin
und her zwischen Edinburg und dem Lager Cromwell's, und
dieser richtet sofort ein neues Schreiben an die Führer des
Whiggamore Raid, die neuen Regenten Schottlands:

„An den sehr ehrenwerthen Earl of Laudon, Kanzler des
Königreichs von Schottland: mitzutheilen an den Adel, die
Herren und Bürger, jetzt in Waffen, welche im Parlamente
gegen den so eben beendigten Krieg gegen das Königreich
England gestimmt haben.

Cheswick*) 18. September 1648.
          Sehr ehrenwerthe Herren!
Wir erhielten Eure Botschaft von F a l k i r k vom 15. Sep-

---

*) Cheswick liegt drei bis vier Meilen südlich von Berwick, auf der
grossen Strasse nach Newcastle und London.

tember currentis. Wir haben auch die Instructionen eingesehen, welche Ihr dem Laird von Greenhead und Major Strahan gegeben habt; wie auch zwei andere Papiere, betreffend den Vertrag zwischen Euren Lordschaften und dem Feinde: es zeigt sich darin Eure Sorgfalt für die Interessen des Königthums von England und für die Uebergabe der Städte, die man mit Unrecht uns genommen, so wie auch Euer Wunsch, die Einheit beider Nationen zu bewahren. Dadurch erhalten wir auch ein Verständniss von der Lage, in der Ihr Euch befindet, zu opponiren den Feinden der Wohlfahrt und des Friedens beider Königreiche; wofür wir Gott danken wegen seiner Güte gegen Euch; und wir freuen uns, die Macht des Königthums von Schottland auf dem hoffnungsvollen Wege zu sehen, in die Hand derjenigen gegeben zu werden, welche, wir vertrauen darauf, von Gott sind belehrt worden, seine Ehre zu suchen und die Tröstung seines Volkes.

Und erlaubet uns, auch noch zu sagen, wie vor dem Herrn, welcher die Geheimnisse aller Herzen kennt, dass wir, wie wir es als einen besonderen Zweck der Vorsehung ansehen, dass sie den Feinden Gottes und alles Guten in beiden Königreichen zuliess zu solcher Höhe emporzusteigen und solche Tyrannei über sein Volk auszuüben, um dadurch die Nothwendigkeit der Einheit zwischen den beiden Nationen zu zeigen, dass wir, sage ich, ebenso auch hoffen und bitten, dass die letzte glorreiche und gnadenvolle Lösung, indem sie ja so glücklichen Erfolg uns dargeboten hat gegen Eure und unsere Feinde in unseren Siegen, nun auch der Grund der Einheit für das Volk Gottes in Liebe und Freundschaft sein möge.*) Zu diesem Zwecke werden wir unter Gottes

---

*) Es ist zuweilen keine kleine Aufgabe, die höchst verwickelten Perioden Oliver's in einigermassen gutes Deutsch zu übersetzen: man wird

Beistand unsere Macht aufs Aeusserste anstrengen, zu vollenden
was unsererseits noch zu thun ist: und wenn wir durch irgend
welche Willkühr hierin uns verfehlen sollten, so lasst dieses
Bekenntniss aufstehen zum Urtheil gegen uns als ein solches,
welches in Heuchelei gemacht worden ist — wogegen Gott sich
vor Kurzem als ein strenger Richter gezeigt hat, nämlich in
seinem höchst gerechten Zeugnisse gegen die Armee unter dem
Herzog Hamilton, der in unser Land eindrang unter dem scheinbaren Vorwande der Frömmigkeit und Gerechtigkeit. Wir
dürfen mit Demuth sagen, wir erfreuen uns viel zu sehr mit
Zittern und Zagen nur, als dass wir wagen möchten, so etwas
Böses zu thun.

Bei unserer Annäherung an Alnwick hielten wir es für gut,
eine tüchtige Abtheilung unserer Reiterei an die Grenzen von
Schottland zu senden und mit ihr eine Aufforderung an die
Garnison von Berwick, sich zu ergeben. Als ich hierauf eine
unbestimmte Antwort empfangen hatte, verlangte ich freies Geleit für den Oberst Bright und den Spähergeneral dieser Armee,
um zum Comité der Stände in Schottland zu gehen; und diese
werden, wie ich hoffe, bald Gelegenheit gefunden haben, Euren
Lordschaften ihre Aufwartung zu machen, bevor dieses Euch
zu Händen kommt — und sie werden ihrer Instruction gemäss
Euren Lordschaften einigermassen, soviel als es uns bei solcher
Unwissenheit über Eure Lage möglich war, unsere guten Gesinnungen gegen Euch kund thun. Und da wir jetzt durch
Eure Mittheilungen die Lage besser verstehen, so haben wir
es für gut gehalten, Euch sogleich diese Antwort zu senden.

dem Verfasser gestatten, sich dabei diejenigen kleinen Freiheiten zu erlauben,
welche der Genius der deutschen Sprache verlangt, damit der eigenthümliche Sinn des Originals für uns deutlich hervortrete.

Das Commando, welches wir erhalten haben, in Betreff der Vernichtung des Herzogs Hamilton, lautete dahin, diese Angelegenheit zu verfolgen, bis der Feind nicht mehr in der Lage sei oder auch nur die Hoffnung hegen dürfe, sich zu einer neuen Armee zu formiren, und bis die Garnisonen von Berwick und Carlisle übergeben werden. Da vier Regimenter unserer gewöhnlichen Reiterei und einige Abtheilungen Dragoner, welche den Feind in die südlichen Gegenden verfolgt hatten, jetzt zurückgekehrt waren, da ferner dieses Land nicht fähig war uns zu unterhalten, indem das Vieh und das alte Korn durch Monro und die bei ihm befindlichen Streitkräfte vernichtet worden war, da ferner auch der Gouverneur von Berwick täglich seine Garnison von der schottischen Seite her mit Nahrungsmitteln versah, der Feind aber noch in einer so bedeutenden Stellung sich befand, wie wir jetzt von diesen Herren vernehmen und aus Euren Briefen ersehen . . .: so haben wir es für geboten erachtet, im Bewusstsein unserer Pflicht gegen das uns anvertraute Commando und zugleich zu dem Zwecke, dass wir in einer Stellung sein möchten, um Euch besseren Beistand leisten zu können und dem unsere Kraft nicht zu versagen, wovon wir so vielfach schon Bekenntniss abgelegt haben, mit der Armee in Schottland einzurücken. Und wir vertrauen auf den Segen Gottes, dass der gemeinsame Feind dadurch nur um so rascher zur Unterwerfung gegen Euch wird gebracht werden, und deshalb werden wir thun, was uns gebührt, um unsere Garnisonen zu bekommen; und wir verpflichten uns, dass wir, sobald wir von Euch hören, dass der Feind nachgiebt in den Dingen, welche Ihr ihm vorgeschlagen habt, und sobald unsere Garnisonen uns überliefert sind, sofort Euer Königreich wieder verlassen werden. Inzwischen werden wir sogar rücksichtsvoller

19*

gegen das Königreich Schottland sein, in Bezug auf Belastung desselben, als ob wir in unserem eigenen Königreiche wären.

Wenn wir von Euch auch nur den leisesten Wunsch vernehmen, schneller vorzurücken, so werden wir sofort bereit sein, uns dem gefällig zu zeigen; — indem wir zugleich von Euch zu hören verlangen, wie die Dinge stehen. Da dies das Resultat eines Kriegsrathes ist, so präsentire ich es Euch als den Ausdruck ihrer guten Gesinnungen und meiner eigenen, der ich bin, Mylords,

Euer aufrichtiger Diener
Oliver Cromwell."

Das neue Comité beantwortet das Schreiben in höflicher Weise und spricht dem Generallieutenant die Hoffnung aus, dass durch ihn jetzt Alles werde geordnet werden. Darauf rückt denn Cromwell wirklich gegen Schottland vor, indem er folgende Proclamationen an seine Armee erlässt:

Proclamation.

„Da wir mit der Parlamentsarmee in das Königreich Schottland einrücken, in Verfolgung der Ueberbleibsel des Feindes, welcher vor Kurzem in das Königreich England eingefallen ist, und zugleich zur Wiedererlangung der Garnisonen von Berwick und Carlisle:

so erklären wir hiermit, dass, wenn irgend ein Officier oder Soldat unter meinem Commando Geld annehmen oder verlangen wird, oder wenn er mit Gewalt Pferde, Güter oder Nahrungsmittel ohne Befehl sich aneignen, oder wenn er das Volk in irgend welcher Weise misshandeln sollte — so soll er durch einen Kriegsrath in Untersuchung gezogen werden: und die betreffende Person, welche in solcher Weise sich vergangen hat, soll bestraft werden nach den Kriegsartikeln, welche für das

Verhalten der Armee im Königreiche England aufgestellt sind, welche Strafe auf Tod lautet.

Jeder Oberst oder jeder andere höhere Officier in jedem Regiment, soll eine Abschrift hiervon herstellen lassen und veranlassen, dass dieselbe jedem Hauptmann in seinem Regiment übergeben werde: und jeder Hauptmann von jeder Truppe hat dieselbe seiner Compagnie öffentlich mitzutheilen und streng dafür zu sorgen, dass Nichts dem entgegen geschehe.

Gegeben eigenhändig diesen 20. September 1648.

Oliver Cromwell."

Trotz dieses Erlasses fanden doch einige Excesse statt, die aber freilich in der strengsten Weise bestraft wurden: sogar der Oberst, in dessen Regiment diese Unordnungen vorgekommen waren, wurde seiner Stelle entsetzt und musste sich vor einem Kriegsgericht darüber verantworten; das ganze Regiment wurde, sofort nach Northumberland zurückgeschickt. Wir sehen, Cromwell verstand, Ordnung zu halten.

Im folgenden Briefs, gerichtet an den Sprecher des Unterhauses, giebt Cromwell dann nochmals einen ausführlichen Bericht über die ganze Angelegenheit: derselbe enthält indessen nichts wesentlich Neues und wir unterlassen daher hier die ausführliche Mittheilung desselben. Er ist bereits datirt vom 2. October. Vom selben Datum ist noch ein kleines Briefchen an General Fairfax zu St. Albans, welches wir ebenfalls übergehen können:

„Ein sehr gutes Einverständniss zwischen der Partei der ehrlichen Leute in Schottland und uns hier" — das ist die Hauptbemerkung, die uns in diesem kleinen Briefe interessirt. Was Cromwell gewollt hatte, war ihm also gelungen — ein neuer Sieg, und zwar ein diplomatischer dieses

Mal, war also zu all' den früheren noch hinzugekommen. Er rückt darauf wirklich gegen Edinburg heran, empfängt in Seaton, dem Hause des Earl of Winton, die würdigen Repräsentanten des Whiggamore Raid und wird von ihnen auf höchst würdevolle Weise in Edinburg hineingeleitet. Er wohnt dort in dem Hause des Earl of Murrie, „in the cannigate": und eine starke englische Wache sichert das Haus vor dem Andrange des allzu neugierigen Volkes und schützt zugleich die zahlreichen hohen Würdenträger, welche jetzt sich beeilen, dem berühmten General ihre Aufwartung zu machen. Dieses „Moray House" steht noch in Edinburg, wohlbekannt allen Einwohnern und für jeden Reisenden in Schottland eine höchst interessante Reliquie aus jener alten Zeit.

Am 4. October ist er eingezogen, und am 5. bereits richtet er wieder ein sehr wichtiges Schreiben an das Comité der schottischen Stände. Es lautet folgendermassen:

Edinburg, 5. October 1648.

Sehr ehrenwerthe Herren!

Ich werde immer bereit sein, Zeugniss zu geben von dem Eifer Eurer Lordschaften, das Wohl des Königreiches England zu fördern in der Uebergabe der Garnisonen von Berwick und Carlisle; und nachdem ich solch ein gutes Unterpfand Eurer Entschlüsse erhalten habe, dass ihr Freundschaft und gutes Einverständniss zwischen den Königreichen von England und Schottland bewahren wollt, so bewegt mich das, nicht mehr daran zu zweifeln, dass Eure Lordschaften auch ferner gewähren werden, was mit Recht und Billigkeit mag verlangt werden.

Ich kann Euren Lordschaften versichern, dass das Königreich England jenen bösen Plan der Malignanten in Schottland voraussah, alle Verpflichtungen zur Treue und Ehrlichkeit zwischen den Nationen zu brechen und dem Königreich England die Städte Berwick und Carlisle zu nehmen. Und obgleich sie dem Verluste dieser bedeutenden Städte hätten zuvorkommen können, ohne Verletzung des Vertrages, nur dadurch, dass sie Truppen in die Nähe gelegt hätten, so war doch die zarte Rücksichtnahme des Parlaments von England so gross, auch nicht den geringsten Verdacht eines Bruches mit dem Königreich Schottland erregen zu wollen, dass sie es unterliessen, irgend Etwas in dieser Angelegenheit zu thun. Und es ist Euren Lordschaften nicht unbekannt, wie die Malignanten, als sie die Macht über Euer Königreich erlangt hatten, unsere englischen Malignanten beschützten und verwendeten, obgleich sie von unserem Parlament darüber zur Rechenschaft gefordert wurden, wie sie sich ferner in den Besitz jener Städte zu setzen wussten, und mit welcher Gewalt und welchen unerhörten Grausamkeiten sie eine Armee aufstellten und den Krieg begannen und in das Königreich England eindrangen und sich aus allen ihren Kräften bemühten, beide Königreiche in fortwährende Streitigkeiten zu verwickeln: wie viel Blut haben sie nicht schon vergossen in unserem Königreiche, und welcher Verlust und welcher Schaden ist über unsere Nation gebracht, selbst bis zur Gefahr des totalen Ruins derselben.

Und wenngleich Gott durch seine höchst mächtige und starke Hand in wahrhaft wunderbarer Weise ihre Pläne vernichtet hat, so zeigt sich doch deutlich, dass derselbe bösartige Geist noch fortdauert, und dass verschiedene Personen von hohem Range und grosser Macht, welche den letzten ungerechten Krieg gegen das Königreich England betrieben, in ihm

agirt oder ihn angestiftet haben, ˙sich noch jetzt in Schottland
befinden; und diese lauern förmlich auf alle Vortheile und Gelegenheiten, um Uneinigkeiten und Spaltungen zwischen den
Nationen zu erregen.

Weil ich nun das Commando erhalten habe, die Ueberbleibsel der feindlichen Armee zu verfolgen, wohin auch immer
sie sich wenden mögen, um ähnlichem Unheil für künftig vor-
zubeugen; in Erwägung ferner, dass Verschiedene jener Armee
sich nach Schottland zurückgezogen haben und dass einige der
Häupter jener Malignanten neue Streitkräfte in Schottland
sammeln, denselben Plan weiterzuführen, und dass sie gewiss
bereit sein werden, das Gleiche bei allen Gelegenheiten zu wiederholen, die Vortheil darzubieten scheinen; und in fernerer
Erwägung, dass das Königreich England vor Kurzem so grossen
Schaden gelitten hat dadurch, dass das Königreich Schottland
ihm versagte, Malignanten, Unruh- und Brandstifter („Incen-
diaries") zu unterdrücken, wie es seine Pflicht gewesen wäre,
dass es vielmehr gestattet hat, Personen in wichtige Vertrauensposten einzusetzen, welche durch ihren Einfluss im Parlament
und in den Landschaften das Königreich Schottland so weit
gebracht haben, als es ihnen möglich war, nämlich bis zum
Einbruch und Kriege gegen ihre Brüder von England, in Folge
ungerechter Parteilichkeit:

 deshalb, meine Lords, halte ich mich verpflichtet, nach
 meiner Pflicht und meinen Instructionen, zu fordern, dass
 Eure Lordschaften Sicherheit darüber geben im Namen des königlichen Schottlands, dass Ihr nicht zulassen oder dulden wollet, dass irgend Jemand
 mit einer öffentlichen Stelle oder einem Vertrauensposten bekleidet werde, welcher thätig

gewesen ist in oder zugestimmt hat zu diesem besagten Kriege gegen England . . . Das ist die geringste Sicherheit, die ich fordern kann. Ich habe einen Befehl erhalten von beiden Häusern des englischen Parlamentes, welchen Euren Lordschaften mitzutheilen ich für gut halte; woraus Ihr die Bereitwilligkeit des Königreiches England ersehen werdet, Euch Beistand zu leisten, die Ihr jenem Einfalle nicht zugestimmt habet; und ich zweifele nicht, Eure Lordschaften werden ebenso bereitwillig sein, solche fernere genügende Sicherheit zu gewähren, als sie in ihrer Weisheit (Veranlassung) finden werden zu wünschen.

Eurer Lordschaften unterthänigster Diener

Oliver Cromwell."

Mit diesem Schreiben entscheidet sich dann die Sache in durchgreifender Weise. Und nachdem also die Independenten-Armee und ihre Anhänger in Schottland Alles definitiv geordnet, ihre Gegner sammt und sonders beseitigt und die Regierung des Landes fest in die Hand genommen, zieht Cromwell, in festlich erhöhter Stimmung zu dem bereits erwähnten Bankett auf Edinburg-Castle, dann aber nach Dalhousie, dem Sitze der Ramsays, nahe bei Dalkeith. Es ist der Weg nach dem Süden, nach Carlisle, nach England und heimwärts. Zweitausend der gefangenen Schotten werden bald darauf wieder frei gegeben und ruhig nach Hause entlassen; und wenn auch noch eine oder andere kleine Festung, wie z. B. Pontefract oder Pomfret Castle, sich zu vertheidigen sucht und auf dem Heimwege belagert werden muss, so ist doch in der Hauptsache der zweite Bürgerkrieg zu Ende. Cromwell beschliesst die interessante Affaire mit einem Bericht an das Parlament, welcher auch uns hier zum Abschluss dienen mag:

„An den ehrenwerthen William Lenthall, Esquire, Sprecher des ehrenwerthen Hauses der Gemeinen: dieses.

Dalhousie, 9. October 1648.

Sir!

In meinem letzten Briefe, in welchem ich meinen Bericht gab von meiner Absendung des Oberst Bright nach Carlisle, nach der Uebergabe von Berwick, theilte ich Euch meine Absicht mit, zum Hauptquartier meiner Reiterei zu gehen, im Schlosse des Earl of Winton, etwa sechs Meilen von Edinburg, damit ich von dort dem Comité der Stände vorstellen könnte, was ich ferner in Eurem Interesse zu verlangen hätte.

Den nächsten Tag nach dem, an welchem ich dort hingekommen war, empfing ich eine Einladung vom Comité der Stände, nach Edinburg zu kommen: sie sandten zu mir deshalb den Lord Kirkcudbright und den Generalmajor Holborn, und mit diesen ging ich denselben Tag noch hin — es war am Mittwoch den 4. October d. J.

Wir überlegten zusammen, was ferner gut wäre, dass man darauf bestehen müsste. Und da ich mich empfindlich darüber aussprach, dass der letzte Vergleich zwischen dem Comité der Stände und den Grafen von Crawford, Glencairn und Lanark, nicht völlig meinen Instructionen entspräche, welche dahin gingen, sie unfähig zu machen, neue Verwirrung in England zu erregen: so hielt ich es daher für meine Pflicht, mich nicht zufrieden zu geben mit der blosen Zersprengung dieser Partei, sondern in Anbetracht ihrer Macht und ihres Einflusses hielt ich es für nothwendig, in Bezug auf sie und alle ihre Helfershelfer zu verlangen, was in dem hier eingeschlossenen Papiere enthalten.

Nachdem ich an demselben Tage noch Eure Vota erhalten hatte, welcher gemäss ich den Wohlgesinnten in Schottland ferneren Beistand gewähren sollte, machte ich dieselben damit bekannt; ich reservirte mir dabei solche fernere genügende Sicherheit, zu geben durch das Königreich Schottland, als das Parlament von England in seiner Weisheit Veranlassung finden würde, zu verlangen. Das Comité der Stände sandte zu mir den Earl of Cassilis, den Lord Warriston und noch zwei andere Gentlemen, um in Empfang zu nehmen, was ich ihnen anzubieten hätte; — und ich übergab ihnen meine Forderungen am Donnerstag. Am Freitag empfing ich durch die genannten Personen die hier beigeschlossene Antwort, welche das Original selbst ist.

Nachdem ich also als Soldat so weit gekommen bin, und, wie ich unter dem Segen Gottes vertraue, nicht zu Eurem Nachtheil, und nachdem ich Euch die Sache vorgelegt habe, so bitte ich Gott, Euch zu leiten, dass Ihr ferner das Wohl der Nation, mit dem Ihr betraut seid, und die Tröstung und Ermuthigung der Heiligen Gottes in beiden Königreichen und über die ganze Welt hin fördern möget. Ich denke, die Angelegenheiten Schottlands befinden sich jetzt auf einem gedeihlichen Wege, wie es dem Interesse ehrlicher Leute entspricht: und Schottland wird jetzt wahrscheinlich Euch ein besserer Nachbar sein, als damals, da die anspruchsvollen Vertreter des Covenants und der Religion und Verträge die Macht in ihren Händen hatten — ich meine den Herzog Hamilton, die Earls von Lauderdale, Traquair, Carnegy und ihre Verbündeten. Ich darf so kühn sein, zu sagen, dass jene Partei mit ihren Ansprüchen nicht nur durch die Verrätherei Einiger in England (welche alle Ursache sich zu schämen haben) den ganzen Staat und das ganze Königreich England in Gefahr gebracht haben; sondern sie haben auch Schottland in eine solche Lage versetzt, dass kein ehrlicher Mann, welcher Furcht vor Gott hat oder Bewusstsein der Religion und der gerechten Zwecke des Covenants und der Verträge, in jenem Königreiche ferner ruhig zu leben im Stande ist („that no honest man ... could have a being in that Kingdom"). Aber Gott, mit dem nicht zu spotten, und der nicht zu hintergehen und der sehr eifersüchtig ist, wenn sein Name und seine Religion missbraucht werden, um gottlose Pläne zu verfolgen, Gott hat Rache genommen für solche Entweihung — fürwahr in ganz erstaunlicher und wunderbarer Weise. Und ich wünsche vom Grunde meines Herzens, dass es Alle veranlassen möge, zu zittern und zu bereuen, welche Aehnliches ausgeübt haben zur Schmähung seines Namens und zur Zerstörung seines Volkes; so dass sie niemals wieder wagen sollen das Gleiche zu versuchen. Und ich denke, es ist nicht unschicklich für mich, in aller Demuth doch so kühn zu sein, so viel in diesem Momente zu sagen.

Alle Kräfte des Feindes in Schottland sind jetzt in Auflösung. Das Comité der Stände hat sich erklärt gegen alle fernere Theilnahme jener Partei am Parlament. Gute Wahlen haben bereits an verschiedenen Orten stattgefunden, von solchen, die mit der letzten bösen Verwickelung nicht übereinstimmten und sich ihr entgegensetzten: und sie heben jetzt eine kleine Armee aus von etwa 4000 Mann zu Ross und zu Fuss; bis sie diese aber complettiren können, haben sie gewünscht, dass ich ihnen zwei Regimenter meiner Reiterei und zwei Trupp Dragoner zurücklasse. Dies habe ich denn auch gewährt, indem ich dachte, ich hätte durch Eure letzten Befehle Befugniss dazu erhalten. Den Generalmajor Lambert habe ich dort gelassen, sie zu commandiren.

Ich und die Officiere bei mir haben viele Ehren und Höflichkeiten vom schottischen Comité, von der Stadt Edinburg und von den Geistlichen empfangen, ebenso eine sehr feine Bewirthung — was Alles aber wir nicht uns annehmen wollen als unserer Person angethan, sondern als Solchen vielmehr, die in Eurem Dienste stehen. Ich bin jetzt auf dem Marsche gegen Carlisle; und ich werde Euch solchen ferneren Bericht von Euren Angelegenheiten geben, wie es die Gelegenheit bieten wird.

Ich bin, mein Herr, Euer demüthiger Diener

Oliver Cromwell.“

Mit der Belagerung von Pomfret-Castle und dem Marsche der Armee nach London schliesst darauf der zweite Bürgerkrieg. Seine unmittelbare Folge aber ist die Verurtheilung des Königs von England: wir haben uns jetzt also wieder nach London zu wenden, um zu sehen, welche Entwickelung die Dinge hier unterdessen genommen hatten. — — —

7. Die Verurtheilung des Königs von England.

Nur mit sehr gemischten Empfindungen wird von den meisten Lesern der letzte Akt des grossen Trauerspiels genossen werden, welches die 23jährige Regierung König Karl's des I. zur Darstellung gebracht hat. Freilich hatte der König mit Plan und Absicht und in methodisch fortschreitender Con-

sequenz Alles verletzt, was mit den tiefsten Gründen des englischen Nationallebens und mit den grössten Erinnerungen
seiner Geschichte unauflöslich verbunden war: er hatte das
Parlament beseitigen wollen, willkürlich Steuern aufgelegt, ein
despotisches Minister- und Beamten-Regiment eingeführt, das
protestantische Gefühl der Nation durch Begünstigung der Katholiken und Irländer tief aufgeregt und mehrmals den Ausbruch eines blutigen Krieges herbeigeführt, nur um seinen
eigensinnigen Willen im Gegensatz zum Parlamente durchzuführen; ja, zuletzt hatte er sich mit der vornehmsten Partei
in Schottland verbunden, um nochmals durch einen feindlichen
Einbruch in England gewaltsam sein vermeintliches Recht wieder herzustellen. Alles das hatte die heftigste, durch Nichts
mehr zu beschwichtigende Erbitterung, und, namentlich in Denen, welche die daraus entstehenden Kämpfe siegreich durchgeführt hatten, den festen Entschluss hervorgerufen, ihn büssen
zu lassen für all' das vergossene Blut. Und dennoch! — wenn
man sich recht lebhaft in seine Lage hineinversetzt, wie sie
sich unter dem Drange der Umstände in heiss bewegter Zeit
entwickelt hatte — so kann man der zähen Energie, mit der
er wenigstens sich selbst und seiner eigenen Ueberzeugung un-
wandelbar treu blieb, eine gewisse Anerkennung nicht versagen:
er war und blieb doch immer der erbliche König von England
und Schottland, er hatte das höchste Selbstgefühl des auf dieser Erblichkeit beruhenden göttlichen Rechtes und er hielt sich
in unauflöslicher Einheit mit der bischöflichen Hochkirche verbunden, in der er die festesten Stützen der Macht des alten
Königthums erblickte. In dem kleinen Buche, welches ihn
selbst zum Verfasser haben soll — „Seufzer des Königs" —
finden sich über all' seine Auffassungen und Stimmungen in

dieser Richtung die ausführlichsten Nachweise *). Aber was helfen abstracte Rechte, ideale Stimmungen und streitende Meinungen in einer Zeit, wo die Schärfe des Schwertes allein und die Macht der That alle Entscheidung in die Hand genommen haben: mit der Niederlage des Herzogs James of Hamilton waren auch seine letzten Hoffnungen vernichtet, und Nichts blieb ihm übrig mehr, als das Schicksal zu erfüllen, das ihm seit langer Zeit bereitet war.

Noch einmal werden trotzdem, während die Dinge in Edinburg ihrer Entscheidung rasch entgegengeführt werden, die Verhandlungen zwischen London und der Insel Wight wieder aufgenommen und durch 40 Tage hindurch fortgeführt. Aber selbst jetzt, wo doch Alles für ihn verloren war, will der König nicht nachgeben, namentlich in den kirchlichen Dingen nicht; zudem begeht er wieder die Unvorsichtigkeit, in Briefen an einzelne ihm gebliebene Vertraute das Gegentheil von dem auszusprechen, was er in den mündlichen Verhandlungen scheinbar zugegeben hat. Es war unmöglich, dass dieses verborgen blieb: die Briefe wurden zuerst von Anderen, als von Denen gelesen, an die sie gerichtet waren; und welche Stimmung solche Tücken erregten, kann man sich denken. Die Armee in der Nähe von London, unter Lord Fairfax, überwachte alle Bewegungen des Londoner Parlamentes, wie mit Argusaugen: auch diese Verhandlungen und alles damit Zusammenhängende konnten ihr nicht verborgen bleiben. Sie stand bereits wieder bei St. Albans, als sie am 18. October eine Petition nach London schickte, in welcher sie Bestrafung der Schuldigen verlangte, seien

---

*) Vgl. Ranke darüber, der den Inhalt desselben der Hauptsache nach mittheilt.

sie nun König oder Lords oder Gemeine; Vernichtung
damit aller Verräther an der guten Sache und Bezahlung alles
noch rückständigen Soldes für die Truppen. Die Stimmung
der Royalisten, die auf die schottische Armee gerechnet hatten,
wurde unterdessen immer bitterer und verzweifelter: am 1. November 1648 brachen 40 Reiter aus Pontefract hervor, ritten
nach Doncaster, meldeten sich beim Oberst Rainsborough,
als ob sie Briefe von Cromwell an ihn hätten, und stiessen ihn
nieder, sobald er heraustrat, sie zu empfangen. So war ge-
meiner Mord bereits an die Stelle des ehrlichen offenen Krieges
getreten. Cromwell wurde befohlen, die Mörder aufzusuchen
und zu bestrafen. Aber die Möglichkeit einer solchen That
schon warf ihre dunklen Schatten auf die Zeit, in der sich die
Verurtheilung des Königs vorbereitete.

Am 20. November 1648 überreichte darauf die Armee eine
grosse Remonstranz durch die Obersten Ewers, Kelsey, Axwell,
Cook, Pritty, Canon und Morris, zugleich mit einem empfehlen-
den Briefe von Fairfax an das Parlament. Der Hauptinhalt
dieser Remonstranz war in folgenden Punkten ausgesprochen:

1) Die Verhandlungen mit dem Könige sollen sofort aufgegeben werden („to lay aside") als unnütz und unzweckmässig;
er könne und dürfe nicht mehr zur Regierung gelangen, er
müsse vor Gericht gestellt werden.

2) Auch seine Söhne sollten eingeladen werden, sich dem
Parlament zur Verantwortung zu stellen: würden sie nicht erscheinen, so sollten sie der Thronfolge verlustig und unfähig
zur Regierung erklärt werden. Die Krongüter sollten sämmtlich eingezogen werden.

3) Es sollte Untersuchung und Gericht gehalten werden

gegen die Hauptacteurs und Urheber des letzten Krieges; die niederen Theilnehmer an demselben sollten begnadigt werden.

4) Der rückständige Sold müsse den Truppen endlich regelmässig ausgezahlt werden.

5) Es sollten nur gleichmässig vertheilte freie Wahlen zum Parlament stattfinden, da das bisherige nicht der Stimmung des Volkes und der Lage des Landes entspreche. Keiner dürfe gewählt werden, der nicht seine Uebereinstimmung mit vorliegenden Wünschen der Armee förmlich beschworen habe. Alle, die unterschreiben wollten, sollten dieses möglichst bald thun, damit endlich dieses arme Königreich zu einem guten Abschluss komme und kein ferneres Blutvergiessen stattzufinden brauche.

Das waren die Hauptpunkte, welche ausser manchen anderen weniger wichtigen Dingen vorzugsweise in der Remonstranz betont waren. An demselben Tage schreibt Oliver Cromwell folgenden Brief:

„An Seine Excellenz den Lord General Fairfax zu St. Albans:

Knottingley, 20. November 1648.

Mylord!

Ich finde in den Officieren aller Regimenter einen sehr lebhaften Sinn für die Leiden dieses armen Königreiches, und in allen einen sehr grossen Eifer für unparteiische Justiz gegen die Uebelthäter. Und ich muss gestehen, ich stimme von ganzem Herzen in Allem mit ihnen überein; und ich denke in Wahrheit und bin ganz überzeugt davon, es handelt sich da um Dinge, die Gott in Euer Herz gelegt hat.

Ich werde nicht nöthig haben, Euerer Excellenz irgend Etwas vorzuschlagen: ich weiss, Gott belehret Euch, und Er

20

hat seine Gegenwart Euch so offenbaret, dass Ihr Ihm die Ehre geben werdet in den Augen aller Welt. Ich hielt es für meine Pflicht, nachdem ich die Petition und Briefe empfangen hatte und darum gebeten worden war durch die Verfasser derselben, sie Euch zu überreichen. Der gütige Herr lasse seinen Willen auf Euer Herz wirken, indem er Euch die Fähigkeit zur Ausführung verleihe; und die Gegenwart des allmächtigen Gottes möge mit Euch gehen. So flehet, Mylord,

Euer demüthigster und getreuester Diener

Oliver Cromwell."

Cromwell empfiehlt damit ebenfalls das Vorgehen der Armee und die Petition und Remonstranz der Officiere aller Regimenter. Am 25. November (Sonnabend) kommen darauf die Truppen vor Windsor an, um den Verhandlungen des Parlaments über ihre Forderungen etwas näher zu sein und genau zusehen zu können, wie es eigentlich damit stehe. An demselben Tage schreibt Oliver einen sehr bemerkenswerthen Brief an Robert Hammond, den Gouverneur der Insel Wight, kurz vor dessen Abgange von dort:

„Knottingley bei Pontrefact, 25. Nov. 1648.

Theurer Robin!

Niemand freut sich mehr, eine Zeile von Dir zu sehen, als ich. Ich weiss, Du bist lange in der Prüfung gewesen. Aber Du sollst dadurch nicht verlieren. Alle Dinge müssen zum Besten wirken.

Du wünschest von meinen Erfahrungen zu vernehmen. Ich kann Dir sagen: ich bin ein solcher, wie Du mich schon früher gekannt hast — ich habe einen Leib der Sünde und des Todes; aber ich danke Gott, durch Jesus Christus unseren Herrn ist doch keine Verdammniss da, wenngleich viel Schwäche; und

ich warte auf die Erlösung. Und in diesem meinem armen
Zustande· erhalte ich Gnade und süssen Trost durch den Geist.
Und jeden ·Tag finde ich überflüssige Ursache, den Herrn zu
zu erheben und mein Fleisch zu demüthigen, — und darin (wenigstens) habe ich einige Uebung.

Was die äusseren Gaben und Erfolge betrifft, wenn wir
sie so nennen dürfen, so sind wir nicht ohne unseren Antheil
daran gewesen, einige merkwürdige Zeichen der Vorsehung und
Erscheinungen des Herrn zu schauen. Seine Gegenwart ist unter uns gewesen, und durch das Licht seines Antlitzes haben
wir überwunden. Wir sind sicher, der gute Wille von ihm,
der im Dornbusch gewohnt hat, liess ·sein Licht scheinen über
uns; und wir können in Demuth sagen, wir wissen, an wen
wir geglaubt haben: Er kann und will vollenden, was noch
übrig ist, und auch uns wird er vollkommen machen, indem
wir das thun, was in seinen Augen wohlgefällig ist.

Ich finde eine gewisse Unruhe und Verwirrung in Deinem
Geiste, veranlasst zuerst nicht nur durch die Fortdauer Deiner
traurigen und schweren Last, wie Du sie nennst, sondern auch
durch die Unzufriedenheit mit den Massregeln einiger tüchtigen
Männer, welche Du doch von ganzem Herzen liebst, und welche,
dem Grundsatze gemäss, dass es für eine geringere Partei, wenn
sie Recht hat, gesetzlich ist, eine numerische Majorität mit Gewalt zu zwingen — nun, u. s. w. (Du weisst ja, was ich sagen will).

Was das Erste anbetrifft, so nenne nicht Dein Joch traurig oder schwer. Wenn der Vater es Dir aufgelegt hat, so hat
er keins von Beiden beabsichtigt. Er ist der Vater des Lichtes,
von dem jede gute und vollkommene Gabe kommt; der uns
nach seinem eigenen Willen geschaffen und uns geheissen hat,

20 *

Alles freudig auf uns zu nehmen, was auch immer uns befallen
möge, da das Leid nur dazu diene, uns im Glauben und in
der Geduld zu üben, wodurch auch wir endlich sollen vollkommen werden (Jamesi. ?). —

Theurer Robin, unsere fleischlichen Urtheile umstricken
uns. Sie lassen uns sagen „schwer", „traurig", „angenehm",
leicht". War davon nicht ein wenig vorhanden, als Robert
Hammond, auch aus Unzufriedenheit, verlangte, sich von der
Armee zurückzuziehen und an einen Ruheposten auf der Insel
Wight zu denken? Fand Gott nicht auch dort ihn heraus?
Ich glaube, er wird dieses niemals vergessen. — Und jetzt,
vermuthe ich, ist er wieder im Begriff zu suchen, theils wegen
seiner traurigen und schweren Last und theils wegen seiner
Unzufriedenheit mit den Thaten seiner Freunde.

Theurer Robin, Du und ich, wir waren niemals würdig,
Thürhüter in diesem Gottesdienste zu sein. Wenn Du suchen
willst, so suche den Geist Gottes zu erfassen in jener ganzen
Kette von Thaten der Vorsehung, durch welche Gott Dich dorthin gebracht hat und jene Person zu Dir, wie vorher und seit
jener Zeit Gott dieselbe auf den rechten Weg gebracht und
die Angelegenheiten in Bezug auf sie geleitet hat: und dann
sage mir, ob nicht eine gewisse glorreiche und hohe Meinung
in alledem verborgen ist, was Du bereits erreicht hast? Und
indem Du dann bei Seite legst Dein irdisches Urtheil, so suche
vom Herrn zu lernen, was dieses ist; und er wird es Dich lehren. Ich darf auf das Bestimmteste versichern, es ist nicht
das, dass die Bösen sollen erhoben werden, weshalb Gott so
sich offenbaren sollte, wie er in der That gethan hat. Denn
für sie giebt es keinen Frieden. Nein, es gründet sich vielmehr auf die Herzen Derjenigen, welche den Herrn fürchten,

und wir haben Zeugniss auf Zeugniss, dass es schlecht gehen wird mit Jenen und ihren Genossen. Ich sage nochmals, suche diesen Geist, dass er dich belehren möge, welcher ist nämlich der Geist der Wissenschaft und des richtigen Verstehens, der Geist des Rathes und der Macht, der Weisheit und der Furcht des Herrn. Dieser Geist wird Deine Augen verschliessen und Deine Ohren verstopfen, so dass Du nicht durch sie (diese äusseren Sinne) urtheilen wirst; Du wirst vielmehr urtheilen zu Gunsten der Demüthigen und Sanftmüthigen dieser Erde, und Du wirst fähig gemacht werden, für sie demgemäss zu handeln. Der Herr leite Dich zu dem, was in seinen Augen wohlgefällig ist.

Was Deine Unzufriedenheit mit den Thaten Deiner Freunde betrifft, wegen jenes vermutheten Grundsatzes, so wundere ich mich nicht darüber. Wenn ein Mann nicht seine eigene Last wohl erträgt, so wird er nur schwer die Anderer tragen, zumal wenn sie eingehüllt erscheint in eine so nahe Beziehung der Liebe und christlichen Brüderlichkeit, wie es bei Dir der Fall ist. Ich werde es nicht auf mich nehmen, Dich vollständig zu befriedigen; aber ich halte mich verpflichtet, meine Gedanken auszusprechen vor einem so theueren Freunde. Der Herr thue seinen eigenen Willen.

Du sagst: „Gott hat Obrigkeiten eingesetzt unter den Nationen, welchen activer oder passiver Gehorsam nicht darf verweigert werden. Diese besteht in England im Parlament. Deshalb ist activer oder passiver Widerstand (nicht erlaubt) u. s. w."

Gewiss, Obrigkeiten und Mächte sind die Ordnung Gottes. Diese oder jene Art aber sind von menschlicher Einrichtung und begrenzt, die Einen mit loseren, die Anderen mit strengeren Fesseln, jede gemäss dem ihr zu Grunde liegenden Gesetze. Aber ich denke deshalb nicht, dass die Autoritäten deshalb Alles thun dürfen (was ihnen beliebt nach Laune und Willkür), und dass dennoch Alles zum Gehorsam dagegen verpflichtet sei. Alle stimmen damit überein, dass es gewisse Fälle giebt, in welchen das Gesetz selbst verlangt, Widerstand zu leisten. Wenn dem so ist, so hält Dein Grund nicht Stand, und ebensowenig die daraus gezogene Folgerung. In der That, mein lieber Robin, um nicht unnütz viele Worte zu machen, die Frage ist: ob unser Fall ein solcher ist? Dies ist, in aller Freimüthigkeit darf es ausgesprochen werden, die wahre Frage, um die es sich handelt.

In Bezug hierauf werde ich aber Nichts sagen, obgleich ich sehr viel sagen könnte; sondern ich ersuche Dich nur, zu-zusehen, was Du in dem eigenen Herzen findest in Bezug auf zwei oder drei einfache Bedenken. Zuerst, ist das Wohl des Volkes ein gesundes Grundprincip („Wether Salus Populi be a sound position")? Zweitens, hat man dafür wirklich und vor dem Herrn, vor welchem das Gewissen Rede und Antwort zu stehen hat, durch die gegenwärtig schweben-den Verhandlungen gesorgt? — oder ist nicht die ganze Frucht des Krieges wieder in Gefahr verloren zu gehen, und ist es nicht höchst wahrscheinlich, dass Alles wieder werden wird, wie es vorher war oder gar noch schlimmer? und dieses ent-gegen allen Verpflichtungen und ausdrücklichen Bündnissen mit Denen, welche ihr Leben gewagt haben auf jene Bündnisse und Verträge hin, ohne welche vielleicht doch wohl ein Nachgeben nicht stattfinden sollte, wenn der Billigkeit gemäss verfahren würde! Drittens, ob diese Armee nicht auch eine gesetzliche

Macht bildet, berufen von Gott, Widerstand zu leisten und zu kämpfen gegen den König aus guten Gründen; und da sie zu solchem Zwecke die Macht in Händen hat, ob sie sich nicht widersetzen darf für eben diese Zwecke einem Namen von Autorität so gut, wie einem anderen Namen — da es ja nicht die äussere Autorität war, welche sie aufforderte und durch ihre Macht den Kampf gesetzlich machte, sondern da vielmehr der Streit in sich selbst gesetzlich war? Wenn es so ist, so dürfen wir vermuthen, dass die That wird gerechtfertigt erscheinen vor dem Urtheil der Menschheit („in foro humano"). — Aber fürwahr, auch diese Art des Urtheilens mag noch irdisch und fleischlich erscheinen, mag man nun dafür oder dagegen sein: es ist nur gut, zu versuchen, welche Wahrheit etwa darin verborgen sein könnte. Und der Herr möge uns belehren.

Mein theurer Freund, lasst uns achten auf die Zeichen der Vorsehung; gewiss, sie bedeuten etwas. Sie sind so zusammenhängend, sie sind so beständig, so klar, so unverhüllt gewesen. Bosheit, aufgeblasene Bosheit gegen das Volk Gottes, die man jetzt die „Heiligen" heisst, um ihre Namen auszurotten; — und dennoch, sie, diese armen Heiligen, erhalten Waffen und werden gesegnet darin, dass sie sich vertheidigen können, und noch weit mehr! — Ich wünsche, dass Derjenige, welcher für ein Princip des Duldens ist (des passiven Gehorsams), dieses doch nicht zu sehr gering schätzen möchte. Ich verachte nicht Den, der so gesinnt ist: aber lasset uns auf der Hut sein davor, dass nicht der irdische Verstand mehr Sicherheit sehe im Gebrauche dieses Princips, als in der energischen That! Wer thätig ist, entschliesst sich der nicht durch Gott dazu, willig und bereit zu sein, Alles zu verlassen und aufzugeben? Ach, unsere Herzen sind voll

Trug und Arglist auf der einen wie auf der anderen Seite.
Welch' ein Gedanke, dass die Vorsehung die Herzen von so
Vielen des Volkes Gottes auf diesem Weg geleitet hat — besonders in dieser armen Armee, in welcher der grosse Gott sich
herabgelassen hat zu erscheinen! Ich kenne nicht einen Officier unter uns, der nicht auf der Seite dieser immer mehr sich
ausbreitenden Anschauung wäre. Und lasst mich sagen, dieses
geschieht erst, nachdem wir lange gelitten und Geduld gehabt
haben — hier im Norden wenigstens. Wir haben das Vertrauen, derselbe Herr, der unseren Geist auferbaut hat in unseren Thaten, ist mit uns auch hierin. Und Alles entgegengesetzt dem Verlangen der Natur und jenem Troste, dessen sich
zu erfreuen auch unsere Herzen wünschen könnten, ebensowohl,
wie andere. Und die Schwierigkeiten, denen man höchst wahrscheinlich zu begegnen hatte! Und die Feinde: — wahrlich
nicht wenige, ja sogar Alles das, was in dieser Welt glänzend
erscheint: der äussere Aufputz von Namen, Titeln und Autoritäten, Alles vereinigt gegen uns; — und dennoch nicht erschreckt wir! Nur verlangend unseren grossen Gott zu fürchten,
dass wir Nichts thun gegen seinen Willen! Fürwahr, dieses
ist unsere Lage.

Aber ich muss schliessen. Wir in dieser Nordarmee hielten uns in einer erwartenden und beobachtenden Position, indem wir zu schauen verlangten, wohin der Herr uns leiten
würde. Und nun ist eine Declaration erlassen, durch welche
Viele sind erschüttert worden*): obgleich wir vielleicht hätten
wünschen können, dass man dieselbe bis nach abgeschlossenem
Vertrage nicht erlassen hätte, so dürfen wir doch, da wir sie

---

*) Die vorher erwähnte Remonstranz der Officiere der Armee.

nun einmal erlassen sehen, in dem Willen des Herrn fröhlich sein, indem wir zugleich warten auf das, was ihm ferner gefallen wird. —

Lieber Robin, sei auf Deiner Hut vor den Menschen: blicke auf zu dem Herrn. Lass ihn frei sein, in Deinem Herzen zu sprechen und zu befehlen. Hüte Dich auch vor den Dingen, in welche Du Dich, fürchte ich, hinein vernünftelt hast: und Du wirst fähig sein, durch ihn, ohne Fleisch und Blut zu Rathe zu ziehen, tapfer für ihn und sein Volk zu streiten.

Du erinnerst an etwas, wie wenn durch thätiges Auftreten gegen solche Opposition, die wahrscheinlich stattfinden wird, eine Art Gott zu versuchen hervortreten könnte. Theurer Robin, Gott versuchen, heisst gewöhnlich entweder in anmassender Weise und fleischlicher Zuversicht handeln, oder in Unglauben und durch Misstrauen (trägem Nichtsthun anheimfallen?): auf diesen beiden Wegen versuchte Israel Gott in der Wüste, und er wurde über sie erzürnt. Nicht also der Kampf gegen Schwierigkeiten macht uns schon Gott versuchen, sondern das Handeln, bevor wir den Glauben haben, und ohne den Glauben. Wenn der Herr sein Volk von irgend einer Massregel überzeugt hat, wie er es gewöhnlich von der Gesetzlichkeit, ja von der Pflicht gethan hat — so ist diese Ueberzeugung, indem sie bewegende Macht über das Herz bekommt (erhält), der wahre Glaube: und Handeln darauf hin, ist Handeln im Glauben; und je grösser die Schwierigkeiten sind, desto grösser ist der Glaube. Und es ist höchst wohlgefällig (vor dem Herrn), dass Derjenige, welcher nicht überzeugt ist, Geduld habe gegen Diejenigen, welche es sind, und dass er nicht frevelhaft richte: und dieses wird Dich befreien von der Unruhe wegen der Thaten Anderer, welche, wie Du sagst, zu Deinem Schmerze noch

hinzukommen. Nur zwei oder drei Dinge lass mich noch hinzufügen, und ich bin zu Ende.

Denkst Du nicht, dass diese Furcht vor den Aufrührern
(„the Levellers", von welchen doch Nichts zu fürchten ist), „sie
möchten den Adel abschaffen wollen u. s. w." — Einzelne verleitet hat, die Verderbniss in sich aufzunehmen und es dem
Gesetze gemäss zu finden, diesen gefährlichen heuchlerischen
Vergleich zu veranstalten, nur nach jener Einen Seite hin*)?
Hat dieses nicht selbst einige treffliche Männer verleitet? Ich
will nicht sagen, dass das Ding, welches sie fürchten, über sie
kommen wird; wenn es aber der Fall ist, so werden sie selbst
es über sich selbst bringen. Haben nicht einige von unseren
Freunden, durch ihr Princip des passiven Gehorsams (welches
ich nicht verurtheile; nur denke ich, dass es der Versuchung
ebenso unterworfen ist, als das active Princip, und dass keins
von beiden gut ist, als insofern wir von Gott hierhin oder dahin geleitet werden, und dass über keines von beiden vernünftelt werden soll, weil das Herz voller Trug ist) — haben
sie nicht, sage ich, Veranlassung genommen, zu übersehen, was
gerecht und anständig ist, und zu denken, das Volk Gottes
möchte vielleicht ebenso viel oder noch mehr Gutes auf dem
einen Wege, als auf dem andern erlangen? Gutes durch diesen
Menschen! — gegen den der Herr selbst hat Zeugniss gegeben, und den Du so wohl kennst? Sieht es so aus in ihrem
Herzen? Oder ist das nur hineinvernünftelt und hineinge-
zwungen**)?

---

*) Es sind die Verhandlungen mit dem Könige auf der Insel Wight
gemeint.
**) Welch ein Auge zur Prüfung des innnersten Herzens hat dieser Oliver!

Robin, ich bin zu Ende. Fragen wir unser Herz, ob wir denken, dass, nach allem Geschehenen, diese Erfolge, gegen welche viele Generationen nichts Aehnliches aufweisen können — dass sie nun enden sollen in solchen corrupten Raisonnements tüchtiger Männer, und dass auf diese Weise die Pläne der Bösen gelingen sollten! Denkst Du in Deinem Herzen, dass die glorreichen Siege Gottes auf dieses hinauslaufen? Oder nicht vielmehr darauf, sein Volk zu lehren, dass es auf Ihn vertrauen und warten soll auf bessere Dinge — wenn denn doch, wie es wohl der Fall sein dürfte, bessere bereits in vielen Geistern besiegelt liegen? Und Ich, als ein Armer im Geiste, weilend in der Betrachtung, ich möchte lieber in der Hoffnung leben auf jenen Geist, der da glaubet, dass Gott auf diese Art uns belehre, und lieber meinen Antheil mit Denen empfangen, die da warten auf einen guten Ausgang, als mit den Anderen mich verleiten lassen auf Abwege.

In dieser Unruhe bin ich gewesen, weil meine Seele Dich lieb hat und ich nicht wollte, dass Du Dich verirren solltest oder verlörest irgend eine glorreiche Gelegenheit, die der Herr in Deine Hand legt. Möge der Herr Dein Rath sein. Theurer Robin, Ich bleibe Dein

Oliver Cromwell." — — —

Welch' ein Brief! Auf der Höhe der heissesten Action und der grossartigsten Erfolge geschrieben an einen einzelnen jungen Freund, den „seine Seele liebte"! Geschrieben in den Tagen, wo der grosse Independenten-General entscheidende Schlachten gewonnen, den zweiten Bürgerkrieg beendet, in Schottland eine innere Revolution zum Abschluss gebracht hatte und jetzt im Begriffe stand, nach London heimzumarschiren, um alle Früchte des grossen Revolutionswerkes in die

Scheuern einzuernten: begreift man allmälig, dass es sich bei
dieser ganzen ungeheuren Bewegung um andere Dinge handelte,
als um einzelne politische Streitfragen und parlamentarische
Rechte? —

Wir sehen durch diesen Brief in eine Verbindung von alten und jungen Männern hinein, deren gemeinsames in treuer
Freundschaft und brüderlicher Liebe zu erstrebendes Ziel kein
anderes war, als Ernst zu machen mit dem hohen und reinen
Gesetze des göttlichen Geistes, wie es in den alten Urkunden
der Menschheit zuerst zu Tage getreten. Sie hören auf die
Stimme Gottes im Innern des Herzens, sie sind erfüllt von der
Idee eines Reiches, in welchem jeder Einzelne in sich gehen
und in der Stille des die göttliche Stimme vernehmenden Geistes
sich fragen soll, wie er bestehen könne vor dem Allgerechten!
Sie wollen nicht mehr das Urtheil des gemeinen Menschenver-
standes als endgültig gelten lasses, weil ihnen die Anschauung
Gottes zu Theil geworden, wie er ist „ein Geist der Wissenschaft und des richtigen Urtheils, des Rathes und der Macht,
der Weisheit und der Furcht des Herrn"! Hier ist die Erde
und das Fleisch überwunden: diese armen Heiligen haben sich
bewaffnet, nicht zu erobern und zu zerstören, sondern um
Widerstand zu leisten ungerechtem Angriff, und um zu zeigen,
dass sie Alles verlassen und selbst ihr Leben preisgeben können, um dem Herrn nachzufolgen. Nicht nur dulden wollen
sie für ihre Idee: sie wollen handeln auch, thätig sein, bereit
zu jedem Opfer, wie zu aller Energie siegreicher Weltüber-
winder. Denn ihre Idee und ihr höchstes Gesetz ist das Wohl
von Allen, das Wohl des Volkes und die Rettung des Gemeinwesens von England aus unermesslichen Gefahren. Wunder
des Glaubens sind schon durch sie geschehen: denn diese armen

Heiligen waren Nichts und hatten Nichts, und ihnen gegenüber stand eine Welt von Orden, Titeln und glänzenden Namen und prunkendem Aussenwerk; und siehe — alles das fällt zusammen vor ihnen wie Schutt und Moder in alten Gräbern, sobald die frische Luft herzutritt, und selbst eine glänzende Monarchie, voll von unzähligen Würdenträgern, stürzt in die Asche des Vulcans und sinkt unter die Leichen der Zeit, die Gott gerichtet hat, sobald ihnen der Flammengeist nur naht, der diese Heiligen unüberwindlich beseelt. In welch' eine Welt sehen wir hier hinein!

Moderner Leser, hast Du jemals, in den geweihtesten Momenten unverdorbener Jugend vielleicht, Dich hineinversetzen können in die inneren Gedanken und Stimmungen, wie sie einen Moses, einen Christus, einen Muhamed beseelten in den Augenblicken, wo sie der Gottesgeist ergriff und und mit dem Athem des Ewigen durchdrang — eine neue Erschaffung des Menschen in ganzen Völkern, wie jene erste Welt-Schöpfung und Menschen-Schöpfung, von deren ewigem Geheimniss die ältesten Erzählungen uns eine symbolische Andeutung geben? — Suche Dir den Geist zur Anschauung zu bringen, der die grössten Führer der Völker einst beseelt hat, und Du wirst eine Ahnung auch davon erhalten, welch' ein Mann dieser Oliver Cromwell war. Es soll damit durchaus nicht gesagt sein, dass nun gerade d i e Form, in der jene Männer ihre Aufgabe erfassten, für alle Zeiten mustergültig sein und bleiben müsse: vorher und nachher haben wir andere Männer und andere Helden gehabt, die in ganz anderen Formen ähnlich Grosses erstrebt haben. Ein Alexander der Grosse war unverkennbar eine schönere Erscheinung, ein Julius Caesar ein grösserer Held, und klügerer Staatsmann, ein Friedrich der Grosse eine genialere,

vielseitigere, modernere, raffinirtere und geistreichere Gestalt,
als Oliver Cromwell: aber für jene Zeit und in jenem Lande
war nun einmal dieser biblisch-religiöse Ton das Durchgreifende
und principiell Bestimmende, und wir haben Nichts dazu zu
thun, als dieses eigenthümliche Element in seiner Bedeutung
für die historischen Ereignisse zu würdigen. Von diesem Gesichtspunkte aus ist also Alles zu betrachten, was wir hier zu
sagen haben: unser Standpunkt dabei bleibt immer die ruhige
objective Betrachtung des die Erscheinungen bis in ihre letzten
Gründe zurückverfolgenden Historikers.

 Dieser Brief ist aber in der That eines der merkwürdigsten
Documente jener interessanten Zeit und vorzugsweise geeignet,
die Stimmungen und Beweggründe der leitenden Persônlich-
keiten uns im Einzelnen zu vergegenwärtigen. Der gute Robert
Hammond befand sich übrigens offenbar auf einem etwas naiveren
Standpunkte, als Oliver selbst: er hat sich einen Ruheposten
ausgesucht zu einer Zeit, wo alle Dinge anfingen, in ein bedenkliches Schwanken zu gerathen; und nun kam gerade zu
ihm der König selbst — welch' eine Verlegenheit für den
jungen Officier! Aber man liebt ihn sehr höheren Orts, Oliver
selbst hat ihn förmlich in sein Herz geschlossen und bemüht
sich ungemein um seine geistige Erziehung. Für die strengeren
Massregeln, die jetzt vorbereitet wurden, scheint er freilich
noch nicht Härte und Festigkeit genug besessen zu haben: er
wurde daher abcommandirt und an seine Stelle der Oberst
E w e r hingeschickt, bereits ohne Zustimmung des Hauses in
London; ja, am 29. November erklärt dieses sogar, Hammond
habe ohne seine Befehle und gegen die Beschlüsse des Hauses
gehandelt: er solle daher auf seinen Posten zurückkehren und
die Insel Wight nicht verlassen, bis das Parlament in London

ihn dazu ermächtigt. Aber es wird schon keine Rücksicht mehr darauf genommen: die Armee unter Fairfax verlegt ihr Hauptquartier nach Windsor; eben dorthin wird auch Hammond beordert. Und wieder bringen die höheren Officiere ganze Tage in Gebet und Betrachtung oder auch im Kriegsrathe zu und überlegen so die wichtigen Massregeln, die sofort zur Ausführung gelangen sollen.*) General Fairfax beklagt sich bitter darüber, dass die Truppen so schlecht bezahlt würden, noch mehr darüber, dass das Parlament in London die Remonstranz der Truppen nicht sofort in ernste Erwägung gezogen, sondern sogar abgelehnt habe, darüber zu berathen: am 30. November wird eine ernste Declaration der Armee darüber erlassen, in langen Perioden und verwickelten Wendungen es höflich, aber sehr bestimmt doch aussprechend, „dass die Ablehnung der Remonstranz ein böser Weg sei und nicht geeignet, den Frieden herbeizuführen; vielmehr würden sie nur dann ihre Waffen niederlegen, wenn all' ihre Wünsche erfüllt würden: sonst müssten sie wieder an das Schwert appelliren, durch welches Gott schon oft die rechte Entscheidung herbeigeführt habe. Die Armee verlange jetzt, dass Diejenigen wenigstens, die mit ihren Wünschen übereinstimmten, ausdrücklich ihre abweichende Meinung von dem letzten Beschlusse des Parlaments erklärten und einen förmlichen Protest abgäben gegen das Verfahren in Betreff der Remonstranz. Und um all' diesen Forderungen mehr Nachdruck zu geben, rückten sie jetzt auf

---

*) „The general Council of the war sate very close all this day." — „Letters came from the Head Quarters: „That the Officers have had serious counsels and yesterday spent wholly in Prayer how to effect what they desire in the Remonstrance. They are unanimous and resolute in hasting what possible to etc."

London zu — Alles nicht zu eigenem Vortheile, sondern für
das öffentliche Wohl und im Interesse des Gemeinwesens von
England."

Das Parlament geräth in die grösste Aufregung über dieses
entschiedene Vorgehen, bewilligt sofort 40,000 Pfd. Sterling
(300,000 Thlr.), verbindet damit die Bitte, ihm nicht näher zu
kommen. Aber schon ist es zu spät: am 2. December 1648
rücken einige Regimenter zu Pferde und zu Fuss in London
ein; und während das Parlament immer noch ganze Tage lang
darüber beräth, ob die Concessionen des Königs auf der Insel
Wight als genügend sollen betrachtet werden, und durchaus
zu keinem Beschlusse darüber kommen kann, schickt die Armee
einige Officiere mit Truppen nach der Insel und lässt den
König Karl von dort nach Hurst Castle bringen, einem an
der gegenüberliegenden Küste wild und schauerlich einsam ge-
legenen alten Schlosse, von dem der König selbst sagte: „Ihr
hättet kein schlimmeres wählen können!"*) Er begann bereits
zu ahnen, welches Geschick ihm bevorstand. Am 4. December
wird dieser Vorgang dem Parlamente brieflich angezeigt: es
erklärt feierlich seine Nichtübereinstimmung damit; aber es
hilft kein Protestiren mehr in blossen Worten, wenn die That
bereits geschehen. Noch immer setzt trotzdem das Haus seine
Berathungen fort; aus Irland kommt gleichzeitig Nachricht,
dass auch dort die Parteien sich immer schroffer gegenüber-
treten und namentlich zwei Hauptanführer, Antrim und Ormond, in tödtlicher Feindschaft sich bekämpfen. Am 5. Decbr.

---

*) Sieh darüber Colonel Cook's Narrative, in Rushworth VII, 1344 ff.,
bereits von Guizot eingehend benutzt, weshalb wir die Erzählung hier
nicht im Einzelnen wiederholen. Vgl. überhaupt die sehr lebhafte und geist-
reiche Darstellung Guizot's über diese Partie: II, pag. 295 ff. —

beschliesst das Parlament endlich, die Concessionen des Königs seien genügend und die Verhandlungen mit ihm sollten zu einem friedlichen Abschlusse kommen: aber an demselben Tage erlässt Fairfax eine neue Proclamation an die Truppen, dass Alle sich ruhig und ohne Gewaltsamkeit — bei Todesstrafe — gegen die Bürger benehmen sollten; und am 6. December 1648 werden die Milizen der Stadt aufgelöst, die Regimenter der Obersten Rich und Pride besetzen zu Pferde und zu Fuss alle Eingänge zum Parlament, nehmen 41 Mitglieder gefangen, sobald sie den Sitzungssaal betreten wollen, wiederholen dasselbe mit vielen anderen Mitgliedern noch am 7. December und reinigen auf diese Weise das Parlament von allen nicht independentischen Mitgliedern. „Pride's Purge" — nannte der Volkswitz bald darauf diesen entscheidenden Vorgang, wie ja überhaupt das Volk es niemals unterlässt, mit seinem unverwüstlichen Humor gute und schlechte Tage, gutmüthig oder bitter lachend, zu begleiten.

Unterdessen sind auch die Truppen Cromwell's angelangt: er selbst nimmt am 7. bereits wieder seinen Sitz im Parlament ein. Alles in grösster Ruhe und Ehrbarkeit, mit einem Ernst und einer gehaltenen Würde, aber still und entschlossen, wie Gericht und Tod durch die Welt gehen — die Weltgeschichte kennt keine ähnlichen Scenen irgendwo sonst! Niemand wird verletzt dabei, Niemandem äusserlich etwas zu Leide gethan: aber die Sache geschieht mit unfehlbarer Pünktlichkeit und unwiderstehlicher Sicherheit! Colonel Pride hat eine Liste von Namen in der Hand, steht an der Spitze seines Regimentes in Westminster Hall, am Eingange zum Hause der Gemeinen, und an seiner Seite steht Lord Grey of Groby; und wie die Mitglieder einzeln heran kommen, um ihre Sitze im Saale

21

einzunehmen, flüstert er ihm zu — denn er kennt sie alle —:
„Das ist Einer von ihnen; der kann nicht eintreten!" Und
Pride commandirt, hinweisend auf ihn: „Zum Gerichtshof der
Königin!" Und abgeführt wird er ohne Gnade, während die
Independenten ungestört eintreten dürfen. So wird es gemacht,
ganz einfach, aber unerbittlich streng: und die so Gefangenen
werden zuerst zu einer Taverne mit Namen „Hell" (!!!) gebracht (Mr. Duke's Taverne), ganz in der Nähe von Westminster, dann nach einem Gefängniss „The Kings Head
and the Swan" genannt: dort werden sie streng bewacht.
Unter den auf diese Weise Ausgestossenen und Eingekerkerten
befinden sich ausser vielen Anderen Sir Symonds D'Ewes, Mr.
William Prynne, immer noch sehr vorlaut in gesetzlichen Fragen,
obwohl er zweimal die Ohren verloren, Waller, Massey, Harley
(von den Elfen), endlich auch der kleine Clement Walker,
wie gewöhnlich in seinem grauen Kleide und mit seinem kleinen
Stöckchen in der Hand, und einmal über das andere Mal wie
ein recht störrisches Hähnchen hinauskrähend: „Mit welchem
Rechte? Nach welchem Gesetze? Ich frage nochmals (I ask
again), nach welchem Gesetze?" Armer, guter Clement, die
Independenten-Armee kümmert sich den Teufel um Deine Rechtsfragen und Gesetzesscrupeln: sie führt nur erhaltene Befehle aus,
mein Junge! —

Etwa 140—150 Mitglieder wurden auf diese Weise aus
dem Parlamente entfernt: die übrigbleibenden waren zuverlässige Independenten und echte Republikaner. Kein Widerstand
wagte mehr sich geltend zu machen: der Sieg der Partei war
ein vollkommener, der Enthusiasmus der Fanatiker dieser ganzen Bewegung auf seinem höchsten Gipfel. Hugh Peters, der
früher bereits erwähnte Secretair Cromwell's, derselbe, der die

Einnahme von Basing-House dem Parlamente gemeldet hatte, predigte vor dem so gereinigten Independenten-Parlament und rief in flammender Begeisterung aus: „Wie Moises, so seid ihr, tapfere Generale, bestimmt, das Volk aus der Egyptischen Knechtschaft herauszuführen! Wie wird sich dieser Plan erfüllen? Noch ist es mir nicht offenbart worden." Er bedeckte darauf sein Gesicht mit beiden Händen und neigte sein Haupt, wie in tiefe Betrachtung versinkend. Dann sich plötzlich mit freudestrahlendem Antlitz aufrichtend, rief er aus: „Jetzt ist es mir mitgetheilt; jetzt werde ich es Euch sagen. Diese Armee wird die Monarchie vernichten, nicht nur hier, sondern auch in Frankreich und in den anderen Königreichen, die uns umgeben: dadurch wird sie Euch aus Egypten führen." Und in diesem Tone ergingen sich alle Predigten, die in den nächsten Tagen gehalten wurden.*)

Cromwell hatte seinen Platz im Parlament mit der Erklärung eingenommen, er habe zwar Nichts von diesen Vorgängen gewusst, stimme aber jetzt, da es einmal geschehen sei, völlig damit überein: „Gott ist mein Zeuge dafür!" sagte er. „Aber da es nun einmal geschehen ist, so bin ich sehr wohl damit zufrieden; und jetzt muss man das grosse Werk aufrecht halten und vollenden." Er nahm von diesem Tage an seinen Sitz in Whitehall ein, in den Zimmern des Königs selbst. Die Armee bemächtigte sich aller Cassen des Landes, ergriff mit fester Hand die Zügel der Regierung und liess durch Ireton eine neue Erklärung veröffentlichen über die Uebereinstimmung des Volkes mit allem Geschehenen und den Plan eines durchaus

---

*) Walker „Hist. of Independency", II, pag. 49—50. — Cobbett „Parl. Hist." III, 1252.

21*

republikanischen Gouvernements. Zugleich treffen aus allen
Theilen des Landes Petitionen ein, dass die Schuldigen jetzt
vor Gericht gestellt und ein definitives Ende mit all' diesen
Wirren solle gemacht werden.

Das Schicksal des Königs Karl I. war damit entschieden.
Am 16. December wurde beschlossen, ihn von Hurst-Castle noch
Windsor zu bringen. Es geschieht unter dem Commando des
Oberst Harrison. Unter fortwährendem Drängen der Petitionen
von Aussen, namentlich aus Norfolk und Norwich, sowie
von den Officieren der auswärtigen Garnisonen, die alle ver-
langen, dass Gericht über den König gehalten werde, beschliesst
man endlich am 27. December, dass alle bisher noch üblichen
Ceremonien mit dem Könige aufhören sollen und dass ein
„High Court of Justice" bestimmt werde, den Process gegen
ihn zu erledigen. Die Urkunde für die Errichtung dieses hohen
Gerichtshofes beginnt folgendermassen:

„Da es bekannt (notorious) ist, dass Charles Stuart, der
gegenwärtige König von England, nicht zufrieden mit jenen
zahlreichen Eingriffen, welche bereits seine Vorgänger gegen
die Rechte und Freiheiten des Volkes gemacht haben, den bösen Plan gehabt hat, die alten Grundgesetze und Freiheiten
dieser Nation total zu vernichten und statt ihrer ein willkürliches und tyrannisches Regiment einzuführen, da es ferner
notorisch ist, dass ausser allen anderen bösen Wegen und Mitteln, diesen Plan zur Ausführung zu bringen, er ihn auch mit
Feuer und Schwert verfolgt, einen grausamen Krieg im Lande
gegen das Parlament und Königreich begonnen und lange weiter-
geführt hat, wodurch das Land kläglich ist verwüstet worden,
der öffentliche Schatz erschöpft, der Handel verfallen und Tausende vom Volke gemordet sind, sowie auch unendliche andere

Unthaten begangen —- für alle welche hochverrätherischen Angriffe besagter Karl Stuart schon längst hätte zu exemplarischer
und verdienter Bestrafung sollen gezogen werden — so beschliesst das Parlament, dass Fairfax, Cromwell, Ireton,
Hardress Waller, Skippon, Harrisson, Edward Whalley, Thomas Pride, Isaac Ewer, Richard Ingoldsby, Henry Wildmay,
Thomas Honeywood, Thomas Lord Grey of Groby, John
Lowry ... zu Commissaren und Richtern ernannt werden,
zu hören, zu untersuchen und abzuurtheilen, sowie auch die
Execution zu veranlassen — Alles im Laufe eines Monates
spätestens."*)

Die Lords wurden eingeladen, sich mit diesem Beschlusse
des Unterhauses zu vereinigen: sie lehnten es ab. Darauf erklären die Gemeinen von England am 4. Januar 1649:

1) Das Volk unter Gott ist die Urquelle aller richtigen
Macht („Original of all righteous Powers").

2) Das Unterhaus von England hat die höchste Autorität
in dieser Nation.

3) Alles, was von ihnen als Gesetz beschlossen, hat Ge-
setzeskraft auch ohne Zustimmung der Lords und des Königs
von England — als welche sich nicht gewachsen gezeigt haben
den grossen Ereignissen, die alle Dinge bis jetzt entschieden
haben.

Einstimmig wurden diese bedeutsamen Resolutionen angenommen. Kaum aber war das beschlossen, als ein Brief von
den Schotten ankam, die wieder Theil zu nehmen und sich
einzumischen wünschten: der Brief wurde ungelesen bei Seite
gelegt, ohne Rücksicht auf sie Bradshaw zum Präsidenten

---

*) Das vollständige Document siehe bei Rushworth.

des hohen Gerichtshofes ernannt und Weśtminster-Hall als der
Platz bestimmt, wo die Verhandlung stattfinden sollte*). Am
19. Januar wird der König nach St. James gebracht. Am 20.
beginnt der Process unter Zustimmung der Armee und des
Volkes von England, wie General-Lieutenant Hammond
in einer ausdrücklichen Declaration dem Hause kund thut.
Dr. Juxton, früher Bischof von London, wird dem Könige als
geistlicher Beistand zugesellt.   Umgeben von 20 Gentlemen,
eröffnet der Präsident die Sitzung: 60 Mitglieder bilden den
eigentlichen Gerichtshof. Der König wird vorgeführt, geleitet
von Oberst Hacker und 30 Officieren und Soldaten, bewaffnet
mit Hellebarden: so hört er, vor den Schranken des Hauses,
die Anklage der Nation von England gegen ihren König als
Tyrann, Mörder, Hochverräther an allen Freiheiten des Landes
und Veranlasser blutiger Kriege.   Seine Vertheidigung dagegen,
oder vielmehr der Versuch, alle Nothwendigkeit einer Vertheidigung abzulehnen, macht einen überaus peinlichen Eindruck:
weil keine Lords dabei sind, glaubt er alle Erwiderung ab-
lehnen und dem Hause der Gemeinen die Anerkennung seiner
Autorität versagen zu dürfen — diesem Hause, welches, hervorgegangen aus den grossartigsten Siegen, die bewaffnete
Armee der Independenten hinter sich hatte.   Ebenso macht er
es am 22. Januar, schreibt dann auf, was er zu sagen, wiederholt dasselbe nochmals am 23., immer in denselben geistlosen
Wendungen, allen Thatsachen widersprechend, seine Unschuld
betheuernd und die Anerkennung des Gerichtshofes verweigernd.

---

*) An dieser Stelle findet sich bei Rushworth ein eigenthümliches Do-
cument eingereiht, wo sehr viel von ,,Octabis Hilarii" die Rede ist:
wir empfehlen dieses einem strebsamen jungen Geschichtsforscher zu näherer
Untersuchung.   Für unseren Zweck hier ist es unwichtig.

Nun aber wurden die Zeugen vorgeladen, am 24., 25. und 26. Januar alle einzelnen Thatsachen nochmals erhärtet, die der Anklage zu Grunde lagen, nochmals dann in derselben äusserst peinlichen Weise der Versuch des Königs zum Widerspruch dagegen zugelassen, dann in geheimer Sitzung eine letzte Berathung gehalten und endlich das Urtheil verkündigt. Der Präsident hielt eine lange Rede zuerst, in welcher er viele Beispiele von anderen Königen anführte, die im Streite mit dem eigenen Volke gewesen, unter anderen von 109 Königen von Schottland sprach, von denen die meisten abgesetzt, eingekerkert, Processe gegen sich erlebt, überhaupt wegen auffallender Missregierung ein schlechtes Ende genommen hätten. Dann wird das Urtheil selbst verkündigt. Es lautet schliesslich:

„. . . Für alle diese Verräthereien und Verbrechen, urtheilt dieser Gerichtshof, soll der besagte Charles Stuart, als ein Tyrann, Verräther, Mörder und öffentlicher Feind gegen das gute Volk dieser Nation zum Tode gebracht werden durch Trennung seines Hauptes von seinem Leibe.“*)

Nochmals verlangt er vor Lords und Gemeinen, nicht blos vor diesen zu sprechen. Aber es wird das nur mehr als ein Versuch, Aufschub zu erhalten, betrachtet: was er zu sagen habe, könne er hier gleich erklären — dann wird ihm, als er hierauf nicht eingehen will, das Wort entzogen — wieder beginnt eine der peinlichsten Scenen,**) indem der König immer wieder zu sprechen verlangt, der Präsident ihn immer wieder

---

*) For all which Treasons and Crimes this Court does adjudge, that the said Charles Stuart, as a Tyrant, Traitor, Murderer and a public Ennemy to this good people of this Nation shall be put to death by severing his Head from his Body.“
**) Vgl. hier überall die lebhafte Darstellung Guizot's.

daran verhindert und endlich befiehlt, dass er abgeführt werde,
was fast mit Gewalt geschehen muss, wobei von allen Seiten
sich das Geschrei erhebt: „Justiz, Execution!" die Soldaten ihm
ihre Pfeifen vor die Füsse warfen, andere ihm in's Angesicht
rauchten, überhaupt die ärgsten Rohheiten bereits zu verstehen
gaben, was ihm bevorstand, selbst wenn er nicht wäre verurtheilt worden. Andere freilich aus dem Volke riefen dazwischen:
„Gott erhalte Eure Majestät! Gott befreie Eure Majestät aus
den Händen seiner Feinde!" Mit Mühe hatte der König endlich seine Ruhe wieder gewonnen. Als er hinausgeführt wurde
und eine unermessliche Menschenmenge noch immer dieselben
Rufe wiederholte, soll er, still und verächtlich lächelnd, gesagt
haben: „Arme Leute! Für einen Shilling würden sie ebenso
gegen ihre eigenen Officiere schreien!"

Bis zum letzten Augenblicke scheint der König nicht geglaubt zu haben, dass man es wagen würde, ihn zu verurtheilen:
er vergass dabei, aus welchen Kämpfen die Richter hervorgegangen waren, die ihm gegenüber sassen, und wie sie zu so
harten und festen Männern geworden waren, gerüstet mit aller
Kraft zu wagen, was sie für richtig hielten, ohne Furcht vor
irgend einem Menschen auf der Erde, am wenigsten vor dem
Könige, den sie als einen mit den Waffen in der Hand gefangenen Landesfeind betrachteten.*) Am 29. December wurden sogar Alle, die für Verständigung mit dem Könige gestimmt,
vom Parlamente ausgeschlossen; zugleich wurde in allen öffentlichen Erlassen für den Namen des Königs gesetzt: „Custodes

---

*) Der Präsident Bradshaw sagte kurz zum König: „Sir, you are not
permitted to issue out in these discoursings. This court is satisfied of its
Authority. No court will bear to hear its Authority questionned in that
manner ... Clerk, read the sentence!"

Libertatis Angliae Autoritate Parlamenti" und „Juratores Reipublicae", und statt „contra Pacem, Dignitatem vel Coronam nostram" vielmehr „contra Pacem publicam". An demselben Tage noch wird die Executions-Ordre in folgender Form ausgegeben:

„An den Oberst Hacker, den Oberst Huncks und Oberstlieutenant Phayr und an Jeden von ihnen.

„An dem hohen Gerichtshofe für die Untersuchung und Verurtheilung des Charles Stuart, Königs von England, 29. Januar 1648."

„Da Charles Stuart, König von England, überwiesen, überführt und verurtheilt ist wegen Hochverrathes und anderer Capitalverbrechen, da ferner am letzten Sonnabend durch diesen Gerichtshof das Urtheil gegen ihn ist gesprochen worden, dass er soll zum Tode gebracht werden durch Abschlagen des Hauptes von seinem Leibe, von welcher Sentenz die Ausführung noch zu thun übrig bleibt:

so ist dieses Schreiben hier bestimmt, Euch einzuladen, die genannte Sentenz executirt zu sehen in der offenen Strasse vor Whitehall, morgen, am 30. Tage dieses Monats Januar, in den Stunden zwischen zehn Uhr Morgens und fünf Uhr Nachmittags, mit voller Wirkung. Und zur Ausführung dieses erhaltet Ihr hiermit die Vollmacht.

Zugleich werden hiermit alle Officiere und Soldaten und Andere aus dem guten Volke dieser Nation von England ersucht, Euch beizustehen in diesem Dienste.

Gegeben eigenhändig und besiegelt:
John Bradshaw,
Thomas Grey „Lord Groby",
Oliver Cromwell"
und 56 andere Unterschriften.

Am 30. Januar 1649 findet denn die Execution wirklich
statt. Der König hatte vorher noch seine Kinder zu sehen verlangt: als sie ihm gebracht wurden, eine kleine Prinzessin, Elisabeth mit Namen, 12 Jahre alt, und der Herzog von Gloucester,
erst 8 Jahre alt — Prinz Charles, der spätere Thronfolger
(Charles II.) war in Holland — Beide in bitteren Thränen zer-
fliessend, da nahm er sie auf sein Knie, vertheilte seine Ju-
welen unter sie, tröstete sie, so gut es ihm möglich war, gab
seiner Tochter dann gute Rathschläge in Bezug auf ihre ferneren Studien, trug ihr tausend Grüsse an die Mutter auf und
dass seine Gedanken sich nie von ihr entfernt hätten und
dass er sie noch heute liebe, wie am ersten Tage, und wandte
sich dann an den jüngsten Sohn: „Mein theures Herz,“ sagte
er zu ihm, „sie werden Deinem Vater den Kopf abschneiden.“
Das Kind sah ihn ernst und erschrocken an. „Gieb wohl Acht,
mein Sohn, was ich Dir jetzt sage. Sie werden mir den Kopf
abschneiden und vielleicht Dich zum König machen wollen.
Aber — gib wohl Acht, was ich Dir sage — Du darfst nicht
König sein, so lange Deine älteren Brüder Charles und James
noch am Leben sind; denn sie werden auch diesen Deinen
Brüdern die Köpfe abhauen, wenn sie dieselben erwischen können, und sie werden zuletzt auch Dir den Kopf abschlagen.
Ich befehle Dir also, Dich nie von ihnen zum Könige machen
zu lassen.“ Der kleine Herzog, mit ernsten Blicken aufmerksam zuhörend, rief heftig aus: „Eher werde ich mich in Stücke
hauen lassen.“ Der König umarmte dann nochmals die Kinder,
segnete sie Beide, bat Gott, sie zu segnen, und befahl dann,
sie hinauszuführen. Wie die Thür sich öffnete, stand er am
Fenster, schmerzlich schluchzend und vergebens bemüht, seine
Thränen zu ersticken: nochmals eilte er dann plötzlich auf

sie zu, schloss sie zum letzten Abschiede krampfhaft in die Arme, segnete sie nochmals und entriss sich endlich mit Gewalt ihren zärtlichen Umarmungen. Als sie das Gefängniss verlassen hatten, fiel er auf die Knie und betete lange mit Juxton und Herbert, den Zeugen dieser letzten Scenen.*)

Es war an einem Dienstag Morgen, mitten im Winter Englands, kalt, nebelig, frostig, trübe wie fast immer in London, als der Zug zum Schaffot begann. Um zehn Uhr trat der König aus St. James Palace heraus, zu Fuss durch den Park marschirend, begleitet von einem Regiment Infanterie mit fliegenden Fahnen und unter Trommelschlag, vor und hinter ihm einige Herren, unbedeckten Hauptes. Alle Strassen standen dicht gedrängt voll Menschen, das unerhörte Schauspiel — die öffentliche Hinrichtung eines Königs — mit anzusehen. Der König hatte seine Toilette mit der gewöhnlichen Sorgfalt gemacht, seine Gebete beendigt und dann entschlossen seinen letzten Gang begonnen. Zu seiner Rechten war der Bischof Juxton, zur Linken der Oberst Tomlinson. Mit diesem unterhielt er sich ruhig während des Ganges, sprach mit ihm von seinem Begräbniss und nannte die Personen, welchen er dasselbe anvertraut zu sehen wünschte. Sein Antlitz war heiter und ruhig, der Blick glänzend, der Schritt fest und sicher: er betrachtete sich als Märtyrer für die Sache des Königthums von Gottes Gnaden. In Whitehall angekommen, blieb er noch eine Stunde in Gebet und Betrachtung mit dem Bischof zusammen, nahm dann das Abendmahl und erhob sich endlich lebhaft mit den Worten: „Jetzt mögen sie kommen, diese Burschen; ich habe ihnen von Grund meines Herzens verziehen, ich bin bereit zu

---

*) Memoires de Herbert, bereits von Guizot benutzt und citirt. — Vgl. auch Rushworth Vol. VIII, pag. 1398.

Allem, was auch immer mir geschehen möge." Von den Speisen,
die ihm bereitet waren, genoss er nichts, als ein Stückchen
Brod und ein Glas Wein, und auch das nur, weil Juxton ihn
erinnerte, dass sonst vielleicht eine Schwäche ihn im letzten
Augenblicke befallen könnte. Als Oberst Hacker dann an die
Thür klopfte, liess er öffnen und sagte: „Gehet jetzt; ich folge
Euch!" Er passirte den Banquetsaal, wo manches fröhliche
Fest früher mochte gehalten sein; zu beiden Seiten stand eine
Reihe von Soldaten; hinter ihnen viele Zuschauer, die sich mit
Lebensgefahr durch die ungeheure Menge einen Weg bis hier-
her gebahnt hatten — unbeweglich Alles und in feierlicher
Spannung; nur leise Gebete für den König wurden vernommen.
Am Ende des Banquetsaales war eine Oeffnung in die Mauer
gebrochen, von wo aus ein Weg direct auf das Schaffott führte.
Dieses war mit schwarzem Tuch bedeckt, ebenso der Block in
der Mitte desselben; daneben lag ein scharfgeschliffenes Beil:
bei ihm standen zwei Männer, in Matrosentracht, beide unkennt-
lich maskirt. Als der König auf dem Schaffott ankam, schickte er
forschend seine Blicke nach allen Seiten: er suchte das Volk, um
zum letzten Male zu ihm zu sprechen; aber er fand es nicht
— der ganze Platz war mit Soldaten gefüllt. Nur in den an-
grenzenden Strassen, an allen Fenstern, auf allen Dächern
drängte sich eine unermessliche Volksmenge. „Nur von Euch,"
sagte er zu den zunächst Stehenden (Juxton, Tomlinson und
einigen Anderen), „kann ich gehört werden. An Euch werde
ich also einige Worte richten." Er sah sehr ernst auf den
Block und die Axt, fragte den Oberst Hacker, ob kein höherer
da wäre; und als dieses verneint wurde, fur er fort: „In der
That, ich könnte sehr gut meinen Frieden haben, wenn ich
nicht dächte, dass Frieden halten einige Leute würde glauben

machen, dass ich mich der Schuld unterwerfe, wie der Strafe. Aber ich denke, es ist meine Pflicht gegen Gott zuerst, dann auch gegen mein Land, mich rein darzustellen als ein ehrlicher Mann, ein guter König und ein guter Christ. Ich beginne zuerst mit der Versicherung meiner Unschuld (!) . . ." und in diesem selben Tone sprach er noch Mehreres, ernst, kalt, ruhig, immerfort auf die Behauptung zurückkommend, dass er nur sein göttliches Recht gewahrt habe und dass das Volk durchaus keinen Theil an der Regierung haben dürfe. Als während der letzten Worte Einer an die Axt herantrat, ihre Schärfe zu probiren, sagte er: „Verderbet die Axt nicht, sie würde mir nur noch weher thun!" Und als seine Rede beendet war und wieder Jemand sich ihr näherte, sagte er warnend: „Hütet Euch vor der Axt! Hütet Euch vor der Axt!" — Als Juxton ihn dann noch bat, etwas über seine religiöse Ueberzeugung zu sagen und im Momente des Scheidens von dieser Welt Gott zu bekennen, fügte er hinzu: „Ich sterbe als ein Christ, gemäss dem Bekenntniss der Kirche von England, wie ich es vorgefunden, von meinem Vater mir hinterlassen." Dann bereitete er sich zum Tode: „Ich habe eine gute Sache für mich und einen gütigen Gott!" Juxton antwortete: „Ja, Sire, es ist nur noch ein Schritt zu thun; er ist voll Verwirrung und Angst, aber von kurzer Dauer nur. Und bedenket, welch' eine Brücke Ihr damit überschreitet: er versetzt Euch von der Erde in den Himmel." — Der König sagte noch: „Von einer vergänglichen Krone gehe ich über zu einer unvergänglichen, wo ich keine Unruhe mehr werde zu fürchten haben." Dann nahm er seinen Mantel und das Kreuz des Georgen-Ordens ab, gab dieses dem Bischof Juxton, kniete nieder und sagte zum Henker: „Ich

werde noch ein kurzes Gebet sprechen; und wenn ich die Hände
erhebe, **dann**" ... so legte er den Kopf auf den Block. Und
als er die Hände ausbreitete, schlug der Henker zu und trennte
mit einem Hiebe den Kopf vom Rumpfe. „Das ist das Haupt
eines Verräthers!" mit diesen Worten zeigte der Scharfrichter
es dem Volke. Ein dumpfer, misstönender, grauenvoller Schrei
ertönte aus der Masse: das Ungeheuer der Revolution sah sich
einmal von Angesicht zu Angesicht und entsetzte sich vor seinem eigenen Bilde. Niemand der Anwesenden soll den entsetzlichen Eindruck dieses dumpfen Grollens des Volksgeistes
jemals wieder haben los werden können.

Die Truppen zerstreuten langsam die Menge. Das Schaffot
blieb einsam. Man legte den Leichnam in den Sarg und stellte
ihn 7 Tage in Whitehall aus. Cromwell hatte sich vorher denselben bringen lassen. Er nahm den Kopf heraus, wie um sich
zu überzeugen, dass er wirklich vom Rumpfe getrennt sei, sah
das bleiche Todtenantlitz fest und ruhig an, und, ihn wieder
hineinlegend, sagte er dann nachdenklich: „Es war das ein
wohlgebauter Körper, der ein langes Leben versprochen hätte."
So erzählen wenigstens die Memoiren von Warwick und Herbert.

Die Leiche wurde in der Georgen-Capelle zu Windsor bei-
gesetzt, eben dort, wo Heinrich VIII. begraben lag. Auf dem
Sarge standen nur die Worte:

Karl König.
1648.

Das englische Parlament aber decretirte noch denselben
Tag, dass Jeder mit dem Tode des Verräthers zu bestrafen
sei, der die Nachkommen der Stuarts wieder auf den Thron

zu bringen versuche, schaffte bald darauf auch das Haus der Lords völlig ab, und erklärte am 7. Februar 1649*):

„Es ist durch die Erfahrung bestätigt worden und dieses Haus spricht es hiermit also aus, dass die Würde des Königs in diesem Lande unnütz, lästig und gefährlich für die Freiheit, die Sicherheit und das Wohl des Volkes ist; sie ist deshalb abgeschafft von diesem Tage an."

Ein grosses neues Siegel an der Stelle des alten Königssiegels stellte auf der einen Seite die Karte von England und Irland dar mit den Wappen beider Länder, auf der anderen Seite ein Bild des Hauses der Gemeinen in voller Sitzung, mit der Umschrift:

„Das erste Jahr der Freiheit, wiederhergestellt durch
Gottes Segen 1648."

So endete Karl Stuart, König von England. —

---

*) Bekanntlich begann das englische Jahr nach altem Style damals nicht mit dem Januar, sondern am 24. März, mit Frühlingsanfang etwa. Daher überall in den Quellen noch die Jahreszahl 1648, wo wir nach heutiger Zeitrechnung bereits 1649 schreiben müssen.

III. Die Englische Republik
und
der Lord Protector von England.

Die Periode, in welche die englische Geschichte mit der Beseitigung des ersten Stuart eingetreten ist, hat sich bis auf den heutigen Tag höchst erfolgreich für die innere und äussere Entwickelung Englands . bewiesen. Die Gegner solcher republikanischen Zustände, wie sie durch Oliver Cromwell geschaffen wurden, mögen es nicht vergessen, dass namentlich die unter Elisabeth so herrlich begründete Seemacht unter Oliver Cromwell eine Entwickelung genommen hat, welche bald alle anderen Staaten überflügeln sollte. Es ist dabei besonders zu beachten, dass in jener Zeit England nicht nur an dem mächtig aufstrebenden Frankreich, sondern namentlich auch an Holland noch einen Nebenbuhler fand, welcher in der That erst überwunden werden musste, und zwar in sehr ernstem Kampfe, bevor das stolze Albion seine Meerherrschaft antreten konnte. Dieser Kampf, dessen einzelne Phasen leider nicht unser Interesse in der folgenden Erzählung in Anspruch nehmen dürfen, ist für uns noch besonders wichtig dadurch, dass wir uns noch gegenwärtig die Frage vorlegen können, was denn eigentlich im letzten Grunde das Erliegen der holländischen

General-Staaten und den Sieg Englands veranlasst hat. Auch liesse sich vielleicht die Frage daran anknüpfen, ob diejenige Gestaltung der europäischen Machtverhältnisse, wie sie damals durch das plötzliche Aufsteigen Frankreichs zu Lande und Englands zur See begründet wurde, nun für alle Zeiten nothwendig so bleiben müsse, oder ob nicht etwa durch ähnliche entscheidende Actionen, wie damals, so auch heute noch, neue Zustände und wesentlich andere Machtverhältnisse dürften begründet werden können. Es ist dabei ausserdem der auffallende Umstand zu beachten, dass der holländische Freistaat soeben erst aus einem der glorreichsten Kämpfe, welche die Weltgeschichte kennt, siegreich hervorgegangen war: über 60 Jahre lang hatte der Kampf gegen das königliche Spanien Philipp's des Zweiten und seiner Nachfolger alle Kräfte der kleinen Republik in der äussersten Anspannung erhalten; und kaum war die Erhebung zu einem glücklichen Abschlusse gelangt, da sollte das so heiss Erkämpfte in wenigen Jahren wieder verloren gehen im Kriege gegen eine Macht, die doch im Grossen und Ganzen dieselben Principien repräsentirte, welche auch die holländische Republik in ihrem langen, verzweifelten Kampfe gegen die spanische Hierarchie gestärkt hatten. Es wird also unsere Aufgabe sein, die Ursachen aufzusuchen, die dieser so auffallend raschen Wendung zu Grunde lagen. Und wenn wir dazu, nachdem wir in möglichst gedrängter Uebersicht die nur etwa neunjährige Regierung Cromwell's betrachtet haben, uns das Gegenbild der Stuart'schen Restauration vergegenwärtigen, wenn wir namentlich den Gegensatz der äussersten Sittenlosigkeit und sein Spiegelbild im englischen Lustspiel der sechziger und siebziger Jahre berücksichtigen — ein Gegensatz gegen die ganze puritanische Weltanschauung und Lebensweise, wie

22

fallen: die natürlichen Neigungen des Menschen lassen sic
nicht in dieser Weise unterdrücken. Auf diese Weise erklären
wir uns die auffallende Erscheinung, dass Oliver Cromwell
während der ganzen Zeit seiner Regierung die grössten Erfolge
nach Aussen errang und dennoch nicht dazu gelangen konnte,
im Innern Ruhe zu haben und alle Parteien zu einem festen
Ganzen zu vereinigen.

　　Unwillkürlich drängt sich daher auch die Frage auf, ob
die Hinrichtung des Königs Karl I. das rechte Mittel zum Zweck
gewesen sei: die meisten Historiker verneinen es. Der König
war allerdings zuletzt in eine Lage gerathen, dass man ihn
entweder aus England hinausschaffen oder tödten musste, wenn
man die endlosen Intriguen endlich beseitigen wollte, die sich
nur an seine Person immer neu anküpfen liessen. Zudem hatte
er in ganz anderem Grade, als später Ludwig XVI., alle Interessen der Nation geschädigt und in langem, erbitterten Kampfe
mit Worten, wie mit Waffen gezeigt, wie gefährlich er sei.
Ludwig büsste nur die Sünden seiner Vorfahren und ging zu
Grunde, weil die Verhältnisse einem so schwachen Charakter
über den Kopf wuchsen; eine Schuld kann ihm eigentlich erst
da vorgeworfen werden, als er sich bereits im Zustande der
Nothwehr befindet: er verbindet sich mit dem Auslande gegen
sein eigenes Volk, um seine Krone und seine Familie zu retten,
weil ihm bereits kein anderes Mittel mehr übrig bleibt. Bei
Karl I. lag die Sache denn doch wesentlich anders: er hatte
einen principiellen und systematischen Kampf gegen alle Traditionen der englischen Geschichte und alle theuersten Sympathien des englischen Volkes aus eigener königlicher Macht-
fülle begonnen; er war in diesem Kampfe unterlegen, wie ein
Feind im Felde dem andern unterliegt; und er stand zuletzt

als ein einfacher Kriegsgefangener, als ein mit den Waffen in der Hand gefangener Landesfeind dem siegreichen Heere gegenüber, dessen Commandeure nun über ihn Kriegsgericht hielten. Diese Commandeure selbst aber, mit ihrer ganzen Armee, waren vor die verzweifelte Alternative gestellt, ob sie dem besiegten König den Process machen, oder in Unthätigkeit erwarten wollten, dass früher oder später ihnen allen der Process gemacht würde. Ich glaube nicht, dass irgend ein Mann, der solche Kämpfe bestanden hatte, wie Cromwell, in einer solchen Situation auch nur einen Augenblick darüber in Zweifel sein kann, was er zu thun habe.

Trotzdem war und blieb diese Hinrichtung ein verzweifeltes und gefährliches Mittel zur Beendigung des Kampfes: es riss einen ungeheuren Abgrund auf zwischen der Autorität und den Untergebenen, es warf alle geheimen Anhänger der alten Ordnung in ein finsteres, schweigsames, reservirtes Grollen mit den neuen Zuständen zurück, es begründete eine unversöhnliche Bitterkeit der Stimmung zwischen den geflohenen Nachkommen, Verwandten, Freunden des so Gerichteten und allen Denen, die zunächst die Vortheile der neuen Herrschaft für sich in Anspruch nahmen. Wehe diesen, wenn jemals jene zurückkehren würden! Sie mussten das Gleiche für sich erwarten, was sie Anderen gethan hatten.

Noch ein wesentlicher Unterschied kommt hinzu, welcher an diesem entscheidenden Wendepunkte die englische Revolution und die aus ihr hervorgehende Republik principiell von der französischen des 18. Jahrhunderts unterscheidet. Diese beseitigte wirklich und für immer die privilegirte Aristokratie und gründete das neue Gemeinwesen auf die gemeinsame Arbeit Aller für den Staat; jene dagegen hatte von Anfang an nur

von England und zwar an den ehrwürdigen Senat der Republik
Hamburg: „Senatus Populusque Anglicanus Amplissimo Civi-
tatis Hamburgensis Senatui Salutem" — und diesem ersten
Briefe folgen eine ganze Reihe solcher interessanten Documente
— „Briefe des Englischen Senates", an die verschiedenen Nationen gerichtet — deren nähere Untersuchung uns hier leider
nicht aufhalten darf. Am 15. März 1649 wird der gelehrte
Herr — er war 41 Jahre alt, 1608 geboren — wirklich zu dem
wichtigen Posten ernannt, und zwar an demselben Tage, wo
Oliver Cromwell den Oberbefehl über die irische Armee erhält.
Sein berühmtes Gedicht „The Paradise lost" hatte er zwar
noch nicht geschrieben: das erschien erst 1667, als alle seine
idealen Träume in der That wieder in die finstere Nacht des
staatlichen Despotismus und der öffentlichen Sittenlosigkeit ver-
sunken waren. Aber kurz vor seiner Ernennung hatte er ein
Buch veröffentlicht: „Ueber die Stellung der Könige und der
Obrigkeiten", in der Absicht, die über den Tod des Königs in
Entsetzen gerathene öffentliche Meinung zu beruhigen und die
Idee der Volkssouveränetät ausführlich darzulegen.*) Gewiss
hatte diese wichtige Schrift die Aufmerksamkeit auf ihn hinge-
lenkt. Aber auch früher schon, als noch die Kämpfe in wilder
Entfesselung aller feindlicher Kräfte tobten, hatte er den äusseren
Kampf durch eine Reihe von Schriften unterstützt, welche ihn
in seinem ganzen Dichten und Trachten als das eigentliche
Kind des Puritanerthums erscheinen lassen. Lange Zeit hatte
er in seiner Jugend fern vom grossen Weltgewühle nur seinen

---

*) „The Tenure of Kings and Magistrates" erschien im Februar 1649.
Der Inhalt dieser Schrift ist von der höchsten Bedeutung für die innere
Geschichte jener Zeit.

Studien gelebt; in dankbarer Erinnerung an diese glückliche
Zeit ländlicher Ruhe und Stille richtete er an seinen Vater
später die Worte: „Du zwangst mich nicht, den breitgetretenen
Weg zu wandeln, der zum Wohlstand führt; Du nahmst mich
weit hinweg vom Lärm der Stadt zur tiefen Einsamkeit und
liessest beseligt mich weilen an Apollo's Seite." Ein eigenthümlich ernster und sinniger Ton hatte schon all' seine Jugend-
gedichte ausgezeichnet: so im „Penseroso", dem Liede der
stillen Beschaulichkeit, das aller weltlichen Eitelkeit spottet;
so in der „Hymne auf Christi Geburt", welches mit der weh-
muthsvollen Trauer über die geschwundene Herrlichkeit der
alten Welt zugleich die Feier und den Preis der christlichen
Idee verbindet, vor deren „Strahlen, ausgehend von Beth-
lehem, alle irdische Herrlichkeit erbleichen muss und alle
falschen Götter in den Staub sinken werden". Solche Töne
vernahm seine Seele in erster Jugend schon: „in der Tiefe der
Nacht, wenn Erschöpfung die Sinne der Sterblichen gefangen
hält, höre ich die Stimme der himmlischen Muse, deren Klänge
kein Staubgeborener vernehmen kann, dessen Herz nicht rein
ist." — Dann hatte er auf einer grossen Reise die Welt gesehen. Als aber die politischen Kämpfe ernster zu werden begannen, war er zurückgekehrt nach England, für eine Schmach
es haltend, „fern zu weilen, während seine Mitbürger für
die Freiheit stritten". Seine beste Zeit hindurch, fast volle
25 Jahre lang, lebt er dann in den grossen öffentlichen Angelegenheiten des erwachenden Vaterlandes. Schon 1641 schrieb
er: „Zwei Bücher an einen Freund über die Reformation der
Kirche von England" — „über Prälaten und Bischöfe" — „über
den Grund des Kirchenregiments", und eine ganze Reihe kleinerer
Schriften ähnlicher Art folgten bald darauf. Dann, als die bi-

schöfliche Kirche ihren Gegnern erlegen war, gewann er „Musse, seine Gedanken auf andere Gegenstände zu lenken, auf die Begründung echter und wahrhafter Freiheit, die immer mehr nach innen als nach aussen zu suchen ist und die nicht sowohl auf dem Schrecken des Schwertes, als auf innerer Tüchtigkeit und Sittenreinheit des Lebens beruht". In diesem Sinne schrieb er seine Bücher „über die Ehe" — „über die Erziehung der Kinder" — und die bereits erwähnte „Areopagitica" (1644), wovon die letztere namentlich über die Pressfreiheit so hinreissend gewaltige Stellen enthält, dass sie bis auf den heutigen Tag als Muster derartiger Darstellungen gelten kann. Graf Mirabeau hat dasselbe seiner Zeit übersetzt und im Interesse der französischen Revolution zu verwerthen gesucht. Diese bereits zehnjährige schriftstellerische Thätigkeit hatte er jetzt gekrönt durch das Buch „über Könige und Obrigkeiten": und diesem folgte die Belohnung durch Anstellung im Staatsdienste.

Als bald darauf ein Bischof G a u d e n v o n E x e t e r und der französische Gelehrte *Saumaise* Rechtfertigungs- und Vertheidigungsschriften für den enthaupteten König erscheinen liessen, antwortete Milton im Auftrage des Staatsrathes darauf in dem „Bilderstürmer (Iconoclastes)" und der „Defensio pro populo anglicano" (1651), der 1654 eine „Defensio secunda" folgte. Der arme Milton! so fleissig hatte er an diesen Schriften gearbeitet, Tag und Nacht, dass er zuletzt völlig erblindete. In seiner Jugend muss er bildschön gewesen sein: wir besitzen ein Bild von ihm, welches einen wahren Engelskopf darstellt — fast ein Mädchengesicht in dem vollen Adel der Jugend und Unschuld noch, umwallt von den reichsten Locken — welch' einen Eindruck muss in jener Zeit der grosse Dichter gemacht haben!

Doch bevor wir Cromwell auf seiner Expedition nach Irland

begleiten, haben wir noch auf eine eigenthümliche Bewegung
Rücksicht zu nehmen, welche der siegreichen Revolution plötzlich einen ganz anderen Charakter geben zu wollen schien. Es
waren die sogenannten „Levellers", d. h. Leute, welche alle
gesellschaftlichen Unterschiede aufheben und Alles zu einer
abstracten Gleichheit nivelliren wollten, von welchen diese Bewegung ausging. Sie hing zusammen mit den Agitatoren,
welche wir früher in der Armee Cromwell's thätig gesehen
haben: wie diese damals bereits den höheren Autoritäten gefährlich geworden waren, so dass es nur mit grosser Mühe,
durch die persönliche Energie Cromwell's selbst, gelang, ihrer
wieder Herr zu werden, so tauchten jetzt auf's Neue die gefährlichen, absolut destructiven Elemente empor, die sich im
Gefolge jeder Revolution mehr oder weniger geltend zu machen
pflegen. Das Interessante in dieser Erscheinung liegt darin,
dass sie uns schon jetzt den unzweideutigen Beweis dafür
giebt, dass man im niederen Volke von England mit dem ganzen Gange der Revolution keineswegs so völlig zufrieden war,
wie man es doch nach so grossen Siegen hätte erwarten sollen.
In den Pamphleten dieser Zeit wird wieder gesprochen von
neuen Ketten, die dem Volke von England aufgelegt seien, und
manche anderen ähnlich klingenden Wendungen enthalten un-
verkennbare Zeichen von dem Charakter einer tief im untersten
Grunde wühlenden Strömung, die mit aller Kraft sich herauf-
zuarbeiten bemüht war. Die merkwürdigsten Mittheilungen
über diese demokratische Bewegung finden wir in den Memoiren
Whitlocke's: „Der Staatsrath," heisst es hier, „hat Nachricht
über gewisse Leveller, welche zu St. Margaret's Hill nahe bei
Cobham in Surrey, und zu St. George's Hill in derselben Gegend plötzlich auftauchen, dass sie anfangen, den Gemeinde-

grund ohne Auftrag umzugraben und ihn mit Wurzeln und
Bohnen zu bepflanzen. Ein gewisser Everhard, der Armee an-
gehörig, welcher sich für einen Propheten ausgiebt, ist der
Anführer derselben; ein gewisser Winstanley ist ein anderer
Anführer. Es waren zunächst nur 30 Mann, aber sie sagten,
dass sie binnen kurzer Zeit 4000 sein würden. Sie luden Alle
ein, hereinzukommen und ihnen zu helfen; und sie versprachen
ihnen Nahrung, Trank und Kleider. Sie wollen die Parkein-
zäunungen niederreissen und Alles offen legen, und sie drohen
den Nachbarn, dass sie binnen kurzer Zeit veranlassen werden,
dass Alle, wie sie, zu den Hügeln kommen und mitarbeiten.
Als ihnen solches Treiben nun gelegt wurde, und zwar sowohl
durch das Landvolk, als auch durch einige Escadrons Reiterei,
welche gegen sie beordert wurden, um sie gefangen zu nehmen,
da beklagten sie sich laut über solches Verfahren und appellirten an das Urtheil aller Menschen, ob solch' unchristliches Verfahren nun gerecht und billig sei. Und als sie vor den General geführt wurden, gaben sie folgende höchst merkwürdige
Erklärung ab: „Er sei — so sagte Everhard — von der Race
der Juden, wie die meisten Menschen, mögen sie nun Sachsen
oder anders genannt sein, eigentlich alle von ihnen herstamm-
ten. Alle Freiheiten des Volkes seien zu Grunde gegangen
durch den Einfall Wilhelm's des Eroberers; und seitdem habe
das Volk immer unter einer Tyrannei und Unterdrückung gelebt,
schlimmer als die unserer Vorfahren unter den Egyptern. Aber
jetzt sei die Befreiung nahe: und Gott würde sein Volk aus
dieser Sclaverei herausbringen und sie zu ihrer Freiheit erneuern im Genuss der Früchte und Güter der Erde. Und vor
Kurzem sei ihm, dem Everhard, eine Vision erschienen, welche
ihm befohlen habe: „Stehe auf und grabe und pflüge die Erde

und empfange die Früchte derselben." Ihre Absicht sei also, die Schöpfung in ihrer früheren Gestalt wieder herzustellen. Und wie Gott versprochen habe, die arme unfruchtbare Erde fruchtbar zu machen, so geschähe das, was sie da thäten, um die alte Gemeinschaft im Genuss der Früchte der Erde zu erneuern und den Gewinn davon an die Armen und Bedürftigen zu vertheilen und die Hungrigen zu speisen, die Durstigen zu tränken und die Nackten zu bekleiden. Sie beabsichtigten also nicht, sich in das Eigenthum irgend eines Mannes unbefugter Weise einzumengen, noch auch irgend welche Grenzen oder Schranken niederzureissen, sondern nur in Dasjenige sich einzumengen („to meddle with"), was gemeinsam ist und unbebaut, und dieses für den Gebrauch des Menschen fruchtbar zu machen. Und es werde plötzlich die Zeit erscheinen, wo alle Menschen freiwillig zu ihnen hereinkommen und ihre Länder und Güter aufgeben würden, um sich dieser Gütergemeinschaft zu unterwerfen. Und für alle Diejenigen, welche zu ihnen kommen und mit ihnen arbeiten würden, werden sie Speise, Trank und Kleider haben: was aber das Geld anbeträfe, so sei das ganz unnöthig, auch Kleider nicht mehr, als um zu bedecken seine Blösse. Im Uebrigen würden sie sich nicht mit Waffen vertheidigen, sondern sich der Autorität unterwerfen und warten, bis die verheissene Gelegenheit sich darbiete, von der sie wüssten, dass sie nahe sei. Und wie ihre Vorväter in Zelten gelebt hätten, so sei es jetzt ihrer Lage angemessen, in eben denselben zu leben."

Und merkwürdig war es auch noch, dass sie mit bedecktem Haupte, alle die Hüte auf dem Kopfe, vor dem General standen; und als man sie fragte, was das bedeuten solle, so sagten sie: es sei zum Zeichen, dass er nur ihres Gleichen sei, ein Geschöpf

Gottes, wie sie Alle. Und als man sie nach der Bedeutung jener Redensart fragte: „Gieb Ehre, dem Ehre gebührt!" da sagten sie: „Eure Mäuler werden gestopft werden, dass Ihr solch' eine Frage thut!"

In Verbindung mit solchen in der That seltsamen und für manche sich sicher dünkenden Herren fremdartig und gefährlich klingenden Lehren bricht darauf gegen Ende April 1649 in einem der Regimenter wieder eine ernstliche Meuterei aus. Es war das Regiment des Obersten Whalley. Aber wie der Blitz aus heiterem Himmel, so kommen General Fairfax und Generallieutenant Cromwell plötzlich über sie, fassen die Empörer mit fester Hand und überlegener Kraft, nehmen die schlimmsten Unruhstifter gefangen, 15 an der Zahl, stellen sie vor ein Kriegsgericht, verurtheilen sie zum Tode, begnadigen dann aber alle bis auf Einen, der, wie früher Arnald, so jetzt er allein die Schuld aller Uebrigen zu büssen hat. Der Name dieses Einzelnen ist Lockyer: am frühen Morgen wird er erschossen, „in Paul's Churchyard". Er war ein tapferer junger Cavallerist, der sieben Jahre lang alle diese Kriege mitgefochten hatte, von sehr religiösem Sinne, von den schönsten Anlagen und sehr beliebt; nur hatte er einen etwas zu heissen jungen Kopf, dazu seine eigenen Begriffe über die menschliche Freiheit und gar zu grosse Sehnsucht nach dem Beginn des tausendjährigen Reiches. Es sind viele Thränen vergossen worden beim Falle des jungen Mannes, von Männern, wie von Mädchen und Frauen. Eine ganze Woche lang bleibt der Leichnam ausgestellt, im Osten der Stadt, bewacht und beweint von Vielen unter heissen Gebeten: und dann wird ihm ein Leichenbegängniss veranstaltet, wie es keinem Fürsten jemals grossartiger ist zu Theil geworden. Etwa hundert Mann gingen vor dem Sarge

her, fünf oder sechs in einer Reihe immer; dann kam der Leichnam, begleitet von sechs Trompetern, die in einem militärischen
Trauermarsche der Stimmung passenden Ausdruck gaben; dann
folgten seine Kameraden zu Pferde, alle in Trauer gekleidet,
angeführt von einem Mann zu Fuss. Der Leichnam war geschmückt mit Sträussen von Rosmarin, die halb in Blut getaucht
waren — auf offenem Sarge wurde der Tode daher getragen —
und das Schwert des Geschiedenen begleitete ihn zu Grabe,
getragen von einem Kameraden. Dann folgten Tausende in
Reih' und Ordnung: Alle hatten schwarz-grüne Bänder an ihren
Hüten und an ihrer Brust; tausende von Mädchen und Frauen
beschlossen den Zug. Als derselbe bei dem neuen Kirchhofe
in Westminster angekommen war, schlossen sich fernere Tausende
an, von der „besseren" Classe, heisst es in den alten Berichten;
sie hatten es nicht für passend gehalten, auch durch die City
mitzugeben: aber doch wollten sie sich nicht ausschliessen.
Viele sahen auf dieses Begräbniss, als ob es ein Vorwurf für
die Gewalthaber im Parlament und in der Armee sei. —

Als an einem der folgenden Tage darauf — es war am
9. Mai 1649 — Oliver Cromwell eine Revue über die Truppen
in Hyde Park abhält, bemerkt er noch solche meergrüne und
schwarze Bänder an der Kopfbedeckung und den Uniformen
seiner Soldaten. Die Sache musste doch selbst dem General
als höchst bedeutend und gefährlich erscheinen: denn er spricht
in der ernstesten Weise zu ihnen, erinnert sie an Alles, was
Parlament und Armee bereits gethan haben, verspricht ihnen
Bezahlung aller Rückstände, bedroht aber zugleich in der nach-
drücklichsten Weise Jeden mit dem Kriegsgesetz, der nicht sofort der Ordnung sich unterwerfen wolle. Wirklich bringt er
mit Strenge und Güte es dahin, dass Jeder sich fügt und dass

die bedenklichen Abzeichen entfernt werden; aber die Stimmung
ist und bleibt nicht die beste. Und kaum ist in London selbst
die Gährung unterdrückt, so beginnt sie in den Grafschaften
auf's Neue sich zu regen: in Oxfordshire, in Gloucestershire,
zu Salisbury, überall, wo nur die Truppen ihre Standquartiere
haben, zeigen sich Spuren der levellistischen Bewegung, selbst
in den Reihen der Armee. Namentlich macht sich ein gewisser
Capitain Thompson mit 200 Mann von den übrigen Truppen
los, bricht selbstständig aus seinen Standquartieren bei Banbury
heraus, veröffentlicht eine Erklärung unter dem stolzen Titel:
„England's Standard Advanced", spricht darin viel und leidenschaftlich von den neuen Ketten, in denen England gefesselt
liege, fordert laut und drohend Bestrafung der Mörder Lockyer's
und Arnald's, und verkündet siebenundsiebenzigfältige Rache,
wenn auch nur ein Haar ferner den Gefangenen gekrümmt
werde, die wegen dergleichen Meinung im Gefängniss waren.
Lilburn und seine Genossen sollten nicht das Schicksal der
Erschossenen theilen. Bald darauf bricht eine neue Abtheilung
unter dem Bruder des Capitains in derselben Weise los: sie
war etwa 1000 Mann stark. Es schien so gefährlich werden
zu wollen, dass Cromwell in äusserster Eile mit den nach Irland bestimmten Regimentern sich zunächst gegen diese Auf-
rührer wendet: an einem Tage marschirt er sogar 50 Meilen
weit, um sie zu erreichen. Dann überfällt er sie plötzlich um
Mitternacht, als Alle im tiefsten Schlafe liegen und ihre Pferde
draussen auf der Grasweide ruhen, zerstreut nach geringem
Widerstande oder nimmt gefangen Alle, die bei einem so gefährlichen Unternehmen so sorglos einem Cromwell gegenüber
sein konnten, und lässt dann die Kriegsgerichte beenden, was
das Schwert noch verschont hatte. Die Corporale und Cornets,

die zum Tode durch Pulver und Blei verurtheilt wurden, starben alle als tapfere Männer; Capitain Thompson selbst floh nach tapferem Widerstande in einen Wald und wollte sich nicht ergeben und vertheidigte sich bis auf den letzten Mann und fiel zuletzt, von sieben Kugeln durchbohrt.

' Man mag über diese ganze Bewegung denken, wie man will, die Geschichte, die Alles unparteiisch abwägt, kann auch diesen armen (verführten?) tapferen Leuten ihre Anerkennung nicht versagen. Auch sie gehören zu den Märtyrern der englischen Freiheitskämpfe.

Die Kehrseite des Bildes zeigt sich dann darin, dass, als dieses unangenehme Geschäft beendigt war, Cromwell mit den ihm zunächst stehenden Officieren nach Oxford zog und sich dort mit mehreren Anderen die academischen Würden ertheilen liess: Fairfax, Cromwell selbst, die Obersten Scrope, Waller, Ingoldsby, Harrison, Goff, Okey, Cobbet und andere wurden in feierlichster Weise zu Bachelors, Masters und Doctoren promovirt, mit glänzenden Diners und pompösen Reden fetirt und dann mit tausend Segenswünschen in den Feldzug nach Irland entlassen. In ganz ähnlicher Weise findet auch in London ein grosses Dank- und Jubelfest für die glücklich überstandene Gefahr statt, und namentlich giebt die City dem Parlament und den Officieren und allen Würdenträgern von England ein prächtiges Diner in Grocer's Hall. Auch an die Armen von London werden bei dieser Gelegenheit 400 Pfund Sterling gegeben, damit auch sie in ihrer Art und Weise ein Festessen zu arrangiren im Stande wären.

In Irland hatten sich unterdessen die Verhältnisse im Grossen und Ganzen etwa in jener erbaulichen Vielseitigkeit gestaltet, wie der ärgste Feind eines Landes und Volkes sie

23

demselben nicht schöner wünschen kann. Seit im Jahre 1641
der grosse Protestantenmord dort vollzogen worden war, alle
Leidenschaften zur thierischen Wuth entfesselnd, hatte sich in
dem unglücklichen Lande immer mehr ein Zustand und eine
Stimmung entwickelt, die kein Gesetz gebildeter Menschlichkeit
mehr achten zu wollen schien. Parteien ohne Zahl, Streitigkeiten überall, Plünderungen, Excommunicationen, Verräthereien
abwechselnd mit stets neuen Verschwörungen, zuletzt eine allgemeine Sündfluth von Blut, Zerstörung und Verwüstung —
mit Entsetzen wendet sich das Auge der Geschichte ab von
einem solchen Bilde des allgemeinen Elends und der unsinnigsten
Verwirrung. Wie weit die Irländer damals noch von jedem
natürlichen Gefühle ihres unmittelbaren Zusammenhanges mit
dem englischen Vaterlande entfernt waren, das ersieht man
besonders daraus, dass im Jahre 1645 ein päbstlicher Legat,
Rinuccini mit Namen es wagen konnte, mit Geld und Waffen
versehen nach Irland zu kommen, die entschiedensten Katholiken an sich zu ziehen, und womöglich ganz Irland von England loszureissen wenigstens den Versuch zu machen. Die
Sendung ist einer der eclatantesten Beweise dafür, wessen die
modernen Staaten sich von Rom und der katholischen Kirche
immer werden zu versehen haben. Vor ihm war jedoch
bereits Lord Ormond mit grösserem Erfolge thätig gewesen,
die entgegengesetzten Parteien der katholischen Irländer und
der presbyterianischen Engländer unter der gemeinsamen Fahne
des sofort nach Karl's I. Tode seinen Anhängern als König
geltenden Sohnes desselben, des späteren Karl's II., zu vereinigen. Im Jahre 1647 hatte dann eine Versammlung der verschiedensten Parteihäupter zu Kilkenny stattgefunden, in welcher
Rinuccini momentan wieder das Uebergewicht erlangte: er

konnte wirklich eine Zeit lang die Hoffnung hegen, Irland gänzlich für die katholische Welt zu gewinnen; ja es konnte sogar
in ihm die Hoffnung auftauchen, einen italienischen Fürsten, etwa
einen der Brüder des damaligen Grossherzogs von Toscana,
auf den Thron eines selbstständigen Königreiches von Irland
zu bringen — ein Plan, welcher heutzutage freilich Jedem als
vollkommen lächerlich erscheinen muss, der nur einigermassen
sich einen richtigen Begriff von der vernichtenden Energie
jenes protestantisch-germanischen Geistes, wie er damals vor
Allem in England mächtig war, zu bilden im Stande gewesen
ist.   Diese Ideen gingen denn in der That selbst dem Lord
Ormond zu weit.   Er sorgte daher dafür, damit doch wenigstens
Irland nicht in die Hände des Nuntius, Roms und der Spanier
falle — welche damals sich wieder zu nähern begannen — dass
die Hauptstadt *Dublin* von den Parlamentstruppen der schottisch-
presbyterianischen Partei besetzt werde, weil er sie doch nicht
mehr halten konnte.   Zur Rechtfertigung dieser politischen
Massregel begab er sich auf eine Zeit lang zu seinem Könige
Karl II. und kehrte erst-zurück nach Irland, als in Folge der
ersten Niederlagen der irischen Truppen (bei Trim und in
Munster) der Einfluss des päbstlichen Legaten gebrochen und
dieser selbst in sein Erzbisthum Fermo zurückgekehrt war.
Zu derselben Zeit, wo Karl I. auf dem Schaffot endete, hatte
Ormond mit einem unter solchen Verhältnissen in der That
anzuerkennenden Geschick eine Vereinigung zwischen den irischen Katholiken und den englischen Protestanten zu Stande
gebracht, welche im Wesentlichen auf einer Ausgleichung der
beiderseitigen religiösen Ansprüche beruhte.   Es ist ein Vertrag,
der für die dortigen höchst schwierigen und verwickelten Verhältnisse bis auf den heutigen Tag noch einer besonderen Be-

rücksichtigung werth erscheint*): die Katholiken gaben in demselben die Absicht auf, ihre „allein selig machende" Religion
zur ausschliesslichen Herrschaft auf der Insel zurückzuführen;
sie forderten nur, dass sie in der Ausübung ihrer Religion ungehindert bleiben, nicht fortwährend die drückenden Strafen
(und Strafgelder) erleiden und dass sie eine stehende Commission
erhalten sollten, sie zu beschützen im Besitz ihrer Kirchen und
der zu ihnen gehörigen Güter, bis dieser Friede durch einen
förmlichen Parlamentsbeschlus bestätigt worden sei. Die Hinrichtung des Königs verstärkte nur die Sympathieen dieser
Vereinigung für seinen Sohn Karl II.: Ormond brachte es wirklich dahin, im Mai des Jahres 1649 acht Tausend Mann zu
Fuss und drei Tausend zu Pferde gegen Dublin zu führen, um
die früher preisgegebene Hauptstadt wieder in seine Hand zu
bekommen. Dieser Versuch misslang zwar, und der Commandeur der Parlaments-Truppen in Dublin veröffentlichte, statt
auf die Seite des neuen Königs zu treten, vielmehr eine so
energische echt republikanische Antwort, dass das Parlament
ihm öffentlich seine Anerkennung aussprach. Trotzdem aber
verlor Ormond den Muth nicht: durch Besetzung mehrerer festen
Plätze, wie Trim, Drogheda und Dundalk, sicherte er vorläufig die so mühsam gewonnene Macht und suchte von dort
aus auch Munster, Connaught und Ulster durch zuverlässige
Commandeure zu einer gewissen Ordnung und festen Vereinigung
mit ihm zu bringen. In Leinster war ohnehin jetzt Alles auf
seiner Seite. Zu der Zeit, als Cromwell seinen Feldzug begann,
gehorchten nach zuverlässigen Angaben neun Zehntheile von
Irland den Befehlen Ormond's. Zugleich lag die Flotte des

---

*) Vgl. Ranke III, pag. 340 ff.

Prinzen Rupert im Süden Irlands, dem Old Head of Kinsale gegenüber, vor Anker.

Die Independenten-Armee liess sich indessen nicht über den specifisch royalistischen Charakter dieser Ormond'schen Vereinigung dadurch täuschen, dass auch die Protestanten der alten englischen Colonie in Irland momentan mit derselben Hand in Hand gingen. Der grossartig religiöse Ton, der in der unmittelbaren Umgebung Cromwell's herrschte, machte sich auch bei dieser Gelegenheit wieder in der entschiedensten Weise geltend. Wie ein Held des Orients, wie ein unerbittlicher Kämpfer des alten Bundes, so zog Cromwell auch dieses Mal in's Feld: am 10. Juli 1649 wurden die Fahnen von den Geistlichen eingesegnet, Cromwell selbst und mehrere Officiere redeten dann vor allem Volk von den Wegen des Herrn, „sehr wohl und durchaus passend für die Gelegenheit"; und dann bestieg Cromwell den mit 6 Rossen bespannten Staatswagen und fuhr davon, begleitet von einer Suite von höheren Officieren zu Pferde, wie sie die Welt bis dahin noch nicht in solcher Vereinigung gesehen hatte. Unter dem Schall der Trompeten, in dem glänzendsten Aufzuge eines geistlich-militärischen Fürstenthums zog er dahin, gen Milfordhaven, um von dort nach Irland überzusetzen.

Der kurze Feldzug, den er dort seit der Mitte des August 1649 führte, war in militärischer Hinsicht ein durchaus glänzender: die wichtigsten Plätze wurden im Sturm genommen, über Alle, die Widerstand zu leisten gewagt hatten, ein grässlich erbarmungsloses Gericht gehalten, Besatzungen bis auf den letzten Mann niedergemacht, ja ein Vernichtungskrieg, so schien es fast, gegen die ganze katholische Bevölkerung selbst begonnen. Wir werden die Einzelheiten in diesen Ereignissen am

besten aus Cromwell's eigenen Briefen in ihrem eigenthümlichen
Charakter zu erkennen im Stande seiu. Bevor wir die hauptsächlichsten derselben ihrem wichtigsten Inhalte nach mittheilen,
ist nur noch hervorzuheben, dass er nach Schottland abberufen
wurde, bevor er das begonnene Werk vollenden konnte: sein
Schwiegersohn Ireton setzte die blutige Arbeit fort. Beide erreichten wenigstens so viel, dass alle protestantischen Bestand-
theile der irischen Bevölkerung sich wieder in der entschiedensten Weise England und Cromwell zuwandten, und dass an
irgendwelche Trennung Irlands von England für lange Zeit nicht
mehr zu denken war. Aber auch das wurde erreicht, dass der
religiöse Fanatismus der unter solchen furchtbaren Schlägen
immer mehr verarmenden und in jeder Hinsicht herunterkom-
menden katholischen Bevölkerung einen Gifttropfen in's innerste
Herzblut erhielt, der bis auf den heutigen Tag noch in der
gefährlichsten Weise fortwirkt. Wenn die Männer, die in solchen Schlägen damals die Gerichte Gottes über ein durchaus
verlogenes Volk zu sehen glaubten, eine solche blutige Militär-
Dictatur als die wirkliche Lösung einer grossen politischen Frage
betrachteten, so zeigen die Verlegenheiten, welche die irische
Frage bis auf den heutigen Tag den englischen Staatsmännern
gemacht hat, dass jene nicht die grossen Politiker waren, für
die sie sich in ihrem religiösen Dünkel vielleicht halten mochten. Auch wenn wir zugeben könnten, dass die Irländer eine
solche Züchtigung in der That verdient hatten, so werden wir
doch nie der Meinung sein, dass solche Schlächtereien dauernde
Zustände von irgend erspriesslicher Art zu begründen im Stande
sind. Die irische Frage ist in diesem Sinne einer der entschiedensten Beweise, dass zur Begründung eines grösseren
Staatswesens über weite Landgebiete noch ganz andere Dinge

in ernste Erwägung zu ziehen sind, als religiöse Fragen und gewaltsame Unterdrückung revolutionärer Bewegungen. Die eigentliche moderne Staatsordnung beginnt erst an der Grenze, wo diese beiden Gebiete zu einer gewissen Beruhigung gelangt sind.

Der erste Brief Cromwell's über diese ganze Affaire ist gerichtet „an den Commandeur von Dundalk", und datirt:

Tredah, 12. September 1649.

Sir!

Der Garnison von Tredah habe ich Gnade angeboten, indem ich dem Gouverneur eine Aufforderung zur Ergebung zuschickte, bevor ich die Stadt zu nehmen versuchte. Da diese zurückgewiesen wurde, so brachte das ihr Unglück über sie.

Wenn Ihr nun, dadurch gewarnt, Eure Garnison dem Parlament von England übergeben werdet, was zu thun ich Euch hierdurch auffordere, so könnt Ihr dadurch Blutvergiessen verhindern. Wenn Ihr bei Zurückweisung dieses Anerbietens das über Euch kommen sehet, was Euch nicht gefallen wird, so werdet Ihr jetzt wissen, wen Ihr zu tadeln habt. Ich verharre

Euer Diener

Oliver Cromwell.

Wie es in Tredah oder Droghedah, wie es jetzt heisst, gegangen ist, erfahren wir aus dem folgenden Briefe. Es ist nur noch hinzuzufügen, dass, als der erste Angriff zurückgeschlagen wurde, Cromwell selbst sich an die Spitze der Sturmcolonnen stellte nnd mit der ihm eigenen Entschiedenheit vielleicht zu seinen Soldaten sagte: „Meine lieben Kinder, wir dürfen uns nicht zurückwerfen lassen, wir müssen hier in die Stadt eindringen, es ist durchaus nothwendig und ganz unerlässlich, dass wir hineindringen, es geht durchaus nicht anders, wir

müssen wirklich, liebe Kinder!" — Und mit solchen kurz er-
munternden Worten sie persönlich vorführend, drang er unaufhaltsam zu neuem Sturme vor und gelangte wirklich in die
Stadt hinein. Er schreibt darüber „an den ehrenwerthen John
Bradshaw, Esquire, Präsidenten des Staatsraths."

„Dublin, den 16. September 1649.

Sir!

Es hat Gott gefallen, unsere Bemühungen zu Tredah zu
segnen. Nachdem wir es beschossen hatten, erstürmten wir
es. Der Feind lag etwa 3000 Mann stark in der Stadt. Sie
widerstanden ernstlich; und als etwa 1000 von unseren Leuten
bereits eingedrungen waren, zwang der Feind sie wieder hinaus.
Da aber gab Gott unseren Leuten neuen Muth, sie versuchten
es nochmals und drangen nun wirklich hinein, indem sie den
Feind von seinen Vertheidigungsposten hinwegtrieben.

Der Feind hatte drei Verschanzungen aufgeworfen, zur
Rechten und Linken von dem Punkte, an welchem wir hinein-
drangen; alle diese wurden sie gezwungen aufzugeben. Und
da wir auf diese Weise hineingedrungen waren, so verweigerten
wir ihnen Pardon, da wir den Tag vorher die Stadt zur Uebergabe aufgefordert hatten. Ich glaube, wir haben die ganze
Anzahl der Vertheidiger niedergemacht. Ich denke, nicht 30
von der ganzen Anzahl kamen mit ihrem Leben davon. Diejenigen, welche davongekommen sind, befinden sich in sicherer
Haft für die Barbadoes. Seitdem hat der Feind uns Trim
und Dundalk überlassen. In Trim waren sie in solcher Eile,
dass sie ihre Geschütze zurückliessen.

Das ist eine wunderbar grosse Gnade gewesen. Der Feind,
der nicht gewillt war, es auf eine Feldschlacht ankommen zu
lassen, hatte in diese Garnison fast alle seine besten Soldaten

geworfen, etwa 3000 Mann zu Pferde und zu Fuss, unter dem Commando ihrer besten Officiere; Sir Arthur Ashton war zum Gouverneur ernannt. Es waren etwa 7 oder 8 Regimenter, eines davon das des Lord Ormond unter dem Commando von Sir Edmund Varney. Ich glaube nicht, noch auch habe ich davon gehört, dass irgend ein Officier mit seinem Leben davon gekommen ist, ausser ein einziger Lieutenant, welcher, wie ich höre, zum Feinde gehend sagte, dass er der einzige Mann wäre, der von der ganzen Garnison entronnen sei. Der Feind wurde dadurch mit grossem Schrecken erfüllt. Und fürwahr, ich glaube, dass dieser bittere (herbe) Schlag viel Blutvergiessen durch die Güte Gottes ersparen wird.

Ich wünsche, dass alle ehrlichen Herzen Gott allein die Ehre davon geben mögen, dem in der That der Ruhm dieser Gnade gebührt. Was Kriegswerkzeuge anbetrifft, so waren sie überall sehr unbeträchtlich. Capitain Brandly stürmte mit 40 oder 50 von seinen Leuten sehr tapfer eines der Festungswerke (the Tenalia), wofür er den Dank des Staates verdient. Ich bleibe Euer sehr demüthiger Diener

Oliver Cromwell."

Als Merkwürdigkeit mag noch hervorgehoben werden, dass der Gouverneur von Tredah, Sir Arthur. Ashton, über welchen man bei Clarendon Näheres finden kann, ein hölzernes Bein hatte, nach welchem die stürmenden Soldaten sehr begierig waren, da sich die Sage verbreitet hatte, es sei ganz mit Goldmünzen angefüllt. Das erwies sich nun zwar als Täuschung, aber er hatte 200 Goldstücke in seinen Gürtel eingenäht: man kann sich das Vergnügen der Soldaten denken, als diese zum Vorschein kamen.

Noch ein zweiter Brief über dieselbe Angelegenheit ist

gerichtet „an den ehrenwerthen William Lenthall, Esquire, Sprecher des Parlamentes von England."

„Dublin, 17. September 1649.

Sir!

Nachdem Eure Armee wohlbehalten zu Dublin angekommen ist, und da der Feind versucht, alle seine Streitkräfte um Trim und Tecrogham zusammenzuziehen — von welchem Punkte aus der Marquis von Ormond sich Mühe gab, Owen Roe O'Neil mit seinen Streitkräften zu seiner Hülfe heranzuziehen, mit welchem Erfolge aber, das kann ich noch nicht erfahren — so beschloss ich, in's Feld zu rücken, nachdem unsere vom Wetter hart mitgenommenen Leute und Pferde sich etwas erfrischt hatten und Veranstaltungen zum Abmarsch getroffen waren. Und demgemäss traf ich am Freitag den 30. August mit 8 Regimentern zu Fuss, 6 zu Pferde und einigen Zügen Dragoner drei Meilen nördlich von Dublin zusammen. Der Plan war, die Wiedergewinnung von Tredah zu versuchen, oder den Feind zum Kampfe zu bringen, auf das Wagniss hin, jenen Platz zu verlieren.

Eure Armee kam vor die Stadt am folgenden Montag (den 3. Sptbr.) Nachdem wir dort Stellung genommen hatten, wurden so rasch als möglich unsere Batterien aufgepflanzt; was um so mehr Zeit in Anspruch nahm, weil verschiedene der Geschütze noch auf den Schiffen waren. Am Montag begannen die Batterien zu spielen. Worauf ich an Sir Arthur Ashton, dem damaligen Gouverneur die Aufforderung übersandte, die Stadt dem Parlament von England zu übergeben. Da ich darauf keine befriedigende Antwort erhielt, so ging ich an jenem Tage dazu über, den Thurm der Kirche auf der Südseite der der Stadt zusammenzuschiessen, und ebenso einen Thurm, der nicht weit von demselben Platze entfernt war, wie Ihr auf der eingeschlossenen Karte deutlich sehen könnt.

'Da unsere Kanonen nicht fähig waren, an jenem Tage noch viel auszurichten, so wurde beschlossen, am nächsten Tage mit äusserster Anstrengung dahin zu streben, eine Bresche zum Sturm herzustellen und dann mit Hülfe Gottes zu stürmen. Der Punkt, auf welchen gezielt wurde, war jener Theil der Stadtmauer, welcher zunächst einer Kirche lag, genannt St. Mary's; es wurde dieser Punkt um so lieber gewählt, weil wir hofften, dass wir mit dem Besitz dieser Kirche besser im Stande sein würden, gegen ihre Reiterei und Fussvolk Stand zu halten, bis wir Raum geschaffen hatten für das Eindringen unserer Reiterei; und wir glaubten nicht, dass irgend ein Theil der Stadt den gleichen Vortheil zu diesem Zwecke wie dieser gewähren würde. Wir hatten zwei Batterien aufgepflanzt: eine war für jenen Theil der Festungsmauer, welcher der Ostseite der genannten Kirche zunächst lag; die andere gegen die Mauer, welche nach der Südseite ging. Da die Beschiessung etwas lange dauerte, so machte der Feind sechs Verschanzungen: drei davon in der Richtung von der genannten Kirche nach dem Duleek-Thor; und drei von der Ostseite der Kirche nach dem Stadtwall und zurück. Die Geschütze warfen nach etwa 2 bis 300 Schuss den Eckthurm nieder und öffneten zwei leidlich gute Breschen in der östlichen und südlichen Mauer. Am Dienstag, den 11. dieses, etwa 5 Uhr Abends begann der Sturm: und nach einem heissen Kampfe drangen wir hinein, etwa 7—800 Mann; der Feind vertheidigte sich aber sehr hartnäckig gegen uns. Und in der That, durch die Vortheile, welche der Platz ihm darbot und durch den Muth, den es Gott gefiel den Vertheidigern zu gewähren, sahen sich unsere Leute gezwungen,

die Bresche wieder gänzlich zu verlassen, nicht ohne beträchtliche Verluste; der Oberst Castle erhielt dort einen Schuss in
den Kopf, wovon er sogleich starb; und verschiedene Officiere
und Soldaten wurden in der Erfüllung ihrer Pflicht getödtet
oder verwundet. Es war dort ein Scheerenwerk zwischen dem
Duleek-Thore und dem Eckthurme, den ich vorher erwähnt
habe, um die südliche Mauer der Stadt zu flankiren — in dieses
drangen unsere Leute ein, und sie fanden in demselben etwa
40 oder 50 Mann des Feindes, welche sie alle niedermetzelten.
Dieses Scheerenwerk („tenalia, tenaille") hielten sie fest: aber
da es ausserhalb der Mauer lag und da die Ausfalls- und Rück-
zugspforte aus der Stadtmauer nach jenem Scheerenwerk hier
verstopft war durch einige Leichen des Feindes, so erwies es
sich von keinem Nutzen für ein Eindringen in die Stadt auf
jenem Wege.

Obgleich unsere Leute, welche die Breschen stürmten, gezwungen waren zurückzuweichen, wie vorher gesagt wurde, so
machten sie doch, ermuthigt, ihren Verlust wieder ein-
zubringen, einen zweiten Angriff: und bei diesem, gefiel es
Gott, ihnen solchen Geist einzuflössen, dass sie dem Feinde
Boden abgewannen, und durch Gottes Güte ihn zwangen, seine
Verschanzungen aufzugeben. Und nach einem sehr heissen
Kampfe, da der Feind beides, sowohl Reiterei als auch Fussvolk innerhalb der Mauer hatte, wir aber nur Fussvolk, —
wich derselbe zurück, und unsere Leute wurden Herren seiner
Verschanzungen und auch von der Kirche; und das erwies sich
von ganz besonderem Nutzen für uns, obwohl sie unser Eindringen um so schwieriger gemacht hatten; so dass der Feind
uns jetzt nicht mehr mit seiner Reiterei schaden konnte, dass
wir vielmehr dadurch den Vortheil hatten, den Grund ebnen

zu können, so dass wir nun unsere eigene Reiterei hineinlassen konnten; was demgemäss denn ausgeführt werden konnte, wenngleich mit grosser Schwierigkeit.

Verschiedene Leute des Feindes zogen sich in den Mühlenberg zurück (mill-mount): ein sehr starker und schwer zugänglicher Platz, da er ausserordentlich hoch ist, einen guten Graben hat und stark verpallisadirt ist. Der Gouverneur, Sir Arthur Ashton und verschiedene angesehene Officiere befanden sich dort, und da nun unsere Leute zu ihnen hinaufdrangen, so wurde von mir ihnen der Befehl gegeben, dieselben alle niederzumachen. Und in der That, in der Hitze der Action verbot ich ihnen, irgend Jemand zu schonen, der in Waffen in der Stadt befunden würde: und ich denke, an jenem Abend haben sie etwa 2000 Mann niedergemetzelt. — Verschiedene von den Officieren und Soldaten waren über die Brücke in den anderen Theil der Stadt geflohen, wo etwa 100 von ihnen den Kirchthurm von St. Peter besetzten, einige das westliche Thor und andere einen starken runden Thurm in der Nähe des Thores, welches St. Sunday's Gate genannt wird. Da diese nun aufgefordert wurden, sich der Gnade zu ergeben, so verweigerten sie es. Worauf ich denn befahl, den Thurm der Peterskirche in Brand zu stecken, und da hörte man Einen von ihnen sagen inmitten der Flammen: „Gott verdamm' mich, Gott vernichte mich, ich brenne, ich brenne!"

Am nächsten Tage wurden die anderen beiden Thürme zur Ergebung aufgefordert. In einem derselben waren etwa 120—140 Mann; aber sie verweigerten, sich zu ergeben: und da wir wussten, dass der Hunger sie zwingen müsse, so setzten wir nur gute Wachtposten, um sie am Fortlaufen zu verhindern, bis ihre Magen heruntergekommen wären. Von einem der genannten Thürme aus tödteten und verwundeten sie trotz ihrer misslichen Lage einige von unseren Leuten. Als sie sich übergaben, wurden ihre Officiere todtgeschlagen; und jeder zehnte Mann von den Soldaten erschossen und der Rest nach den Barbado-Inseln eingeschifft. Die Soldaten in dem anderen Thurme wurden geschont, aber nur in ihrem Leben und sie wurden gleichfalls eingeschifft nach den Barbadoes.

Ich bin überzeugt, dass dies ein gerechtes Gericht Gottes ist über diese barbarischen Tröpfe, welche ihre Hände in so viel unschuldiges Blut getaucht haben, und dass es dahin wirken wird, für die Zukunft solches Blutvergiessen zu verhindern. Und das ist ein hinreichender Grund für solche Thaten, welche sonst nur Gewissensbisse und Bedauern erregen könnten. Die Officiere und Soldaten dieser Garnison waren die Blüthe ihrer Armee. Und ihre grosse Erwartung ging dahin, dass unser Angriff auf diesen Platz uns hübsch zu Grunde richten würde; sie verliessen sich dabei auf die Entschlossenheit ihrer Leute und auf die Vortheile des Platzes. Wenn wir unsere Kräfte in 2 Abtheilungen getheilt hätten, um die nördliche Stadt und die südliche belagern zu lassen, so hätten wir nicht eine solche Verbindung zwischen den beiden Theilen unserer Armee haben können; aber das würden sie wohl gewählt haben mögen, um ihre Armee an den Theil der Unsrigen heranzubringen und mit dem zu fechten, mit dem es ihnen beliebt haben würde — und zur selben Zeit hätten sie dann vielleicht wohl einen Ausfall mit 2000 Mann auf uns gemacht und zugleich ihre Wälle besetzt gelassen; denn sie hatten in der Stadt die Zahl, die am Schlusse des Briefes angegeben steht, ja Einige sagen sogar, nahe an 4000 Mann.

Seit diese grosse Gnade uns gewährt worden ist, habe ich

eine Abtheilung von Reiterei und Dragonern nach Dundalk gesandt; der Feind verliess dasselbe und wir sind im Besitze der Stadt — wie auch von einer anderen Festung, welche sie verliessen zwischen Trim und Tredah am Boyne-Flusse gelegen. Ich sandte auch eine Abtheilung Reiterei und Dragoner nach einem Hause etwa 5 Meilen weit von Trim, da dort in Trim einige schottische Compagnien lagen, welche der Lord of Ardes brachte, um dem Lord of Ormond Beistand zu leisten. Aber auf die Neuigkeiten von Tredah hin ergriffen sie die Flucht, indem sie ihre grossen Kanonen zurückliessen, in deren Besitz wir uns ebenfalls gesetzt haben.

Und jetzt erlaubet mir zu sagen, wie es gekommen, dass dieses Werk gelungen ist. Es war einigen von uns auf's Herz gelegt, dass ein grosses Ding geschehen sollte, nicht durch Macht oder Gewalt, sondern durch den Geist Gottes. Und ist es nicht offenbar so? 'Das was Eure Leute veranlasste, so muthig zu stürmen, das war der Geist Gottes, der Euren Leuten Muth gab und ihn wieder nahm; und der dem Feinde Muth gab und auch ihn wieder fortnahm; und der wieder Euren Leuten Muth gab und mit ihm dann diesen glücklichen Erfolg. Deshalb ist es gut, dass Gott allein alle Ehre habe.

Es ist bemerkenswerth, dass diese Leute zuerst an einigen Orten der Stadt, welche Klöster gewesen waren, die Messe einrichteten; darauf aber so unverschämt wurden, dass am letzten Tage des Herrn vor dem Sturm die Protestanten aus der grossen Kirche, genannt St. Peter's, hinausgetrieben wurden und dass sie dort öffentlich Messe hielten: und eben an diesem Platze wurden etwa 1000 von ihnen erschlagen, welche dorthin geflohen waren, um sich zu retten. Ich glaube, alle ihre Mönche sind getödtet worden, alle ohne Unterschied bis auf zwei; der

eine von diesen war der Vater Peter Taaff, Bruder des Lord
Taaff, den die Soldaten am nächsten Tage gefangen nahmen
und mit ihm ein Ende machten. Der andere wurde in dem
runden Thurme gefangen genommen unter dem angenommenen
Namen eines Lieutenants; und als er vernahm, dass die Officiere in jenem Thurm keinen Pardon erhielten, so gestand er,
dass er ein Mönch sei, aber das rettete ihm nicht.

Ein grosser Theil des Verlustes bei dieser Action fiel auf
die Regimenter des Oberst Hewson, des Oberst Castle und
des Oberst Ewer. Der Oberst Ewer hat zwei Stabsofficiere in
seinem Regiment verloren; der Oberst Castle und ein Hauptmann in seinem Regiment ist erschlagen; der Stabscapitain des
Oberst Hewson ebenfalls. Ich denke, wir verloren nicht hundert Mann auf dem Platze, obwohl sehr viele verwundet sind.

Ich ersuche das Parlament demüthigst, dass es ihm gefallen möge, diese Armee zu erhalten, und dass man so viel
Rücksicht auf sie nehmen möge und auf die Förderung der
Angelegenheiten hier, dass wir dieses Werk bald zu Ende
bringen mögen. Dazu scheint sich eine wunderschöne Gelegenheit darzubieten durch Gott. Und obwohl es sehr lästig für
den englischen Staat erscheinen mag, eine so grosse Militärmacht zu erhalten, so wird doch, gegenwärtig ein wenig nachzugeben, indem Ihr Gottes Vorsehung folgt, in der Hoffnung,
dass die Last nicht lange dauern wird — darauf vertraue ich —
von Niemandem, der nicht boshafte oder unversöhnliche Grundsätze hegt, es als unpassend für mich angesehen werden, wenn
ich auf eine beständige Unterstützung antrage; nach menschlicher Wahrscheinlichkeit, in Bezug auf die äusseren Dinge,
würde dieselbe höchst wahrscheinlich dieses Werk beeilen und
vollenden. Und in der That, wenn es Gott gefällt, es hier so

zu vollenden, wie er in England gethan hat, so wird der Krieg wohl sich selbst bezahlt machen.

Wir liegen viel im Felde; unsere Zelte beschützen uns vor Nässe und Kälte. Aber doch überwältigen die im Felde gewöhnlichen Krankheiten schon Viele: und daher wünschen wir, dass Rekruten und zwar einige frische Regimenter Infanterie uns gesendet werden mögen. Denn man kann sich leicht denken, was schon die Garnisonen von der Armee fortnehmen und wohin es mit unserer Armee kommen wird, wenn Gott mehrere Garnisonen in unsere Hände wird kommen lassen. Indem ich um Verzeihung bitte für diese grosse Belästigung, verharre ich Euer ganz gehorsamer Diener   Oliver Cromwell.

P. S. Nachdem ich diesen Brief geschrieben hatte, erzählte mir ein Major, welcher 43 Pferde von dem Feinde herbrachte, dass es in ihrem Lager heisse, Owen Roe und Jene (Monk und seine Anhänger) hätten sich mit einander verständigt. Die Vertheidiger in Tredah bestanden aus: Lord Ormond's Regiment (Sir Edmund Varney, Oberstlieutenant, von 400 Mann); Colonel Birn's, Oberst Warren's und Oberst Wall's Regimenter von 2000 Mann; Lord of Westmeath's von 200 und Sir James Dillon's Regiment 200; ausserdem 200 Mann Reiterei." — —

Das war der Sturm von Tredah oder Droghedah. Cromwell selbst rechtfertigt sich und seine Soldaten vor den Gewissensbissen, die solch' eine erbarmungslose Niedermetzelung aller Vertheidiger der Festung — „es war die Blüthe der feindlichen Armee, und nicht 30 Mann kamen mit dem Leben davon, und die etwa nicht ihren Wunden erlagen, wurden nach den Barbado-Inseln eingeschifft*)" — in der That erregen

---

*) Damals etwa dasselbe bedeutend, was in neuerer Zeit Cayenne.

24

mussten, mit dem Gerichte Gottes und der Ersparung vielen
Blutvergiessens. Wirklich verbreitete das Ereigniss auch ringsumher solchen Schrecken vor seinem Namen, dass sich Alles
nach geringerem ferneren Widerstande ergab und eine Festung
nach der anderen in die Hände der Parlamentstruppen fiel.
„Es schnitt durch das Herz des irischen Krieges" — das ist
die Ansicht aller englischen Geschichtsschreiber über dieses
grässliche Ereigniss. Ein zweiter Sturm folgte bald darauf,
der von Wexford, in ähnlich strenger und rücksichtsloser Weise:
nach diesen beiden Schlägen war die Hauptsache gethan. Dundalk, Trim, Ross und andere Festungen ergaben sich ohne
Sturm. Und Cromwell konnte nach kurzer Zeit nach Schottland abberufen werden, um auch hier den Widerstand gegen
die englische Republik zu brechen. Bevor er aber dorthin ab-
ging, machte er wenigstens einen Versuch, die bis auf's Aeusserste
aufgeregten wilden Leidenschaften des irischen Volkes zu beruhigen und mit der englischen Auffassung von Religion und
Staat zu versöhnen. Das wichtige Document, welches er zu
diesem Zwecke schrieb und bekannt machen liess, erscheint uns
so bedeutend, dass wir, um es vollständig mittheilen zu können,
die übrigen ebenfalls sehr interessanten Briefe und Documente
aus dem irischen Feldzuge lieber übergehen wollen; die engen
Grenzen, welche diesem Werke gesetzt sind, machen in der
That von jetzt an solche Abkürzungen zu einer gebieterischen
Nothwendigkeit.

Zu besserem Verständnisse dieser „Declaration des Lord-
Lieutenants von Irland, um das missleitete Volk zu enttäuschen",
schicken wir einige Erklärungen voraus. Die geheime irische
Hierarchie, in ihren Hauptvertretern vereinigt in dem „Supreme
Council of Kilkenny", hatte ihrerseits eine Declaration erlassen

von einer alten Abthei aus, mit Namen Clonmacnoise. Es war im December 1649. In diesem „Clonmacnoise-Manifesto" hatten die Vertreter der irischen Hierarchie sich ernstlich angestrengt, den unsinnigen Zwiespalt zwischen den unzähligen irischen Parteien durch eine Art oberflächlicher „Union" zu verdecken. Es hatte begonen mit der feierlichen Stabilirung einer solchen Real-Union über allen Parteien, unterschrieben und besiegelt von 20 Bischöfen und anderen hohen Würdenträgern der „Alleinseligmachenden". Es hatte fortgefahren, durch eine ganze Reihe von Akten und Erlassen genau zu bestimmen, in welcher Weise sich Alle zu verhalten hätten, welche sich zu besagter Real-Union bekennen wollten: worunter denn Vorschriften zu finden über zu lesende Messen, allgemeine Gebete und Beseitigung ausserdem jener „Idle-Boys", welche das Land augenblicklich so vielfach molestiren. Endlich giebt das Manifest noch eine ernste Ermahnung, sich durch den Schein der Güte und Mässigung nicht beirren zu lassen, welche eben jetzt in Irland beliebt werde, da es ja ganz bekannt sei, dass das englische Parlament sie Alle vernichten- wolle, theils durch Abschlachtung, theils durch Verbannung zu den Tabacks-Inseln im heissen West-Indien, was ja nichts anderes sei, als eine langsame Hinrichtung. Was für eine Meinung in Bezug auf sie existire, das ersähe man besonders aus zwei Punkten: erstens, dass sie in London bereits über irische Ländereien disponirt hätten zu Gunsten englischer Geldleiher; zweitens, dass sie die katholische Religion ausrotten wollten, was aus mancherlei Anzeichen deutlich zu ersehen sei. Auf solche Dinge also hat Cromwell nun in seiner Declaration zu antworten. Und er thut es in einer Weise, wie wenn schneidig scharfe Blitze des Himmels durch wüstes Gewitterwolkenpack hindurchfährt, sie in

24 *

tausend Fetzen auseinanderreisst, wie um aller Welt ihre Nich-
tigkeit zu zeigen, und, nachdem sie hie und da gezündet, vernichtet und geleuchtet haben, sich gleichsam wieder majestätisch
in ihre hohe Himmelsveste zurückziehen, dem Regen es über-
lassend, die gereinigte Luft und die schmachtende Erde neu
zu erfrischen und zu erquicken. Seine Erklärung lautet also
folgendermassen:

> „Eine Erklärung des Lord-Lieutenants von Irland,
> zur Enttäuschung des betrogenen und verführten Volkes:
> welche genügen mag Allen, welche nicht eigensinnig ihre
> Augen dem Lichte verschliessen. Als Antwort auf gewisse
> neulich erlassene Declarationen und Akte, entworfen von
> den irisch-päbstlichen Prälaten und Geistlichen, in einem
> Conventikel zu Clonmacnoise.“

„Da ich vor Kurzem ein Buch gelesen habe, gedruckt zu
Kilkenny im Jahre 1649, welches verschiedene Declarationen
u. s. w. enthält, so hielt ich es für passend, eine kurze Antwort auf dasselbe hiermit zu geben.

Und zwar zuerst auf den ersten Punkt; — es ist dieser
eine Declaration, worin sie (nachdem sie die Ausgleichung einiger
Differenzen unter ihnen und die herzliche Vereinigung, welche sie
jetzt erreicht haben, vorausgesandt) dahin kommen, die Gründe
ihres Krieges aufzustellen, indem sie denselben basiren auf das
Interesse ihrer Kirche, Seiner Majestät, und der Nation, und
zugleich ihren Entschluss aussprechen, denselben in Eintracht
fortzusetzen. Was Alles eine nähere Betrachtung verdienen wird.

Das Meeting der Erzbischöfe, Bischöfe und anderen Prälaten zu Clonmacnoise hat, wie von ihnen angegeben wird,
„proprio motu“ stattgefunden. Durch diesen Ausdruck möch-

ten sie die Welt glauben machen, dass die weltliche Macht Nichts dabei zu thun hat, ihre geistlichen Zusammenkünfte, wie sie dieselben nennen, zu ordnen oder zu überwachen; — obwohl sie in den angegebenen Zusammenkünften es auf sich nehmen, sich in alle weltlichen Angelegenheiten einzumischen; wie das aus dem Folgenden deutlich hervorgeht. — Doch zuerst Einiges in Betreff jener „Union", von der sie so grosses Wesen machen. Wenn irgend ein vernünftiger Mensch ernstlich betrachtet, was sie als den Grund ihrer Differenzen angeben und als die Mittel und Wege, die sie ergriffen haben, um dieselben auszugleichen, wenn ein solcher ferner ihre Ausdrücke darüber betrachtet und die Endzwecke, für welche, und die Entschlüsse, auf welche Art und Weise sie ihren grossen Plan fördern wollen, für den sie sich erklärt haben: so muss er nothwendig geringschätzig von ihrer besagten Union denken. Und auch darüber, dass sie aller anderen Menschen Zustimmung und Versöhnung in ihre eigene einschliessen, ohne sie überhaupt nur zu fragen.

Der Gegenstand dieser Versöhnung war, wie sie sagen, „der Clerus und die Laien". Die Streitigkeit und Spaltung selbst war also gegründet auf die längst abgestorbene und selig entschlafene Differenz in der Meinung, welche zufällig zwischen „Prälaten und Laien" bestand. — Ich wundere mich nicht über Differenzen in der Meinung, über Uneinigkeiten und Spaltungen, wo so unchristliche und trennende Ausdrücke, wie „Clerus und Laien" gegeben und angenommen werden. Ein Terminus unbekannt Jedem, ausser der antichristlichen Kirche und solchen, welche sich von ihr herleiten: im Anfange war es nicht so. Die reinsten und ursprünglichsten Zeiten hatten, da sie am besten wussten, was wahre Einheit war, nicht ein Wort davon in allen Schriften an die verschiedenen Kirchen, an welche sie schrieben. Die Glieder der Kirchen werden da genannt „Brüder und Heilige in demselben Hause des Glaubens": und obwohl auch sie Rangstufen und Unterscheidungen unter einander hatten für die Verwaltung der Gesetze (ordinances) — von einem sehr verschiedenen Gebrauche und Charakter, als die Eurigen — so veranlasste sie das doch nirgendwo zu sagen in verächtlicher Weise und durch Verminderung des Begriffes im Gegensatze: „Laien und Clerus". Es war Euer Stolz, der diesen Ausdruck erzeugt hat. Und es ist um schmutzigen Gewinnes willen, dass Ihr ihn aufrecht haltet: damit das Volk, welches Ihr glauben macht, dass sie nicht so heilig seien, wie Ihr selbst, für seinen Pfennig etwas Heiligkeit von Euch kaufen solle; und damit ihr sie zügeln, satteln und reiten könnt nach Eurem Vergnügen: und damit Ihr thun könnt (ja wohl, so steht es wirklich mit Euch!) wie die Schriftgelehrten und Pharisäer des alten Bundes es mit ihren Laien machten — nämlich die Kenntniss des Gesetzes ihnen fern zu halten, und dann fähig zu sein, in ihrem Stolze zu sagen: „Dieses Volk, das nicht kennet das Gesetz, ist verflucht!"*)

Und es ist kein Wunder — um noch näher auf Eure Differenzen und Eure Union einzugehen — wenn es in der Macht der Prälaten liegt, Clerus und Laien zusammengehen zu machen, wann es ihnen gefällt, dass sie dann eben so leicht eine einfältige und sinnlose Ausgleichung herstellen! Die wird dann freilich dauern, bis der nächste Nuntius von Rom kommt mit Rathschlägen der höheren Vorgesetzten; und dann muss dieser gordische Knoten durchhauen werden, und die arme Laienschaft ist gezwungen, nach einer neuen Melodie zu tanzen.

*) Tout comme chez nous: „anathema sit!"

Ich sage das nicht etwa, als ob ich über Eure Union beunruhigt wäre. Durch Gottes Gnade fürchten wir sie nicht und kümmern uns nicht um sie. Euer Bündniss ist, wenn Ihr es richtig verstanden habt, mit dem Tode und der Hölle abgeschlossen! Eure Union ist gleich der von Simeon und. Levi: „Vereiniget Euch und Ihr werdet in Stücke gebrochen werden; berathet mit einander und es wird zu Nichts kommen!" — Denn obgleich es uns geziemt, demüthig zu sein in Bezug auf uns selbst, so können wir doch gegen Euch behaupten: Gott ist nicht mit Euch! Ihr saget, Eure Vereinigung gehe gegen einen gemeinsamen Feind: und in Bezug hierauf, wenn Ihr von Einheit sprechen wollt, will ich Euch einigen Wermuth zu kauen geben, an dem es Euch aufgehen wird, dass Gott nicht mit Euch ist.

Wer ist es denn, der diesen gemeinsamen Feind hervorgebracht hat (ich setze voraus, Ihr meint die Engländer)? Die Engländer? Erinnert Euch, Ihr Heuchler, dass Irland einst mit England vereinigt war. Das war die ursprüngliche Union. Die Engländer hatten gute Erbgüter, welche viele von ihnen mit ihrem Gelde erworben hatten, sie und ihre Vorfahren von Euch und Euren Vorfahren. Sie hatten gute Miethscontracte mit den Irländern für lange zukünftige Zeiten abgeschlossen, grosse Vorräthe darauf hin angelegt, Häuser und Pflanzungen errichtet auf ihre Kosten und Lasten. Sie lebten friedlich und anständig unter Euch. Ihr hattet im Allgemeinen gleiche Wohlthat von dem Schutze Englands, wie sie, und gleiche Gerechtigkeit durch die Gesetze; — ausser, was aus Staatsgründen, im Interesse des Staates nothwendig einigem wenigen Volk aufgelegt werden musste, welches fähig war zu rebelliren auf die Aufhetzung von solchen Leuten hin, wie Ihr seid. Ihr habt diese Union gebrochen! Ihr, nicht provocirt dazu, habt (ohne Rücksicht auf Geschlecht oder Alter) die Engländer dem unerhörtesten und barbarischesten Massacre überantwortet, das jemals die Sonne gesehen hat. Und das zu einer Zeit, als Irland in vollkommenem Frieden war (1641). Zu einer Zeit, als durch das Beispiel der englischen Industrie, durch Klein- und Grosshandel, das, was sich in den Händen der Eingeborenen befand, ihnen mehr Nutzen brachte, als wenn ganz Irland in ihrem Besitz gewesen wäre und kein Engländer in demselben. Und doch wurde damals, sage ich, diese unerhörte Schurkerei begangen — durch Eure Aufhetzung, die Ihr Euch rühmt, Frieden zu machen und Einigkeit herzustellen gegen diesen gemeinsamen Feind. Wie meint Ihr: ist jetzt nicht diese meine Versicherung eine wahrhaftige? Ist Gott wirklich mit Euch, wird Gott jemals mit Euch sein?*)

Ich bin gewiss, Er wird es nicht sein. Und wenn Ihr auch alte Engländer, neue Engländer, Schotten, oder wen sonst Ihr wollt in den Schooss Eurer allgemeinen rechtgläubig katholischen Nächstenliebe aufnehmet, so wird doch auch dieses Euch nicht vor dem Untergange retten. Ich sage Euch und ihnen, Ihr werdet um so schlimmer fahren ihretwegen. Denn ich kann nicht umhin, zu glauben, dass manche von ihnen gegen

---

*) Ranke sagt über diese Declaration nur Folgendes: „Ich denke nicht, dass eine Declaration, die Cromwell dagegen erliess, so lebendig und energisch sie ist, irgend Jemand anderer Meinung machte. Sie stellte den Gegensatz, der jenseits aller momentanen Bestrebungen lag, erst recht in's Licht." — Eine solche kurze Abfertigung so bedeutender Documente nenne ich ein Vertuschen der Gegensätze, um die es sich eben bei diesem ganzen Kampfe handelt. Ich muss daher an diesem Punkte der Darstellung Ranke's meine Zustimmung ausdrücklich versagen. — — —

ihr Gewissen handeln, manche sogar es ersticken oder verhärten. Und dass sie für ihren König fechten, das giebt auch nicht den Schatten eines Vorwandes, der ihren Absichten dienen könnte, wenn sie anders wirklich fechten zum Schutze von Menschen, die eine so ungeheure Blutschuld auf sich haben, und mit Menschen, welche den Grund ihrer Vereinigung und ihres Kämpfens, wie Ihr es in dieser Eurer Declaration festgesetzt habt, dahin erklären, dass der Krieg sei in seinem ersten und ursprünglichsten Plane ein „Bellum Prälaticum et Religiosum" (ein „Prälaten- und Religionskrieg", oder „Pfaffenkrieg", wie wir früher schon einen gehabt in England selbst). Zumal wenn sie Eure Grundsätze betrachten: dass Ihr nämlich, ausgenommen Diejenigen, mit welchen die Furcht Euch übereinstimmen macht, weil Ihr ohne ihre Hülfe nicht fähig seid Euer Kriegswerk zu fördern, bereit seid, auch diese hinauszustossen, sobald Ihr die Macht in Eure Hand bekommen habt; wie das einige Erfahrungen hinlänglich noch vor Kurzem bewiesen haben! — Und so kommen wir zu dem Plane, welchen Ihr die Absicht habt zu verfolgen, nachdem Ihr Euch in solcher Weise gänzlich vereinigt habt.

Eure Worte sind diese: „„Dass wir Alle und jeder Einzelne von uns, den obengenannten Erzbischöfen, Bischöfen und Prälaten, jetzt durch Gottes Segen als ein Körper geeinigt sind. Und dass wir, wie es der christlichen Liebe und unserem Hirtenamte geziemt, wie ein einziger Leib feststehen wollen für die Interessen und Freiheiten der Kirche und jedes einzelnen ihrer Bischöfe und Prälaten; und ebenso für die Ehre, Würde, den Stand, das Recht und die Besitzungen aller und jeder von den genannten Erzbischöfen, Bischöfen und anderen Prälaten. Und wir werden als ein einziger und geeinigter Leib durch unsere

Rathschläge, Handlungen und Pläne fördern die Mehrung der
Rechte Seiner Majestät und das Wohl dieser Nation, im Allgemeinen und bei besonderen Gelegenheiten, nach unseren
Kräften. Und keiner von uns wird bei irgend einer Gelegenheit, welche die katholische Religion oder das Wohl dieses Königreiches von Irland betrifft, in irgend welcher Hinsicht sich
vereinzeln oder entgegengesetzt sein oder scheinen uns übrigen;
sondern jeder wird sich fest und gänzlich in einem Sinne halten, wie vorher gesagt ist,"" u. s. w. —

Und jetzt, wenn kein anderer Streitpunkt gegen Euch vorhanden wäre, als dieser, welchen Ihr zum hauptsächlichsten
und ersten Grunde Eures Streites machen wollt: — nämlich,
dass Ihr so fest steht für die Rechte Eurer „Kirche", wie Ihr
sie fälschlich nennt, und für die Rechte Eurer „Erzbischöfe,
Bischöfe und Prälaten", dass Ihr Volk und Nationen deshalb
in blutige Kämpfe verwickeln wollt: — so würde das allein
schon Eure Widerlegung und Eure Zerschmetterung sein. Ich
frage Euch, ist es für die Laien-Sporteln*), wie Ihr sie nennt,
oder für die Einkünfte, welche zu Eurer Kirche gehören, dass
Ihr in dieser Weise streiten wollt? Oder ist es Eure Gerichtsbarkeit oder die Ausübung Eurer geistlichen Autorität? Oder
ist es für den Glauben Eurer Kirche? Lasst mich Euch sagen,
nicht für alles dieses oder irgend etwas davon ist es gesetzlich für die Diener Christi, für welche Ihr doch gehalten sein möchtet, so zu streiten. Und deshalb wollen
wir diese Dinge im Einzelnen betrachten. Für's Erste, wenn
es St. Peter's Erbtheil wäre, wie Ihr es bezeichnet, — so würde
das also etwas sein, wozu Ihr auf gesetzmässigem Wege ge-

*) „Lay-fee."

kommen seid? Aber ich muss Euch sagen, dass Eure Vorfahren arme verführte Menschen in ihrer Schwachheit auf ihrem Todesbette darum betrogen haben, oder dass sie auf andere ungesetzmässige Weise zu dem Meisten von dem kamen, worauf Ihr jetzt Anspruch macht. Nicht also St. Peter's Erbtheil, wessen auch immer es sein mag! Und obwohl Petrus etwas zu hitzig war, das Schwert zu ziehen in einer besseren Sache, so hätte er es doch nicht in dieser Angelegenheit ziehen müssen, noch auch würde er es gethan haben.*) Und jener gesegnete Apostel Paulus, welcher sagte: „Der Arbeiter ist werth seines Lohnes," wollte lieber Zelte verfertigen, als den Kirchen lästig werden. Ich wünschte, Ihr hättet etwas von dem Geiste solcher guten Männer, wenn auch unter der Bedingung, dass Eure Einkünfte doppelt so gross wären, als diejenigen, welche jemals die besten Zeiten Euren Vorfahren gewährt haben! Dieselbe Antwort darf in Bezug auf jenen Punkt gegeben werden, der Eure Macht und Gerichtsbarkeit betrifft, sowie auch auf jenen Vorrang des Prälatenthumes, den Ihr so sehr liebet. Allein, bedenket, was der Herr und Meister dieser selben Apostel zu ihnen sagte: „So soll es nicht unter Euch sein. Wer auch immer das Oberhaupt sein wird, der soll der Diener von Allen sein!" Denn er selbst kam nicht, um sich bedienen zu lassen, sondern um zu dienen. Und daran mag Derjenige, der da geht, ersehen, aus welchem Stamme Ihr seid.

Und nun, wenn schon diese äusseren Dinge nicht in solcher Weise sollen Gegenstände des Streites sein, um wie viel

---

*) Merkst Du, mein armer Prynne, wer Dir eigentlich das Abschneiden Deiner Ohren besorgt hat?

weniger dürfen dann die Lehren des Glaubens, welche die Werke der Gnade und des Geistes sind, durch so unschickliche Mittel erstrebt werden! Derjenige, der uns befiehlt zu streiten für den Glauben, der einst den Heiligen überliefert worden ist, sagt uns, dass wir dieses thun sollen, indem wir vermeiden den Geist des Kain, Corah und Balaam, und indem wir uns selbst auferbauen in dem heiligsten Glauben, nicht indem wir uns an anderer Leute Aermel hängen. Beten sollen wir im heiligen Geiste, nicht Frühmessen heruntermurmeln. Uns selbst sollen wir in der Liebe Gottes halten, nicht andere Menschen vernichten, weil sie nicht unserers Glaubens sein wollen. Warten müssen wir auf die Gnade Jesu Christi; nicht grausam, sondern barmherzig sein! —

Aber ach, warum ist dieses gesagt worden, warum sind diese Perlen vor Euch geworfen? Ihr seid entschlossen, nicht mit Freuden das Werkzeug eines thörichten Schäfers zu gebrauchen! Ihr seid ein Theil des Antichrist, von dessem Königreich die Schrift so ausdrücklich sagt, dass es in Blut soll begründet werden, ja, in dem Blute der Heiligen. Ihr habt schon eine grosse Menge davon vergossen: — und nicht lange wird es dauern und Ihr Alle müsst Blut zu trinken haben, ja sogar die Hefe des Kelches von Gottes Zorn und Grimm, welcher Euch wird dargereicht werden.

In der folgenden Stelle stellt Ihr das Interesse Seiner Majestät, wie Ihr sagt, als einen Grund dieses Krieges auf. Und das, hoffet Ihr, würde einige Engländer und Schotten zu Eurer Partei hinüberziehen. Aber welche Majestät ist es denn, welche Ihr meint? Ist es Frankreich, oder Spanien, oder Schottland? Sprechet offen! Ihr, habt da, einige von Euch wenigstens, vor Kurzem angedeutet — oder wir müssten schlecht berichtet sein —

dass Seine Majestät der König von Spanien Euer Protector sei. War das vielleicht, weil Seine Majestät von Schottland für Euren Zweck eine zu kleine Majestät war? Wir wissen wohl, Ihr liebet die grossen Majestäten! — Oder ist es deshalb geschehen, weil er im Punkte der Religion nicht völlig zu Euch übergegangen ist? Wenn er darin nachgeben würde, so werdet Ihr, auf jenen Grund hin, rasch eine andere Majestät ausfinden. Ihr verwarfet seinen Vater, der zu sehr mit Euch übereinstimmte; und jetzt möchtet Ihr die Welt glauben machen, dass Ihr das Interesse des Sohnes zu einem Hauptpunkte in Eurem gegenwärtigen Streite machen wollet. — Wie können wir nur denken, dass darin irgend ein Rückhalt ist? Und dass der Sohn sein Einverständniss erklärt hat, etwas mehr für Euch zu thun, als jemals sein Vater that? . . .*) —

Zuletzt gefällt es Euch — nachdem Ihr in Eurer gewöhnlichen Manier Euch selbst zuerst erwähnt habt und dann „Seine Majestät", wie Ihr ihn nennt, gleich einem Manne Eurer Art mit seinem „Ego et Rex meus" (Strafford?) — also es gefällt Euch, auch das Volk in Betracht zu ziehen. Damit es nicht etwa scheine vergessen zu werden; oder vielmehr, Ihr möchtet mich glauben machen, dass es in Euren Gedanken eine grosse Rolle spiele. In der That, ich glaube sie thun es. Ach! armes Laienvolk! Dass Ihr und Euer König sie wie ein armes Pferd reiten und abschinden könntet, wie Eure Kirche gethan hat und wie auch Euer König fast zu allen Zeiten durch Euch gethan hat! — Aber es möchte wohl nicht schwer sein zu pro-

---

*) Breitere Ausführungen desselben Gedankens oder gar zu grosse Weitläufigkeiten müssen wir überspringen, weil diesem Buche eine bestimmte Grenze gesetzt ist. —

phezeien, dass diese Welt nicht immer dauern wird, in der die
Thiere so gestachelt werden und dagegen ausschlagen. Willkürliche Gewalt ist ein Ding, dessen die Menschen
müde zu werden beginnen, in Königen, wie in Kirchen-
männern; ihr Gaukelspiel unter einander, gegenseitig aufrecht zu erhalten die bürgerliche und die
geistliche Tyrannei, beginnt durchsichtig zu werden.
Einige haben schon beides abgeworfen; und sie hoffen, durch
die Gnade Gottes, sich so zu behaupten. Andere sind daran! Manche Gedanken sind schon aufgespeichert darüber,
und diese werden ihren Ausgang und Erfolg haben.*) Dieses
Princip, dass das Volk für die Könige und die Kirchen da sei,
und die Heiligen nur für den Papst und die Geistlichen, wie
Ihr sie nennt, beginnt verworfen zu werden; — und deshalb
wundere ich mich nicht, die Verbrüderung**) so sehr in Wuth
zu sehen. Ich wünsche, dass das Volk weiser sein möge, als
dass es sich durch Euch verwirren lasse oder sich darum irgend
wie kümmere, was Ihr saget oder thut.

Aber es scheint, dass Ihr sie trotz alle diesem gern möchtet
glauben machen, dass es ihr Wohl sei, was Ihr suchet. Und
sie zu betrügen, in der That und in Wahrheit, ist das Ziel
Eurer ganzen Declaration und all' Eurer Akte und Verordnungen in Eurem oben erwähnten Buche. Jene Falschheiten
also aufzudecken und zu enthüllen, und sie, die Leute des Volkes, wissen zu lassen, worauf sie sich meinerseits sollen verlassen können, das ist der Hauptzweck dieser meiner Erklärung.
Auf dass, wenn ich nicht fähig sein sollte, ihnen Gutes zu thun,

---

*) Paris City A. D. 1789—95! — — —
**) Fraternity so much enraged. I wish „the People" wiser &c. —

was ich von ganzem Herzen wünsche, auf dass, sage ich, ich
darin meinen Trost finden mag, dass ich meine eigene Seele
befreit habe von der Schuld des Uebels, welches erfolgen wird.
Und in Bezug auf diesen Gegenstand hoffe ich Nichts unbeant-
wortet zu lassen in all' Euren angegebenen Declarationen und
Verordnungen zu Clonmacnoise.

Und weil Ihr Eure Angelegenheit in etwas confuser Weise
vorbringt, so werde ich deshalb in Alles, was Ihr gesagt habt,
einige Ordnung bringen; damit wir um so besser unterscheiden mögen, was jedes Ding bedeutet und darauf Antwort
geben.

Ihr warnt das Volk vor der ihnen bevorstehenden Gefahr,
welche nach Euch bestehen soll: erstens, in der Ausrottung
der katholischen Religion; zweitens, in der Zerstörung ihrer
Leben; drittens, in dem Ruin ihres Vermögens. Und um alle
diese Uebel zu vermeiden, verwarnt ihr sie: erstens, dass sie
sie sich nicht durch den Oberbefehlshaber der Parlamentstruppen täuschen lassen; dann zunächst, nachdem ihr den Grund
Eures Krieges, wie vorher gesagt, aufgestellt habt, gebt Ihr
ihnen den positiven Rath, sich in blutige Verwickelungen einzulassen; und endlich dann, legt Ihr ihnen eine kleine „Colla-
tion" auf in vier geistlichen Verordnungen, welche eben so wenig
bedeuten, da sie von Eurer Sinnesart ausgeheckt sind, als ob
Ihr Nichts gesagt hättet . . . Ihr sprechet dann von einem
pflichtschuldigen Bericht darüber an Eure Heerden: über dieses
Letzte noch ein oder zwei Worte. Ich wundere mich darüber,
wie dieser Bericht zu Stande gebracht worden ist! Hirten
und Heerden, ja wohl! Und Ihr belehret sie, wie das Eure
Manier ist, dadurch, dass Ihr eine Gesellschaft einfältiger, un-
wissender Priester hinsendet, die Nichts können, als die Messe

lesen und auch das kaum in verständlicher Weise; oder Ihr
bringt ihnen solches Zeug bei, als diese Eure unsinnigen Declarationen und Edicte! — Aber wie dürft Ihr Euch anmassen,
diese Menschen Eure Heerden zu nennen, die Ihr in eine so
entsetzliche Rebellion hineingestürzt habt, durch welche Ihr sie
und das Land fast zu einem Haufen von Ruinen verwandelt
habt? Und die Ihr geschoren und geschunden habt bis jetzt,
und noch es zu Eurem Geschäfte macht, ferner so zu thun?
Ihr habt keine rechte Nahrung für sie! Ihr ver-
giftet sie mit Euren falschen, abscheulichen und
antichristlichen Doctrinen und Practiken. Ihr vor-
enthaltet ihnen das Wort Gottes, und Ihr gebet
ihnen statt dessen Eure sinnlosen Verordnungen und
Traditionen. Ihr lehret sie den „unbedingten Glauben“: — und wer nun unter sie geht, der kann manch einen
finden, der in Dingen der Religion auch nicht das Geringste versteht. Ich habe wenig bessere Antwort von irgend einem Eurer
Heerde, seit ich nach Irland kam, bekommen, als diese: „dass
sie in der That sich wenig um Dinge der Religion bekümmern,
sondern das der Kirche überlassen.“ So also sind Eure Heerden genährt? Und solchen Glauben habt Ihr von ihnen? Aber
doch „müssen sie sich in Acht nehmen, ihre Religion zu verlieren“: ach, arme Creaturen, was haben sie zu verlieren!?! —
Meinerseits . . . habe ich übrigens schon früher erklärt . . .
„dass ich mich in Bezug auf Freiheit des Gewissens
durchaus nicht in irgend eines Menschen Gewissen
einmengen will“*) . . .

---

*) „In meinem Staate kann Jeder nach seiner Façon selig werden.“
                                        Friedrich der Grosse.

Nach einigen entschiedenen Erklärungen gegen die Messe und sonstige Ceremonien, die schon früher durch die englischen Staatsgesetze verboten waren, fährt er dann fort:

„Und was jetzt sie anbetrifft, die Leute des „Volkes von Irland", so erkläre ich hiermit ausführlich, was sie in diesem Punkte von mir („at my hands") zu erwarten haben. Worin Ihr leicht wahrnehmen werdet, dass ich, wie ich Euch weder geschmeichelt habe, noch jemals schmeicheln werde, so auch nicht damit umgehen werde, sie zu täuschen mit scheinbaren Vorwänden, wie Ihr es immer gethan habt.

Zuerst also: ich werde nicht, wo ich die Macht habe und es dem Herrn gefällt mich zu segnen, die Ausübung der Messe dulden, wo es mir möglich ist, Notiz davon zu nehmen. Nein, noch auch irgendwie dulden, dass Ihr, die Ihr Papisten seid, das Volk verführet oder durch irgend eine offenbare (erwiesene) Handlung die bestehenden Gesetze verletzet; sondern, wenn Ihr in meine Hände kommt, so werde ich veranlassen, dass Euch die Strafen aufgelegt werden, welche durch die Gesetze bestimmt sind — „je nach der Schwere des Verbrechens (secundum gravitatem delicti)", um Euren eigenen Ausdruck zu gebrauchen — und ich werde versuchen, die Dinge in dieser Hinsicht zu ihrem früheren Zustande zurückzuführen. Was das Volk anbetrifft, so kann ich nicht dahin reichen, was für Gedanken sie in Dingen der Religion in ihrer eigenen Brust hegen; aber ich werde es für meine Pflicht halten, wenn sie ehrlich und friedlich einhergehen, dafür zu sorgen, dass sie auch nicht im Geringsten dafür leiden. Und ich werde mich bemühen, in Geduld und Liebe mit ihnen zu verfahren, um zu sehen, ob es vielleicht einmal Gott gefallen wird, ihnen einen anderen oder besseren Sinn zu geben. Und alle Menschen

25

unter der Macht England, in diesem Reiche hier, werden hierdurch ersucht und verpflichtet, streng und gewissenhaft dasselbe
zu beobachten. — — —

Was die zweite Gefahr betrifft, mit der sie bedroht sein
sollen, nämlich „die Vernichtung des Lebens der Einwohner
dieser (Insel und) Nation von Irland": so geben sie (die Priester)
auch nicht einen Grund an, um es zu beweisen, dass dies beabsichtigt wurde. Entweder, weil sie keinen zu geben haben,
oder aber, weil sie glauben, das Volk werde Alles, was sie sagen,
für Wahrheit nehmen — was sie ihnen nur zu gut beigebracht
haben, und, Gott weiss es, das Volk zu sehr bereit zu thun ist.
Aber ich werde ihnen ein wenig behülflich sein." — Und nun
weist er ihnen nach, wie sie gar kein Recht haben, auch nur
ein solches Interesse für das Leben ihrer „Laien-Heerde" zu
zeigen, da die eigentliche Kirche ihnen ja doch nur in der
Priesterschaft bestehe. Ferner aber, wenn sie auch wirklich
ein solches Interesse hätten, so wäre doch ihre Behauptung
schon deshalb falsch, weil es andere Mittel gegen falsche Re-
ligions-Auffassung gäbe, als Massacriren, Zerstörung und Verbannung: „nämlich vor Allem das Wort Gottes, welches
fähig ist zu bekehren — ein Mittel, welches Ihr eben so wenig
kennt, als anwendet, ja, dessen Ihr in der That das Volk be-
raubet. Aber dies Mittel ist zu finden, zugleich mit Humanität,
gutem Leben, gerechtem und anständigem Benehmen auch gegen
Leute, die anderer Meinung sind: und dieses Alles wünschen
wir in Anwendung zu bringen gegen dieses arme Volk, wenn
Ihr nur nicht durch Euren bösen Rath sie unfähig macht, es
gut aufzunehmen, dadurch, dass Ihr sie in blutige Kämpfe verwickelt!" —

In dieser Weise geht die Erklärung des Lord-Lieutenants

alle einzelnen Punkte der Vorwürfe durch, die England von Seiten der Prälaten gemacht werden. Namentlich weist er ihnen noch ferner nach, dass nur die mit den Waffen in der Hand Ergriffenen nach Kriegsrecht behandelt seien, nicht aber die friedlichen Bürger; diese seien vielmehr und würden auch künftig nur nach den bestehenden Gesetzen behandelt werden. Was dann die Verbannung nach den Tabaks-Inseln anbetreffe, so habe diese Niemanden betroffen, der nicht nach dem Kriegsrechte sofort hätte getödtet werden können, weil er eben als Rebell gegen England mit den Waffen in der Hand sei ergriffen worden, nach blutigem Kampfe sogar: England habe alles Recht dazu, das auch ferner zu thun und würde solche durch die Prälaten zum Aufstande gebrachten Leute auch ferner so behandeln, ja, noch strengere Massregeln anwenden, wenn nicht diese Unruhen endlich aufhörten. Und was endlich den Ruin ihres Vermögens betreffe, durch Einziehung und Verkauf der Güter der irischen Empörer, so sei das nach den Gesetzen aller Länder die mildeste Strafe noch, die solchen Empörern zu Theil werden müsse: sie hätten ihre Güter dadurch eben verwirkt, und England habe sich schadlos zu halten für die enormen Kosten des Krieges. Das ist in der That Kriegsgesetz, überall und zu allen Zeiten so gewesen. „Aber wie?" — fährt er dann fort — „wurde die englische Armee für diesen Zweck hinübergeschickt, wie Ihr behauptet? Meint Ihr wirklich, um dieser 5 oder 6 Millionen willen? . . . Nein! Ich kann Euch einen besseren Grund dafür angeben, weshalb die Armee hinüberkam. England hat nämlich die Erfahrung gemacht von dem Segen Gottes in Verfolgung gerechter und vernünftiger Sachen, was auch immer die Kosten und das Wagniss dabei sein mochten! Und wenn jemals Menschen in einer gerechten Sache sich

engagirt haben . . . so wir' in dieser! Wir sind gekommen, um
Rechenschaft zu fordern für das unschuldige Blut, das ist vergossen worden, und um uns zu bemühen, alle Diejenigen, welche
durch ihr Auftreten in Waffen dieses zu rechtfertigen versuchen,
dafür vor Gericht zu ziehen — durch den Segen und die Gegenwart des Allmächtigen, in welchem allein unsere Hoffnung
und unsere Kraft liegt.*) Wir kommen, um zu zerbrechen die
Macht einer Gesellschaft gesetzloser Rebellen, welche, nachdem
sie die Autorität von England abgeworfen haben, wie Feinde
der menschlichen Gesellschaft leben, und deren Principien, die
Welt hat es erfahren, dahin gehen, Alle zu vernichten oder zu
unterjochen, die nicht mit ihnen übereinstimmen. Wir kommen,
unter dem Beistande Gottes zu verkünden und aufrecht zu erhalten den Glanz und die Glorie der englischen Freiheit
in einer Nation, in welcher wir ein unzweifelhaftes Recht haben, dies zu thun; — und darin kann das Volk von Irland
(wenn es nicht auf solche Verführer hört, als Ihr seid) gleichmässig an allen Wohlthaten theilnehmen, um ihrer Freiheit
und ihres Besitzes sich ebenso zu erfreuen, wie die Engländer,
vorausgesetzt, dass sie sich der Waffen enthalten.

Und jetzt, nachdem ich dieses zu Euch gesagt habe, habe
ich noch ein Wort für sie, die Irländer, damit sie in diesem
Punkte, im Betreff ihrer Besitzungen und Glücksgüter nämlich,
wissen mögen, worauf sie sich verlassen können. Solche, die
früher in Waffen gewesen sind, mögen, indem sie sich unterwerfen, ihren Fall dem Staate von England vorlegen; — wo
dann kein Zweifel ist, dass der Staat bereit sein wird, die
eigenthümliche Natur ihrer Handlungen in Betracht zu ziehen

---

*) „Hear this Lord Lieutenant!" — —

und gnädig mit ihnen zu verfahren. Was ferner Diejenigen anbetrifft, welche sich jetzt noch in Waffen befinden, aber hereinkommen zu uns und sich unterwerfen und Garantieen geben für ihre künftige Ruhe, anständiges Betragen und Unterwerfung gegen den englischen Staat, so zweifle ich nicht, dass sie eben so gnädige Berücksichtigung finden werden; — ausgenommen nur die Führer und hauptsächlichsten Anstifter dieser Rebellion, welche sie, darauf vertraue ich, zu Exempeln der Justiz aufbewahren werden, welche Gefahr auch immer sie dabei riskiren. — Und für solche einfache Soldaten, welche ihre Waffen niederlegen und friedlich und anständig nun Jeder in seiner Heimath leben wollen, darf ich sagen, dass ihnen das wird gestattet werden. — Ueberhaupt werde ich für die ersten beiden Classen, also in Betreff Derjenigen, welche in Waffen gewesen oder jetzt noch sind und sich unterwerfen wollen, demüthigst und wirksam ihren Fall dem Parlament vorlegen, soweit es sich geziemt für die Pflicht und Stellung, die ich hier habe. Was aber Diejenigen anbetrifft, welche trotz alledem in den Waffen verharren und fortfahren, uns zu bekriegen, so müssen diese erwarten, was die göttliche Vorsehung ihnen auferlegen wird, 'in dem, was man fälschlich den Wechsel des Kriegsglückes nennt.

Diejenigen aber von der Nobility, Gentry und den Gemeinen von Irland, welche nicht in dieser Rebellion mitgewirkt haben, sollen und können den Schutz in ihren Gütern, Freiheiten und Leben erwarten, welche die Gesetze ihnen gewähren, und ebenso in ihrer Landwirthschaft, ihrem Handel und Wandel, ihren Manufacturen und anderem Grosshandel, von welcher Art er auch immer sein mag. Wenn sie sich so betragen, wie es anständigen und friedlichen Leuten geziemt, wenn sie ihre gute Gesinnung bei aller Gelegenheit gegen den Dienst des englischen Staates zu erkennen geben, so werden sie gleicher Gerechtigkeit mit den Engländern geniessen. Sie werden verhältnissmässig die gleichen Steuern bezahlen. Und wenn die Soldaten insolent gegen sie verfahren sollten und Klage und Beweis darüber aufgenommen ist, so soll es mit äusserster Strenge bestraft werden, Jene aber ebenso wie die Engländer protegirt werden.

Und nachdem ich dieses gesagt habe und mir vorgesetzt, es ehrlich durchzuführen — wenn nun trotzdem dieses Volk starrköpfig den Rathschlägen ihrer Prälaten, ihres Clerus und anderer Leiter nachläuft, so hoffe ich ohne Schuld zu sein an all' dem Elend, der Verzweiflung, dem Blut und Ruin, welche über sie kommen werden. Und dann werde ich mich daran erfreuen, die äusserste Strenge gegen sie in Anwendung zu bringen.

Gegeben zu Youghall — im Januar 1649(50). —

Oliver Cromwell."

Wir enthalten uns aller weiteren Bemerkungen über dieses wichtige Document: Jeder, der zu lesen versteht, wird sich das Seinige herauszulesen wissen. Wir glauben aber, durch dieses Document einen Einblick gewährt zu haben in die innerste Seele dieser grossen Revolution der Puritaner und Independenten.

Es folgt nun bald darauf, am 28. März 1650, die Uebergabe eben jenes Kilkenny, welches wir früher erwähnt haben, und sechs Wochen später die Erstürmung von Clonmel: Hugh O'Neil hat sich hier zum letzten Male sehr tapfer vertheidigt. Waterford, Limerick und Galloway aber behaupteten sich noch, drei sehr feste Plätze, so dass der Krieg noch nicht als beendigt angesehen werden konnte, als Cromwell nach Schottland abberufen wurde. Ireton ersetzte ihn zunächst; später

Ludlow. Auch Sligo, Duncannon, Athlone und andere namhafte
Festen waren noch in den Händen der Eingeborenen. Zudem
sammelten sich auf's Neue nicht unbedeutende Heerhaufen:
4000 Mann in Connaught unter Clanrickard, 6000 in Ulster
unter Mac Mahon, Bischof von Clogher, Lord Castlehaven
und Hugh Macphelim, Bischof von Drummore. Mit diesen
musste also der entsetzliche, Kampf weiter geführt werden, als
Oliver selbst nach England zurückkehrte. Sein Empfang nach
solchen Siegen war überall der grossartigste, den man sich
denken kann: Ehrenbezeugungen aller Art, Salutschüsse, ungeheure Volksmengen zu jubelndem Empfange in Bristol, in
London und wo immer er durchpassirte bis zur Hauptstadt hin.
Als aber Jemand aus seiner Umgebung zu ihm sagte: „Welch'
eine Menge ist hergekommen, den Triumph Eurer Lordschaft
zu schauen!" antwortete er mit sarkastischem Humor: „Jawohl!
Aber wenn es wäre, um mich hängen zu sehen, wie viel mehr
würden es dann sein!" —

Irland beruhigte sich nur sehr langsam und nur durch die
strengsten und durchgreifendsten Massregeln. Eine Reihe sorgsam abgestufter Strafen räumte mit Allen auf, je nach dem
Grade ihrer Schuld in verschiedener Weise, die sich gegen
England verfehlt hatten. Und dann wurde wenigstens der Versuch gemacht, Land und Volk wieder zu geordneten Zuständen
zurückzuführen, durch englische Colonisten, durch die Predigt
des Wortes Gottes in verständlicher Sprache für Alle, durch
Handel und Industrie, durch gesetzliche Ordnung, durch Kunst
und Wissenschaft. Clarendon selbst gesteht, dass sich unter
der Herrschaft der Puritaner Irland in wenigen Jahren unerwartet rasch gehoben habe: es wurde eben regelmässig gearbeitet, regelmässig der Lohn bezahlt, nicht mehr revoltirt und

Krieg geführt, sondern unter dem Schutze fester bürgerlicher
Gesetze friedlich gewirkt und geschaffen — warum sollte sich
so das arme Irland nicht eben so gut heben und allmälig zu
gedeihlichen Zuständen gelangen können, wie jedes andere Land?
— Das Hauptverdienst dabei gebührte einer eigentlichen puri-
tanisch-protestantischen Kirche, die zum ersten Male diesem
armen verführten Volke täglich und stündlich die strengen
Wahrheiten predigte, die jeden Einzelnen und jede Einzelne
allein zu retten, zu läutern, zu erheben, und, wenn auch nicht
immer reich, so doch wenigstens rein und klar und verständig,
gesegnet an Leib und Seele und durch ernsten Fleiss und treue
Arbeit allmälig auch äusserlich wohlhabend zu machen im Stande
sind, weil die Quellen der guten Sitte und des allgemeinen
Wohlstandes für Alle durch ehrliche gemeinsame Arbeit Aller
und festes Zusammenhalten unter dem Schutze der bürgerlichen
Freiheit aufgeschlossen und flüssig erhalten werden. Die Restauration hat alles dies bekanntlich mit der Wurzel wieder aus-
gerottet: Irland ist dadurch wieder zu einer brennenden Frage
geworden und bis auf den heutigen Tag geblieben; erst in der
neuesten Zeit scheint es den englischen Staatsmännern besser
zu gelingen, das arme Erin, das schöne grüne Eiland, auf einen
Culturzustand zu bringen, der es der Schwesterinsel England
möglich macht, es wirklich als gleichberechtigte Schwester zu
betrachten. Doch, es kann nicht im Plane dieser Schrift liegen,
auf die fernere Geschichte dieser für das heutige England so
wichtigen Frage näher einzugehen.

Es folgte der schottische Feldzug, vorbereitet durch
einige Ereignisse, welche den Staatsrath in London seit einiger
Zeit bereits aufmerksam auf die Gefahr machten, die den Independenten von dieser Seite her drohte. Im Haag und in Madrid

hatten gemeine Mordthaten stattgefunden, mit denen die emigrirten Engländer den Vertretern der jungen Republik ihre Verachtung zu erkennen gaben. Dann hatte Montrose, uns wohlbekannt von dem früheren Feldzuge in Schottland her, mit einer ganz ungenügenden Truppenmacht einen Einfall gewagt, war sofort geschlagen und selbst gefangen worden und hatte das thörichte Unternehmen zur Wiederherstellung des Königthums mit dem schmachvollsten Tode büssen müssen. Und endlich hatten die Schotten bald nach der Hinrichtung Karl's I. seinen Sohn Charles II. zum Könige erwählt, entschlossen, ihn durch einen neuen Bürgerkrieg auch England aufzuzwingen. Es war wirklich ein recht niedliches Königthum, welches die schlauen Schotten sich hier zurechtfabrizirt hatten: „Hum — m — mrrh!" mochte doch wohl Mancher im Stillen schon damals bei sich murmeln, wenn er sich alle Umstände und Verhältnisse, wie sie factisch vorlagen, recht genau ansah. Denn die Schotten waren es doch, welche den Kampf vorzugsweise deshalb gegen Karl Stuart begonnen hatten, weil er dem Ideal eines protestantisch-bürgerlichen Gemeinwesens principiell sich entgegengesetzt, katholisch-spanische oder despotisch-französische Tendenzen kundgegeben und eine Zeit lang auf wahrhaft grausame Weise ein allen Traditionen der englischen Geschichte widersprechendes Regiment durchzuführen versucht hatte. Nun, da ihnen die Independenten-Armee das Heft der Entscheidung in furchtbaren Schlachten aus der Hand gerungen hatte, glaubten Jene von diesem hohen und reinen Ideal, wie es ihnen ursprünglich mochte vorgeschwebt haben, etwas nachlassen zu können, um es mit einer Combination zu versuchen, die die Nothwendigkeit des Misslingens in ihrem innersten Kerne trug: wollten sie einen wirklichen König, d. h. einen persönlichen Repräsentanten factisch

bestehender Macht mit der Fähigkeit zu blitzartiger Action ebensowohl, als auch zu fester Beherrschung gesetzlich geordneter
Verhältnisse, so hätten sie ihn nicht mit einem solchen lähmen-
den Apparat von Bedingungen, zu unterschreibenden Erklärungen,
endlos predigenden Geistlichen und anderen störenden und lästigen Zuthaten fortwährend umgeben müssen; denn das ist kein
König mehr, der solche Bedingungen eingehen muss: das ist
nur eine Spielpuppe in den Händen einer Partei. Wollten die
Schotten aber vor Allem ernstlich ihre protestantisch-ger-
manische Freiheit aufrecht erhalten, weshalb hielten sie dann
nicht lieber zu einem Manne wie Cromwell, der ihnen alles
das, was in ihren Tendenzen Wahres, Gesundes und Grosses
lag, jedenfalls weit energischer zu repräsentiren verstand, als
dieser zweite Karl Stuart, dem durch alle Erinnerungen seiner
Dynastie, durch alle Bedingungen seiner ganzen Existenz, durch
alle Eigenschaften seines Charakters auch sein Lebensweg auf's
Bestimmteste in jener Richtung vorgezeichnet lag, die der ursprünglichen Tendenz der schottischen Kirche contradictorisch
widersprach? Es ist also in dieser Verquickung und unklaren
Vermengung ganz unvereinbarer Dinge vor Allem der Grund
der Ohnmacht zu suchen, die sich in der schottischen Coalition
sehr bald darstellte. Die Ueberlegenheit Cromwell's aber beruhte, so lange es sich um äussere Erfolge handelte, gerade
auf dem, was den Schotten jetzt fehlte: alle Kraft der Action
vereinigt in einer einzigen absolut energievollen Persönlichkeit,
zu der Alle, die mitkämpften, ein unbedingtes Vertrauen hatten;
in einem Manne, der selbst predigte, statt sich predigen zu
lassen, ja der so erfüllt war vom Worte des Herrn, dass er
keine Action begann, ohne sich mit biblischen Erinnerungen
dazu zu stärken. Der Unterschied war in der That zu gross,

als dass bei den Einsichtigen auch nur ein Augenblick des Zweifels darüber entstehen konnte, auf welche Seite der Sieg sich neigen würde.

Zwei Schlachten entscheiden denn auch im Laufe eines Jahres definitiv die Verhältnisse Schottlands zu England. Es sind die berühmten Schlachten von Dunbar und von Worcester, 1650 und 1651, beide am 3. September, jene gegen die Schotten unter David Lesley, diese gegen Karl II. selbst gewonnen. Ein armer Flüchtling, gehetzt wie ein Wild, ein Preis auf seinen Kopf gesetzt — so ist der künftige König von England dann noch Wochen lang im Lande umhergeirrt, und nur der geringen Popularität der Republik war es zuzuschreiben, dass er Beschützer fand und endlich auf einer Barke nach der Normandie entkam, eben dahin, von wo aus Wilhelm der Eroberer einst nach England gesegelt war, die mittelalterlichen kirchlich-feudalen Zustände in jenem Lande zu begründen. Wir ersehen immer deutlicher daran, was die principielle Tendenz dieser furchtbaren Revolution war: der von der Eroberung sich herschreibenden Staatsordnung sollte eben endlich ein Ende gemacht, neue bürgerliche Zustände über den Trümmern dieser Feudalwelt begründet werden. Welche Opfer mussten fallen in einem solchen Kampfe!

General Monk vollendete in Schottland, was Cromwell begonnen hatte. Auch in Irland erloschen allmälig, zu Lande wenigstens, die Flammen der Rebellion gegen die englische Republik: hier ist es vorgekommen, dass die vor der Cavallerie in eine Höhle flüchtenden Irländer durch hineingelassenen Rauch zum grössten Theil erstickt wurden; nur wenige kamen zuletzt heraus, Crucifixe in den Händen vor sich haltend. Ludlow selbst erzählt dieses Factum. Vom Lande aber ging dann der

Krieg auf die See über. Der tapfere Admiral Robert Blake,
ein Mann, dessen grossartige Energie man schon aus dem Einen
geschichtlichen Zuge erkennen kann, dass er mit 50 Jahren
erst begann, den Seekrieg zu führen — wie Cromwell über
40 Jahre alt war, als er seine erste Schlacht schlug — und
dass er dennoch der grösste Seeheld seiner Zeit wurde, dieser
Mann von fast gelehrter Bildung und ernster religiöser Ueberzeugung war es, der den strengen Geist puritanischer Krieg-
führung auch auf die Flotte zu versetzen wusste. *) Zuerst an den
Küsten von Irland und England, dann nach Portugal und Spanien hin, endlich bis ins Mittelmeer hinein wusste er die letzten
Reste der irischen Bewegung, stets siegreich, zu verfolgen; einer
der Prinzen, die ihm gegenüber die feindliche Flotte befehligten,
ist zuletzt elend in einem Schiffbruche in den westindischen
Gewässern zu Grunde gegangen. Ernster wurde der Kampf,
als die Versuche, mit den holländischen Generalstaaten ein
freundschaftliches Verhältniss zu begründen, fehlschlugen, und
die gegenseitige Eifersucht der beiden mächtigsten Seestaaten
jener Zeit zu einem Kriege führte, in welchem sich für Jahrhunderte das Uebergewicht der einen Macht über die andere entscheiden sollte. England begann diesen wichtigen Kampf mit einem
höchst raffinirten, aber durchgreifenden Beschlusse: nachdem
Robert Blake noch in mehreren überraschend kühnen und vom
besten Erfolge gekrönten Angriffen von seinen Schiffen aus auf
befestigte Plätze an den Küsten von Jersey und den Scilly-

---

*) Robert Blake, Admiral and General at Sea, based on family and
state papers, by Hepworth Dixon. London 1858. Die höchst geistvollen
Schriften Dixon's mögen überhaupt bei dieser Gelegenheit den Kennern des
Englischen empfohlen sein. — — —

Inseln seine Kriegstüchtigkeit bewährt hatte, erliess der englische Staatsrath (durch Parlamentsbeschluss) die berühmte Navigations-Acte. Es geschah am 9. October 1651. Naivere Gemüther mochten nicht sogleich die ungeheure Tragweite dieser Verfügung erkennen: denn sie besagte nur, „dass alle Güter aus den fremden Welttheilen nur auf englischen Schiffen, alle europäischen Güter entweder ebenfalls nur auf englischen oder auf Schiffen der Länder, in denen die Waaren ihren Ursprung hätten, in England eingeführt werden sollten!" Von Holland war also direct gar nicht die Rede. Aber das kleine Holland erzeugte nicht so viel Waaren, als es hin und her fuhr durch alle Welt: es holte seine Producte meistens weit her und setzte sie vorzugsweise in dem reicheren England ab. Wie? Das also sollte nun mit einem Male aufhören? Die holländischen Schiffe, die nur vom Zwischenhandel lebten, sollten nicht mehr in die Themse fahren, nicht mehr ihren Markt in England haben dürfen? Und auch in den fernen Ländern sollten nur die englischen oder einheimischen Schiffe, wir Holländer aber nicht mehr die kostbaren Waaren holen und den einträglichen Handel nach England hin betreiben dürfen? Da mochte wohl mancher stolze Kaufherr in Holland, Mynheer so und so, erklären — und zwar in jener entschiedenen Weise, die solchen Herren ebenso zu Gebote steht, wie einem Feldherrn, der ganze Armeen zu commandiren hat —: „Dann schliessen wir unsere Geschäftslocale auf der Stelle! Denn das geht nicht — darf nicht sein — ist durchaus nicht zu ertragen!" — Mynheer musste das wissen: er verstand sich seit langer Zeit recht gut auf seine speciellen Interessen. Und dass die Schifffahrts-Acte bitterer Ernst war, zeigte sich nur zu bald, als schon im Januar 1652 eine grosse

Zahl holländischer Schiffe weggenommen, eine Expedition nach den Barbadoes ebenfalls abgefangen — 13 Fahrzeuge — und endlich alle Schiffe nach Kriegsmaterial untersucht wurden, weil ja im Haag, am Oranischen Hofe, der Mittelpunkt aller Intriguen gegen die englische Republik war. Nach vergeblichen Remonstrationen dagegen beschlossen die Holländer die förmliche Kriegserklärung. Admiral Tromp rückte mit 150 Kriegsschiffen in die See, und es kam zum ersten Zusammentreffen zwischen ihm und Robert Blake, als dieser darauf bestand, auch ferner die holländischen Schiffe visitiren zu dürfen. Der holländische Handel erlitt sofort die furchtbarsten Schläge: über 1000 Handelsschiffe wurden binnen kürzester Zeit genommen, alle Geschäfte lagen in Amsterdam darnieder, und bedeutende Seeschlachten begründeten rasch das Uebergewicht der englischen Seemacht. Plymouth, die Küste von Kent, die Dünen, Portland — diese Namen leben für immer fort in der Erinnerung der englischen Seefahrer; namentlich hat die englische Artillerie auch auf der See sich hier zum ersten Male in ihrer ganzen Ueberlegenheit gezeigt. Elisabeth hatte zuerst die Seemacht begründet, die englisch-ostindische Compagnie (1609) und Robert Blake als Admiral der englischen Republik haben sie im Kampfe gegen die Holländer zur weltbeherrschenden Macht erhoben. Bis auf den heutigen Tag haben diese Erfolge nachhaltig weiter gewirkt: nur ein ganz neues politisches System und der Anschluss Hollands an eine Macht, die ein Gegengewicht gegen England in die Waagschale der Entscheidung zu werfen vermag, wird in diesen Machtverhältnissen zur See einmal wieder eine wesentliche Veränderung hervorzubringen im Stande sein. Diese Macht aber kann nur Deutschland im Besitz sämmtlicher Nord- und Ostseeküsten sein, die Inseln nicht ausgeschlossen.

Den grösseren Theil ihrer späteren Erfolge verdanken die Engländer dann freilich jenem raffinirten Egoismus, der das eigene Interesse ausschliesslich, das fremde gar nicht mehr berücksichtigt. Wie sie Indien erobert, wie sie alle Küsten dort ringsherum besetzt und die noch bestehenden selbstständigen Staaten vom Meere abgesperrt haben, wie sie Gibraltar, Helgoland, Malta, Aden u. s. w. für sich in Anspruch genommen — das ist Alles aller Welt bekannt und zeugt von einer Naivetät des politischen Egoismus, mit dem auf diesem Gebiete bisher nur die Russen erfolgreich gewetteifert haben. Vielleicht aber ist die Zeit nicht mehr fern, wo dieser selbe energische Egoismus auch gegen sie wird geltend gemacht werden, um endlich dem Adler seine gebundenen Flügel frei zu machen, welchem man auch, gerade wie in Ostindien, durch Absperrung vom Meere und Verlegung der grossen Flussmündungen die von ihm beherrschten Gebiete bisher methodisch hat zu beschneiden und alles freie Athmen zu verkümmern verstanden. Holland und Belgien, Jütland und Dänemark, die Moldau und Wallachei — was sind das für Staaten-Bildungen an den Grenzen eines Rhein-, Elbe-, Weichsel- und Donau-Reiches! Wenn unsere deutschen Diplomaten und Staatsmänner nicht bald damit aufräumen, bedenkend, in welcher Lage solche kleinen Staaten sich befinden zwischen zwei Weltmächten, wie England und Russland es geworden sind, so verdienen sie in der That alle die Ehrentitel und Ordens-Kuhbänder, mit denen die klügeren Diplomaten jener grossen Staaten sich seit zwei Jahrhunderten heimlich über sie lustig machen. Doch dies sei hier nur nebenbei bemerkt. —

Fragen wir nach den Ursachen, welche damals diese plötzliche Ueberlegenheit des englischen Staatswesens nach allen

Richtungen hin ermöglichten, so können wir sie in nichts anderem finden, als in dem gewaltigen sittlich religiösen Aufschwung, der Tausende von Führern beseelte: die Holländer waren damals vorzugsweise Kaufleute, fleissige, reiche, vornehme, behäbige Herren, bei denen Alles recht artig, höflich, fein und ruhig und vor Allem reell hergehen musste; Männer wie Tromp, de Ruiter, de Witt waren doch sehr selten unter ihnen. Die Puritaner dagegen waren nicht in erster Linie Kaufleute, sondern begeisterte, strenge, erleuchtete Gotteskrieger, Propheten des alten Bundes, Heilige des neuen, ergebene Werkzeuge im Dienste einer unwiderstehlich durch Nacht und Tod zum Siege vordringenden Idee, Republikaner, die wussten, dass sie für eine Idee kämpften. Glaubt man etwa, dass sei gleichgiltig? Nun, so stelle man einmal heutzutage englische Soldtruppen unseren preussisch-deutschen Regimentern gegenüber: man wird Unterschiede kennen und würdigen lernen. Was damals die Independenten waren, das sind heutigen Tages, wenigstens in Bezug auf die nationale und religiöse Idee, unsere deutschen Truppen: ihre glorreichen Siege, nach allen Seiten hin, haben es aller Welt bewiesen. Sie wissen, wofür sie kämpfen, und ein Geist beseelt Alle, wie damals die Independenten-Armee. Es kam dazu die strenge Schule der härtesten mehr als zwanzigjährigen Kämpfe im Parlament und im Felde, die keinen zu einem hohen Posten gelangen liessen, der nicht bei jeder Gelegenheit sich als festen Mann bewährt hatte; die Holländer dagegen fingen bereits an auszuruhen von ihren langen Freiheitskämpfen und allerhand Elemente in ihrer Mitte zu dulden, die früher oder später ein gefährliches Schwanken in der Regierung des Landes und der Leitung der äusseren Politik hervorbringen mussten. Wohin es hinauslief, zeigte sich 1672, als Ludwig XIV.

ohne Umstände das verbündete Lothringen besetzte, Lüttich, Utrecht und ganz Over-Yssel im ersten Angriffe nahm, seine Vorposten bereits bis in die Nähe von Amsterdam streiften, und nun die Oranier in den Strassen vom Haag einen Volksaufstand zu erregen wussten, in welchem der hochherzige Johann de Witt und sein Bruder Cornelius in der schmachvollsten Weise ermordet wurden (20. August). Die Möglichkeit zu solchen Thaten hatte schon 20 Jahre früher dort begonnen. Wir sehen darin die ganz verschiedene Stimmung, welche in beiden Ländern den öffentlichen Geist zu beherrschen begann. Wo immer in solcher Weise gemeine Mordthaten anfangen in den Gang der öffentlichen Angelegenheiten einzugreifen, da glaubt es Niemand mehr, dass der Geist des Herrn dort gegenwärtig sei, und wenn man es noch so oft und mit den heiligsten Phrasen versichert.

Wirklich, es ist ein Unterschied, ob in einem Lande, in einer Stadt, in einer ganzen Nation die hohen und reinen Lehren des Evangeliums wenigstens so viel Respect noch geniessen, dass Jeder eine gewisse Scheu trägt, gar zu offen sich dagegen zu vergehen; oder ob der ganze Zustand, wie es z. B. auch bei Alba's Regiment in den Niederlanden der Fall war, ausschliesslich auf der rohen Gewalt, dem factischen Besitz, der Möglichkeit, etwas zu können, beruht. Nie und nimmer werden sich dauernde Zustände ausschliesslich auf das letzte Princip gründen lassen: die allgemeine Unsicherheit ist ein für jeden Einzelnen unerträglicher Zustand.

Damals nun stand die Sache wirklich so, dass Oliver Cromwell und die ihm treu ergebenen Republikaner die gesetzliche, Allen Ruhe und Sicherheit gewährende und die äusseren grossen Landes-Interessen höchst energisch wahrnehmende Staatsordnung

26

repräsentirten, und zwar, wie sich bald zeigen sollte, nicht blos
für England, sondern auch für Schweden und Norwegen, für
den ganzen Norden überhaupt, ja für alle protestantischen Länder und alle evangelischen Interessen des gesammten Festlandes.
Unwillkürlich mussten sich daher die Sympathien aller Derjenigen ihm zuwenden, die auch nur Etwas von seinen grossen
Intentionen begriffen hatten.   Als daher der Friede mit Holland im Jahre 1654 geschlossen wurde, war das Ungeheure
wirklich geschehen: die blühendste Seemacht der Erde war in
ihrem Kerne gebrochen, das Princip des holländischen Wohlstandes vernichtet, die Navigations-Akte zugestanden.   Holland
darf sich keiner Täuschung darüber hingeben, dass dieses bis
auf den heutigen Tag in der empfindlichsten Weise nachge-
wirkt hat, und dass sein ganzer heutiger Wohlstand sich nur
wie ein Almosen, von England ihm mitleidig zugeworfen, zu dem
verhält, was die Niederlande durch ihren siegreichen Kampf
gegen den spanischen Despotismus geworden waren und noch
jetzt sein könnten: die Beherrscher des Weltmeeres und die
Träger der europäischen Freiheit. —

Es ist nun besonders interessant, die Männer, welchen
diese gewaltige Erhebung der englischen Macht zu verdanken
war, zugleich mit dem Versuche beschäftigt zu sehen, auch
im Inneren des Landes solche Zustände zu schaffen, die eine
dauernde Erhaltung dieser Macht ermöglichten.   Hier trafen
sie nämlich auf Schwierigkeiten, die ihrer Natur nach nicht
durch äussere Gewalt zu besiegen waren: und nun sieht man
deutlich, wie die tapferen Helden, die so Urgewaltiges geleistet
hatten, sich förmlich verzehren und aufreiben in dem Bemühen,
den unfassbaren Feind dennoch zu fassen und mit Gewalt das
zu begründen, was eben nicht mit Gewalt zu begründen ist.

Sie waren also fortwährend vor die furchtbare Alternative gestellt, ob sie diesem geheimen, innerlich unmerklich fortarbeitenden Feinde ohne Widerstand erliegen, oder ob sie zur äusseren Gewalt sofort wieder ihre Zuflucht nehmen sollten, sobald die unsichtbare Gestalt einigermassen greifbar sich in die äussere Erscheinung hinauswagte. Sie wählten natürlich das Letztere. Aber dadurch geriethen sie nun allmälig ganz in denselben Widerspruch mit den alten Traditionen des Landes und Volkes, den sie in den Stuarts bekämpft hatten. Und es ist ein tragisches Schauspiel der furchtbarsten Art, dass Männer wie Harrison, Lambert, Cromwell selbst in solcher Weise dazu mitwirken mussten, den ganzen Gang der Revolution gleichsam rückwärts zu wiederholen, bis ihr Schicksal erfüllt war. So sehen wir nach Auflösung des langen Parlamentes wieder ein kurzes oder kleines Parlament eine Zeit lang die gewohnten parlamentarischen Formen wahrnehmen — das berühmte Barebone-Parlament — dann, nachdem dieses durch eine Resignations-Akte sich selbst aufgelöst, Cromwell zum Protector ernannt werden, damit also factisch dieselbe Stellung einnehmen, welche der König von England früher besessen hatte; und nun hat er sich in derselben Weise mit einem neuen Parlamente über alle möglichen Dinge zu streiten und zu zanken, welche von jeher den Gegensatz der executiven und der legislativen Gewalt ausgemacht haben. Wie damals, so wird es sich überall und zu allen Zeiten bei jeder grösseren Staatsordnung, mag sie nun auf historischem Wege sich ruhig entwickelt haben, oder aus revolutionären Stürmen hervorgegangen sein, ganz wesentlich darum handeln, wie dieses Verhältniss näher bestimmt wird. Die Schwierigkeit dabei besteht immer vorzugsweise darin, dass die executive Gewalt an der Spitze einer

durchaus schlagfertigen Armee zu Wasser und zu Lande nicht
geschwächt werde durch solche Einschränkungen, welche eine
berathende und gesetzgebende Versammlung für ihre Sicherheit
nicht nur, sondern weit mehr noch für ihre innere Freiheit und
Unbefangenheit bedarf: ein Parlament, das nicht durch das
Selbstgefühl seiner unantastbaren Würde geschützt ist, kann
eben nicht die grossen Landesinteressen so wahrnehmen, wie es
die volle Freiheit der Berathung ermöglichen würde. Aber
man muss freilich dafür sorgen, dass in solch' einem Parlamente nur solche Männer sitzen, die wirklich Gefühl und Verständniss für die realen Interessen des Landes haben: mit
Schwätzern, Phrasendrechslern und Intriguanten ist Nichts zu
machen. Man kann es sich leicht vorstellen, in welche Stimmung Oliver selbst nach Allem, was er geleistet hatte, gerathen
musste, als selbst das dritte Parlament nicht aufhörte, ihn mit
kleinen Streitigkeiten fortwährend zu ärgern und darüber nicht
nur seine grösseren Aufgaben ungelöst zu lassen, sondern auch
Schwierigkeiten zu machen in Bezug auf die Bezahlung und
Verpflegung der Truppen. In der That, es ist ein undankbares
Geschäft, ein grosses Land zu regieren: England verdiente einen
solchen Mann gar nicht, wie Oliver Cromwell gewesen ist.

   Es liegt nicht in der Absicht dieser Schrift, alle Einzelheiten dieser etwa 5 Jahre umfassenden Bewegung genauer zu
verfolgen, zumal da wir über diese Partie bereits mehrere sehr
ausführliche Darstellungen besitzen*). Es wird für unseren
speciellen Zweck — eine Charakterzeichnung Oliver Cromwell's —
wichtiger sein, noch einige Original-Documente aus seinen Brie-

------

*) Vgl. Dahlmann, Häusser und Ranke, welcher letztere namentlich die
Verfassungsfrage sehr eingehend behandelt hat. —

fen und Reden mitzutheilen, die uns über einige entscheidende Momente wichtige Aufschlüsse zu enthalten scheinen. Nur das wollen wir noch besonders hervorheben, dass Oliver sich zuletzt sogar zu dem Versuche genöthigt sah, ein Haus der Lords wieder herzustellen, damit aber sofort auch den Kampf beider Häuser mit einander wieder provocirte. Am 4. Febr. 1658 musste er daher auch dieses Parlament wieder auflösen. Trotz aller äusseren Erfolge also ist es ihm nicht gelungen, im Innern die Ordnung zu schaffen, deren das Land bedurfte: an seinem Glückstage, den 3. September (1658), ist er dann ruhig gestorben, nachdem er bereits einige Zeit gekränkelt hatte. Sein Sohn Richard war noch weniger, als er selbst im Stande, ein so grosses und schwieriges Werk zu vollenden: nach zwei Jahren schon kehrte Charles II. als König von England zurück.

Hiermit haben wir im Wesentlichen den Schluss dieses Buches erreicht. Wir geben zur Ergänzung des Gesagten nur noch die Uebersetzung einiger besonders wichtigen Aktenstücke aus der Feder Oliver Cromwell's selbst. —

1. Dunbar Battle.

„An den ehrenwerthen Sir Arthur Haselrig in Newcastle oder anderswo. Eilig, eilig!

Dunbar, 2. September 1650.

Theurer Sir!

Wir stehen vor einem sehr schweren Kampfe. Der Feind hat uns den Weg versperrt beim Pass zu Copperspath, durch welchen wir nicht hindurchkommen können ohne ein wahres Wunder. Er liegt so auf den Hügeln, dass wir nicht wissen, wie wir ohne grosse Schwierigkeiten jenen Weg passiren sollen; und unser hier Liegenbleiben verzehrt täglich unsere Leute, welche krank werden, man kann gar nicht sagen wie (beyond imagination). Ich vermuthe, dass Eure Streitkräfte nicht fähig sind, uns sogleich zu entsetzen. Deshalb, was auch immer aus uns werden mag, wird es gut für Euch sein, alle Kräfte, die Ihr nur könnt, zusammenzunehmen; und der Süden soll helfen, was er nur kann. Die bevorstehende Arbeit betrifft alles gute Volk. Wenn Eure Streitkräfte bereit gewesen wären, Copperspath in den Rücken zu fallen, so würde das haben veranlassen können, dass Hülfstruppen zu uns gekommen wären. Aber der allein weise Gott weis, was das Beste ist. Alle sollen für das Gute arbeiten. Unsere Stimmung ist tröstlich, gesegnet sei der Herr, — obgleich unsere gegenwärtige Lage ist, wie sie eben ist. Und in der That, wir haben viel Hoffnung auf den Herrn, von dessen Gnade wir vielfache Erfahrungen gehabt haben.

In der That, nehmt alle Streitkräfte zusammen gegen sie, so viel Ihr könnt. Sendet zu den Freunden im Süden, mit noch mehr zu helfen. Lasset H. Vane wissen, was ich schreibe. Ich möchte es nicht öffentlich machen, damit die Gefahr nicht dadurch wachse. Ihr wisset, was für ein Gebrauch hiervon zu machen ist. Lasset mich von Euch hören. Ich bleibe

Euer Diener

Oliver Cromwell.

P. S. Es ist schwer für mich, Jemand zu Euch zu schicken. Lasset mich von Euch hören, nach Empfang dieses."

(Brief 139.)

(Brief 140)

„An den ehrenwerthen William Lenthall, Esquire, Sprecher des Englischen Parlamentes, dieses.

Dunbar, 4. September 1650.

Sir!

Ich hoffe, es wird nicht übel genommen, dass ich nicht

häufigere Zuschriften an das Parlament richte. Dinge, die in Unordnung sind, in Bezug auf die Verpflegung der Armee und die gewöhnliche Leitung, habe ich, so oft ich konnte, dem Staatsrathe vorgestellt, zugleich mit solchen Ereignissen, wie sie zufällig vorgekommen waren . . .   .

Es hat jetzt Gott gefallen, Euch eine Gnade zu erweisen, werth, Euch mitgetheilt zu werden und werth auch des höchsten Preises und Dankes aller derjenigen, welche seinen Namen fürchten und lieben; ja, die Gnade ist über allem Preise. Und damit Ihr dieses um so besser versteht, so werde ich mir erlauben, Euch einige Umstände vorzulegen, welche diese grosse Arbeit begleitet haben: und diese werden die Grösse und die Rechtzeitigkeit dieser Gnade offenbaren.

Nachdem wir unser Mögliches versucht hatten, den Feind zu engagiren, drei oder vier Meilen westlich von Edinburgh, dieses sich aber unwirksam erwies und uns die Lebensmittel ausgingen, marschirten wir zu unseren Schiffen, unsere Bedürfnisse zu ergänzen. Der Feind beunruhigte uns durchaus nicht in unserer Arrière-Garde, sondern marschirte gerades Weges gegen Edinburgh, und so zwischen Nacht und Morgen schlüpfte er mit seiner ganzen Armee durch und lagerte sich in einer Stellung zwischen uns und unseren Lebensmitteln, die leicht zu besetzen war. Aber der Herr liess ihn die Gelegenheit verlieren. Und da sich der Morgen ausserordentlich feucht und dunkel erwies, so entdeckten wir erst um die Zeit, da es hell wurde, einen Grund und Boden, wo sie uns nicht unsere Nahrung nehmen konnten: und das war eine grosse That von der Vorsehung des Herrn für uns. Nachdem wir auf den angegebenen Grund und Boden gekommen waren, marschirte der Feind auf den Boden, wo wir zuletzt waren; er zeigte aber

keine Lust, sich zu bemühen, sich zwischen uns und unsere
Lebensmittel zu legen, noch auch zum Kampfe überzugehen.
Er war vielmehr mit dem Plane beschäftigt, uus förmlich ein-
zuschliessen, hoffend, dass die Krankheit Eurer Armee ihr Werk
leichter machen würde, dadurch dass sie Zeit gewännen. Wir
marschirten darauf nach Musselburgh, um Lebensmittel zu fassen, und unsere kranken Leute einzuschiffen; und wir schickten
dort etwa 500 kranke nnd verwundete Soldaten an Bord.

Und nach ernstlicher Ueberlegung, da wir fanden, dass
unsere Schwäche so zunehme, und der Feind in seiner vortheil-
haften Lage ruhig liege, wurde in einem allgemeinen Kriegsrathe es für geeignet gehalten, nach Dunbar zu marschiren und
dort die Stadt zu befestigen. Das würde, glaubten wir, wenn
irgend Etwas, den Feind zum Kampfe provociren. Ebenso
würde auch eine Garnison dort uns Bequemlichkeiten für unsere kranken Leute darbieten und ein gutes Magazin abgeben
— welches wir sehr nöthig hatten; da wir durchaus von der
Unsicherheit des Wetters abhingen, um Vorräthe landen zu lassen, was oft nicht geschehen kann, obwohl das Dasein der
ganzen Armee davon abhängt, da alle Küsten von Berwick bis
nach Leith nicht einen einzigen guten Hafen haben. Ebenso
wollten wir auch bequemer dafür gelagert sein, um unsere
Rekruten an Pferden und Mannschaften von Berwick zu bekommen.

In Erwägung alles dessen marschirten wir am Sonnabend
den 30. August von Musselburgh nach Haddington. Als wir
dort unterdessen die Vorhut unserer Reiterei und Infanterie und
Train in die Quartiere gebracht hatten, so hatte der Feind mit
jener ausserordentlichen Schnelligkeit marschirt, dass sie auf
die Arrière-Garden unserer Reiterei trafen und sie in einige

Unordnung brachten; und sie würden in der That wahrscheinlich die Arrière-Brigade unserer Reiterei mit ihrer ganzen Armee
engagirt haben, wenn nicht der Herr durch seine Vorsehung
eine Wolke über den Mond hätte kommen lassen*), indem er
uns dadurch Gelegenheit gab, jene Reiterei dem Rest unserer
Armee nachzuziehen. Dieses wurde demgemäss ausgeführt ohne
irgendwelchen Verlust, ausgenommen 3 oder 4 von unserem
vorher erwähnten Nachtrabe; der Feind aber, wie wir glauben,
hatte dabei mehr Verlust.

Nachdem die Armee in eine ziemlich sichere Stellung gebracht war, versuchte der Feind gegen Mitternacht unsere
Quartiere anzugreifen, am Westende von Haddington: aber durch
die Güte Gottes trieben wir sie zurück. Am nächsten Morgen
zogen wir in's offene Feld hinaus auf der Südseite von Haddington; wir hielten es nicht für sicher, auf den vom Feinde besetzten Boden zu rücken, sondern zogen uns vielmehr zurück,
um ihm zu ermöglichen, zu uns zu kommen, wenn er das für
passend gehalten hätte. Und nachdem wir etwa 4 bis 5 Stunden gewartet hatten, um zu sehen, ob er zu uns kommen würde,
aber keine Neigung im Feinde fanden, so zu thun, so beschlossen wir, unserer ersten Absicht gemäss, nach Dunbar zu gehen.

Während wir nun 3—4 Meilen marschirt hatten, sahen wir
einige Abtheilungen der feindlichen Reiterei aus ihren Quartieren herausrücken und während unsere Fahrzeuge bis nahe
an Dunbar herangebracht wurden, befand sich ihre ganze Armee
auf dem Marsche hinter uns her. Und in der That, unser
Rückzug in dieser Weise ... erhöhte sehr ihr Vertrauen, um

---

*) Es steht wörtlich da: „the Lord by His Providence put a cloud over
the Moon."

nicht zu sagen ihren Dünkel und ihre Anmassung. — Der Feind
sammelte sich in jener Nacht, wie wir wahrnahmen, an den
Hügeln, indem er sich bemühte, eine vollständige Zwischenstellung zwischen uns und Berwick einzunehmen. Und da er
in dieser Stellung einen grossen Vortheil hatte, nämlich durch
seine bessere Kenntniss des Landes, so führte er es aus: und
zwar dadurch, dass er eine beträchtliche Abtheilung zu dem
engen Passe bei Copperspath hinsandte, wo 10 Mann besser
den Weg zu versperren vermögen, als 40 Mann hindurchzu-
dringen. Und fürwahr, dies war eine Mahnung für uns, womit
der Feind uns tadelte — wie einst mit jener Lage, in der sich
die Parlamentsarmee befand, als sie die harten Bedingungen
einging gegen den König in Cornwallis (1644). Nach einigen
Berichten, die zu uns gekommen sind, hatten sie über uns disponirt und über ihre Arbeit, in ziemlich heftigem Grimm und
Zorn gegen unsere Personen; und das arme Interesse von England hatten sie gänzlich für sich weggenommen (swallowed up),
glaubend, dass ihre Armee und ihr König auf London marschiren würden ohne irgend eine Unterbrechung; — es war
uns gesagt worden (wir wissen nicht, ob mit Wahrheit), und
zwar durch einen Gefangenen, welchen wir in der Nacht vor
dem Kampfe ergriffen, dass ihr König sehr bald zu ihnen kommen würde, mit jenen Engländern, denen sie es gestatten, um
ihn zu sein. Aber in welcher Weise auch sie sich so erheben
mochten, der Herr war doch noch höher, als sie.

Da der Feind sich nun in der Stellung befand, welche wir
vorher erwähnt haben und da er solche Vortheile hatte, wir
aber sehr nahe bei ihm lagen, so fühlten wir wohl, in welchem
Nachtheil wir uns befanden, weshalb wir auch fleischliche
Schwäche fühlten, aber zugleich auch Trost und Unterstützung

vom Herrn selbst für unseren armen, schwachen Glauben, in welchem nicht wenige unter uns nach meinem Dafürhalten sich befinden, dass wir nämlich wegen ihrer grossen Zahl, wegen ihrer Vortheile, wegen ihres Selbstvertrauens, wegen unserer Schwäche, wegen unserer Noth auf dem Berge waren und der Herr auf dem Berge würde gesehen werden; und dass Er einen Weg ausfinden würde zur Befreiung und Rettung für uns: — und in der That, wir erhielten wirklich unseren Trost und sahen unsere Hoffnung erfüllt.

Am Montag Abend — die Zahl der Feinde war sehr gross, etwa 6000 zu Pferde, wie wir hörten, und wenigstens 16,000 zu Fuss; die Unsrigen aber herausrückend, als tüchtige Leute, in der Zahl von 7500 zu Fuss und 3500 zu Pferde — also am Montag Abend rückte der Feind mit etwa zwei Dritteln von seinem linken Flügel der Reiterei hinab zu dem rechten. Also zu dem rechten Flügel; auch ihr Fussvolk und ihr Train wandte sich entschieden nach der rechten Seite; sie veranlassten so den rechten Flügel ihrer Reiterei nach der See hin hinabzuziehen. Wir konnten nicht anders denken, als dass der Feind beabsichtigte, uns anzugreifen oder sich in einer noch besseren Zwischenstellung zu lagern. Der Generalmajor und ich selbst kamen zu dem Hause des Earl Roxburgh und da wir diese Stellung beobachteten, so sagte ich zu ihm, dass ich dächte, es gäbe uns eine vortheilhafte Gelegenheit, einen Angriff auf den Feind zu versuchen. Worauf er unmittelbar antwortete, dass er daran gedacht hätte, dasselbe zu mir zu sagen. So dass es also dem Herrn gefallen hat, dass diese Wahrnehmung in demselben Augenblicke sich unserer Seele aufdrängte. Wir liessen den Oberst Monk rufen und zeigten ihm die Sache: und da wir in der Nacht zu unseren Quartieren kamen und unsere

Meinung einigen der Obersten vorlegten, so stimmten auch sie freudig damit überein.

Wir entschlossen uns also, unsere Arbeit folgendermassen zu vertheilen: sechs Regimenter Reiterei und 3½ Regimenter zu Fuss sollten als Vorhut marschiren; der Generalmajor, der Generallieutenant der Reiterei und der Generalcommissär (Lambert, Fleetwood, Whalley) und Colonel Monk sollten die Brigade Infanterie commandiren und die ganze Arbeit leiten; und Oberst Pride's Brigade, Oberst Overton's Brigade, und die beiden übrigen Regimenter Reiterei sollten die Geschütze und die Nachhut heranschaffen. Die Zeit des Losbrechens sollte gegen Tagesanbruch sein: aber in Folge einiger Verzögerungen kam es nicht so; es geschah Nichts vor 6 Uhr Morgens.

Des Feindes Wort war „The Covenant"; das war schon längere Zeit so gewesen. Unser Wort und Kriegsruf dagegen (Parole?) war „The Lord of Hosts" (der Herr der Heerschaaren). Der Generalmajor Lambert, der Generallieutenant Fleetwood und der Generalcommissär Whalley, sowie der Oberst Twistleton begannen den Angriff; der Feind befand sich aber in einer sehr guten Position, sie zu empfangen, indem er den Vortheil seiner Artillerie und Infanterie gegen unsere Reiterei konnte geltend machen. Bevor unser Fussvolk herankommen konnte, leistete der Feind tapferen Widerstand, und es gab dort ein sehr heisses Handgemenge zwischen unserer Reiterei und der ihrigen. Unsere ersten Fusstruppen . . . wurden anfangs zurückgeworfen, gewannen aber bald wieder Feld. Denn mein eigenes Regiment, unter dem Commando des Oberstlieutenants Goffe und meines Majors White kam zur rechten Zeit in's Gefecht; und es trieb im Bayonnettangriff das tapferste Regiment, welches der Feind dort hatte, zurück, nur durch den Muth, den ihnen zu verleihen, dem Herrn gefiel. Das rief denn eine grosse Bestürzung unter den übrigen Fusstruppen des Feindes hervor, indem dies die erste Action zwischen der Infanterie war. Die Reiterei schlug unterdessen mit grossem Muthe und Geiste Alles ihr Entgegentretende zurück und drang durch die feindlichen Cavallerie- und Infanterie-Abtheilungen hindurch: sie wurden nieder gemacht und gleich Stoppeln vor unseren Schwertern. — In der That, ich glaube, ich darf es ohne Parteilichkeit aussprechen: beide, Eure Hauptanführer und auch andere, jeder an seiner Stelle, und auch die gemeinen Soldaten, alle waren mit so viel Muth bei der Sache, als jemals in irgend einer Action seit dem Kriege ist gesehen worden. Ich weiss, sie sehen nicht darauf, dass sie genannt werden; und deshalb übergehe ich Einzelheiten.

Da nun das Beste von der feindlichen Cavallerie in weniger als einstündigem Kampfe durch und durch gebrochen und ihre ganze Armee in Verwirrung gebracht war, so wurde es eine totale Flucht und Auflösung, und unsere Leute hatten fast 8 Meilen Jagd nnd Execution über sie. Wir glauben, dass auf dem Platze und in der Nähe ringsherum etwa 3000 erschlagen wurden. Viele Gefangene: von ihren Officieren habt Ihr hier die Liste beigeschlossen; an gemeinen Soldaten sind es etwa 10,000 Mann. Das ganze Gepäck und der ganze Train sind genommen, wobei ein guter Vorrath von Lunten, Pulver und Geschossen; zudem alle ihre Artillerie, grosse und kleine Geschütze — 30 Kanonen. Wir sind gewiss, sie haben nicht weniger, als 15,000 Waffen zurückgelassen. Ich habe bereits nahe an 200 Fahnen zu mir hereinschaffen lassen und sende

Euch dieselben hiermit*). Was für Officiere von Rang bei den
Feinden sind getödtet worden, haben wir noch nicht in Erfahrung bringen können; es sind aber sicher mehrere, und
viele Herren von hohem Range sind tödtlich verwundet, wie
Oberst Lumsdon, Lord Libberton und andere. Und, was
doch gewiss keine kleine Zugabe ist, ich glaube nicht, dass wir
auch nur 20 Mann verloren haben. Nicht ein höherer Officier
von uns ist erschlagen, wie ich höre, ausser ein Cornet und
der Major Rooksby, welche seitdem ihren Wunden erlegen sind;
und nicht viele tödtlich verwundet: — nur Oberst Whalley im
Handgelenk getroffen und sein Pferd unter ihm getödtet; aber
er wusste sich schon ein anderes Pferd zu verschaffen und nahm
ferner Theil an der Verfolgung.

So habt Ihr hier die Darlegung einer der auffallendsten
Gnaden, welche Gott für England und sein Volk in diesem
Kriege gewirkt hat: und jetzt möge es Euch gefallen, mir einige
besondere Worte zu gestatten. Es ist leicht zu sagen, Gott,
der Herr, hat dieses gethan. Es würde Euch aber wohlthun,
zu sehen und zu hören, wie unsere armen Fusssoldaten auf
und nieder gehen, indem sie Gott preisen. Aber, Sir, es liegt
in Eurer Hand, und durch diese hervorragenden Gnadenbe-
zeugungen legt Gott es noch mehr in Eure Hand, ihm die Ehre
und Glorie zu geben; um Eure Macht zu vermehren und Seinen
Segen, zu Seinem Preise. Wir, die wir Euch dienen, bitten
Euch, nicht uns anzuerkennen, sondern Gott allein. Wir bitten
Euch also, erkennet mehr und mehr Sein Volk als das Eurige;

---

*) Diese Fahnen haben mit denen von der Schlacht bei Preston und
vielen anderen später hinzugekommenen lange in Westminster gehangen.

denn sie sind die Wagen und Reiter von Israel. Verleugnet Euch selbst, aber haltet fest Eure Autorität, und vermehret sie, um die Stolzen und Uebermüthigen zu beugen, alle solche meine ich, welche die Ruhe von England stören möchten, unter welchem scheinbaren Vorwande auch immer. Erleichtert das Loos der Unterdrückten und Bedrängten, höret die Seufzer der armen Gefangenen in England. Möge es Euch gefallen, die Missbräuche aller Bekenntnisse zu reformiren: — und wenn Irgendwelche da sein sollten, die Viele arm machen, um einige Wenige reich zu machen, so ist das nichts für ein Gemeinwesen Passendes. Wenn Er, der Eure Diener stärkt zu kämpfen, die Gnade hat, Eure Herzen auf diese Dinge hinzuleiten, zum Zwecke Seines Ruhmes und des Ruhmes Eures Gemeinwesens — dann werdet Ihr, ausser der Wohlthat, die England dadurch empfangen wird, auch für andere Nationen ein Licht sein, und sie werden nacheifern der Glorie solch' eines Musters, und durch die Macht Gottes zu gleichem Leben einkehren.

Dieses sind unsere Wünsche. Und damit Ihr Freiheit und Gelegenheit finden möget, diese Dinge zu thun und nicht gehindert werdet, so sind wir willig gewesen und werden wir durch Gottes Hülfe auch ferner willig sein, unser Leben zu wagen; — und wir werden nicht verlangen, dass Ihr Euch durch Beschwerlichkeiten niederschlagen lasst und abhalten von Eurer Sorge für Sicherheit und Erhaltung, sondern dass die Ausführung dieser guten Dinge ihren Platz haben möge unter jenen, welche den (allgemeinen) Wohlstand betreffen, und dass sie also in ihrer Zeit und Ordnung gethan werden.

Seit wir nach Schottland gekommen sind, ist es unser Verlangen und Wunsch gewesen, Blutvergiessen bei diesem Ge-

schäfte zu vermeiden; aus dem Grunde, weil Gott hier ein Volk
hat, das Seinen Namen fürchtet, wenn es gleich sich hat täuschen lassen. Und zu dem Zweck haben wir in der Barmherzigkeit Christi Solchen viel Liebe geboten; und was darin die
Wahrheit unseres Herzens angeht, so haben wir uns auf den
Herrn berufen. Die Geistlichen Schottlands haben es verhindert, dass diese Dinge zu den Herzen Derjenigen gelangten, für
welche wir sie beabsichtigten. Und jetzt hören wir, dass nicht
allein das getäuschte Volk, sondern auch einige der Geistlichen
(Ministers) in dieser Schlacht gefallen sind. Dies ist die grosse
Hand des Herrn, und werth der Betrachtung aller Derjenigen,
welche in ihre Hand die Werkzeuge eines thörichten Schäfers
nehmen — nämlich, sich in weltliche Politik einzumischen und
ein Gemenge und Gemisch mit irdischer Macht zu veranstalten,
um das aufzurichten, was sie das Königthum Christi nennen,
welches aber so etwas weder ist, noch auch, wenn es so wäre,
durch solche Mittel herzustellen sein möchte. Jene aber ver-
nachlässigen oder haben kein Vertrauen auf das Wort Gottes,
das Schwert des Geistes, welches allein ist mächtig und fähig,
jenes Königthum aufzurichten, und, wenn man ihm vertraut,
sich als wirklich fähig erweisen wird für jenen Zweck (to that
end) und es auch wirklich hinausführen wird! Dieses wird hier
demüthig dargeboten um Deren willen, welche vor Kurzem sich zu
sehr seitwärts gewandt haben: damit sie wieder zurückkehren
möchten, zu predigen Jesus Christus, gemäss der Einfalt des
Evangeliums; und dann werden sie ohne Zweifel unterscheiden
lernen und Protection und Ermuthigung durch Euch finden.

    Indem ich Euch ersuche, dieses lange Schreiben zu ent-
schuldigen, nehme ich demüthig meinen Abschied und bleibe, Sir,
Euer ganz gehorsamer Diener   Oliver Cromwell."

Von demselben Datum, am Tage nach der Schlacht, liegen noch eine ganze Reihe von Briefen vor, 7 im Ganzen: wir können uns den grossen Independenten-General vorstellen, wie er nach einem solchen Erfolge in seinem Zelte auf und ab ging und einen Brief nach dem andern dictirte, der noch immer heiss nachzitternden Empfindung des siegreichen Kampfes Ausdruck zu geben nach allen Seiten, für alle Freunde. Ein Brief ist an Arthur Haselrig gerichtet — „Haste, Haste" dazu bemerkt — ein zweiter an den Präsidenten des Staatsrathes: in ihm findet sich die wichtige Bemerkung, dass „Einige der anständigsten und ehrlichsten Schotten in der feindlichen Armee selbst gestanden hätten, dass sie der Erklärung des König Karl (II.) keinen rechten Glauben beimessen könnten, dass er dieselbe vielmehr offenbar nur widerstrebend und im Drange der Umstände, ganz gegen sein Herz, unterzeichnet habe; und doch wagten sie nun deshalb ihr Leben für ihn, auf solch eine erzwungene Erklärung hin ... wo sie doch wussten, er scheine blos bekehrt zu sein, sei es in Wirklichkeit aber keineswegs."

Man sieht daran, wie man im schottischen Lager selbst über die Vereinigung mit Charles Stuart vielfach dachte: hier lag die Ursache der Schwäche der schottischen Armee. Sie hatte keinen Glauben an sich selbst.

Und noch einen wichtigen Punkt ersehen wir aus demselben Briefe: dass nämlich die Officiere nicht eigentlich dafür waren, die Schlacht zu liefern, dass aber die schottische Geistlichkeit durch ihren grossen Einfluss sie dennoch dazu zu bewegen wussten.

Wo solche Dinge möglich sind, wird eine Armee immer verlieren: von den Officieren, die wir kennen, würde jeder den Prediger auslachen, der ihm in's Handwerk pfuschen möchte.

27

Bei Soldaten, die wirklich Soldaten sind, kommen solche Dinge nie vor.

Ein dritter Brief ist an die Gattin zu Hause gerichtet. Wir lassen ihn hier folgen (143. Brief):

„An mein geliebtes Weib Elisabeth Cromwell, in Cockpit: Dieses.

Dunbar, 4. Septbr. 1650.

Meine Theuerste!

Ich habe nicht Musse, viel zu schreiben. Aber ich könnte Dich schelten, dass Du in vielen Deiner Briefe an mich schreibst, ich solle nicht uneingedenk sein Deiner und Deiner Kleinen. Fürwahr, wenn ich Euch nicht zu sehr liebe, so denke ich, ich irre auch nicht sehr nach der entgegengesetzten Seite. Du bist mir theurer als irgend ein Wesen; lass das genügen.

Der Herr hat uns eine ausserordentliche Gnade erwiesen: wer kann sagen, wie gross sie ist! Mein schwacher Glaube ist aufrecht gehalten worden. Ich bin in meinem inneren Menschen wunderbar gestärkt worden; obgleich ich Dir versichere, ich werde allmälig ein alter Mann und fühle Schwächen des Alters, die in erstaunlicher Weise mich zu beschleichen beginnen. Möchten nur meine Fehler ebenso schnell abnehmen! Bete meinetwegen in Bezug auf das letztere. Die Einzelheiten über unseren letzten Erfolg wird Dir Harry Vane oder Gilbert Pickering mittheilen. Meinen liebevollen Gruss an alle theuren Freunde. Ich bleibe der Deinige

Oliver Cromwell."

Ein vierter Brief wird an seinen liebenden Bruder Richard Mayor, Esquire, zu Hursley, abgesendet; ein fünfter an den Schwiegersohn Ireton in Irland, ein sechster endlich noch an Wharton, den immer zweifelnden Freund. Die beiden letzteren sind so charakteristisch, dass wir sie hier noch zum Abschluss der Dunbar-Affaire mittheilen wollen:

„An den General-Lieutenant Ireton, Stellvertreter des Vicekönigs von Irland: Dieses.

Dunbar, 4. Septbr. 1650.

Sir!

Wenngleich ich nicht oft von Euch höre, so weiss ich doch, Ihr vergesset mich nicht. Denket so auch über mich; denn ich gedenke Eurer oft am Throne der Gnade. — Ich habe gehört von der mächtigen Güte des Herrn gegen Euch, in der Einnahme von Waterford, Duncannon und Catherlogh (Carlow): Sein Name sei gepriesen.

Wir sind in einem Dienste engagirt gewesen, der so voll der Prüfung war, wie nur jemals armen Creaturen ist aufgelegt worden. Wir gaben die deutlichsten Bekenntnisse unserer Liebe, da wir wussten, dass wir mit Vielen zu thun hatten, welche zu den Gottseligen gehörten und die behaupteten, an unserer Invasion Anstoss zu nehmen: — in der That, es ging uns in's Innerste des Herzens; der Herr half uns, dass wir sanfte Worte fanden und sie aufrichtig meinten. Wir wurden wiederholt zurückgewiesen; und dennoch baten wir ferner darum, man möchte doch uns glauben, dass wir sie liebten wie unsere eigene Seele; sie aber gaben oft Böses für Gutes. Wir baten um Sicherheit (gegen die Pläne der Stuarts): sie wollten kein Wort darüber hören oder darauf erwidern. Wir appellirten oft an Gott; sie ebenfalls. Wir waren drei oder vier Mal einem ernstlichen Zusammenstosse nahe; aber sie waren in vortheilhafter Stellung. Eine heftige Ruhr befiel unsere Armee, brachte sie sehr herunter, von 14,000 auf 11,000: 3500 Mann

Reiterei und 7500 zu Fuss. Der Feind dagegen batte 16,000 zu Fuss und 6000 Pferde.

Der Feind verfolgte seinen Vortheil. Wir wurden gezwungen zum Kampfe; und am 3. September, um 6 Uhr Morgens, griffen wir ihre Armee an: nach einem heissen Kampfe, etwa eine Stunde lang, warfen wir ihre ganze Armee in wilder Flucht zurück; wir tödteten etwa 3000, und nahmen, wie der Marschall mir mittheilt, 10,000 Gefangene; ihren ganzen Train, etwa 30 Geschütze, grosse und kleine; einen guten Vorrath von Pulver, Lunten und Geschossen; fast 200 Fahnen. Ich bin überzeugt, dass fast 15,000 Gewehre auf dem Schlachtfelde zurückgelassen wurden. Und ich glaube, obwohl viele von den Unsrigen verwundet sind, so verloren wir doch nicht über 30 Mann. Vor der Schlacht war unsere Lage schon zu einer sehr traurigen geworden, und der Feind insultirte und bedrohte uns heftig; aber der Herr hielt uns aufrecht mit der Tröstung in Ihm, über alle gewöhnliche Erfahrung hinaus.

Da ich weiss, dass die Benachrichtigung über diese grosse That des Herrn Euren Geist zu Preis und Freudigkeit stimmen wird; und da ich nicht anders weiss, als dass Eure Lage solche gegenseitige Mittheilungen zur Erquickung bedarf, da ich ferner auch weiss, dass die Nachrichten, die wir von Euren Erfolgen empfingen, unserem Glauben in unserer Noth zu Hülfe kamen und zum Preise des Herrn führten — so habe ich es für passend gehalten (wenngleich inmitten vielfacher Arbeit), Euch diesen Bericht von der unaussprechlichen Güte des Herrn zu geben, der also erschienen ist, zur Glorie seines grossen Namens, und zur Erquickung Seiner Heiligen.

Der Herr segne Euch und uns, Ihm den Dank zurückzugeben, in Ihm zu leben alle unsere Tage. Grüsst alle unsere theuren Freunde dort bei Euch . . . Ich habe nichts Weiteres zu sagen; aber ich verharre

Euer liebender Vater und treuer Freund

Oliver Cromwell."

Bridget Ireton, die Tochter Cromwell's, wird merkwürdiger-·weise gar nicht erwähnt. Sie war zu London, fern von den wilden Kriegsscenen, fern von ihrem Vater und ihrem Gatten: den letzteren sollte sie nie wiedersehen.

Noch folgt ein letzter, sehr merkwürdiger Brief von demselben Datum, gerichtet an Lord Wharton:

Dunbar, 4. Septbr. 1650.

Mein theurer Lord!

Ach, mein lieber Herr, wie ich Euch liebe! Liebet Ihr den Herrn: hütet Euch vor Streit (disputing)! — Ich war verdriesslich, als ich zuletzt mit Euch sprach in St. James' Park. Ich widersprach Euch, indem ich meine Gründe geltend machte: ich sprach gemäss meinem Urtheil von Euch, welches dahin lautete: dass Ihr — soll ich noch Andere nennen? — Henry Lawrence, Robert Hammond u. s. w., dass Ihr Euch in der Schlinge habt fangen lassen mit Eurem Wortstreit (disputing).

Ich glaube, Ihr möchtet befriedigt sein; und Ihr hattet doch Eure eigene Aufrichtigkeit geprüft und sie bezweifelt. Es war gut so. Aber Ehrlichkeit und Redlichkeit, wenn sie nicht rein von Gott sind, dürften sich doch wohl täuschen lassen, ja, werden gewöhnlich getäuscht. Der Herr überzeuge Euch und alle meine theuren Freunde!

Die Resultate Eurer Gedanken, betreffend die letzten Verhandlungen, sind, ich weiss das gewiss, und zwar durch einen

besseren Beweis, als durch den Erfolg, Irrthümer Eurerseits.
Lasset nicht Eure zu weit gehende Anhänglichkeit an Eure
eigenen Urtheile Euer Fallstrick sein: viel weniger noch lasst
den Erfolg allein entscheiden — damit man nicht von Euch
denken möge, dass Ihr auf weniger edle Gründe (noble argu-
ments) zurückkommet. Ich habe die Absicht, dasselbe an
Norton, Montague und Andere zu schreiben: ich bitte Euch,
leset ihnen diese thörichten Zeilen vor oder theilet sie ihnen
mit. Ich habe erkannt, dass meine Thorheit Gutes thue, wenn
die Liebe meine Vernunft überwältigt hat. Ich bitte Euch,
haltet mich für ehrlich und aufrichtig — damit nicht ein
Nachtheil uns befallen möge nach solchen Erfolgen und Vor-
theilen.

Wie gnädig ist der Herr gewesen in dieser grossen Arbeit!
Verberge nicht, o Herr, Deine Barmherzigkeit vor unseren
Augen! —

Meine Hochachtung der theuren Lady! Ich bleibe

Euer demüthiger Diener

Oliver Cromwell."

Wir folgen den englischen Historikern nicht in das Meer
von Confusion und verwickelten Interessen, in welchen sich
Schottland damals befand. Oliver suchte vergebens etwas Licht
und Ordnung in diese tief erregte Welt zu bringen, nachdem
er sie im Felde glücklich besiegt hatte. Sie hielt fest an dem
neuen Covenant mit Charles II.: Oliver wurde daher zurückge-
rufen, um auch diesen bei Worcester zu besiegen. Ein Jahr
nach der Schlacht bei Dunbar folgen die Original-Berichte über
die Schlacht bei Worcester. Wir lassen dieselben hier unmittelbar folgen:

2. Battle of Worcester. 1651.

An . . . W. Lenthall, Esquire . . .

Bei Worcester, 3. Septbr. 1651.
(10 Uhr Abends.)

Sir!

Obgleich ich so müde bin und kaum fähig zu schreiben,
so hielt ich es doch für meine Pflicht, Euch so Viel wissen zu
lassen: dass wir an diesem Tage, den 3. September (bemerkenswerth wegen einer Gnade, die gerade vor einem Jahre an demselben Tage Euren Streitkräften in Schottland ist gewährt
worden) eine Schiffbrücke über den Severn-Fluss bauten . . .
etwa eine halbe Meile von Worcester; und eine andere über
den (Nebenfluss) Teme, in Pistolenschussweite von unserer
anderen Brücke. General-Lieutenant Fleetwood und General-
Major Dean marschirten von Upton an der Südseite des Severn
aufwärts nach Powick, einer Stadt, welche der Feind wie einen
Pass besetzt hielt. Wir liessen von unserer Seite am Severn
einige Reiterei und Fusstruppen den Fluss passiren und waren
in Verbindung mit den Streitkräften des General-Lieutenants.
Wir trieben den Feind von Hecke zu Hecke*), bis wir ihn in
die Stadt Worcester hinein zurückschlugen.

Der Feind zog dann alle seine Truppen auf die andere Seite der
Stadt . . . und lieferte uns dann eine nicht unbedeutende Schlacht
drei Stunden lang: aber zuletzt schlugen wir ihn vollständig und
verfolgten ihn bis zu seinem Royal Fort, welches wir nahmen
— und wir haben so in der That seine ganze Armee vernichtet.
Als wir dieses Fort genommen hatten, wandten wir seine eigenen

---

*) „From hedge to hedge": es ist wohl ein sogenanntes coupirtes Terrain
damit gemeint, vom Feind als Deckung benutzt.

Geschütze auf ihn. Der Feind hat grossen Verlust gehabt: und sicher ist, dass er sich gänzlich zerstreute und auf verschiedenen Wegen das Weite suchte. Wir sind in der Verfolgung desselben begriffen und haben Truppen in verschiedene Plätze gelegt, welche, wie wir hoffen, ihn gänzlich aufrollen werden.

In der That, das ist eine sehr glorreiche Gnade gewesen; — und ein so harter Kampf, vier bis fünf Sunden lang, wie ich jemals einen gesehen habe. Beide, Eure alten Streitkräfte und die neu ausgehobenen haben sich mit grossem Muthe benommen; und Er, der sie gerufen hat, auszurücken, machte sie auch willig, für Euch zu kämpfen. Der Herr, Gott der Allmächtige, stimme Eure Herzen zu wahrer Dankbarkeit für dieses, was allein Sein Thun ist. Ich hoffe, ich werde Euch in ein oder zwei Tagen einen vollständigeren Bericht geben können. Inzwischen, hoffe ich, werdet Ihr (dieses flüchtige Schreiben) verzeihen Eurem ganz gehorsamen Diener

Oliver Cromwell."

Ein zweiter Brief über dieselbe Affaire folgt unmittelbar darauf, schon am folgenden Tage, ohne indessen den versprochenen ausführlichen Bericht zu gewähren. Er ist indessen beachtenswerth als treuer Ausdruck der Lage und Stimmung unmittelbar nach der Schlacht:

An . . . William Lenthall, Esquire . . . Dieses.

Worcester, den 4. Septbr. 1651.

Sir!

Ich bin noch nicht fähig, Euch einen genauen Bericht von den grossen Dingen zu geben, welche der Herr für dieses Gemeinwesen und für Sein Volk gewirkt hat: und doch will ich nicht im Schweigen verharren, sondern, meiner Pflicht gemäss, die Sachlage so Euch vorstellen, wie sie wirklich geschehen ist.

Diese Schlacht wurde geschlagen mit wechselndem Erfolge einige Stunden hindurch, aber immer noch hoffnungsvoll für Eure Partei; und schliesslich wurde es ein absoluter Sieg — und zwar ein so vollständiger, dass er sich erwies als eine totale Niederlage und und Vernichtung der feindlichen Armee; zugleich kamen wir in den Besitz der Stadt, da unsere Leute dem Feinde auf den Fersen eindrangen und mit grossem Muthe in den Strassen mit ihnen fochten. Wir nahmen alle ihre Bagage und all ihre Artillerie. Wie viele erschlagen sind, davon kann ich Euch noch keinen Bericht geben, weil wir noch keine genaue Uebersicht davon gemacht haben; aber es sind sehr viele: und nothwendig muss es wohl so sein; weil der Kampf lang war und oft bis zum heftigsten Handgemenge fortging. Es sind etwa 6—7000 Gefangene hier genommen und viele Officiere und Edelleute von sehr hohem Range: der Herzog Hamilton, der Earl of Rothes und verschiedene andere Edelleute — wie ich höre, auch der Earl of Lauderdale; viele Officiere von hohem Range; und einige darunter, welche geeignete Subjecte für Eure Justiz sein werden.

Wir haben beträchtliche Abtheilungen dem fliehenden Feinde nachgesandt; wie ich höre, haben diese auch noch sehr viele gefangen genommen und bedrängen die Feinde noch in heftiger Verfolgung. In der That, das Landvolk fällt, wie ich höre, überall über sie her; und ich glaube, dass die Streitkräfte, welche durch die Vorsehung in Bewdley und in Shropshire und in Straffordshire lagen, sowie auch die bei Oberst Lilburn, waren in einer Stellung, als ob dies wäre vorausgesehen worden, diejenigen aufzufangen, welche zurückkehren möchten.

Ein genauerer Bericht, als dieser, wird für Euch vorbereitet werden, sobald es uns möglich ist. Ich höre, sie hatten nicht viel mehr, als 1000 Reiter in ihrer Abtheilung, welche die Flucht ergriffen: und ich glaube, Ihr habt nahe an 4000 Verfolgungstruppen, und zwar solche, die sich bereits zwischen sie und ihre Heimath legen; — welchen Fisch sie fangen werden, wird die Zeit lehren. Ihre Armee war etwa 16,000 Mann stark; und sie bekämpften die Unsrigen auf der Seite des Severn, wo Worcester liegt, fast mit ihrer ganzen Armee, während wir mit der Hälfte unserer Armee auf der anderen Seite nur mit einzelnen Theilen von der ihrigen engagirt waren. In der That, es war eine harte Arbeit; doch glaube ich nicht, dass wir auch nur 200 Mann verloren haben. Eure neu ausgehobenen Truppen leisteten besonders guten Dienst; für welchen sie hohe Achtung und Anerkennung verdienen; sowie auch für ihren guten Willen dazu — da ja dieser so viel für den Ruhm Eurer Angelegenheiten gethan hat. Sie sind alle wieder nach Hause entlassen; was, wie ich hoffe, viel zur Erleichterung und Befriedigung des Landes beitragen wird. Auch das ist eine grosse Frucht dieser Erfolge.

Der Umfang, die Dimensionen dieser Gnade, sind über meinen Gedanken. Es ist, so viel ich davon verstehe, eine krönende Gnade (crowning mercy). Gewiss, solch' eine werden wir empfangen, wenn dieses Ereigniss Diejenigen, welche an demselben betheiligt sind, zur Dankbarkeit zu begeistern vermag, und das Parlament, den Willen Dessen zu thun, der Seinen Willen für es und für die Nation ausgeführt hat; — denn Seine Güte und Seine Freude ist es, die Nation und den Wechsel der Regierung aufzurichten, und zwar dadurch, dass Er das Volk so willig macht zur Vertheidigung desselben und dass Er so sichtbar die Bemühungen Eurer Diener segnet in diesem letzten grossen Werke. Ich bin so kühn, Euch demüthig zu bitten, dass alle Gedanken dahin zielen mögen, Seine Ehre zu fördern, da Er ja eine so grosse Rettung und Erlösung (salvation) gewirkt hat; und dass der Reichthum dieser fortgesetzten Gnaden nicht möge Stolz und Ueppigkeit veranlassen, wie früher das Gleiche einer auserwählten Nation gethan hat; sondern dass die Furcht des Herrn, gerade wegen Seiner Gnaden, die Autorität und das Volk, die so beglückt und gesegnet sind und so viele Zeugnisse empfangen haben, demüthig und treu erhalten mögen; und dass Gerechtigkeit und Redlichkeit, Barmherzigkeit und Wahrhaftigkeit von Euch ausströmen mögen, wie ein dankbares Gebet gegen unseren gnädigen Gott. Das wird das Gebet sein, Sir,

Eures sehr demüthigen und gehorsamen Dieners

Oliver Cromwell.

P. S. Eure Officiere benahmen sich höchst ehrenvoll in diesem Dienste; und die Person, welche diesen Brief überbringt, kam in der Erfüllung ihrer Pflicht den meisten gleich, welche Euch an diesem Tage gedient haben."

Es wird ausdrücklich erwähnt, dass am folgenden Sonntage diese Briefe auf Parlamentsbefehl von allen Londoner Kanzeln verlesen wurden und ein grosses Gefühl des Dankes in Allen hervorbrachten. Wir erwähnen nur noch, dass General Monk gleichzeitig die letzte Festung in Schottland stürmte, Dundee mit Namen (1. September 1651), und damit auch in Schottland die Dinge zu einem vorläufigen Abschlusse brachte.

So war Karl Stuart vorläufig beseitigt, Irland und Schottland unterworfen, Cromwell der factische Herr über die drei Königreiche: er und seine Independenten-Armee regierten jetzt

das Eine mächtig aufstrebende England. Der Rest des langen
Parlaments wurde darauf beseitigt, das kurze Parlament zusammenberufen (Barebone-Parliament), und vor ihm hielt
der siegreiche Feldherr am 4. Juli 1653 die erste von jenen
grösseren Reden, in deren reichem Gedankengehalt sich alle wesentlichen Interessen der grossen Revolution concentriren. Etwa
120 Mitglieder waren beisammen, sassen ruhig zuhörend dort in
ihren Sesseln im Staatsraths-Zimmer von Whitehall, rund um
einen Tisch in der Mitte: ihnen gegenüber am Fenster stand „His
Excellency the Lord General", umgeben von so viel Officieren,
als der Saal fassen konnte; und er sprach folgendermassen:

3. I. Speech (Erste Rede).

„Gentlemen!

„Ich setze voraus, dass die Aufforderung, die gedient hat,
Euch hierher zu bringen, Euch zugleich die Veranlassung
Eures Hierseins richtig zu verstehen gegeben hat. Wie es aber
damit auch stehen möge, ich habe Euch etwas Weiteres mitzutheilen, nämlich ein Document, aufgesetzt mit der Zustimmung und nach der gemeinsamen Berathschlagung der hauptsächlichsten Officiere der Armee; und dieses bedeutet (wie wir
es verstehen) ein wenig mehr, als die Einberufungsordre. Wir
haben dieses (Document) Euch hier vorzulegen, ausserdem aber
auch noch Einiges zu sagen für unsere eigene Entlastung (Dé-
charge), welche, wie wir hoffen, ferner Einiges zu Eurer Befriedigung beitragen wird. Uebrigens werde ich, da ich Euch
hier etwas unbequem sitzen sehe wegen der Enge des Raumes und
der Hitze des Wetters, mich kurz fassen aus Rücksicht darauf.
    Wir haben es für gut gehalten, Euch ein wenig an jene
Reihe von Fügungen der Vorsehung zu erinnern, worin der

Herr erschienen ist, diesen Nationen wunderbare Dinge ausspendend vom Beginn unserer Unruhen an bis auf eben den heutigen Tag.

Wenn ich weit zurückschauen wollte, so möchten wir Euch erinnern an den Zustand der öffentlichen Angelegenheiten, wie sie vor dem kurzen Parlament, d. h. dem vorletzten, waren — in welcher Lage die Sache dieser Nation damals sich befand: aber sie sind so lebendig, vermuthe ich, in Euer Aller Gedächtniss und Kenntniss, dass ich nicht nöthig habe, so weit rückwärts zu schauen. Ebenso auch nicht auf jenes feindliche Zusammentreffen, welches zwischen dem Könige, der gewesen ist, und dem Parlamente, welches dann folgte, stattfand (which arose). Und in der That möchte ich viel später beginnen; denn die Dinge, welche vor Euch nothwendig in's Nichts dahin schwinden mussten, würden vielmehr ein Gegenstand der geschichtlichen Darstellung, als der mündlichen Rede für die Gegenwart sein.

Aber so weit können wir zurückblicken: Ihr wisset ganz gut, es gefiel Gott, gerade um die Mitte dieses Krieges, die Streitkräfte dieser Nation zu sichten*), wenn ich so sagen darf, und sie in die Hände von anderen Männern von anderen Grundsätzen zu bringen, als jene waren, die zuerst den Kampf anfingen. Durch welche Mittel und Wege das bewerkstelligt wurde, das würde mehr Zeit erfordern, Euch in Erinnerung zu bringen, als mir gestattet ist. In der That, es giebt Geschichten, welche jene Verhandlungen erzählen und die Euch eine Darstellung der Thatsachen geben: aber dasjenige, worin das Leben und die Macht davon lag, jene seltsamen Windungen

---

*) „to winnow", worfeln, sieben, sichten, offenbar im altbiblischen Sinne der Scheidung des Waizens von der Spreu.

und Wege der Vorsehung, jene hohen Erscheinungen Gottes
in der Durchkreuzung und Verhinderung der Zwecke der Menschen, damit Er aufrichtete eine arme und verächtliche Gesellschaft von Männern, weder geübt in militärischen Dingen, noch
auch viel natürliche Neigung zu ihnen habend, zu wundervollem
Erfolge ——! einfach dadurch, dass sie sich ein Princip der Gottseligkeit und Religiosität aneigneten! Und sobald es dazu kam,
dass man sich dasselbe aneignete und dass der Zustand der
öffentlichen Angelegenheiten auf jenem Fusse eingerichtet wurde
— es ist Euch ganz wohl bekannt, wie Gott sie da segnete,
alle ihre Unternehmungen fördernd und doch nur die unwahr-
scheinlichsten und verächtlichsten und unbedeutendsten Mittel
anwendend (denn das werden wir immer zugeben).

Was die verschiedenen Erfolge und Ausgänge gewesen sind,
auch das ist zu dieser Zeit zu erwähnen nicht nöthig; — wenngleich ich gestehe, dass ich mich ausführlicher über diesen Gegenstand aussprechen möchte; da ja die Betrachtung der Werke
Gottes und der Wirkungen Seiner Hände ein Haupttheil unserer
Pflicht ist, und eine grosse Ermuthigung zur Stärkung unserer
Hände und unseres Glaubens für das, was noch übrig ist und
ferner zu thun beibt. Und unter anderen Zwecken, für welche
jene wunderbaren Spenden uns sind gegeben worden, ist jenes
ein Hauptzweck, was von uns wohl bedacht werden sollte.

Sicherlich, es wurden sehr grosse Dinge bewerkstelligt in
dieser allgemeinen Umwälzung („in this revolution of affairs"),
die wir ansehen müssen als das endliche Resultat jener Erfolge,
welche es Gott gefiel, der Armee zu gewähren und der Autorität, die nun Bestand hatte; — ausser jenen Schlägen, die über
die Nationen und die Plätze kamen, wo der Krieg wüthete,
auch noch sehr Bedeutendes in bürgerlichen Angelegenheiten.

Als zuerst dieses, dass die Missethäter zum Gericht gebracht wurden — und zwar (namentlich) der grösste derselben. Dann, dass dieser Staat wenigstens zu dem Namen eines Gemeinwesens (Freistaates, „Commonwealth") gebracht wurde. Dass ferner alle Personen und Orte untersucht und geprüft wurden. Der König dann entfernt und zum Gericht gebracht, und manche Grosse mit ihm. Das Haus der Peers bei Seite geschafft. Das Haus der Gemeinen selbst, die Repräsentation des Volkes von England, gesichtet, geprüft, und bis auf eine Handvoll heruntergebracht; wie Ihr Euch dessen sehr wohl entsinnet.

Und fürwahr, Gott wollte auch da nicht stehen bleiben: — denn, nebenbei gesagt, obwohl es sich schickt für uns, unsere Fehler und Irrthümer uns selbst zuzuschreiben, so darf doch die Herrlichkeit des Werkes wohl Gott selbst beigelegt und (recht eigentlich) Sein wundersames Werk genannt werden. Ihr erinnert Euch wohl, dass beim Wechsel der Regierung unsere Mühseligkeiten und Verwirrungen („Troubles") kein Ende hatten — obwohl in jenem Jahre so hohe Dinge geschahen, dass sie dasselbe in der That zu dem denkwürdigsten Jahre machten, welches diese Nation jemals gesehen hat (ich meine das Jahr 1648). So viele Aufstände, feindliche Einfälle, geheime Pläne, offene Angriffe auf den Staat, alle unterdrückt in so kurzer Zeit und zwar durch die eigentliche sichtbare Erscheinung Gottes selbst; was Alles, wie ich hoffe, wir niemals vergessen werden! — Ihr wisset auch, wie ich vorher sagte, dass, wie das erste Resultat jenes denkwürdigen Jahres von 1648 war, einen festen Grund zu legen dadurch, dass die Missethäter zur Bestrafung gebracht wurden, so dasselbe uns auch zu dem Wechsel in der Regierung hinführte: — gleichwohl würde es vielleicht der Zeit werth sein, wenn Einer Zeit hätte zu

sprechen von dem Benehmen gewisser Personen in anvertrauten
Plätzen, und zwar waren es Plätze von besonderer Wichtigkeit
(ausdrücklich zu einem bestimmten Zwecke anvertraut), welches
Benehmen derartig war, dass (wenn Gott nicht in wunderbarer
Weise erschienen wäre) dasselbe uns um die Hoffnung all' unserer Unternehmungen würde betrogen haben. Ich meine, dieses würde geschehen sein durch den Abschluss des Vertrages,
den man mit dem Könige verhandelte (Insel Wight); wodurch
sie in seine Hand alles das würden gelegt haben, worum wir
gekämpft hatten, und alle unsere Sicherheit würde ein kleines
Stück Papier gewesen sein! Und nachdem diese Angelegenheit
beseitigt war, wisst Ihr wohl, wie dieselbe doch noch diese
Nation in Verwirrung erhielt zu Wasser und zu Lande. Was
aber dennoch Gott in Irland und Schottland gewirkt hat, das
wisst Ihr gleichfalls; bis Er diese Unruhen beendingt hatte, so
zu sagen, durch Seine wunderbare Errettung, gewirkt zu Worcester.

Ich gestehe Euch, ich bin in meinem eigenen Geiste sehr
unmuthig darüber („much troubled"), dass die Nothwendigkeit
der Dinge verlangt, ich solle so kurz hierüber sein: weil, wie
ich Euch sagte, dieses der geringste Theil des Vorgegangenen ist;
diese blosse historische Erzählung desselben; in jedem Einzelnen
davon liegt noch etwas besonderes: in der ersten Scheidung
des Königs vom Parlament, in der Niederwerfung der Bischöfe
und des Herrenhauses, in jedem Schritte, den wir zum Wechsel
der Regierung hin gethan haben — ich sage, es ist da auch
nicht eines von diesen Dingen, welche in solcher Weise entfernt und reformirt wurden, welches nicht ein offenbares Siegel
der Vorsehung an sich trägt, so dass der, der da geht, es lesen
mag. Ich bin wirklich betrübt darüber, dass ich nicht eine

Gelegenheit habe, specieller auf diese Punkte einzugehen, welche ich Euch principiell bezeichnet habe, um dadurch Eure Herzen und das meinige zur Dankbarkeit und zum Vertrauen zu stimmen.

Ich werde nun beginnen, Euch ein wenig an jene Vorgänge zu erinnern, welche sich seit Worcester ereignet haben*). Als wir von dort her kamen, ich mit dem Rest meiner Officiere und Soldaten, da erwarteten wir und hatten einiges vernünftige Vertrauen darauf, dass unsere Erwartungen nicht würden getäuscht werden, dass, da wir auf eine solche Geschichte zurückzublicken hatten, auf einen solchen Gott, so deutlich sichtbar, da selbst unsere Feinde gestanden, dass Gott selbst gewiss gegen sie im Bunde sei; sonst würden sie niemals so in jedem Kampfe verloren haben: — ich sage, als wir damals herkamen, da hatten wir einiges Vertrauen, dass die Gnaden, welche Gott hatte sichtbar werden lassen, und die Erwartungen, welche auf unseren Herzen ruhten und auf den Herzen aller guten Leute, dass diese Diejenigen, welche in der Autorität waren, würden angetrieben haben, jene guten Dinge auszuführen, welche von ehrlichen Leuten als passend sind erachtet worden für solch' einen Gott und als würdig solcher Gnaden; und das würde in der That eine Entlastung pflichtschuldiger Thätigkeit für Diejenigen gewesen sein, welchen alle diese Gnaden waren offenbaret worden, im wahren Interesse dieser Nation! — Wenn ich mich nun bemühen würde, genau aufzuzählen, wie die Geschäfte

---

*) Ich mache auf das von hier an Folgende besonders aufmerksam: es ist der wichtigste Theil dieser bedeutenden Rede, da es uns Aufschluss giebt über die innersten Beweggründe in der Seele der grossen Independenten-Führer in Bezug auf das entscheidende Vorgehen gegen das Rumpfparlament, den Rest der Mitglieder des langen Parlamentes.

28

verhandelt worden sind von jener Zeit an, bis zur Auflösung
des letzten Parlaments, so würde ich in der That bei einem
Gegenstande verweilen, welcher peinlich für mich selbst sein
würde. Denn ich denke, ich kann für mich selbst und meine
Mitofficiere sagen, dass wir vielmehr gewünscht und uns darum
bemüht haben, zu heilen und vorwärts zu schauen, als uns
um die Plagen zu kümmern und rückwärts zu schauen, um
etwa die Dinge in solcher Gestalt einzurichten, dass es keinem
guten Auge eben angenehm sein möchte, darauf hinzusehen.
Nur dieses werden wir für unsere eigene Rechtfertigung sagen,
da es den Grund angiebt für jene unvermeidliche Nothwendigkeit, ja sogar für jene Pflicht, die auf uns lastete, diese letzte
grosse Veränderung wirklich zu machen — ich denke, es wird
gut sein, ein oder zwei Worte darüber Euch darzubieten. Wie
ich vorher sagte, wir waren durchaus nicht geneigt, uns in die
Geschäfte einzumengen, wenn es nicht eine Nothwendigkeit gewesen wäre, so zu thun.

In der That, wir dürfen das sagen, immer seit jener Rückkehr meiner selbst und jener Gentlemen, welche in dem militärischen Dienste sind engagirt gewesen, hat es unsere Herzen
und Gedanken erfüllt, zu wünschen und zur Anwendung zu
bringen alle besten gesetzlichen Mittel, die nur möglich waren,
um die Nation einerndten zu lassen die Frucht von all' dem Blut
und all' den Kosten, welche in dieser Sache sind verschwendet
worden: und wir haben manche Wünsche und heftiges Verlangen in unserem Geiste gespürt, um Mittel und Wege auszufinden, durch welche wir irgendwie als Werkzeuge dienen könnten zur Förderung dieses Zweckes. Wir waren sehr sanft und
nachsichtig lange Zeit hindurch, ja wir beschränkten uns auf
blosse Bitten und Petitionen. Denn da einige der Officiere

Mitglieder waren, und andere mit verschiedenen Mitgliedern des Parlamentes gute Bakanntschaft und sichere Verbindungen hatten, so suchten wir von Zeit zu Zeit solche anzuregen und mit Bitten anzugehen; denn wir dachten, wenn Niemand dagewesen wäre, sie zu bewegen und aufzufordern, so würden diese Dinge auf sich haben warten lassen, aus Ehrlichkeit und Unschuld in Denjenigen, welche es in ihrer Macht hatten, solchen Erwartungen zu entsprechen.

Fürwahr, als wir sahen, dass Nichts gethan werden würde, so thaten wir ein wenig, wie wir dachten, unserer Pflicht gemäss; um sie durch eine Petition zu mahnen. Ich vermuthe, dass Ihr diese gesehen habt: sie wurde übergeben, wie ich mich erinnere, im August des vergangenen Jahres (13. August 1652). Welchen Erfolg dieselbe hatte, ist gleichfalls sehr wohl bekannt. Die Wahrheit ist, dass wir durchaus keine Antwort zu unserer Befriedigung erhielten — einige wenige Worte wurden uns gegeben; die Sachen aber, über die wir Vorstellungen gemacht hatten, oder wenigstens die meisten von ihnen, die waren, sagte man uns, „in Erwägung" („were under consideration"): und diejenigen, über die wir nichts gesagt hatten, fanden wenig oder gar keine Erwägung. Da wir nun fanden, dass das Volk unzufrieden sei in jedem Winkel der Nation, und dass alle Leute uns die Nichterfüllung dieser Dinge zur Last legten, welche versprochen worden waren und welche hätten ausgeführt werden müssen — wahrhaftig, da hielten wir uns selbst dabei interessirt, wenn wir (wie es ehrlichen Leuten geziemt) den Ruf ehrlicher Leute in der Welt behaupten wollten. Und deshalb bemühten wir uns verschiedene Male, Zusammenkünfte mit verchiedenen Mitgliedern des Parlamentes zu halten; — und wir begannen damit nicht eher,

28*

als im October des vorigen Jahres. Und in diesen Zusammenkünften ersuchten wir sie mit aller Treue und Aufrichtigkeit,
dass sie möchten eingedenk sein ihrer Pflicht gegen Gott und
Menschen in der Ausübung der ihnen anvertrauten Gewalt.
Ich glaube (wie viele Gentlemen hier wissen), wir hatten wenigstens zehn oder zwölf Zusammenkünfte; wir baten und ersuchten sie demüthigst, dass sie durch ihre eigenen Mittel jene
guten Dinge fördern möchten, welche versprochen und erwartet
worden waren; damit es so sich zeigen möchte, dass sie dieses
nicht thäten durch irgend eine Anregung von der Armee, sondern aus ihrer eigenen aufrichtigen guten Meinung: so zärtlich
waren wir darin, ihnen den guten Ruf beim Volke zu bewahren.
Und nachdem wir sehr viele von solchen Zusammenkünften
gehalten hatten und indem wir deutlich erklärten, dass der
Ausgang das Missfallen und Gericht Gottes sein würde,
die Unzufriedenheit des Volkes und endlich **die allgemeine Verwirrung aller Dinge:** wie wenig wir auch da
noch durchdrangen, das wissen wir sehr wohl und auch Euch
ist es, glauben wir, nicht unbekannt.

Zuletzt, als wir in der That sahen, dass die Dinge nicht
zu Herzen genommen wurden, hatten wir eine sehr ernste Erwägung unter uns selbst darüber, zu welchen anderen Wegen
wir Zuflucht zu nehmen hätten; und als wir zu noch vertrauteren Erwägungen fortgingen, da begannen sie, die Herren vom
Parlament, **die Akte für eine Repräsentative** zu Herzen
zu nehmen und schienen ausserordentlich willig, sie zur Berathung zu bringen. Und wenn es nur mit Aufrichtigkeit geschehen wäre, so würde nichts unserem Urtheile willkommener
gewesen sein, als das. **Aber es war offenbar die Absicht,
dem Volke nicht das Wahlrecht zu geben;** es würde

nur ein scheinbares Recht gewesen sein: jener Schein,
ihnen eine Wahl zu gewähren, war aber nur dazu bestimmt,
das Haus zu rekrutiren, damit sie um so besser selbst in Amt
und Würden bleiben könnten. Und fürwahr, nachdem man zu
Verschiedenen von uns gesprochen hatte, dass wir uns hierauf
einlassen sollten, wogegen wir fortwährend uns widersetzten,
indem wir schon den Gedanken daran verabscheuten, so gaben
wir (endlich) unser Urtheil dagegen ab und erklärten unsere
Nichtübereinstimmung. Und doch wollten sie nicht eher
von einer Repräsentative hören, obwohl die Sache schon drei
Jahre (!) vor ihnen lag, ohne auch nur eine Linie vorzurücken
oder irgend welchen beachtenswerthen Fortschritt zu machen,
— ich sage, die welche früher nicht von dieser Bill hören
wollten, veranstalteten jetzt, als sie uns zu vertrauteren (ge-
heimeren) Erwägungen übergehen sahen, anstatt ihre Bill nun
aufzuschieben, eine ebenso widersinnige Eile damit nach anderer Richtung hin und rannten nun nach dem entgegengesetzten Extrem.

Da wir fanden, dass dieser Geist nicht Gott gemäss war,
und dass das ganze Gewicht dieser Sache — die doch nothwendig uns sehr theuer sein muss, da wir so oft unser Leben
dafür gewagt hatten, sowie wir auch glauben, dass sie Euch
theuer war — an dem vorliegenden Geschäfte hing; und da
wir deutlich sahen, dass hier durchaus keine Erwägung stattfand, diese Sache zu sichern oder Gewissheit für sie herzustellen, sondern nur das unruhige Volk in der Armee zu durch-
kreuzen, die zu dieser Zeit schon hoch genug in ihrem Missvergnügen gestiegen war: fürwahr, sage ich, als wir dieses
Alles sahen, so konnten wir, da wir die Macht in Händen hatten,
uns nicht entschliessen, solche monströse Vorgänge noch weiter

gehen zu lassen und dadurch all' unsere Freiheit in die Hand
Derjenigen wegzuwerfen, gegen welche wir gefochten (deren
Macht wir ja eben im Kampfe vernichtet hatten*). Wir kamen also zuerst zu diesem Schlusse unter uns, dass, wenn wir
aus unseren Freiheiten und Rechten wären herausgefochten
worden, die Nothwendigkeit uns würde Geduld gelehrt haben;
dieselbe aber träge aufzugeben, das würde uns zu den nie-
drigsten Personen in der Welt machen und werth, für Feinde
Gottes und Seines Volkes angesehen zu werden. Als es Ihm
gefiel, dieses unseren Herzen nahe zu legen und in der That
uns zu zeigen, dass das Ansehen Seines Volkes gering geworden war, dass es durchaus nicht zu Herzen genommen wurde,
sondern dass, wenn die Dinge zu wirklichem Vergleiche gekommen wären, Seine Sache sogar unter ihnen selbst aber auch
in jeder Hinsicht zu Grunde gehen würde: so fügte dieses in
der That mehr Betrachtungen und Ueberlegungen für uns hinzu,
dass nämlich eine Pflicht auf uns läge, ja wirklich, auf uns
(„even upon us"). Und — ich spreche hier in der Gegenwart
von verschiedenen, welche bei dem Schlusse unserer Berathungen zugegen waren, und ich spreche wie vor dem Herrn —
an einen Akt der Gewalt zu denken, das war für uns schlimmer, als irgend eine Schlacht, in der wir uns jemals befunden haben, oder, die jemals stattfinden könnte, selbst bis zur
äussersten Gefahr für unser Leben: so willig waren wir, ja
wirklich, so zärtlich und Verlangen danach tragend, dass diese
Männer ihre Plätze mit Ehren verlassen könnten.

Ich verweile um so länger hierbei, weil es in unserem
eigenen Herzen und Gewissen gewesen ist, was uns rechtfer-

---

*) Presbyterianer und Royalisten, geschlagen bei Preston u. s. w. —

tigte; und doch ist es noch niemals gänzlich irgend einem
mitgetheilt worden; und wir hätten lieber mit Euch beginnen
sollen, als dasselbe zuvor thun — und wir denken in der That,
dass diese Verhandlung sich mehr eignet für eine wörtliche
Mittheilung, als dafür, sie schriftlich aufzusetzen. Ich vermuthe, Derjenige, dessen Styl der sanfteste in ganz England
ist, würde, wenn er sich dieser Geschichte erinnerte, versucht worden sein, mochte er nun wollen oder nicht, seine
Feder tief einzutauchen in Grimm und Zorn. — Aber da die
Dinge sich nun in diesem Stadium befanden („in this posture"),
da wir deutlich sahen, sogar in einigen kritischen Fällen, dass
die Sache des Volkes Gottes ein verachtetes Ding sei; so glaubten wir wahrhaftig, dass jetzt die Hände anderer Männer, als
dieser, die Hände sein müssten, welche für das Werk zu gebrauchen seien. Und wir dachten nun, es sei sehr hohe Zeit,
um uns zu sehen und unserer Pflicht eingedenk zu sein.

Wenn, sage ich, ich Eure Zeit in Anspruch nehmen wollte,
Euch zu sagen, welche Beispiele und Beweise wir haben, unser
Urtheil und unser Gewissen zufrieden zu stellen, dass dieses
nicht eitle Einbildungen sind oder falsche Vorspiegelungen,
sondern Dinge, welche wirklich in den Umfang unseres eigenen
sicheren Wissens fielen, so würde das mich, sage ich, dahin
bringen, was ich vermeiden möchte, nämlich mich zu sehr in
diese Dinge einzumischen. Nur dieses also: wenn irgend Jemand in Mitbewerbung war für irgend einen Platz, der wirkliches und ganz besonderes Vertrauen erforderte, wenn irgend
ein wirkliches öffentliches Interesse in jenem Parlament auf
dem Spiele stand, was für eine harte und schwierige Sache
war es dann, irgend etwas gefördert zu sehen, ohne Parteien
zu machen, ohne Praktiken, die in der That eines Parlamentes

unwürdig waren! Wenn auf diese Weise die Dinge innerhalb
einer höchsten Autorität müssen betrieben werden, so ist es,
denke ich, in der That nicht, wie es sein sollte, um nicht
Schlimmeres zu sagen! — Dann, als wir zu anderen Prüfungen
kamen, wie in jenem Falle von Wales, als wir dort ein Pre-
digeramt einsetzten, welches, wie ich meinerseits gestehen muss,
von mir selbst ist eingerichtet worden —· wenn ich erzählen
sollte, welche Entmuthigung diese Arbeit des armen Volkes
Gottes dort fand (da dasselbe Leute über sich hatte, sie zu bewachen, welche eben so vielen Wölfen gleich waren, bereit, die
Lämmer zu fassen, sobald sie nur zur Welt gebracht), wie offenbar dieses Geschäft im Parlament unter die Füsse getreten
wurde, zur Entmuthigung des ehrlichen Volkes und zur Begünstigung der Malignanten dieses Gemeinwesens! — Ich brauche
nur zu sagen, es war so. Denn viele von Euch wissen, und
zwar durch traurige Erfahrung haben sie es empfunden, dass
es so sei. Und einige werden, hoffe ich, mit Musse Euch besser
den Stand dieser Angelegenheit in Wales mittheilen; denn dieselbe war wirklich für mich und die Officiere eine so vollkommene Probe über ihren Geist, ich meine den im Parlament
herrschenden Geist, als irgend etwas — da es manchen von
uns bekannt war, dass Gott dort einen Samen ausgestreut hatte,
kaum zu vergleichen mit irgend etwas seit der ersten Zeit
(„God had kindled a seed there indeed hardly to be paralleled
since the Primitive time").

Ich. wünschte, dies wären alle Beispiele gewesen, welche
wir in Erfahrung brachten! Da wir jedoch fanden, welchen
Weg die Geister der Menschen gingen, da wir fanden, dass man
nichts Gutes gegen das Volk Gottes beabsichtigte — wenn
ich vom Volke Gottes spreche, so verstehe ich darunter den

weiteren Begriff desselben, der die verschiedenen Formen der Gottseligkeit in dieser Nation umfasst — da wir fanden, sage ich, dass alle liebevolle Sorge für das gute Volk vergessen wurde, obwohl es durch ihre Hand und vermittelst ihrer war, unter dem Segen Gottes, dass Jene dort sassen, wo sie sassen, so hielten wir dieses für eine sehr schlechte Belohnung! Ich will nicht sagen, dass sie zu einer äussersten Unfähigkeit gekommen waren, wirkliche Reformen durchzuführen („working Reformation") — obgleich ich so sagen könnte, in Bezug auf eins: die Reform der Gesetzgebung nämlich, unter welcher man so sehr seufzet, in der Lage, wie es jetzt mit ihr steht. Das war denn doch ein Ding, wofür wir manche gute Worte gesprochen hatten; aber wir wissen, dass viele Monate zusammen nicht hinlänglich waren, um auch nur das eine Wort „Incumbrances" zu erledigen: Ich sage also, da wir fanden, dass dieses der Geist und die Stimmung der Leute sei — obwohl dieses Fehler waren, wofür Niemand seine Hand gegen die höchsten Beamten aufheben würde, nicht einfach für diese Fehler und Nachlässigkeiten — als wir jedoch sahen, dass diese ihre neue Vertretung gemeint war, Männer von solchem Geiste in Permanenz zu erklären; ja, als wir es aus ihrem eigenen Munde hatten, dass sie es nicht ertragen konnten, von der Auflösung dieses Parlamentes zu hören: da hielten wir dieses für einen grossen Bruch des geschenkten Vertrauens. Wenn sie ein solches Parlament gewesen wären, über welches nie die Gewalt gekommen wäre (Pride's Purge etc.), wenn sie so frei und rein dagesessen hätten, als irgend ein Parlament in früheren Zeiten, so würde dieses doch als ein Bruch des Vertrauens erschienen sein, wie er grösser nicht sein kann.

Und damit wir nicht in Zweifel sein möchten über diese

Dinge, so wünschten wir, nachdem wir jene Conferenz unter uns selbst gehabt hatten, von der ich Euch berichtet, noch Eins — und zwar war es in der That in der Nacht vor der Auflösung; zwei oder drei Abend vorher hatten wir den Wunsch geäussert: wir wünschten also, dass wir mit einigen der vorzüglichsten Personen des Hauses sprechen könnten. Auf dass wir mit Aufrichtigkeit ihnen unsere Herzen eröffnen könnten, damit wir entweder überzeugt würden von der Zuverlässigkeit ihrer Intentionen, oder damit sie andererseits gütigst unsere Auswege vernehmen möchten, um diesen Unzuträglichkeiten zu begegnen. Und wirklich konnten wir unseren Wunsch nicht erfüllt sehen, als in der Nacht vor der Auflösung. In unserer Declaration haben wir dieses berührt. Wie ich vorher sagte, zu jener Zeit hatten wir das oft gewünscht und um diese Zeit erlangten wir es: es waren etwa zwanzig von ihnen gegenwärtig, keine von den geringsten, in Erwägung ihrer Theilnahme und ihres Geschickes; und mit ihnen wünschten wir einige Unterhaltung über diese Dinge; und hatten sie denn auch. Und es gefiel diesen Herren hier, den Officieren der Armee, den Wunsch auszusprechen, dass ich für sie ihre Meinung darlegen sollte: was ich denn auch that; und sie ging kurz dahin: Wir sagten ihnen, „dass der Grund unseres Verlangens, ihnen unsere Aufwartung zu machen, jetzt der sei, dass wir von ihnen erfahren möchten, welche Sicherheit in ihrer Art des Vorgehens läge, da sie dieselbe ja so sehr beeilten, um eine neue Repräsentation zu erhalten; worin sie schon einige Bestimmungen erlassen hätten, wie sie auch immer sein mochten; und wie das ganze Geschäft in wirklicher Praxis würde ausgeführt werden: wovon wir bis jetzt noch keine Nachricht hätten; und dennoch seien unsere Interessen, unser Leben, unsere Güter und Familien dabei ernstlich betheiligt; und wir dächten ebenfalls, das ehrliche Volk hätte Theilnahme für uns: wie sollte also alles dieses werden? Damit, wenn es scheinen würde, dass sie in solchen ehrlichen und gerechten Wegen sich zeigen würden, dass sie dem anständigen Interesse Sicherheit gewährten, wir uns dabei beruhigen könnten: oder andererseits, dass sie hören sollten, was wir darzubieten hätten." In der That, als dieser Wunsch geäussert wurde, war die Antwort: „dass Nichts dieser Nation wohl bekommen würde, als die Fortsetzung dieses Parlamentes!" Wir wunderten uns darüber, dass wir solch' eine Entgegnung fänden. Wir sagten wenig darauf:. aber da wir sahen, dass sie uns keine Befriedigung darüber geben würden, dass ihre Wege ehrenvoll und gerecht wären, baten wir sie um Erlaubniss, unsere Einwendungen zu machen. Wir sagten ihnen dann, dass der Weg, auf welchem sie wandelten, unpraktisch sein würde. Dass wir nicht sagen könnten, wie wir eine Akte ausschicken dürften, mit solchen Bestimmungen, dass sie eine Regel wären für das Wählen und Gewähltwerden, bis wir zuerst wüssten, welche die Personen seien, die zur Wahl zugelassen würden. Und vor Allem, ob irgend eine von den Bestimmungen so weit reichte, dass sie die presbyterianische Partei einschlösse. Und wir waren so kühn, ihnen zu sagen, dass keiner von jenem Gerichte, welches ergangen war (über die, welche diese Sache und dieses Interesse veranlasst hätten) irgend welche Macht dabei haben sollte. Wir dachten, wir müssten bekennen, dass wir eben so gut unsere Sache in die Hände von irgend Jemand anders aufgeben könnten, als in die Hände von denjenigen, welche uns verlassen hätten oder welche wie Neutrale wären! Denn es ist ein anderes Ding, einen Bruder zu lieben, sich mit ihm zu vertragen und auch wohl Jemanden

zu lieben von verschiedenem Urtheil in Sachen der Religion;
und ein anderes Ding, irgend Jemanden so fest in den Sattel
zu setzen, dass alle übrigen von seinen Brüdern ihm auf Gnade
und Ungnade übergeben sind.

Fürwahr, meine Herren, nachdem wir eine solche Unter-
redung gehalten hatten, betreffend das Unpraktische des Dinges,
das Hereinbringen von Neutralen und von solchen, welche diese
Sache im Stich gelassen hatten, Leute, die wir sehr wohl kannten; und da wir gleichfalls den Einwand machten, wie gefährlich es sein würde, wenn wir Zusammenläufe des Volkes in den
verschiedenen Grafschaften hervorbrächten (jede Person nämlich, die qualificirt sei oder auch nicht); und wie es für uns
nachtheilig sein würde, dass die Macht in die Hände von Menschen kommen sollte, welche sehr wenig Neigung zu dieser
Sache hätten: so wurde wieder die Antwort gegeben, und zwar
von sehr hervorragenden Persönlichkeiten: „dass Nichts die
Nation retten würde, als die Fortsetzung dieses Parlamentes."
Da dieses so war, so legten wir ihnen demüthig unseren Weg
(„expedient") vor — da ja weder unsere Rathschläge und unsere Einwürfe auf ihre Art des Vorgehens, noch auf ihre Antworten, um dieselben zu rechtfertigen, uns Befriedigung gaben;
auch glaubten wir nicht, dass sie jemals beabsichtigten, uns irgend
welche zu geben, was in der That einige von ihnen seitdem
erklärt haben, dass es wirklich so sei —; unser Weg aber war
in der That dieser: dass wir wünschten, dass man die Regierung
der Nation, welche ja in solch' einer Lage sei, wie wir sahen,
zugleich in so schlimmen Verwickelungen nach Aussen, so dass
sie wahrscheinlich in lauter Verwirrung enden müsste, wenn
wir so fortführen, dass man also die nationale Regierung einigen
wohlgesinnten Männern anvertrauen möchte, und zwar solchen,

welche ein Interesse an der Nation hätten und bekannt wären als von guter Gesinnung gegen das Gemeinwesen. Wir sagten ihnen auch, dass dieses nichts Neues sei, da das Land schon früher unter ähnlichen Verwirrungen gelitten habe. Und wir hatten uns bemüht, Präcedenzfälle aus der Geschichte zu bekommen, um sie davon zu überzeugen; und es wurde von ihnen zugegeben, dass das nichts Neues gewesen sei. Dieses Hülfsmittel boten wir also an aus dem tiefen Gefühle heraus, welches wir von der Sache Christi hatten; und man gab uns die Antwort, von der ich Euch gesagt habe, dass Nichts diese Nation retten könnte, als die Fortsetzung jenes Parlamentes. Die Fortsetzung („continuance"): sie möchten aber wohl nicht dahin zu bringen sein, zu sagen, die Verewigung desselben („perpetuating"); jedoch fanden wir, dass ihre Bemühungen direct dahin gingen; sie gaben uns diese Antwort: „dass das, was wir anböten, von sehr hoher Natur sei und besonders sorgsame Ueberlegung verdiene: wie denn aber Geld würde aufgebracht werden?" — Und noch einige andere Einwendungen machten sie. Wir sagten ihnen, auf welche Art und Weise jenes möglich sei; und dass wir hier ein Mittel anböten, fünfmal besser als jenes ihrige, für welches kein Grund gegeben sei, noch auch unserer Meinung nach gegeben werden könne; und wir verlangten von ihnen, dass sie Alles ernstlich zu Herzen nehmen möchten. Sie sagten uns, sie würden Zeit nehmen für die Erwägung dieser Dinge bis morgen; sie würden sie beschlafen und einige Freunde zu Rathe ziehen: „einige Freunde!" — und dennoch waren dort, wie ich sagte, etwa 23 von ihnen gegenwärtig, und es waren nicht über 53 in dem Hause. Und beim Fortgehen sagten 2 oder 3 der Hauptführer derselben uns, dass sie sich bemühen wollten, weiteres Vorgehen in Betreff ihrer

Bill für eine neue Repräsentative aufzuschieben, bis sie noch
eine Conferenz mit uns gehalten hätten. Und hierüber empfan-
den wir grosse Befriedigung; und wir hatten die Hoffnung, dass,
wenn unser Vorschlag eine liebevolle Besprechung erhalten
würde, wir am nächsten Tage wohl einen derartigen Ausgang
der Sache haben würden, dass er Allen Befriedigung gäbe.
Und damit gingen sie fort, da es schon sehr spät in der
Nacht war.

Am nächsten Morgen erwägten wir, wie wir das anordnen
sollten, was wir ihnen ferner anzubieten hätten am Abend: da
wurde uns Nachricht gebracht, dass das Haus mit aller Eile
vorginge zum Zweck einer neuen Repräsentative! Wir konnten
es nicht glauben, dass solche Personen so unwürdig sein könnten; wir blieben beisammen bis ein zweiter und dritter Bote
kam mit der Nachricht, dass das Haus wirklich in jenem Geschäfte begriffen sei und es fast schon zum Schluss gebracht
habe — und zwar mit jener gewaltsamen Schnelligkeit, wie sie
nie vorher war geübt worden; indem sie Alles ausliessen, was
die förmliche Ausübung der Qualificationen verlangten; und indem sie der Meinung waren, wie wir hörten, dass sie für die
raschere Abfertigung der Sache dieselbe nur in einfacher Lesung,
ohne Eintragung in die Parlamentsakten, wollten durchgehen
machen. — So würden, wie wir es verstehen, die Freiheiten
der Nation weggeworfen worden sein in die Hände derjenigen,
welche niemals für dieselbe gekämpft hätten. Und auf dieses
hin hielten wir es für unsere Pflicht, es nicht zu dulden. —
Und darauf wurde das Haus aufgelöst, eben, als der Sprecher
im Begriff war, die letzte Frage zu stellen. — — —

Ich habe Euch hiermit zu lange schon aufgehalten: aber
wir haben diesen Bericht gegeben, damit Ihr wissen möchtet,

dass dasjenige, was bei der Auflösung des Parlamentes geschehen ist, eben so nothwendig geschehen musste, als die Erhaltung dieser Sache selbst. Und die Nothwendigkeit, welche uns leitete, jenes zu thun, hat uns zu dem gegenwärtigen Ziele hingeführt, einen ausserordentlichen Weg einzuschlagen und besondere Massregeln zu nehmen, um Euch hier zusammenzubringen; und zwar aus dem Grunde, weil Ihr Männer seid, die den Herrn kennen und Seine wundervollen Fügungen beobachtet haben, und die mit dieser Sache betraut werden mögen, so weit, als Menschen überhaupt etwas anvertraut werden kann.

Es bleibt mir jetzt noch übrig, Euch ein wenig ferner noch mit dem bekannt zu machen, was sich auf die Uebernahme dieser grossen Arbeit durch Euch bezieht. Es ist das aber in der That enthalten in dem Papiere hier in meiner Hand, welches sogleich Euch wird übergeben werden zur Lesung*). Aber nachdem wir das gethan haben, was wir gethan haben, aus dem Grunde einer solchen Nothwendigkeit, wie wir jetzt erklärt haben, welche eben nicht eine erdichtete, sondern eine wirkliche Nothwendigkeit war, so geziemte es uns, und zwar zu dem Zwecke, dass wir der Welt die Einfalt unseres Herzens und unsere Lauterkeit offenbaren könnten, wenngleich wir solches gethan hatten, nicht selbst nach der Gewalt zu greifen oder sie in Händen der Militärgewalt festzuhalten, auch nicht für einen einzigen Tag; sondern so weit Gott uns mit Kraft und Geschicklichkeit ausrüstete, die Gewalt in die Hände von tüchtigen Männern („Proper Persons") zu legen, welche von den verschiedenen Theilen der Nation könnten berufen werden.

---

*) Das hier angedeutete Document ist seinem Hauptinhalte nach mitgetheilt „Parliamentary History" XX. 175. —

Diese Nothwendigkeit, und ich hoffe, wir dürfen für uns selbst
sagen, diese Lauterkeit des Entschlusses, das Schwert aller
Macht in der bürgerlichen Verwaltung zu entkleiden, ist gewesen, die uns bewogen hat, Euch hierher zu bemühen: und
da wir dieses ausgeführt haben, so können wir nicht, wie wir
glauben, ohne Belastung unseres eigenen Gewissens, umhin,
Euch etwas darzubieten in Betreff der Uebertragung der Last
auf Eure Schultern („for our own exoneration" in orig.) Das
ist die Praxis von anderen gewesen, welche freiwillig und im
Gefühle ihrer Pflicht sich selbst der Macht entkleidet und die
Regierung in andere (neue) Hände übergeben haben; ich sage,
es ist die Praxis jener gewesen, und entspricht durchaus der
Vernunft, zugleich mit ihrer Autorität einen gewissen Auftrag
zu übergeben, wie dieselbe (die Autorität) auszuüben ist, wie
wir hoffen gethan zu haben, und die Pflicht, sie wohl anzuwenden, nachdrücklich zu betonen: in welcher Hinsicht wir
ein oder zwei Worte Euch zu sagen haben.

Fürwahr, Gott hat Euch zu diesem Werke berufen durch
so wunderbare Fügungen seiner Vorsehung, als jemals hinge-
gangen sind über des Menschen Söhne in so kurzer Zeit. Und
wahrhaftig denke ich, indem ich den Beweis von der Nothwendigkeit hernehme — denn regiert überhaupt muss doch werden — und indem ich zugleich die Erscheinung der Hand
Gottes in dieser Angelegenheit als Beweis annehme, ich denke,
Ihr würdet es nicht gern sehen, wenn die Gewalt in die Hände
von bösen Menschen und Feinden übergeben würde! Ich bin
gewiss, Gott wollte das nicht so. Es ist deshalb auf dem Wege
der Nothwendigkeit an Euch gekommen, auf dem Wege der
weisen Vorsehung Gottes — durch schwache Hände. Und deshalb, denke ich, da es durch unsere Hände kommt, wenngleich

wir so sind, wie wir nun einmal sind, darf es nicht übel genommen werden, wenn wir etwas darbieten (wie ich vorher sagte) in Bezug auf die Uebertragung des Vertrauens, welches jetzt auf Euch ruht. Und wenngleich ich jetzt von dem zu sprechen scheine, was das Antlitz und die Auslegung eines Amtes haben könnte („of a Charge"), so ist dieses doch ein sehr demüthiges: und wenn der, welcher meint, Euer Diener zu sein und der Euch jetzt berufen hat zur Ausübung der höchsten Autorität, sich von dem entlastet („discharge"), von dem er begreift, dass es Eure Pflicht ist, so hoffen wir, dass Ihr dieses gut aufnehmen werdet *).

Und ich werde Euch gewiss nicht lange dabei aufhalten; denn ich hoffe, es ist in Euren Herzen geschrieben, dass Ihr Euch den Beifall Gottes erwerben wollt. Nur diese Stelle der heiligen Schrift werde ich Euch in Erinnerung bringen, die schwer auf meinem Geiste gelastet hat (Hosea 11, 12): „Judah regieret noch mit Gott und ist treu im Glauben in der Gemeinschaft der Heiligen." — Es ist vorhergesagt worden, dass „Ephraim Gott mit Lügen belagerte und das Haus Israel mit Betrug". Wie Gott ist bestürmt worden mit Fasten und Danksagungen und anderen Uebungen und Verrichtungen, das zu

---

*) Der beginnende Lord Protector von England bewegt sich hier offenbar in einigermassen künstlichen Wendungen: er will offenbar nichts anderes sein — dies ist wohl der Sinn des Ganzen — als der getreue Diener oder die gehorsame Executive des Volkswillens, wie dieser in den Repräsentanten des Volkes sich ausspricht. Er will auch den leisesten Schein vermeiden, als ob er etwas aus sich selbst sei, wie König Karl oder seine Prinzen und Anhänger es beanspruchten. Er will nichts sein, als das Schwert des Volkes Gottes: dieses soll sich nur richten gegen seine Feinde, nie aber in die bürgerliche Verwaltung eingreifen. Deshalb also ist ein neues Parlament berufen worden. —

beklagen haben wir, denke ich, alle Ursache. Fürwahr, Ihr seid durch Gott berufen worden, „wie Judah war, mit ihm zu regieren" und für ihn. Und Ihr seid berufen, in treuem Glauben zu verharren mit den Heiligen, welche Werkzeuge gewesen sind Eurem Rufe. Und ferner (Sec. Samuel 21, 3): „Er, der herrschet über die Menschen," sagt die Schrift, „muss gerecht sein, indem er herrschet in der Furcht Gottes."

Und es ist wahrlich besser, für Euch zu beten, als Euch in jener Angelegenheit zu rathen, dass Ihr das Urtheil der Wahrheit und Barmherzigkeit ausüben möchtet. Es ist besser, sage ich, für Euch zu beten, als Euch zu rathen; um zu bitten Weisheit vom Himmel für Euch; was, wie ich vertraue, viele Tausende von Heiligen an diesem Tage thun und gethan haben und thun werden, durch die Gnade Gottes und seinen Beistand. Ich sage, es ist besser, zu beten, als zu rathen: jedoch gedenke ich in Wahrheit einer anderen Schriftstelle, welche sehr nützlich ist, wenngleich sie eine allgemeine Anwendung zu haben scheint auf jeden Menschen als einen Christen — in welcher Stelle ihm gerathen wird, um Weisheit zu bitten, und es ihm gesagt wird, was das sei. Es ist die Weisheit von droben („Above"), sagt man uns: sie ist rein, friedlich, sanftmüthig und leicht zu unterhalten, voll von Gnade und goldenen Früchten; sie ist ohne Parteilichkeit und ohne Scheinheiligkeit. Wahrlich, meine Gedanken gingen sehr auf diese Stelle, dass Ihr zur Ausführung des Gerichtes (des Urtheiles der Wahrheit, denn das ist das Gericht) Weisheit „von oben" haben müsst („from Above"); und die ist „rein" („pure"). Das wird Euch lehren, das Urtheil der Wahrheit auszuüben; denn dieses ist ohne Parteilichkeit. Reinheit, Unparteilichkeit, Aufrichtigkeit: dies sind die Wirkungen der Weisheit, und diese werden Euch helfen, das Urtheil der Wahrheit auszuführen. Und dann, wenn Gott Euch Herzen giebt, leicht zu erbitten, dass sie zum Frieden gestimmt seien und voll·von guten Früchten, gute Früchte der Nation bringend, den Menschen als Menschen, dem Volke Gottes, Allen in ihren verschiedenen Stellungen — so wird dieses Euch lehren, das Urtheil der Gnade und Wahrheit auszuführen. Und ich habe wenig mehr hinzuzufügen zu diesem. Ich werde vielmehr meine Bitten für Euch deshalb verwenden, wie ich sagte, und viele Andere werden ebenso thun.

Fürwahr, das Urtheil der Wahrheit, es wird Euch lehren, eben so gerecht zu sein gegen einen Nichtglaubenden, als gegen einen Glaubenden; und es ist unsere Pflicht, so zu verfahren. Ich gestehe, ich habe zuweilen gesagt, in thörichter Weise, mag sein: ich möchte lieber mich irren gegen einen Glaubenden, als gegen einen Nichtglaubenden. Dies mag paradox erscheinen: aber lasst uns uns in Acht nehmen, das zu thun, was böse ist für jeden von beiden! O, wenn Gott Eure Herzen mit solch' einem Geiste erfüllte, wie Moses hatte und wie Paulus hatte — welcher nicht war ein Geist für Gläubige allein, sondern für das ganze Volk! Moses, er konnte sterben für sie und sich ausgelöscht wünschen aus dem Buche Gottes; Paulus konnte sich selbst verworfen wünschen nach dem Fleische für seine Mitbürger: so voll von Liebe war ihr Geist für Alle. Und wahrlich, dieses würde Euch helfen, das Urtheil der Wahrheit auszuführen und auch das der Gnade.

Ein zweiter Punkt ist dieses, zu wünschen, dass Ihr getreu sein möchtet gegen die armen Heiligen, dass Ihr von ihrem Wesen ergriffen sein möchtet. Und ich hoffe, was auch immer Andere denken mögen, es möge ein Gegenstand der Freude für uns alle sein, unsere Herzen gerührt zu fühlen, wie (mit Ehr-

29 *

furcht sei es gesagt) Christus, der voll vom Geiste war, gerührt
wurde über unsere Schwächen, so dass er barmherzig sein
konnte. So sollten wir sein; wir sollten mitleidsvoll sein.
Wahrlich, dies ruft uns auf, uns durch die Schwächen der
Heiligen ernstlich rühren zu lassen: damit wir Ehrfurcht vor
Allen haben und mitleidsvoll und zärtlich gegen Alle sind, obwohl sie von verschiedenem Urtheil. Und wenn es scheinen
sollte, dass ich etwas spräche, was sich bezöge auf jene vom
presbyterianischen Glauben — so denke ich wahrhaftig, wenn
wir nicht ein Interesse der Liebe auch für sie haben, so werden wir kaum der Treue gegen die Heiligen entsprechen.

In meiner Pilgerschaft und in einigen Uebungen, die ich
draussen in der Welt gehabt habe, las ich oft jene Stelle der
Heiligen Schrift, 41 Isaiah; wodurch Gott mir und einigen
meiner Genossen Ermuthigung gab in dem, was Er dort und
sonstwo thun wollte; was Er wirklich für uns ausgeführt hat.
Er hat gesagt: „Er wolle die Ceder in der Wildniss pflanzen,
den Shittah-Baum und den Myrthenstrauch und den Oelbaum,
und er wollte in der Wüste die Kiefer pflanzen und die Tanne
und den Buchsbaum zusammen." Zu welchem Zwecke will der
Herr alles dieses thun? „Auf dass sie sehen mögen und erkennen und betrachten und zugleich wohl verstehen, dass die
Hand des Herrn dies gethan hat; dass Er es ist, der alle die
Rettung und Befreiung gewirkt hat, die wir empfangen haben.
Zu welchem Zwecke! Zu sehen und zu erkennen und zu verstehen, Alle zusammen, dass Er alles dieses gethan und gewirkt
hat für das Wohl der ganzen Heerde*)! Daher ersuche ich

---

*) „Even so. For ‚Saint's read' ‚Good Men'; and it is true to the end
of the world."   Carlyle.

Euch — aber ich denke, es ist nicht nothwendig — habet Sorge für die ganze Heerde! Liebet die Schäflein, liebet die Lämmer; liebet Alle, seid nachsichtig gegen Alle, unterstützt und berücksichtiget Alle in allen Dingen, welche gut sind. Und wenn der ärmste Christ, der am meisten irre geleitete Christ wünschen wird, friedlich und ruhig unter Euch zu leben — ich sage, wenn irgend Jemand wünschen sollte, nur ein Leben der Ehrbarkeit und Gottseligkeit zu führen, so lasst ihn des Schutzes geniessen („let him be protected").

Ich denke, ich brauche nicht zu rathen, noch weniger Euch zu drängen, dass Ihr Euch um die Ausbreitung des Evangeliums bemühen sollt; dass Ihr die Prediger ermuthigen sollt, und zwar solche Prediger, solche Diener der Kirche, welche in dem Lande getreu sind, auf denen der wahre Charakter ruht. Männer, die den Geist empfangen haben, welche zu unterscheiden die Christen schon fähig sein werden und deren Willen sie ausführen werden; Männer, die „Gaben von Ihm empfangen haben, der zur Höhe aufgefahren ist, der das Gefängniss gefangen geführt, zu geben Gaben den Menschen, eben für dieses selbe Werk des geistlichen Predigtamtes!" Und wahrlich, der Apostel redet noch an einer anderen Stelle im 12. Capitel des Römerbriefes, nachdem er alle Gnaden Gottes und die Güte Gottes aufgezählt und in den früheren Capiteln von der Begründung des Evangeliums gesprochen hat, und von jenen Dingen, welche der Gegenstand sind jener ersten 11 Capitel, da ersucht er sie, „ihren Leib zu begeben zum lebendigen Opfer". — Er ersucht sie, dass sie nicht hoch von sich selbst denken mögen, sondern demüthig sein und nüchternen Geistes, und dass sie nicht über ihre Grenze hinausgehen sollen; und dass sie auch Sorge tragen sollen für jene, welche Gaben empfangen haben zu dem Gebrauche, der dort erwähnet ist. Ich spreche nicht — Gott sei Dank, ist das fern von meinem Herzen — für ein Predigtamt, welches sich vom Papstthum ableitet und Anspruch macht auf das, worauf man so ganz besonders besteht, auf die „Succession". Die wahre Nachfolge geschieht durch den Geist, der verliehen wird nach seinem Masse („given in its measure"). Der Geist wird gegeben zu jenem Gebrauche, um geeignete Verkündiger von Gottes ewiger Wahrheit herzustellen; und das ist die rechte Nachfolge. Aber ich brauche nicht von diesen Dingen zu Euch zu sprechen, die ihr, wie ich überzeugt bin, von Gott belehret werdet, viel mehr und in grösserem Masse, als ich selbst, (wenigstens) was diese Dinge anbetrifft.

In der That habe ich nur noch Ein Wort Euch zu sagen; obgleich ich in diesem vielleicht Euch meine Schwäche zeigen werde: es ist dieses, dass wir auf dem Wege der Ermuthigung vorwärts gehen wollen in diesem Werke. Und erlaubet mir, folgendermassen zu beginnen. Ich gestehe, dass ich niemals erwartet habe, solch' einen Tag, wie diesen zu sehen — und wahrscheinlich auch Ihr nicht — einen Tag, an welchem Jesus Christus so sollte angeeignet werden, als Er es ist an diesem Tage, in diesem Werke. Jesus Christus ist an diesem Tage uns zu eigen geworden durch die Berufung von Euch, und Ihr eignet Euch Ihn an durch Eure Willigkeit, an Seiner Statt zu erscheinen. Und Ihr zeiget, sofern arme Creaturen es vermögen, dass dieses ein Tag ist der Macht Christi. Ich weiss, Ihr erinnert Euch wohl jener Schriftstelle: „Er macht Sein Volk willig am Tage Seiner Macht." Gott offenbaret es, dass dies der Tag der Macht für Christus ist; indem er durch so viel Blut und so viel Prüfung, als auf diesen Nationen gelegen hat, dieses zu einem der grossen Erfolge und Endziele davon gemacht hat: „dass Er Sein Volk berufen hat zur höchsten Autorität". Er macht dieses dazu, die grösste Gnade zu sein, die nächste nach Seinem eigenen Sohne. Gott hat sich Seinen Sohn zu eigen gemacht, und Er hat Euch Sich angeeignet, und bewirkt, dass Ihr Ihn zu eigen habt. Ich gestehe, ich erwartete niemals, solch einen Tag gesehen zu haben; nein, wirklich nicht. — Vielleicht seid Ihr nicht bekannt von Ansehen der Eine dem Anderen, ja, ich bin gewiss, Ihr seid Euch fremd, da Ihr von allen Theilen der Nation herkommt, wie Ihr thut: aber wir werden Euch sagen, dass wir in der That uns selbst nicht die Wahl von irgend Jemandem gestattet haben, in welchem wir nicht diese Erwartung hegten, dass in ihm der Glaube an Jesus Christus sei und die Liebe zu all' seinem Volk und seinen Heiligen*)

So hat Gott Euch Sich zu Eigen gemacht in den Augen der Welt, und so eignet Ihr Euch Ihn an dadurch, dass Ihr hierher kommt: und wie es heisst in Isaiah 43, 21: „dies Volk, sagt Gott, habe ich mir zugerichtet für mich selbst, es soll meinen Ruhm erzählen" — das ist ein hoher Gedanke; und sehet wohl in Euer eigenes Herz, ob jetzt oder künftig Gott es auf Euch wird anwenden. Ich sage, es ist eine denkwürdige Stelle, und ich hoffe, nicht unpassend angewendet: der Herr lege es jedem von Euch an sein Herz. Ich werde nicht über die Worte ein langes Gerede machen; sie sind klar: in der That, Ihr seid so ähnlich dem Ebenbilde Gottes, als jemals ein Volk gewesen ist. Wenn Jemand Euch ein Buch darreichen würde, Euch darauf schwören zu lassen, so darf ich mich auf

---

*) „What a Parliament! Unexampled before and since in this world!"
Carlyle.

alle Eure Gewissen berufen, dass Ihr weder direkt noch indirekt darnach gestrebt habt, hierher zu kommen. Ihr seid leidend gewesen in Eurem Hierherkommen; Ihr seid berufen worden — und das ist fürwahr eine Thätigkeit, obwohl nicht Eurerseits! „Dieses Volk habe ich mir zugerichtet" („I formed"): erwäget die Umstände, durch welche Ihr hierher berufen seid; durch welche Kämpfe, durch wie viel Blut Ihr hierher gekommen seid (Marston Moor, Naseby, Dunbar, Worcester etc.) — da doch weder Ihr, noch ich, noch irgend Einer der Lebenden vor drei Monaten irgendwie daran dachte, solch' eine Versammlung die höchste Autorität über diese Nation übernehmen zu sehen oder vielmehr sie berufen zu sehen, sie zu übernehmen. Daher, macht Euch Eure Berufung zu eigen! In der That, ich denke, es darf in Wahrheit gesagt werden, dass es niemals eine höchste Autorität gab, aus solch' einem Körper (Body = Leib Christi) bestehend — über 140 Mitglieder, glaube ich; niemals einen solchen Körper, der in die früher bestehende höchste Autorität hineingelangte, unter solch' einer Idee, wie dieser, in solch' einem Wege, sich Gott zu eigen zu machen, und durch Ihn angeeignet zu werden, Ihm anzugehören. Und deshalb darf ich auch sagen, niemals vorher wurde solch' ein Volk, so gebildet, für solch' einen Zweck, auf solche Weise berufen.

Wenn die Zeit dazu angethan wäre, Eure Stellung mit der jener zu vergleichen, welche durch die Stimme des Volkes sind berufen worden — (was würde das Resultat sein?) — Doch wer kann sagen, wie bald Gott das Volk für so etwas befähigen kann! Niemand kann es mehr wünschen als ich! Ich möchte nur, dass alles Volk des Herrn wie Propheten und Seher wären! Ich möchte, dass Alle geeignet wären, berufen zu werden. Es sollte das Verlangen unserer Herzen sein, die Menschen dahin gebracht zu sehen, dass Interesse Jesu Christi sich anzueignen. Und erlaubet mir zu sagen: ob es irgend etwas in der Welt giebt unseres Wissens, was wahrscheinlicher das Volk für das Ansehen Jesu Christi gewinnen wird und für die Liebe zum gottseligen Leben (welche ernstere Pflicht ist also Euch aufgelegt, da Ihr auf diese Weise berufen seid), als ein demüthiger und gottseliger Verkehr untereinander? So, dass sie sehen mögen, dass Ihr sie liebet; dass Ihr Euch hingebet, Eure Zeit und Euren Geist, für sie! Ist dies nicht der beste Weg, sie zu ihrer Freiheit zu bringen*)? Und leget Ihr es hierdurch nicht Gott anheim, Zeit und Gelegenheit für Euch auszufinden, die rechte Zeit, Seinen Geist kund zu geben? Wenigstens überzeugt Ihr sie, dass, wie Männer, die Gott fürchten, sie aus ihrer Sklaverei unter der königlichen Gewalt herausgekämpft haben, so auch gottesfürchtige Männer sie jetzt regieren in der Furcht Gottes und Sorge tragen, Gutes unter ihnen auszutheilen. — Aber dies ist eine Abschweifung. Ich sage, eignet Euch Eure Berufung an, denn sie ist von Gott. In der That, sie ist eine wundersame, und sie ist nicht beabsichtigt gewesen. Es ist noch nicht lange her, seitdem Ihr oder wir dazu kamen, von derselben zu wissen. Und in der That, dies ist der Weg gewesen, den Gott uns Alle geführt hat, dass Er Alles von unseren Augen fern hielt, so dass wir nichts gesehen haben im Voraus in allen Seinen Fügungen; — was auch einigermassen ein Zeugniss ist für die Lauterkeit unserer Gesinnung. Ich sage, Ihr seid durch einen hohen Ruf berufen worden**). Und

---

*)„ To make them free by being servants of God; free, and fit to elect for Parliament!"   Carlyle.

**) „Husht, my friend, it is incredible! A flat impossibility, how can it be believed? To the human Owl, living in his perennial London Fog,

warum sollten wir uns scheuen, zu sagen oder zu denken, dass
dieses das Thor sein könnte, um die Dinge einzuführen, die
Gott versprochen hat: von diesen ist ja prophezeihet worden;
und auf sie zu harren und zu warten, hat Er die Herzen Seines
Volkes bestimmt. Wir wissen, welche diejenigen sind, die mit
dem Lamme gegen Seine Feinde den Krieg führen werden: sie
werden sein ein Volk, berufen und auserwählt und getreu.
Und Gott hat auf dem Wege des Krieges — das dürfen wir
sagen ohne uns selbst zu schmeicheln, und ich glaube, Ihr
wisset es — Er hat sich offenbaret in ihnen, in jenem selben
Volke und für sie; und jetzt, in dieser bürgerlichen Macht und
Autorität, offenbart Er sich nicht auch darin? Dies sind nicht
üble Vorboten des Gottes auf den wir warten. In der That,
ich denke, es ist etwas an der Thür: wir stehen an der
Schwelle; — und daher geziemt es uns, unsere Häupter aufzuheben und uns selbst in dem Herrn zu ermuthigen. Und
wir haben gedacht, mehrere von uns, dass es unsere Pflicht
sei, diesen Weg zu versuchen, und nicht blos nach jener
Prophezeihung im Daniel hinzuschauen: „Und das Königthum
soll nicht überliefert werden einem anderen Volke", und in
passiver Weise darauf zu warten. Fürwahr, Gott hat dieses
Euch in die Hand gegeben dadurch, dass Er Euren Ruf sich

---

in his twilight of all imaginable corrupt Exhalations, and with his poor
head, too, overspun to such extent with red-tape, parliamentary eloquence,
force of public opinion and such like, how shall the Azure Firmaments and
Everlasting Stars become credible! They are and remain incredible. From
his shut sense all light—rays are victoriously repelled; no light shall get
admittance there. In no Heaven's-light will he for his part ever believe;
—till at last, as is the necessity withal, it come to him as lightning!
Then he will believe it."

                                                        Carlyle.

zu eigen machte, und indem Er die militärische Streitkraft segnete. Der Herr hat ihre Herzen gerichtet, dass sie ein Werkzeug seien, Euch zu berufen; und Er hat es uns an's Herz gelegt, die Macht zu überliefern einem anderen Volke (eben Euch).
— Aber es könnte scheinen, als ob ich hier über meine Grenzen hinausgehe; diese Dinge sind dunkel. Ich wünsche nur,
dass meine Empfindungen in diesen Dingen geübt seien, und so
hoffe ich es auch von den Eurigen.

Fürwahr, da wir sehen, dass die Dinge sich so verhalten,
dass Ihr an dem Eckstein der Versprechungen und Prophe-
zeihungen angelangt seid — so dürfen wir wenigstens das sagen,
wenn es auch durchaus keine Versprechungen oder Prophe-
zeihungen gäbe, so fördert Ihr doch die besten Dinge, und bemüht Euch um das Beste; und wie ich sonst schon gesagt
habe, wenn ich irgend einen Diener wählen sollte, den geringsten Officier für die Armee oder das Gemeinwesen, so
würde ich einen gottseligen Mann wählen, der Principien
hat. Zumal dort, wo ein Vertrauensposten soll übergeben werden. Denn ich weiss, wo man einen Mann haben muss, der
Principien hat. Ich glaube, wenn irgend einer von Euch einen
Diener wählen sollte, so würdet Ihr es ebenso machen. Und
ich möchte nur, dass alle unsere Magistratspersonen in solcher
Weise gewählt würden; — dieses könnte ausgeführt werden,
und es würde gute Wirkungen haben! Gewiss, es ist unsere
Pflicht, Leute zu wählen, die den Herrn fürchten und die den
Herrn preisen werden: solche hat der Herr geformt und zugerichtet für sich selbst; und Er erwartet keinen Preis von
anderen, als von solchen!

Da dies nun so ist, so bringt es mir eine andere Schrift-

stelle in Erinnerung, jenen berühmten Psalm, den 68. Psalm; der
in der That eine glorreiche Prophezeihung ist, wie ich überzeugt
bin, von den Kirchen des Evangeliums („of the Gospel Churches")
— ja, es mag sein, auch von den Juden. Dort steht die Prophezeihung: „dass Er Sein Volk wiederbringen will aus den Tiefen
der See, wie Er einst Israel durch das rothe Meer geleitet
hat." Und es kann auch sein, wie Einige denken, dass Gott die
Juden heimbringen wird zu ihrem Standorte („station") von den
Inseln der See und ihren Erwartungen antworten (entsprechen)
wird wie aus den Tiefen des Meeres. Aber in jedem Falle
bin ich gewiss, wenn der Herr die Glorie der evangelischen
Kirche aufrichten wird, so wird es sein ein Sammeln des Volkes, wie aus tiefen Wassern, wie aus der Menge der Gewässer
heraus: so ist Sein Volk, ausgewählt aus der Menge der Nationen und aus dem Volke dieser Welt. — Und wahrlich, jener
Psalm ist in vielen anderen Theilen ebenfalls überaus herrlich:
wenn Er sie sammelt — gross war die Gemeinschaft derer,
welche Sein Wort verkündigen. „Könige über ganze Armeen
flohen schnell, und sie, welche zu Hause harrte, theilte die
Beute"; und „Obgleich Ihr im Felde gelegen habt, so werdet
Ihr doch sein wie die Schwingen einer Taube, bedeckt mit
Silber und von Gold schimmerndem Gefieder". („Hah!") Und
in der That, der Triumph in jenem Psalm ist ausserordentlich
hoch und gross; und Gott bringt ihn zur Erfüllung. Und der
Schluss desselben — das ist ein Schluss, wie aus meinem Herzen gesprochen und ich zweifle nicht, auch aus dem Eurigen:
„Der Herr erschüttert die Hügel und die Berge und sie be-
ginnen zu taumeln." Und Gott hat ebenfalls einen Hügel,
„Einen solchen Hügel, wie den Hügel von Bashan: und die

Streitwagen Gottes sind 20000, ja sogar Tausende von Engeln, und Gott wird wohnen auf diesem Hügel für ewig"*)!

Ich bedaure, dass ich Euch so lange bemüht habe in einem Raume von solcher Hitze, wie dieser ist. Alles, was ich zu sagen habe in meinem eigenen Namen, wie in dem meiner Mitofficiere, welche sich mit mir in diesem Werke verbunden haben, ist dieses: dass wir Euch anempfehlen wollen der Gnade Gottes, der Führung Seines Geistes: und nachdem wir Euch soweit unsere Dienste gewidmet haben, oder vielmehr unserem Herrn Jesus Christus mit Beziehung auf Euch, so werden wir auf unseren Posten bereit sein, wie die Vorsehung Gottes uns leiten wird, uns dienstbar zu erweisen dem ferneren Werke Gottes und jener Autorität, welche wir als eine solche ansehen werden, die Gott über uns gesetzt hat. Und obgleich wir Euch nichts Formelles darzubieten haben, was unterschrieben wäre von den Officieren und Soldaten der drei Nationen von England, Schottland und Irland; so dürfen wir doch von ihnen sagen, und wir dürfen das auch mit Vertrauen für unsere Brüder zur See sagen — mit welchen übrigens weder in Schottland und Irland, noch auch zur See, irgend ein künstliches Mittel ist gebraucht worden, um ihre Zustimmung zu diesem Werke durch Ueberredung hervorzubringen — dass nichtsdestoweniger ihre Zustimmung uns zugeströmt ist von allen Seiten über all' unsere Erwartungen hinaus: und wir dürfen mit allem

---

*) „Procul Profani! The man is without a soul that looks into this Great Soul of a man, radiant with the splendours of very Heaven, and sees nothing there but the shadow of his own mean darkness. Ape of the Dead Sea, peering asquint into the Holy of Holies, let us have done with Thy commentaries! Thou canst not fathom it."

Carlyle.

Vertrauen sagen, dass, wie wir ihre Billigung und volle Uebereinstimmung zu der früheren Arbeit haben, so Ihr ihre Herzen
und Neigungen für dieses Werk. Und nicht allein die ihrigen:
wir haben sehr viele Papiere von den christlichen Gemeinden
in der ganzen Nation, in wunderbarer Weise billigend, sowohl
was geschehen ist in der Beseitigung von Hindernissen, als
auch was wir in eben diesem Werke selbst gethan haben. Und
nachdem ich dies gesagt habe, werden wir Euch nicht ferner
bemühen. Wenn es Euch aber gefallen wird, dass dieses Document hier zur Lesung gelange, welches ich nach dem Rathe
der Officiere des Kriegsrathes unterzeichnet habe — so werden
wir Euch denn also Euren eigenen Gedanken und der Führung
Gottes überlassen; damit Ihr über Euch selbst verfügen könnt
für ein-ferneres Zusamenkommen, wie Ihr dafür Veranlassung
finden werdet.

Ich habe nur dieses noch hinzuzufügen. Da die Angelegenheiten der Nation in unsere Hand gelegt sind, dass wir Sorge
dafür tragen sollen, und da wir wissen, dass beïde, die Angelegenheiten zur See und die Armeen in Irland und Schottland,
sowie auch die Fürsorge für Alles, um Unannehmlichkeiten vor-
zubeugen und zufälligen Ereignissen zu begegnen, erforderte,
dass keine Unterbrechung eintreten sollte, sondern dass für
alle diese Dinge gesorgt würde; und da wir ebenso voraussahen,
dass einige Zeit nöthig sein würde, bevor Ihr Euch selbst in
solcher Weise einrichten könnt in Ort, Zeit und anderen Umständen, wie sie Euch gefallen werden, um innerhalb ihrer vorzugehen — welche Zeit das Gemeinwesen aber nicht ertragen
kann in Bezug auf die Weiterführung der Angelegenheiten: so
habe ich, vor einer Woche etwa, einen Staatsrath eingesetzt,
welchem die Führung der Geschäfte ist übertragen worden.

Welche, wie ich sagen darf, äusserst willig und freimüthig sich zu der Arbeit verpflichtet haben, bevor sie sehen, wie der Ausgang der Dinge sein wird; acht oder neun von ihnen sind ja Mitglieder des letzten Hauses. — Ich sage, ich übte diese Macht aus, welche, wie ich glaubte, zu jener Zeit mir gegeben ward, und zwar zu dem Zwecke, dass der Gang der Angelegenheiten keine Unterbrechung erleiden möchte. Und jetzt, da Ihr zusammengekommen seid, wird es einige Zeit erfordern, Eure Angelegenheiten zu ordnen und das Verfahren, dass Ihr beobachten wollt. Und andererseits darf kein Tag verloren gehen oder müssig zugebracht werden, sondern sie müssen in fortwährender Berathung bleiben, bis Ihr weiter sorget; so dass Alles in ihrer Berathung Vorgehende, auch dass, was sie selbst betrifft, zu Eurer Disposition steht, wie Ihr es für gut finden werdet. Und daher hielt ich es für meine Pflicht, Euch genau hiermit bekannt zu machen, um Unordnungen zuvorzukommen auf Eurem Wege: dass die Dinge so sind geordnet worden; dass Eure Angelegenheiten nicht stillstehen werden, sondern unterdessen vorwärts gehen — bis Ihr Ursache findet, diesen Staatsrath zu verändern; denn sie haben keine Autorität und dürfen nicht ferner ihre Sitzungen fortsetzen, wenn Ihr nicht weitere Fürsorge treffet." — — —

So weit die erste Rede Oliver's, gehalten am 4. Juli 1653 vor dem Barebone-Parliament zu London. Die Rede hat solchen Sinn und spricht so deutlich, dass jeder weitere Commentar dazu überflüssig erscheint. Sie ist vielleicht das bedeutendste unter den erhaltenen Documenten über die innere Geschichte der englischen Revolution: wir haben es daher für nothwendig gehalten, sie vollständig mitzutheilen. — — —

4. Der Lord Protector und sein erstes Parlament.

Die Wirksamkeit des kleinen Parlamentes entsprach im
Anfange durchaus den hohen Erwartungen, welche die Rede Oliver Cromwell's bei allen Kundigen erregen musste. Die besten
Berichterstatter stimmen darin überein, dass diese aus den zu-
verlässigsten Gottseligen im Lande zusammengesetzte Versammlung mit dem heiligsten Ernste an die schwere Arbeit heran-
ging, unter den alten eingerosteten Vorurtheilen und Miss-
bräuchen im Lande gründlich aufzuräumen: Die Verbesserung
der Rechtspflege, die versuchte Aufhebung des „Court of Chan-
cery" — einer Art „Reichskammergerichtes" mit etwa 25000
alten Processen, die bereits seit 20 bis 30 Jahren den Advocaten die Taschen füllten, um sie den Processirenden zu leeren —
die Aufhebung der Schuldhaft, der Entwurf eines neuen Gesetz-
buches überhaupt, die Einführung der Civil-Ehe, das Verbot
der Duelle, die Verwerfung der Patronats-Rechte und die Aufhebung der Zehnten, kurz, alle diese modern-liberalen Reform-
Tendenzen, um deren Durchführung bis auf den heutigen Tag
noch der Kampf des Volkes in allen Ländern sich dreht —
fürwahr, es sind das für eine Zeit, die bereits 200 Jahre hinter
uns liegt, so respectable Versuche zu einer principiellen Verbesserung des gesellschaftlichen Zustandes in England, dass
wir eine vollständig klare Einsicht gegenwärtig darüber haben,
von welcher Seite her die Reaction kam, welche die consequente
Durchführung dieser Reformen damals, wie später mehrmals,
zu hintertreiben wusste. Genug, es entstanden bald solche
Streitigkeiten im Schosse der Versammlung selbst, dass die
Cromwell ergebene Minderheit sich veranlasst sah, eine Akte

der Resignation aufzusetzen, durch welche sie die ihnen übertragene Civilgewalt in die Hände des Lord-Generals zurückgaben. Die Mehrzahl der Mitglieder schloss sich allmälig an; die noch Widerstrebenden wurden mit sanfter, aber ernster Gewalt aus dem Sitzungssaale hinausgetrieben. Und nachdem in dieser Weise der vorzugsweise von Harrisson begünstigte Versuch der Aufrichtung einer parlamentarischen Civil-Gewalt neben der militärischen Autorität misslungen war, ein Versuch, der durch die eigenthümliche Vermischung von Religion und Politik freilich seine besondere Färbung erhielt, so trat nun die bereits früher geltend gemachte Forderung Lambert's in den Vordergrund: man müsse von allen positiven (orthodoxen) geistlichen Bestrebungen vorläufig Abstand nehmen und jeden guten Christen seiner inneren Ueberzeugung ruhig überlassen, so lange er selbst nicht die öffentliche Ruhe und Ordnung in auffallender Weise störe; die weltliche Regierung aber müsse fest in wenigen zuverlässigen Händen concentrirt werden. Oliver Cromwell müsse daher persönlich zur höchsten Civil-Gewalt erhoben werden, nicht unter dem Namen eines Königs, sondern vielmehr unter dem eines Lord Protectors der englischen Republik. Es war dieser Titel bereits in früheren Zeiten mehrfach angewendet worden, wenn ein Stellvertreter im Namen eines noch unmündigen Fürsten die Regierung geführt hatte: er bedeutete also für das englische Volk Vormundschaft für einen zu Erwartenden, Schutz aller wesentlichen Interessen des Landes und machtvolle Hut und Vertheidigung aller Personen und Güter, die in der öffentlichen Ordnung des Landes einbegriffen waren. Als Protector von England veranstaltete Cromwell dann die Verbindung mit Schweden und schloss den Frieden mit Holland, wie bereits früher erwähnt

wurde*). Aber ein Parlament konnte nicht auf die Dauer entbehrt
werden: nach einem bestimmten Census wurde wieder ein neues
gewählt, von 400 Mitgliedern; am 3. September 1654 ward es
eröffnet. Am 4. September hielt der Lord Protector vor demselben seine Antritts-Thron-Rede, wie vor dem kleinen Parlament. Wir geben den Anfang auch dieser Rede, so wie einige
der wichtigsten Partien der folgenden Reden, indem wir dadurch besser, als durch eigene Reflexionen, das rechte Licht
über die Grundzüge im Charakter des Protectors zu verbreiten
glauben: wir lassen ihn eben selbst reden:

Die zweite Rede beginnt folgendermassen:

„Gentlemen!

Ihr seid hier zusammengekommen auf die grösste Veranlassung hin, die, meiner Meinung nach, England jemals gesehen hat: denn Ihr habet auf Euren Schultern die Interessen
von drei grossen Nationen mit den Ländergebieten, welche zu
ihnen gehören; — ja, wahrlich! ich glaube, ich darf es sagen
ohne Uebertreibung, Ihr habt die Interessen alles Christenvolkes
in der Welt auf Euren Schultern. Und man erwartet deshalb,
dass ich Euch wissen lasse, soweit ich Kenntniss davon habe,
die Veranlassung Eurer jetzigen Vereinigung.

Es ist Euch in der heutigen Predigt sehr gut angedeutet
worden, dass Ihr hierher kommt, um die eben genannten Interessen in Ordnung zu bringen: denn Eure Arbeit hier wird
sich in dem Erfolge und den Consequenzen derselben so weit
erstrecken, für alles christliche Volk eben. In der Art und

---

*) Das Nähere hierüber siehe bei Ranke IV, 114 ff., zu dessen geist-
voller Darstellung die Original-Documente bei Carlyle die beste Ergänzung
und Berichtigung darbieten.

Weise meines Sprechens zu Euch werde ich mich der Einfachheit befleissigen; und ich will zu Euch sprechen, was Wahrheit
ist und was mir am Herzen liegt und was einigermassen an
diese grossen Interessen heranreichen wird.

Nach so vielen Wechseln und Wendungen, unter welchen
diese Nation gelitten hat, einen solchen Tag der Hoffnung zu
haben, wie dieser ist, und solch' ein Thor der Hoffnung, durch
Gott uns geöffnet, das, glaube ich wirklich, würde noch vor
einigen Monaten als über alle unsere Gedanken hinausgehend
erschienen sein; — Ich gestehe, es würde werth sein solch'
einer Versammlung, wie diese ist, das zu erwähnen, womit
alle diese Verwirrungen, die auf dieser Nation gelastet haben,
angefangen und womit sie zuerst begonnen haben: so würde
Euch eine Reihenfolge von Uebergängen vorgelegt sein — nicht
von Menschen, sondern von der Vorsehung Gottes, die ganze
Zeit hindurch bis zu den letzten Ereignissen („our late changes"):
ebenso auch der Grund unserer ersten Unternehmung, um uns
zu widersetzen jener Usurpation und Tyrannei, die über uns
lastete, sowohl in bürgerlichen, als in geistigen Dingen; ferner
auch die verschiedenen Gründe, welche besonders auf die verschiedenen Wechselfälle passen, welche stattgefunden haben.
Indessen habe ich zwei oder drei Gründe, welche mich von
solch' einem Wege abwenden, so dass ich gegenwärtig nicht in
solcher Weise vorgehe." —

Es folgen darauf wieder mehrere Stellen aus der Heiligen
Schrift, von denen wir mit Oliver überzeugt sind, dass sie „eingeschrieben stehen in dem Herzen jedes guten Mannes", und
die wir deshalb übergehen können. Als den dritten seiner
Gründe aber führt er dann Folgendes an:

„Was ich als das Ziel Eures Zusammenkommens ansehe,

30 *

als das grosse Ziel, dessen gleichfalls ist gedacht worden heute
(in der Predigt für Euch), so ist dies H e i l u n g und B e r u h i g u n g
(„healing and settling"). An die Verhandlungen zu sehr im Einzelnen zu gedenken, welche vielleicht anstatt der Heilung gelten
sollten — wenigstens in den Herzen von Vielen von Euch —
das möchte die Wunde neu wieder bluten machen. Und dieses
muss ich Euch gestehen, was für Gedanken auch immer über
mich ergehen mögen: dass, wenn dieser Tag und dieses Zu-
sammenkommen sich nicht als h e i l e n d erweist, was sollen wir
dann beginnen! Aber, wie ich vorher sagte, es wird in Eurer
Aller Herzen sein, und noch mehr wird es im Geiste Gottes
beschlossen liegen, das Heil hervorzubringen. Es muss zuerst
in Seinem Geiste sein: — und wenn es Ihm gefällt, es Eurem
Geiste einzuflössen, so wird dies in der That ein Tag sein, und
zwar solch ein Tag, für welchen kommende Generationen Euch
segnen werden." — — — — — — — — — — — — — — —

— — — — — — — — — — — — — — — — — — — —

„Und was war unsere Lage in b ü r g e r l i c h e n sowohl,
wie in g e i s t i g e n Angelegenheiten? J e d e r m a n n s Hand
f a s t w a r g e g e n seinen B r u d e r erhoben; — oder wenigstens sein Herz war gegen ihn, wenig beachtend
i r g e n d e t w a s, was uns verbinden könnte (wie Steine mit
Mörtel, „cementing"), und was dahin wirken könnte, uns in
Eins zusammenwachsen zu lassen. Alle die Fügungen Gottes,
Seine schrecklichen Fügungen, der uns begegnete auf dem Wege
Seines Gerichtes in einem zehnjährigen Bürgerkriege, und auch
Seine gnadenvollen: sie wirkten nicht, nein, in der That, sie
wirkten nicht auf uns! Nein! Aber wir hatten unsere Launen
und unsere Interessen; — und, in der That, ich fürchte, unsere
Launen gingen viel weiter mit uns, als selbst unsere Interessen.

Gewiss, wie es in solchen Fällen zu geschehen pflegt, unsere Leidenschaften waren uns wichtiger, als unsere Urtheile. — War nicht fast jedes Ding willkürlich geworden? Wer von uns wusste denn noch, wo oder wie man Recht für sich erlangen konnte, ohne irgend welches Hinderniss oder irgend welche andere Intervention? In der That, wir waren zum willkürlichen Spielzeug geworden in Allem („arbitrary“).

Und was war denn das Antlitz und die Gestalt unserer Angelegenheiten im Verhältniss zum Interesse der Nation? Im Verhältniss zur Autorität in der Nation? Zu der Obrigkeit? Zu den Rangstufen und Ordnungen der Menschen — worin England bekanntlich sich ausgezeichnet hat hunderte von Jahren lang? Ein Edelmann, ein Gentleman, ein Freisasse, diese Unterschiede: das ist ein gutes Interesse der Nation und ein ganz bedeutendes! Die „natürliche“ Obrigkeit der Nation, war sie nicht fast unter die Füsse getreten, unter Spott und Verachtung, durch Leute von den Principien der Leveller? Ich frage Euch, in Bezug auf die Menschen und die Rangstufen der Menschen, zielte nicht dieses Princip der Leveller dahin, Alles zu einer (abstracten) Gleichheit aufzulösen? Und war man gewissenhaft darauf bedacht, so zu thun, oder richtete man seine Thätigkeit nur in ganz gewissenloser Weise dahin, des Eigenthums und Interesses wegen? In jedem Falle, was war der Zweck und die Meinung davon, als dem Pächter ein eben so grossartiges und reichliches Vermögen („as liberal a fortune“) zu machen, als dem grossen Gutsbesitzer? Was, meiner Ansicht nach, wenn es erlangt wäre, nicht lange würde gedauert haben! Die Leute jenes Princips, nachdem sie ihrer eigenen Sache gedient hätten, würden dann schnell genug für Eigen-

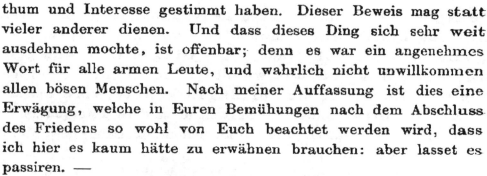

thum und Interesse gestimmt haben. Dieser Beweis mag statt
vieler anderer dienen. Und dass dieses Ding sich sehr weit
ausdehnen mochte, ist offenbar; denn es war ein angenehmes
Wort für alle armen Leute, und wahrlich nicht unwillkommen
allen bösen Menschen. Nach meiner Auffassung ist dies eine
Erwägung, welche in Euren Bemühungen nach dem Abschluss
des Friedens so wohl von Euch beachtet werden wird, dass
ich hier es kaum hätte zu erwähnen brauchen: aber lasset es
passiren. —

Jetzt, was die geistigen Angelegenheiten betrifft, so war
in der That hierin die Lage noch trauriger und beklagenswer-
ther; — und dieses wurde Euch heute schon in vortrefflicher
Weise gesagt. Die ungeheuerlichen Gotteslästerungen, die Verachtung Gottes und Christi, die Leugnung desselben, die Verachtung Seiner und Seiner Gebote und der Heiligen Schrift:
ein Geist, sichtbar jene Dinge ausführend, welche vorausge-
sagt sind durch Petrus und Juda; ja, jene Dinge, von welchen
Paulus im Brief an Timotheus gesprochen hat! Paulus erklärt,
dass gewisse Dinge noch schlimmer sind, als der Staat des Antichrist und sagt uns, was das Schicksal und der Antheil der
letzten Zeiten sein würden. Er sagt: „in den letzten Tagen
werden gefährliche Zeiten kommen; die Menschen werden voll
Eigenliebe sein, begierig, prahlend, stolz, lästerlich, ungehorsam
ihren Eltern, undankbar u. s. w. Aber indem er von dem
Reiche des Antichrist spricht, sagt er uns, dass in späteren
Tagen („latter") dieses Reich herankommen wird; nicht in
den letzten („last") Tagen, sondern den vorletzten — ‚in
welchen sein wird ein Abfall vom Glauben und Anhangen ver-
führerischen Geistern und Lehren der Teufel, so in Gleissnerei
Lügenredner sind‘ u. s. w. Dieses ist nur seine Beschreibung

von den vorletzten Zeiten oder von denen des Antichrist; und es wird uns zu verstehen gegeben, dass die letzten Zeiten im Anzuge sind, welche noch schlimmer sein werden! Und gewiss, es kann befürchtet werden, dass dies unsere Zeiten sind. Denn wenn die Menschen alle Regeln des Gesetzes und der Natur vergessen und alle die Bande brechen, die der gefallene Mensch zu dulden hat, indem sie verdunkeln den Ueberrest vom Bilde Gottes in ihrer Natur, den sie nicht auslöschen können und den sie doch auszulöschen sich bemühen, · i n d e m s i e e i n e ä u s s e r e F o r m d e r G o t t s e l i g k e i t h a b e n o h n e d i e i n n e r e M a c h t d e r s e l b e n — sicherlich, dies sind traurige Zeichen von den letzten Zeiten!

Und in der That, der Character, wie dieser Geist und dieses Princip in jener Stelle der Heiligen Schrift beschrieben ist, ist so leserlich und so sichtbar, dass Derjenige, der da geht („who runs"), herauslesen kann, dass er unter uns vorhanden ist. Denn durch solche wird die Gnade Gottes zur Leichtfertigkeit verkehrt und Christus und der Geist Gottes wird gemacht zu einem Mantel für alle Schurkerei und falschen Meinungen. Und wenngleich Niemand diese Dinge öffentlich für die Praxis sich zu eigen machen will, da die Dinge so abscheulich und gehässig sind, so macht doch die Erwägung, wie weit dieses Princip sich ausdehnt und von woher es seinen Ursprung hat, an eine zweite Sorte von Menschen mich denken, welche in derselben Richtung befangen sind; welche, das ist wahr, wie ich sagte, diese Dinge nicht ausführen oder sich zu eigen machen werden, die aber doch der Obrigkeit sagen können: „dass sie nichts zu thun habe mit Leuten, die solche Begriffe hätten: dieses sind wirklich Dinge des Gewissens und der Meinung, es sind Dinge der Religion; was hat die Obrigkeit mit diesen Dingen zu thun? Sie soll nach dem äusseren Menschen sehen, nicht nach dem inneren" — und so geht es fort. Und, in der That, kommt es so dahin, dass, obgleich diese Dinge offenbar Alle verletzen, dennoch das Princip, auf welches begründet sie verbreitet werden, der Obrigkeit es so unmöglich macht, sich darin einzumischen, dass es die Beleidiger bis jetzt vor Bestrafung gesichert hat . . .

Ebenso wurde auch die Axt gelegt an die Wurzel des Predigt-Amtes. Es war antichristlich, war babylonisch — so sagten sie. Es litt unter solch' einem Urtheil — und von einem Extrem sind wir nun zum andern gekommen. Das frühere Extrem, unter dem wir litten, war, dass Niemand, wenn er auch ein noch so gutes Zeugniss und wenn er auch die besten Gaben von Christo empfangen hatte, predigen dürfe, wenn er nicht ordinirt war. So sind wir jetzt, denke ich, an dem anderen Extrem angelangt, da Viele behaupten, dass Jeder, der ordinirt ist, gar keinen Werth hat, oder dass er dadurch schon den Antichrist auf seinem Berufe aufgeprägt erhalten hat, so dass er nicht predigen sollte oder wenigstens nicht gehört werden. — Ich wünsche, dass nicht mit z u grossem Rechte gesagt werden mag, dass Strenge und Schärfe in unserem alten Systeme war! Ja wohl, zu viel von einem despotischen Geiste in Sachen des Gewissens, von einem Geiste, unchristlich genug zu jeder Zeit, durchaus ungeeignet für diese Zeiten; denn man versagt ja die Freiheit des Gewissens Männern, welche dieselbe mit ihrem Blute gewonnen haben, welche die bürgerliche Freiheit und auch die religöse gewonnen haben für Diejenigen, welche in solcher Weise nun ihnen gebieten wollen."

Jetzt folgt eine längere Auseinandersetzung über die Bekenner der fünften Monarchie, die wir uns als eine antiquarische Curiosität bemerken wollen; dann eine kürzere Bemerkung über den Wunsch Einiger, sogar das jüdische Gesetz in England einzuführen; auch von den Jesuiten und ihren Emissären ist die Rede und zwar in scharfer und energisch ablehnender Weise — kurz, wir sehen durch diese Rede nochmals all' die unruhig bewegten Wellen des religiösen Kampfes hin und her strömen, welcher diese Revolution so eigenthümlich charakterisirt. Er spricht dann von den Mitteln und Wegen, die man angewandt habe, um allen vorliegenden Uebelständen zu begegnen, hebt namentlich die Berufung eines freien Parlamentes hervor und beschliesst seine Rede mit einer kurzen Darlegung des Verhältnisses zu mehreren anderen Staaten in folgender Weise:

„Und jetzt habt Ihr Frieden mit Schweden, einen ehrenvollen Frieden durch die Bemühungen einer ehrenwerthen Person, die hier gegenwärtig ist*) . . . Ich sage, Ihr habt einen ehrenvollen Frieden mit einem Königreiche, welches vor noch nicht vielen Jahren sehr befreundet mit Frankreich war und vor Kurzem noch zu Spanien ziemlich entschieden sich hinneigte. Und ich glaube, Ihr erwartet nicht viel Gutes von irgend einem Eurer katholischen Nachbarn**), noch auch werdet Ihr glauben, dass sie besonders dafür gestimmt wären, dass Ihr ein gutes Einverständniss mit Euren protestantischen Freunden unterhalten sollt. Dennoch ist, Gott sei Dank, jener Friede geschlossen; und wie ich vorher sagte, es ist ein ehrenvoller Friede.

Ihr habt ferner Frieden mit den Dänen; einem Staate, der

---

*) Whitlocke's Gesandtschaft nach Schweden sieh bei Ranke.
**) „No, we are not exactly their darlings!"   Carlyle.

zunächst jenem Theile dieser Insel lag, der uns die meiste Verwirrung gebracht hat*). Und sicherlich, wenn Eure Feinde
draussen fähig sind, Euch zu beunruhigen, so ist es wahrscheinlich, dass sie ihren Vortheil dort wahrnehmen werden, wo er
vorzugsweise zu finden ist, und dass sie von jenem Lande aus
Euch beunruhigen werden. Aber Ihr habet Frieden mit ihnen,
und zwar einen ehrenvollen. Genugthuung für die Schiffe Eurer
Kaufleute, nicht allein zu ihrer Zufriedenheit, sondern zu ihrer
besonderen Freude. Ich glaube, Ihr werdet leicht einsehen,
dass es so ist — wirklich ein ehrenvoller Friede! Ihr habt
den Sund Euch eröffnet, der gewöhnlich geschlossen war. Das,
was war und ist die Kraft dieser Nation, die Schifffahrt, das
wird jetzt dort Unterstützung finden. Und während Ihr früher
froh waret, irgend etwas jener Art wie aus zweiter Hand zu
bekommen, so habt Ihr jetzt dagegen alle Art von Handel
dort, und eben so viel Freiheit, als die Holländer selbst, welche
die Träger und Verkäufer davon für uns zu sein pflegten; und
zwar zu denselben Preisen und Abgaben (tolls, Zöllen); — und
ich denke, die genannten Preise, wie sie jetzt festgesetzt sind,
können Euch künftig nicht mehr erhöht werden.

Ihr habt auch einen Frieden mit den Holländern:
einen Frieden, über welchen ich wenig sagen werde, da ich
sehe, dass er so wohl bekannt ist in Bezug auf seine wohl-
thätigen Folgen. Und ich denke, er war eben so wünschenswerth und eben so annehmbar für den Geist dieser Nation, als
irgend Etwas, das uns vorgelegen hat. Und da ich glaube,
dass Nichts unseren Feinden so angenehm sein würde, als uns
in Unannehmlichkeiten verwickelt zu sehen mit jenem Gemein-

---

*) Seit alten Zeiten, bis auf die neueste Zeit hin.

wesen; so überzeuge ich mich auch, dass Nichts ihnen grösseren Schrecken und grössere Unruhe verursacht, als uns in solcher Weise versöhnt zu sehen. Wahrlich, wie ein Friede mit den protestantischen Staaten grosse Sicherheit in sich trägt, so hat er auch eben so viel Ehre und Sicherheit für das protestantische Interesse da draussen zu bieten, und ohne dieses kann da keine Hülfe geleistet werden. Ich wünsche, dass es auf unseren Herzen möge eingeschrieben stehen, eifrig zu sein für jenes Interesse! Denn wenn jemals es wahrscheinlich war, dass dasselbe in eine Lage des Leidens und Duldens kommen sollte, so ist es jetzt der Fall. In allen Erbstaaten des Kaisers geht die Bemühung dahin, den protestantischen Theil der Bevölkerung auszutreiben, so schnell als möglich; und sie sind genöthigt, zu protestantischen Staaten zu eilen, um ihr Brod zu suchen. Durch diese Verbindung der Interessen also werdet Ihr, wie ich hoffe, in einer besseren Möglichkeit sein, ihnen zu helfen. Und es bezeugt eine gewisse Wiederbelebung ihres Geistes, wenn Ihr ihnen helfen wollt, wie und wo sich Gelegenheit dazu darbieten wird. („We will!")

Ihr habt gleichfalls einen Frieden mit der Krone von Portugal; welcher Friede, obgleich er lange nicht zu Stande kommen konnte, dennoch kürzlich ist geschlossen worden. Es ist ein Friede, welcher, Eure Kaufleute mögen uns das glauben, von grossem Vortheil für ihren Handel ist . . . Und ein Ding ist in diesem Vertrage erlangt worden, das niemals vorher gewesen, seit die Inquisition dort eingeführt wurde: dass unser Volk, welches dorthin Handel treibt, Freiheit des Gewissens habe — Freiheit, den Gottesdienst in ihren eigenen Kapellen zu halten.

In der That, der Friede ist, wie Euch heute wohl ist gesagt

worden, wünschenswerth für alle Menschen, sofern er erreicht
werden kann mit Gewissen und Ehre! Wir befinden uns in
Verhandlungen mit Frankreich. Und wir dürfen dieses sagen,
dass, wenn Gott uns Ehre giebt in den Augen der Nationen
um uns her, wir Ursache haben, Ihn dafür zu preisen, und so
sie uns anzueignen. Und ich darf sagen, dass es keine Nation
in Europa giebt, welche nicht sehr bereitwillig wäre, ein gutes
Einverständniss mit Euch zu wünschen.

Es thut mir leid, dass ich so weitläufig sein muss: aber
ich urtheilte, dass es einigermassen nothwendig sei, Euch mit
diesen Dingen vertraut zu machen. Und da die Dinge (nun
einmal) so sind — so hoffe ich, Ihr werdet nicht unwillig sein,
wieder ein wenig zu hören von dem Strengen ebensowohl,
als von dem Zarten („of the Sharp as well as of the Sweet")!
Und ich würde Euch nicht getreu sein, noch auch dem Interesse dieser Nationen, welchen Ihr und ich dienet, wenn ich
Euch nicht Alles wissen liesse.

Wie ich Euch vorher sagte, als dieses Gouvernement unternommen wurde, waren wir inmitten jener inneren Spaltungen
und leidenschaftlichen Differenzen, zudem in Verwickelungen
mit jenen auswärtigen Feinden, in so ungeheuerer Belastung
— 120000 Pfd. St. monatlich nur für die Flotte allein. Diese
Summe ging wirklich bis zur äussersten Grenze Eurer Be-
steuerung. Ach, und dann war all' Euer Schatz erschöpft und
verschwendet, als diese Regierung unternommen wurde: alle
Nebenwege, den Staatsschatz zu füllen, waren bis auf eine sehr
unbedeutende Summe erschöpft; die verfallenen Ländereien
verkauft, die vorhandenen Gelder ausgegeben; Renten, Erbzins-
lehen, Delinquenten-Güter, Ländereien des Königs, der Königin,
der Bischöfe, der Dekanate und Domkapitel verkauft. Dieses

war ausgegeben, als diese Regierung unternemmen wurde. Ich
denke, es ist meine Pflicht, Euch so viel wissen zu lassen. Und
das ist die Ursache, weshalb die Steuern noch so schwer auf
dem Volke liegen; — von welchen wir (indessen) 30000 Pfd.
monatlich für die nächsten drei Monate abgesetzt haben. —
Ich habe es wirklich für meine Pflicht gehalten, Euch wissen
zu lassen, dass, obgleich Gott so gütig mit Euch verfahren hat,
dieses doch nur wie Eingänge und Thüren unserer Hoffnung
sind: durch sie möget Ihr, unter dem Segen Gottes, zur Ruhe
und zum Frieden eingehen. Aber Ihr seid noch nicht einge-
gangen!

Man hat Euch heute gesprochen von einem Volke, aus
Egypten geführt nach dem Lande Canaan; aber durch Unglauben, Murren, Unzufriedenheit und andere Versuchungen
und Sünden, durch welche Gott herausgefordert wurde, waren
sie gezwungen, wieder zurückzukehren und manche Jahre in
der Wüste umherzuirren, bevor sie kamen zu ihrem Ruheorte.
Wir sind so weit durch die Gnade Gottes. Wir haben Ursache,
dieses zu beachten, dass wir nicht in's Elend gebracht sind,
dass wir nicht gänzlich Schiffbruch gelitten haben, sondern wir
haben, wie ich vorhin sagte, ein Thor der Hoffnung offen. Und
ich darf dies zu Euch sagen: wenn des Herrn Segen und Seine
Gegenwart Hand in Hand geht mit der Führung der Staatsangelegenheiten in dieser Versammlung, so werdet Ihr befähigt
werden, den Schlussstein diesem Werke einzusetzen und die
Nation glücklich zu machen. Aber dies muss dadurch geschehen,
dass Ihr die wahre Lage des Staates wisset! Ihr seid noch,
gleich dem Volke unter der Beschneidung, unwissend („raw").
Eure Friedensschlüsse sind erst vor Kurzem geschlossen worden. Und es ist ein Grundsatz, der nicht verachtet werden

darf, „wenn auch der Friede geschlossen ist, so ist es doch
das Interesse, das den Frieden erhält"; — und ich hoffe, Ihr
werdet nicht einem solchen Frieden vertrauen, als nur insofern,
als Ihr Euer Interesse dabei gewahrt findet. Jeder friedliche
Abschluss aber („all settlement") wird stärker durch die blosse
Fortdauer in der Zeit („by mere continuance"). Und deshalb
wünsche ich, dass Ihr vorwärts gehen möget, nicht rückwärts;
und kurz, dass Ihr den Segen Gottes über Euren Bemühungen
empfangen möget! Es ist einer der grossen Zwecke der Berufung dieses Parlamentes, dass das Schiff des Gemeinwesens
in einen sicheren Hafen möge gebracht werden; welcher, das
versichere ich Euch, dieses nicht sein wird ohne Euren Rath
und Eure Mithülfe.

Ihr habt grosse Arbeiten unter Eurer Hand. Ihr habt
nach Irland zu sehen. Dort ist noch nicht viel gethan, um
jene Arbeiten zu begründen, wenngleich gewisse Dinge dieselben
vorbereitend zum Ziele führen sollen. Es ist eine grosse Angelegenheit, die Regierung jener Nation auf feste Principien zu
begründen, auf solche nämlich, welche das Werk durchzuführen
im Stande sind. — Ihr habt vor Euch liegen einige Erwägungen,
die Euren Frieden mit einigen fremden Staaten zu erkennen
geben („intimating"). Aber doch habt Ihr noch nicht Frieden
gemacht mit Allen. Und wenn sie sehen würden, dass wir
unsere Angelegenheiten nicht mit jener Weisheit leiten, die
uns geziemt — so können wir wahrhaftig zu Grunde gehen
unter Unglücksfällen („disadvantages"), trotz Allem, was bereits gethan ist. Und unsere Feinde werden ihre Augen offen
halten und wieder belebt werden, wenn sie leidenschaftliche
Streitigkeiten unter uns wahrnehmen; was in der That zu ihrem
grossen Vortheile gereichen wird.

Ich ermahne Euch deshalb zu einer sanften, gefälligen und heiligen Verständigung unter einander und in Bezug auf Euer Geschäft. In Betreff wessen Ihr an diesem Tage so guten Rath empfangen habt; und wie diesen zu hören mein Herz erfreut hat, so hoffe ich, dass der Herr ihn auch Eurem Geiste einprägen wird — in welcher Hinsicht Ihr meine Gebete für Euch haben werdet.

Und nachdem ich dieses gesagt und vielleicht manche andere wesentliche Dinge der Schwäche meines Gedächtnisses wegen vergessen habe, so werde ich Offenheit und Freimüthigkeit gegen Euch in Anwendung bringen; und ich sage, dass ich diese Dinge nicht gesprochen habe als Einer, der die Herrschaft über Euch für sich in Anspruch nehmen will, sondern als Einer, der sich entschlossen hat, mit Euch ein Diener zu sein dem Interesse dieser grossen Staatsangelegenheiten und des Volkes dieser Nationen. Ich werde Euch nicht länger bemühen; sondern ich wünsche, dass Ihr Euch zu Eurem Hause zurückbegebet, und dass Ihr die Euch zukommende Freiheit ausübet in der Wahl eines Sprechers, damit Ihr keine Zeit verlieret, Euer Werk zu fördern." —

Diese zweite Rede haben wir um so mehr nur in abgekürzter Form zu geben für gut befunden, als sie nur „von Einem, der in der Nähe stand" aufgenommen und veröffentlicht worden ist, „um Irrthümern zuvorzukommen": für ihre wörtliche Genauigkeit liegt also kaum eine genügende Garantie vor. Indessen ist der Sinn des Ganzen deutlich und dem echten Geiste Cromwell's entsprechend: eine gewisse rauhe und einfältige Wahrhaftigkeit, Ueberzeugung erweckend in jedem Zuhörer, wie jedes Wort aus innerster Ueberzeugungskraft hervorgegangen ist — das scheint uns der Hauptwerth in dieser zweiten Rede zu sein. Und ist das nicht die Haupteigenschaft einer guten Rede? Oder ist die Sprache wirklich nur erfunden, um die Gedanken zu verbergen, wie der bekannte Staatsmann gemeint hat *)? Jedenfalls war diese Kunst damals noch nicht so ausgebildet, wie sie es heutigen Tages zu sein scheint. Cromwell sprach im Ernste — in wie bitterem Ernste, das zeigte gleich der Anfang der dritten Rede, mit der er schon nach 8 Tagen sich genöthigt sah, das neuberufene Parlament an seine Pflicht zu erinnern. Denn obschon die Mitglieder seine Ansprache mit grosser Freude angehört und mit ausdrücklichen Beifallsbezeugungen aufgenommen hatten, geriethen sie doch sofort in solche Debatten „about Parliament and Single Person, Coordination and Subordination, Sanctioning the Form of Governement" etc., dass unmöglich etwas Gutes dabei herauskommen konnte. Es sind Worte, wie aus dem tiefen Schmerze einer Heldenseele über die ungerechte Verkennung grosser Gedanken und guter Absichten, wenn wir ihn — den Sieger von Marston-Moor — wiederholt betheuern hören, er lüge wirklich nicht, sei kein Betrüger und Windbeutel, sei wirklich ein ehrlicher Mann, der ernstlich ihr Bestes wolle — welch' eine Position für einen solchen Helden der That, so etwas noch erst versichern zu müssen! „Oh, lieber ein armer Fischer sein, lieber eine Heerde Schaafe hüten, als über Menschen herrschen müssen!" — Das haben vor und nach Oliver Cromwell Verschiedene ausgesprochen, die ihre Erfahrungen in diesem Geschäfte gemacht hatten. Doch hören wir ihn selbst — es ist der 12. Septbr. 1654.

---

*) „Ye Heavens, as if the good-speeching individual were some frightful Wood—and—Leather Man, made at Nürnberg and tenanted by a Devil, set to increase the Sum of Human Madness, instead of lessening it!"

Carlyle.

3. Rede.

„Gentlemen!

Es ist noch nicht lange her, dass ich Euch an dieser Stelle getroffen habe bei einer Veranlassung, welche mir weit mehr Behagen und Zufriedenheit gab, als es diese gegenwärtige thut. Das, was ich Euch jetzt zu sagen habe, bedarf keiner Vorrede, um mich in die Sache selbst hineinzuführen: denn die Veranlassung dieser Zusammenkunft liegt klar genug vor. Ich hätte von ganzem Herzen wünschen mögen, dass keine Ursache dazu dagewesen sei.

Bei unserer letzten Zusammenkunft machte ich Euch damit bekannt, womit zuerst diese Regierung aufgegangen ist, welche Euch hierher berufen hat und durch deren Autorität Ihr hierher gekommen seid. Unter anderen Dingen, welche ich Euch damals mittheilte, sagte ich, dass Ihr ein freies Parlament wäret. Und wahrlich, das seid Ihr — da Ihr Euch ja die Regierung und Autorität aneignet, die Euch hierher berufen hat. Indessen implicirte dieses Wort „freies Parlament" eine Gegenseitigkeit, oder es enthielt überhaupt nichts! In der That war darin eine Gegenseitigkeit enthalten und ausgesprochen; und ich denke, Eure Handlungen und Euer Benehmen sollte dem entsprechend sein! Aber ich sehe, es wird für mich jetzt nothwendig sein, meine amtliche Stellung ein wenig zu preisen. Bisher ist mir dieses zu thun noch nicht möglich gewesen. Ich bin von solcher Gesinnung, seit ich zuerst in dieses mein Amt eintrat, dass, wenn Gott es nicht aufrecht erhalten will, es immerhin sinken möge! Aber wenn eine Pflicht mir aufgelegt ist, von der ich Zeugniss ablegen muss (was ich bis jetzt bescheiden unterlassen habe), so bin ich gewissermassen dazu gezwungen worden . . .

31

Ich habe nicht mich selbst zu dieser Stellung berufen.
Ich sage nochmals, ich berief nicht mich selbst dazu! Davon
ist Gott mein Zeuge: und ich habe viele Zeugen, welche, das
glaube ich, ihr Leben dafür lassen könnten, Zeugniss zu geben
für diese Wahrheit. Namentlich dafür, dass nicht ich selbst
mich zu dieser Stellung berufen habe! Und da ich nun in
derselben bin, so gebe ich nicht Zeugniss für mich selbst oder
für mein Amt, sondern Gott und das Volk dieser Nationen haben für dasselbe und für mich Zeugniss gegeben. Wenn meine
Berufung von Gott herrührt und mein Zeugniss vom Volke, so
werden auch Gott und das Volk es von mir nehmen, sonst
werde ich nicht davon scheiden. Wenn ich es thäte, so würde
ich falsch sein gegen das Vertrauen, das Gott mir gegeben hat,
und gegen das Interesse des Volkes dieser Nationen.

Dass ich mich nicht selbst zu dieser Stellung berufen habe,
ist meine erste Versicherung. Dass ich nicht für mich selbst
zeuge, sondern viele Zeugen habe, ist meine zweite. Von diesen beiden Dingen Euch noch mehr zu sagen, werde ich mir
die Freiheit nehmen. — Um ganz deutlich und klar das zu
machen, was ich hier behauptet habe, muss ich mir die Freiheit nehmen, ein wenig zurückzublicken.

Ich war durch meine Geburt ein Gentleman, der weder in
irgend beträchtlicher Höhe lebte, noch auch in gänzlicher Dunkelheit (Mittelstand also). Ich bin zu verschiedenen Aemtern
in der Nation berufen worden: Dienste zu leisten im Parlament,
und andere (Dienste); und, um nicht zu weitläufig zu sein, ich
bemühte mich, in jenen Diensten die Pflicht eines ehrlichen
Mannes zu erfüllen, gegen Gott und gegen das Interesse Seines
Volkes und gegen den Staat (Commonwealth); und ich hatte zu
seiner Zeit eine genügende Aufnahme in den Herzen der Men-

schen und einige Beweise davon. Ich entschliesse mich indessen, nicht die Zeiten und Gelegenheiten und Glücksfälle zu
erwähnen, in welchen mir durch Gott bestimmt worden ist,
Ihm zu dienen, noch auch die Gegenwart und die Segnungen
Gottes darin, wie sie für mich ein Zeugniss sind.

Und da ich einige Gelegenheit gehabt habe, zu sehen, zusammen mit meinen Brüdern und Landsleuten, eine glückliche
Periode zum Abschluss unserer scharfen Kriege und Streitigkeiten mit dem damals gemeinsamen Feinde, so hoffte ich in
einer privaten Stellung die Frucht und Wohlthat von unseren
harten Arbeiten und Wagnissen zu erndten, zusammen mit
meinen Brüdern: nämlich, den Genuss des Friedens und der
Freiheit und die Vorrechte eines Christen und eines Menschen,
in einer gewissen Gleichstellung mit anderen, wie es dem Herrn
gefallen würde, über mich zu verfügen. Und als, sage ich,
Gott unseren Kriegen ein Ende gesetzt oder sie wenigstens zu
einem sehr hoffnungsvollen Ausgange gebracht hatte, welcher
der Beendigung sehr nahe kam — nach der Schlacht bei
Worcester — da kam ich nach London, um dem Parlament,
welches damals seine Sitzungen hatte, meine pflichtmässigen
Dienste zu leisten: denn ich hoffte, dass alle Geister nun gestimmt sein würden, dem zu entsprechen, was der Geist Gottes
zu sein schien, nämlich, Frieden und Ruhe Seinem Volke zu
geben und namentlich jenen, die mehr als andere geblutet hatten in der Förderung der militärischen Angelegenheiten; —
aber ich wurde sehr in meiner Erwartung getäuscht. Denn
der Ausgang erwies sich nicht so. Wessen auch immer man
sich rühmen oder was man auch immer falsch darstellen möge,
es war nicht so, nicht so!

Ich kann sagen, in der Einfalt meiner Seele, ich liebe es

31 *

nicht, nein, ich liebe es wirklich nicht, schmerzhafte Stellen zu durchsuchen oder Blössen aufzudecken! Das, wonach ich strebe ist dieses: ich hoffte, das versichere ich Euch, Erlaubniss erhalten zu haben, meinerseits mich in das Privatleben zurückzuziehen. Ich bat darum, von meinem Amte entlassen zu werden; ich bat wieder und wieder darum; — und Gott möge Richter sein zwischen mir und allen Menschen, wenn ich in dieser Angelegenheit lüge! Dass ich in' thatsächlichen Dingen nicht lüge, ist sehr Vielen bekannt: aber ob ich in meinem Herzen lüge, indem ich etwa daran arbeite, Euch etwas so darzustellen, wie es nicht in meinem Herzen war, darüber mag, sage ich, der Herr Richter sein. Mögen hartherzige Menschen, welche Andere nach sich selbst messen, urtheilen, wie es ihnen beliebt. Was die Thatsache anbetrifft, so sage ich, sie ist wahr. Was die Reinheit und Aufrichtigkeit meines Herzens in jenem Wunsche betrifft, so appellire ich, wie vorher, auch an die Wahrheit dieser Sache! — — Aber ich konnte nicht erhalten, was ich wünschte, wonach meine Seele verlangte. Und die volle Wahrheit ist, dass ich später erfuhr, Einige wären der Meinung (so gross war die Verschiedenheit ihres Urtheils von dem meinigen), dass es nicht wohl geschehen könne.

Ich gestehe, ich bin in einer gewissen Verlegenheit, zu sagen, was ich sagen könnte und was wahr ist von dem, was nun erfolgte. Ich drängte das Parlament als ein Mitglied desselben, ihre Sitzungen zu endigen — einmal und wieder und nochmals, und zehn, ja zwanzig mal. Ich sagte ihnen — denn ich wusste das besser, als irgend Einer in dem Parlamente es wissen konnt, wegen meiner Art zu leben, welche mich überall in der Nation hin- und hergeführt hatte, wodurch ich die Ge-

müthsart und die Stimmung aller Leute, und zwar auch der
besten Menschen, zu sehen und kennen zu lernen Gelegenheit
gefunden hatte — ich sagte ihnen also, dass die Nation ihr
ferneres Tagen (sitting) verurtheilte. Ich wusste das. Und
soweit ich unterscheiden konnte, als sie nun wirklich aufgelöst
wurden, so war auch nicht so viel, als das Bellen eines Hun-
des oder irgend ein allgemeiner oder sichtbarer Kummer darüber! Nicht wenige von Euch, die hier gegenwärtig sind,
können dieses eben so wohl bestätigen, als ich selbst.

Und dass die entschiedenste Veranlassung für ihre Auflösung vorlag, liegt auf der Hand: nicht allein in Bezug darauf, dass eine gerechte Furcht vor der endlosen Selbstfort-
setzung jenes Parlamentes vorhanden war, sondern weil es wirklich ihre Absicht war. Jawohl: hätten nicht die Ungelegenheiten
von draussen ihnen gleichsam auf die Fersen getreten, bis zu
Drohungen sogar, so glaube ich, es würde niemals irgend ein
Gedanke daran aufgetaucht sein, aufzustehen und aus jenem
Raum herauszugehen („out of that Room"), bis zu der Welt
Ende. Ich selbst wurde darin sondirt und durch nicht geringe
Personen („O Sir Harry Vane! C.") versucht; und Vorschläge
wurden mir gemacht zu eben jenem Zweck: dass das Parlament
in solcher Weise könnte fortgesetzt werden; dass die vacanten
Plätze durch neue Wahlen ersetzt würden und dass es dann
so fortgehen solle von Generation zu Generation.

Ich war abgeneigt, ich war wirklich sehr abgeneigt, diese
Dinge Euch zu eröffnen. Aber nachdem ich so weit vorgegangen bin, muss ich Euch auch dieses sagen: dass arme Menschen unter dieser willkürlichen Gewalt wie Schaafheerden zu
40 an einem Morgen fortgetrieben wurden, unter Confiscation
ihrer Güter und Ländereien; ohne dass irgend Jemand fähig

wäre, einen Grund anzugeben, weshalb auch nur zwei von
ihnen es verdient hätten, auch nur einen Schilling verwirkt zu
haben! Ich spreche die Wahrheit zu Euch. Und meine Seele
und viele Personen, welche ich an diesem Orte sehe, wurden
ausserordentlich durch diese Dinge gekränkt; und sie wussten
nicht auf welchem Wege ihnen zu helfen sei, ausgenommen
durch unsere Trauer und unser Neinsagen, wenn die Gelegenheit sich darbot. — Ich habe ·Euch nur eine Ahnung gegeben
von dem falschen Verfahren, das damals bestand. Ich vertraue, dass Ihr Gelegenheit gehabt habt, viel mehr davon zu
hören, denn nichts war einleuchtender. Es ist wahr, das wird
man sagen, man bemühte sich um ein Heilmittel: diesem ewigen Parlament dadurch ein Ende zu machen, dass man uns
eine zukünftige Repräsentation gab. Wie das aber erlangt
wurde, durch welche Ungelegenheiten man es erhielt, und wie
unwillig man darin nachgab, das ist wohl bekannt.

Aber worin bestand dies Heilmittel? Es war eine schein-
bare Willigkeit, uns successive Parlamente zu geben. Und was
war die Natur und das Wesen jener Succession? ·Es war dieses, dass wenn ein Parlament seinen Sitz verlassen hatte, ein
anderes unmittelbar darauf in demselben Raume sitzen sollte,
ohne irgend eine Gewährleistung dafür, dass das vermieden
würde, was die wirkliche Gefahr war, nämlich das Verbleiben
derselben Männer in den verschiedenen Parlamenten. Und das
ist ein Schaden jetzt, der immer weiter geht, so lange als die
Menschen ehrgeizig und zu Störungen geneigt sind — wenn
nicht ein Heilmittel dagegen gefunden wird.

Ja, im besten Falle, worauf wird solch' ein Heilmittel
hinauslaufen? Es ist die Verwandlung eines Parlamentes, welches immerwährend seine Sitzungen gehalten haben möchte und

wirklich gehalten hat, in eine gesetzgebende Gewalt, die immer fortdauert. Und so werden die Freiheiten und die Interessen und das Leben des Volkes nicht mehr beurtheilt nach irgendwelchen bekannten Gesetzen und Machtverhältnissen, sondern durch eine willkürliche Gewalt, welche den Parlamenten gewöhnlich und nothwendig anhaftet („So!" C.). Durch eine willkürliche Gewalt, sage ich: um die Güter der Menschen der Confiscation zu unterwerfen und ihre Personen der Einkerkerung — bisweilen sogar durch Gesetze, welche erst nach geschehener That gemacht worden sind; oft auch dadurch, dass das Parlament sich selbst das Recht anmasste, über Kapital- und Criminalverbrechen zu richten, was in früheren Zeiten durchaus nicht Gebrauch war. Das war, vermuthe ich, der Fall, der damals uns vorlag. Und meiner Meinung nach war das Heilmittel dem Uebel angemessen! Besonders da es auf ein Parlament folgte, welches seine Macht und Autorität so geübt hatte, wie jenes Parlament erst unmittelbar vorher es gethan.

Fürwahr, ich gestehe, auf diese Gründe hin und zur Genugthuung von verschiedenen anderen Personen, welche einsahen, dass auf andere Weise nichts zu erlangen sei, wurde jenes Parlament aufgelöst: und wir, weil wir zu sehen wünschten, ob vielleicht einige könnten zusammenberufen werden für eine kurze Zeit, welche die Nation auf irgend einen Weg einer gewissen Beruhigung bringen könnten — wir beriefen jene Herren (das Barebone-Parlament) aus den verschiedenen Theilen der Nation heraus. Und wie ich schon vor Euch an Gott appellirt habe — wenngleich es ein bedenkliches Ding ist, sich auf Gott zu berufen, so wird das doch in solcher Nothwendigkeit, wie diese ist, meiner Ueberzeugung nach, Seine Herrlichkeit („His Majesty") nicht beleidigen; namentlich wenn man das thut vor Personen, welche Gott kennen und wissen, was Gewissen ist und was es heissen will, zu lügen vor dem Herrn! Ich sage, wie es ein Hauptzweck bei der Berufung jener Versammlung war, die Nation zu geordneten Zuständen zu bringen, so war es ein Hauptzweck auch für mich selbst, die Macht niederzulegen, welche in meinen Händen war. Ich sage nochmals zu Euch, in der Gegenwart jenes Gottes, der mich gesegnet hat und mit mir gewesen ist in allen meinen Widerwärtigkeiten und all meinen glücklichen Erfolgen: das war, was mich selbst betrifft, mein vorzüglichster Zweck! Vielleicht wünsche ich, sündig genug, ich bin erschreckt darüber, von der Macht frei zu sein, welche Gott ganz offenbar durch Seine Vorsehung in meine Hände gelegt hat, bevor Er mich dazu berufen hat, sie niederzulegen, bevor jene ehrlichen Zwecke unseres Kämpfens errreicht und zum Abschluss gekommen waren. — Ich sage, die Autorität, welche ich in meiner Hand hatte, war so grenzenlos, wie sie eben war — denn durch Parlamentsacte war ich General aller Streitkräfte in den drei Nationen von England, Schottland und Irland, in welcher unbegrenzten Stellung ich nicht einen Tag länger zu leben wünschte — und deshalb beriefen wir jene Versammlung für die Zwecke, welche ich vorher ausgedrückt habe.

Was der Ausgang und Erfolg jener Versammlung war, dessen mögen wir mit Trauer gedenken. Es enthält viel Belehrung in sich und wird hoffentlich uns Alle weiser machen für die Zukunft! Aber kurz, ich werde nicht wiederholen, wie jene Versammlung keinen Erfolg hatte und wie sie unseren Hoffnungen eine solche Enttäuschung zu Theil werden liess: das Resultat war nur, dass sie kamen und brachten mir ein Pergament, unterzeichnet durch den bei weitem grössten Theil derselben, welches ihre Wiederergebung und ihre Resignation auf die ihnen übertragene Macht und Autorität mir zu Händen aussprach. Und ich kann sagen in der Gegenwart verschiedener Personen hier, welche wissen, ob ich darin eine Lüge sage, dass ich auch nicht das Geringste von jener ihrer Resignation wusste, bis sie Alle kamen und dieselbe brachten und sie in meine Hände übergaben. Auch davon sind hier viele Zeugen gegenwärtig. Ich empfing diese Resignation, indem ich früher meine Bemühungen und Ueberredungen angewendet hatte, um die Mitglieder vereinigt zu halten. Da ich ihre Verschiedenheit wahrnahm, so hatte ich es für meine Pflicht gehalten, ihnen meinen Rath zu geben, damit ich sie so zur Einigung („Union") bewegen möchte. Aber es hatte das die Wirkung, von der ich Euch sagte; und ich fand mich enttäuscht.

Da sich dieses nun so erwies, so waren wir auf's Aeusserste bemüht, zu suchen, wie wir die Dinge für die Zukunft zum festen Abschluss bringen sollten. Meine eigene Macht war wieder, durch diese Entsagung, so grenzenlos und unbeschränkt geworden, wie vorher; denn Alles war der Willkür unterworfen, und ich selbst, die einzige festgesetzte Autorität, die übrig gelassen war, ich selbst war eine Person, welche die Macht über die drei Nationen hatte, ohne irgend eine Schranke oder feste Grenze; und alle Regierung war gleichzeitig aufgelöst, alle bürgerliche Verwaltung zu Ende *)". —

Es folgen nun eine Reihe von Versicherungen und Er-

---

*) In der That eine so ernste und schwierige Situation für Oliver Cromwell, dass man sich nur wundern kann über die hohe Milde und weise Mässigung, mit der er seine factische Allgewalt benutzte. Ein Napoleon trat seiner Zeit ganz anders auf.

klärungen des Inhaltes, dass er nur auf wiederholtes Bitten
und Dringen seiner Freunde und um weitere Unordnung zu
verhüten, den Namen und die Würde eines Protectors angenommen habe, dass die Ernennung dazu in feierlichster Weise,
öffentlich vor Aller Augen geschehen sei, dass Jeder also auch
davon wissen und es anerkennen müsse, ebenso wie er seinerseits das Parlament berufen und anerkannt habe. Er beruft
sich dann ausführlich auf die vielen Zeugnisse, welche er für
seine Erwählung anführen könne („a cloud of wittnesses"): die
angesehensten Civilpersonen, die Officiere der Armee in England, Irland und Schottland, die Soldaten aller Regimenter, die
Stadt London selbst und mit ihr viele andere Städte, Dörfer
und Flecken in allen Grafschaften, von unzähligen Edelleuten,
Gentlemen und Yeomen, welche alle ihm die grössten Danksagungen dafür ausgesprochen hätten, dass er in so schwerer
Zeit eine solche Last auf seine Schultern genommen habe;
und Alle hätten ihm die entschiedenste Billigung und Ermuthigung zu Theil werden lassen, sein grosses Werk durchzuführen. Ebenso hätten die Richter („the Judges") ihre Commission nur von ihm empfangen wollen. Ja, alles Volk in
England, viele in Irland und Schottland, die Sheriffs überall,
alle Beamten überhaupt — kurz, was irgend einen Werth habe
in Bezug auf freie Aeusserung seiner Meinung, das Alles habe
ihm zugestimmt und sich in der entschiedensten Weise für ihn
erklärt, als den Repräsentanten einer Regierung, die „in einer
einzelnen Person und einem Parlament" bestehe („in one Single
Person and a Parliament"). Und dennoch debattirten sie jetzt
gerade hierüber. Man kann sich denken, in welcher Weise er
ihnen dieses Alles in Erinnerung brachte: wie mag die eherne
Stimme, die in so vielen siegreichen Schlachten commandirt

hatte, vor innerer Erregung gebebt und mit ihren mächtigsten Metalltönen den Saal erschüttert haben, als er ihnen die Worte entgegendonnerte: „Ihr handelt mit parlamentarischer Autorität und wollet den verkennen, der Euch diese Autorität verliehen hat? Wie? Entgegen den Fundamentalgesetzen selbst, ja gegen die eigentliche Wurzel dieser Einrichtung? Dazusitzen und nicht die Autorität anzuerkennen, durch welche Ihr dasitzet? Wahrlich, dss ist etwas, was nach meiner Ueberzeugung mehr andere Menschen, als mich selbst in Erstaunen setzt, was aber so gefährlich die Nation enttäuscht und verwirrt, als irgend etwas, was durch den grössten Feind unseres Friedens und unserer Wohlfahrt hätte erfunden werden können!" —

Zweifelt man noch daran, dass Cromwell parlamentarische Beredtsamkeit besessen habe? Wir gestehen, dass erst aus diesen Reden das gewaltige Wesen des Independenten-Generals uns völlig klar ist entgegengetreten.

„In jeder Regierung" — fährt er fort — „muss etwas Fundamentales sein, irgend Etwas gleich einer Magna Charta, was feststehen, unabänderlich fest sein sollte. Wenn ein Vertrag auf einer Seite geschlossen ist und zwar so, dass er vollständig ist angenommen worden, wie aus dem hervorgeht, was gesagt worden ist — gewiss, es sollte dann doch auch eine Gegenverpflichtung da sein; was bedeutete sonst jener Vertrag? Wenn ich auf die erwähnten Bedingungen hin diesen grossen Vertrauensposten übernommen habe und in demselben thätig gewesen bin, und wenn ich kraft seiner Euch berufen habe, so sollte das doch gewiss auch durch Euch anerkannt werden. Auch dass die Parlamente nicht sich selbst verewigen sollen, ist ein Fundamentalgesetz. Denn von welcher Sicherheit ist ein Gesetz, um einem so grossen Uebel zuvorzukommen, wenn

es in der Hand derselben Legislatur liegt, es wieder ungesetz-
lich zu machen? Sieht solch' ein Gesetz so aus, als ob es
dauern würde? Nein, es wird sein, wie ein lockeres, schwaches
Band, es wird keine Sicherheit geben, denn dieselben Menschen
können wieder einreissen, was sie aufgebaut haben.

Und ferner, ist nicht die Freiheit des Gewissens in der
Religion ein Fundamentalgesetz? . . . Freiheit des Gewissens
ist ein natürliches Recht; und der, der es haben möchte, sollte
es auch Anderen gewähren . . . In der That, das ist eine von
den Nichtigkeiten in unserem Streite gewesen. Jede Secte
sagt: „O, gebet mir Freiheit!" Aber wenn Ihr sie gebet, so
will sie nicht ebenso auch einer anderen dieselbe gewähren . . .

Ein anderes Fundamentalgesetz ist die Miliz („the militia"),
das Militairwesen."

Es folgen sehr vernünftige Gedanken über die Nothwendigkeit fester Militairverhältnisse, die in jener Zeit bedeutender erscheinen mussten, als heutzutage. Ebenso geht Cromwell dann
einiges Finanzielle durch, und Anderes, was mehr nebensäch-
licher Art ist. Und er beschliesst seine dritte Rede in folgender Weise:

„Was ich endlich noch zu sagen habe, ist dieses: Die willkürliche Beseitigung dieses Gouvernements, so wie es ist, so
anerkannt von Gott, so gebilligt von den Menschen, so vielfach
bezeugt in seinen Grundlagen, wie vorher erwähnt wurde, das
würde Etwas sein, was — und zwar in Beziehung nicht auf
mein Wohl, sondern auf das Wohl dieser Nationen und ihrer
Nachkommen — mich eher ins Grab bringen und mit Schande
bedeckt zu den Todten werfen sollte, als dass ich dazu jemals
meine Zustimmung geben würde.

Ihr seid hierher berufen worden, eine Nation zu retten —

ja ganze Nationen. Ihr hattet in der That das beste Volk der christlichen Welt anvertraut erhalten, als Ihr hierher kamt. Ihr hattet die Angelegenheiten dieser Nationen in Frieden und Ruhe Euch übergeben erhalten; Ihr waret, und wir Alle waren in einen ungestörten Besitz versetzt worden, indem Niemand Anspruch auf uns machte. Durch den Segen Gottes waren unsere Feinde hoffnungslos zerstreut. Wir hatten Frieden zu Hause, Frieden mit fast allen unseren Nachbarn ringsumher — sonst wohl fähig, ihren Vortheil wahrzunehmen, wo Gott es ihnen gewähren mochte. Diese Dinge hatten wir vor wenigen Tagen noch, als Ihr hierher kamet. Und jetzt? Unser Friede und unser Interesse, auf die wir die vorigen Tage Hoffnung hatten, sind so erschüttert und in solche Verwirrung gebracht, und wir selbst sind hierdurch fast jenen Fremden, welche unter uns sind, um die Angelegenheiten ihrer Herren wahrzunehmen, zum Spott und zur Verachtung geworden! Ihr habt ihnen ja Gelegenheit gegeben, unsere Blösse und Schwäche zu sehen, wie sie thun: ein Volk, welches jetzt seit zwölf Jahren in Verwirrung gewesen ist und sich noch mitten in der Revolution befindet — als ob Spaltungen, Trennungen und Verwirrungen auf uns kämen als solche Dinge, nach denen wir Verlangen trügen: solche Dinge, welche ja die grössten Plagen sind, die Gott gewöhnlich ihrer Sünden wegen den Nationen auflegt! . . .

Wer kann für solche Dinge Gott oder den Menschen verantwortlich sein!? Den Menschen, dem Volke, das Euch hierher gesandt hat, die auf Rettung von Euch gehofft haben, die nach Nichts verlangt haben, als nach Frieden und Stille und Ruhe und gesetzlichem Abschluss? Wenn wir nun kommen, ihnen einen Bericht davon zu geben, so werden wir es zu sagen haben: „Oh, wir zankten uns um die Freiheit Englands; um sie stritten wir mit einander und kamen in Unordnung!"... Und wenn diese Dinge werden offenbaret werden und wenn das Volk kommen wird und fragen: „Gentlemen, welche Lage ist das, in der wir uns befinden? Wir hofften auf Licht und wir sehen Dunkelheit, tiefe Dunkelheit und schwarze Nacht! Wir hofften auf Ruhe nach einem zehnjährigen Bürgerkriege, aber wir sind nochmals in noch tiefere Verwirrung gestürzt worden!" Ja, was für Folgen werden dann über uns kommen, wenn Gott der Allmächtige nicht irgend einen Weg findet, ihnen zuvorzukommen?...

Das also, was ich von Euch erwartet habe, ist abgelehnt worden und ist nicht geschehen, weil ich davon überzeugt bin, dass kaum irgend Einer daran zweifeln konnte, dass Ihr mit widerstrebender Gesinnung hierhergekommen seid. Ja, ich habe Grund zu glauben, das Volk, das Euch hierher gesandt hat, zweifelt am allerwenigsten daran. Und deshalb muss ich offen mit Euch verfahren: was ich unterliess, des billigen Vertrauens wegen, das ich zuerst zu Euch hatte, dazu nöthigt Ihr mich jetzt! Da ich sehe, dass die Autorität, die Euch berufen hat, so wenig geschätzt wird und so sehr vernachlässigt — so habe ich, bis irgendwelche Sicherheit dafür gegeben und kundgethan ist, dass das Fundamentalinteresse befriedigt und gebilligt... und solch' eine Uebereinstimmung bezeugt ist, dass daraus deutlich hervorgeht, dass die Annahme der Sache erfolgt ist, veranlasst, dass Eurem Eintritt in das Parlament ein Riegel vorgeschoben werde*).

---

*) „I have caused a stop to be put to your entrance into the Parliament House."

Ich bin traurig, ich bin wirklich traurig darüber, ich könnte betrübt bis zum Tode darüber sein, dass Ursache dazu vorhanden ist! Aber es ist Ursache vorhanden: und wenn die Dinge nicht zur Befriedigung ausgeführt werden, welche mit Recht gefordert werden, so werde ich meinerseits das thun, was mir zukommt, indem ich von Gott für mich Rath erflehen werde. — Es ist dort also Etwas, was Euch angeboten werden soll, was, wie ich hoffe, der Erwartung entsprechen wird, indem es zugleich mit den Bestimmungen, von denen ich Euch gesprochen habe, wird verstanden werden — nämlich: Verbesserung in nebensächlichen Dingen, und Uebereinstimmung im Wesentlichen und Fundamentalen, d. h., in der Form der Regierung, die jetzt fest begründet ist, was ausdrücklich stipulirt wurde in Euren Verträgen, so dass es nicht sollte verändert werden. Eure Sinnesart hierin kund zu machen dadurch, dass Ihr Eure Zustimmung und Unterschrift dazu gebet, das ist das Mittel, Euch wieder in's Parlament eintreten zu lassen, um als eine parlamentarische Versammlung jene Dinge zu vollziehen, welche zum Wohle des Volkes dienen sollen. Und dieses Ding ("the Parliament!"), wenn es Euch erst einmal ist gezeigt und unterzeichnet worden, wie vorher gesagt, entscheidet die Controverse und kann diesem Parlament einen glücklichen Fortgang und Erfolg verleihen.

Der Ort, wohin Ihr in solcher Weise kommen und unterzeichnen möget, so viele, als Gott dazu frei machen wird, ist das Vorzimmer vor der Thür zum Sitzungssaale ("the Lobby without the Parliament Door"). Das Document der Regierung erklärt, dass Ihr eine gesetzgebende Gewalt habt ohne ein "Veto" meinerseits. Wie das "Instrument" erklärt, könnt Ihr alle Gesetze machen; und wenn ich nicht meine Zustimmung

gebe, innerhalb zwanzig Tagen, zum Durchgehen Eurer Gesetze,
so sind sie Gesetze „ipso facto“, ich mag nun meine Zustimmung geben oder nicht — wenn dieselben nur nicht der Regierungsform („Frame of G.“) entgegengesetzt sind. Ihr
habt eine absolute legislative Gewalt in allen Dingen, die mög-
licherweise das Wohl und Interesse des gemeinen Wesens betreffen können; und ich denke, Ihr könnt diese Nationen durch
diesen gesetzlichen Abschluss glücklich machen. Ich aber werde
meinerseits willig sein, mich noch mehr fest zu verpflichten, als
ich schon bin, in Allem, in Bezug worauf ich überzeugt werden
kann, dass es für das Wohl des Volkes sei oder zur Erhaltung
der Sache und des Interesses dienen soll, für welche wir so
lange gestritten haben.“ — — —

So endet die dritte Rede*). Das Pergament, welches die
darauf entlassenen Mitglieder des ersten Protectorat-Parlamentes
am angegebenen Orte vorfinden, zur Unterschrift, enthält folgende Erklärung:

„Ich verspreche hierdurch freiwillig und verpflichte mich,
wahrhaft und getreu zu sein gegen den Lord Protector und
das Gemeinwesen von England, Schottland und Irland; und ich
werde nicht (dem Texte des Vertrages gemäss, wodurch ich

---

*) Go your ways, my honourable friends, and sign, so many of you as
God hath made free thereunto! The place, I tell you, is in the Lobby
without the Parliament Door. The „Thing“ you will find there, is a
bit of Parchment with these words engrossed on it: „I do hereby freely
promise and engage myself, to be true and faithful to the Lord Protector
and the Commonwealth of England, Scottland and Ireland; and shall not
(according to the tenor of the Indenture whereby I am returned to serve
in this present Parliament) propose or give my consent, to alter the Go-
vernment as it is settled in a Single Person and a Parliament.“
Sign that or go home again to your countries.

Carlyle.

gewählt worden bin, um im gegenwärtigen Parlamente Dienste zu leisten) beantragen oder dazu meine Stimme geben, die Regierung zu verändern, wie sie festgesetzt ist in einer einzelnen Person und einem Parlamente."

Binnen einer Stunde haben bereits 100 Mitglieder diesen Revers unterzeichnet, an demselben Tage bereits 141, im Laufe des Monats schon 300, die entschiedene Mehrzahl. Die Sitzungen gehen in Folge dessen wieder ununterbrochen fort, haben aber auch jetzt keineswegs den gewünschten Erfolg — wie ja die Menschen alle Künste der Rede zur Anwendung bringen können, um nur nichts Ernstliches zu thun zu brauchen*) Namentlich werden die Gelder nicht bewilligt, die Oliver nöthig hat zur Befriedigung seiner Truppen und zur Ausrüstung der Flotte. Der Lord Protector bescheidet daher nach langen widerwärtigen Warten am 22. Januar 1655 das Parlament in „The Painted Chamber" und hält ihnen Allen in allerhöchster Ungnade seine

4. Rede,

aus der wir folgende Stellen hervorheben:

Gentlemen!

„Ich vermuthe, Ihr seid hier als ein Parlament versammelt, da ich den Sprecher hier sehe und auch Eure mir in der That sehr bekannten Gesichter.

Als ich Euch zuerst in diesem Raume traf, war es meiner Auffassung nach der hoffnungsvollste Tag, den jemals meine Augen gesehen haben, wenigstens in Bezug auf die Angelegenheiten dieser Welt. Denn ich hatte die Aussicht auf die Hoff-

---

*) „I have read their Debates, and counsel no other man to do it."

Carlyle.

32

nungen und das Glück von wenn nicht dem grössten, so doch
von einem sehr grossen Volke, und zwar glaubte ich dieses eingehüllt zu sehen in Eurer Vereinigung mit mir; und das Volk
hielt ich für das beste Volk in der Welt. Wahrhaft und aufrichtig war das mein Gedanke: dass Ihr ein Volk verträtet,
welches das höchste und deutlichste Bekenntniss unter ihnen
allen von der grössten Glorie besitzt, nämlich Religion; ein
Volk, das gleich anderen Nationen bisweilen erniedrigt worden
ist in Bezug auf seine Ehre in der Welt, das aber doch niemals so tief gestanden hat, dass wir uns nicht mit anderen
Nationen messen können; ein Volk, das von Gott sein Gepräge
erhalten hat; da ja Gott alle unsere frühere Ehre und Glorie
in den Dingen, welche den Nationen zum Ruhme gereichen,
wie in einem Auszug zusammengefasst hat, innerhalb dieser
letzten zehn oder zwölf Jahre! So dass wir Einer den Andern
zu Hause kennen und auch draussen wohl bekannt sind.

Und wenn ich mich nicht sehr irre, so waren wir in einem
sehr sicheren Hafen angekommen, in welchem wir ruhig verbleiben und die Fügungen Gottes und die uns ertheilten Gnaden betrachten konnten; wo wir zugleich erkennen mochten,
dass unsere Gnaden nicht gleich jenen der Alten gewesen sind,
welche ihren Frieden und ihr Glück, wie sie dachten, durch
ihre eigenen Bemühungen herstellten, welche also nicht wie wir
sagen konnten, dass alles Unserige uns von Gott selbst sei verliehen worden! Seine Offenbarungen und die Fügungen Seiner
Vorsehung unter uns sind durch keine Geschichte mehr
zu verlöschen. Wahrlich dies war unsere Lage. Und ich
kenne nichts anderes, was wir zu thun hatten, als was Israel
geheissen wurde in jenem ganz besonders herrlichen Psalme
Davids: „Die Dinge, welche wir gehört haben und wissen und

die unsere Väter uns erzählet haben, wir wollen sie nicht vor
unseren Kindern verbergen; wir verkündigen vielmehr denen,
die hernach kommen, den Ruhm des Herrn und Seine Kraft
und Seine Wunder, die Er vollbracht hat. Denn Er richtete
ein Zeugniss auf in Jacob und gab ein Gesetz in Israel, welches
er unseren Vätern gebot, zu lehren ihre Kinder, auf dass die
kommenden Geschlechter lerneten, und auch die Kinder, welche
noch geboren werden sollten, und wenn sie aufkämen, dass sie
es wieder ihren Kindern verkündigten: damit sie ihre Hoffnung
auf Gott setzten und nicht der Thaten Gottes vergässen, sondern seine Gebote hielten." (Psalm 78.)

Das wäre, dachte ich, ein Gesang und ein Werk gewesen,
werth Englands, wozu Ihr sie glücklich hättet einladen können,
— hättet Ihr ein Herz dafür gehabt. Diese Gelegenheit hattet
Ihr auf's Schönste Euch überliefert erhalten. Und wenn
einst wird eine Geschichte geschrieben werden von
diesen Zeiten und diesen Verhandlungen, so wird
es gesagt werden, so wird es nicht geleugnet werden, dass dieses, was ich gesagt habe, wahr ist! Dieses Talent war in Eure Hände gelegt (damit zu wuchern). Und
ich will nochmals auf das zurückkommen, was ich zuerst gesagt habe: ich kam mit sehr grosser Freude, Zufriedenheit und
Tröstung, als ich Euch zuerst an diesem Orte traf. Aber wir
und diese Nationen sind gegenwärtig unter irgend einer Enttäuschung befangen, in einer getäuschten Erwartung! — . . .

In der That — Ihr werdet mir die Freiheit gestatten,
meine Gedanken und meine Hoffnungen auszuführen — hatte
ich die Ansicht, wie ich früher gefunden habe auf jenem Wege,
auf welchem ich als Soldat engagirt gewesen bin, dass einige
Schande, die auf uns gelegt war, eine uns angethane Beleidigung,

32*

einiges Unglück uns Bahn gemacht haben für sehr grosse und glückliche Erfolge; und ich hatte alles Vertrauen dazu, dass der Einhalt („stop"), der Euch geboten wurde, in ähnlicher Weise die Bahn für einen Segen von Gott würde eröffnet haben. Jene Unterbrechung war meiner Ansicht nothwendig, um Euch von gewaltsamem und zerstörendem Vorgehen abzuwenden, um Euch Zeit zu geben für bessere Ueberlegungen; — wodurch Ihr denn, indem Ihr die Regierung so liesset, wie Ihr sie gefunden habt, dazu hättet übergehen können, gute, gesunde Gesetze zu machen, welche das Volk von Euch erwartete, und ebenso hättet Ihr die Noth beseitigen können und jene anderen Dinge in Ordnung bringen, die Euch als einem Parlamente zukamen: und dafür würdet Ihr Dank von Allen geerndtet haben, die Euch vertrauten. Was seit jener Zeit geschehen ist, davon habe ich nicht öffentlich Notiz genommen, da ich nicht geneigt bin, Eingriffe in die Privilegien des Parlamentes zu thun. Denn ich bin gewiss, und Ihr Alle werdet mir das bezeugen, dass von Eurem Eintritte in das Haus nach der Anerkennung („recognition") an bis zu eben dem heutigen Tage Ihr keine Art von Unterbrechung oder Verhinderung meinerseits erfahren habt in Eurem Vorgehen zu jenem segensreichen Ausgange, den das Herz eines guten Menschen sich vornehmen könnte — bis zu dem heutigen Tage durchaus nicht. Ihr sehet, Ihr habt mich sehr eingeschlossen gehalten in Bezug auf das, was Ihr unter Euch verhandelt habt von jener Zeit an bis zu dieser. Aber von einigen Dingen werde ich mir doch die Freiheit nehmen, zu Euch zu sprechen.

Wie ich keine Notiz davon nehmen mag, was Ihr bisher gethan habt, so denke ich auch vollkommene Freiheit dazu zu haben, Euch zu sagen, dass ich nicht weiss, was Ihr gethan habt („what you have been doing")! Ich weiss nicht, ob Ihr lebend oder todt gewesen seid. Ich habe auch nicht einmal von Euch gehört während all' dieser Zeit, wirklich nicht: und das wisset Ihr Alle. Wenn das ein Fehler ist, dass ich es nicht habe, so ist es sicherlich nicht mein Fehler gewesen! — Wenn ich irgendwelche melancholische Gedanken gehabt und in sie versunken still dagesessen habe — warum hätte es nicht ganz gesetzlich für mich sein können zu denken, dass ich eine Person wäre, die in all' diesen Angelegenheiten ganz und gar unbetheiligt sei? Ich kann Euch aber versichern, ich habe mich selbst nicht so angesehen! Auch um Euch bin ich nicht unbekümmert gewesen. Und so lange irgend eine gerechte Geduld meine Erwartung aufrecht erhalten konnte, hätte ich bis zum Aeussersten warten mögen, um von Euch den Erfolg Eurer Berathungen und Beschlüsse zu vernehmen. Ich habe mich um Eure Sicherheit bemüht und um die Sicherheit Jener, die Ihr repräsentirt und welchen auch ich selbst zu dienen meine.

Ich habe also für Euch gesorgt und für den Frieden und die Ruhe dieser Nationen . . . und jetzt will ich Euch etwas sagen, von dem ich wünsche, dass, wenn es nichts Neues für Euch ist, Ihr es wenigstens in sehr ernste Erwägung nehmen möchtet. Wenn es etwas Neues ist, so wünsche ich, ich hätte Euch früher damit bekannt gemacht. Und doch, wenn irgend Jemand mich fragen will, warum ich es nicht gethan habe, so ist der Grund davon schon angegeben: weil ich es zu meiner Aufgabe machte, Euch nicht zu unterbrechen. Es mag einige Bäume geben, die nicht unter dem Schatten von anderen Bäumen wachsen wollen: und es mag andere geben, die es sich wählen unter dem Schatten anderer Bäume zu gedeihen. Ich will Euch sagen, was gediehen und aufgekommen ist — ich

will Euch nicht sagen, was Ihr gehegt und gepflegt habt u̲n̲ ̲e̲n̲
Eurem Schatten; das würde zu hart sein. Statt Frieden u̲n̲d
Beruhigung — statt Gnade und Wahrheit zusammen zu bringen
und Gerechtigkeit und Friede einander küssen zu lassen dadurch, dass Ihr das ehrliche Volk dieser Nationen vereinigt
hättet und die schmerzliche Zerrüttung und Unordnung, die
unter uns vorhanden sind, beruhigt, was ein glorreiches Ding
gewesen wäre und werth, dass Christen es sich vornehmen —
statt dessen sind Unkraut und Nesseln, Dornen und Stacheln
unter Eurem Schatten aufgegangen! Verwirrung und Trennung,
Unzufriedenheit und Missvergnügen, zusammen mit wirklichen
Gefahren für das Ganze, haben sich innerhalb dieser fünf Monate Eurer Sitzungen mehr vermehrt, als in manchen Jahren
vorher! Grundlagen sind auch gelegt worden für die künftige
Erneuerung der Unruhen in diesen Nationen durch alle ihre
Feinde draussen und zu Hause. Lasset nicht diese Worte Euch
zu scharf erscheinen: denn sie sind wahrhaftig, wie irgend
welche mathematische Beweise sind oder sein können. Ich
sage, die Feinde des Friedens dieser Nationen draussen und
zu Hause, die unzufriedenen Stimmungen überall in diesen Nationen — welche Erscheinungen („products") mit den Namen
von Disteln und Dornen zu bezeichnen Niemand übel nehmen
wird — sie haben sich unter Eurem Schatten genährt!

Und damit ich klar und deutlich möge verstanden werden,
so behaupte ich: sie haben ihre Gelegenheiten entnommen von
Euren Sitzungen und von den Hoffnungen, welche sie hegten...
dass es nicht zu einem festen Abschluss kommen würde; und
sie haben ihre Pläne gemacht und die Ausführung derselben
entsprechend vorbereitet. Ob ihnen nun dafür irgend welche
Gelegenheit ist dargeboten worden, und von welcher Seite her

sie dieselbe bekommen haben, das gelüstet mich durchaus nicht, näher zu untersuchen. Aber ich will nun dieses sagen: ich denke, von mir hatten sie dieselbe nicht. Ich bin gewiss, dass sie es nicht von mir hatten. Von woher sie es bekamen, das zu besprechen, ist jetzt nicht mein Geschäft; aber dass sie es bekommen haben, ist für Jedermann's Sinn deutlich offenbar. Welche Vorbereitungen sie gemacht haben, um sie in solch einer Jahreszeit auszuführen, wie sie ihnen für ihre Zwecke eine passende Gelegenheit darzubieten schien, das weiss ich, nicht wie man wohl Etwas durch Vermuthung weiss, sondern durch zuverlässige und nachweisbare Kenntniss. Dass sie sich vor einiger Zeit mit Waffen versehen haben, indem sie durchaus nicht zweifelten, dass schon ein Tag dafür kommen werde; und indem sie wirklich glaubten, dass sie, was auch immer ihre früheren Enttäuschungen waren, durch unsere Spaltungen und wegen ihrer mehr für sie geschehen sei, als sie für sich selbst zu thun fähig wären. Ich wünsche so verstanden zu werden, dass in Allem, was ich über diesen Gegenstand zu sagen habe, Ihr annehmen dürft, dass ich in meinem Gemüthe keinen Hinterhalt habe („reservation") — ich habe wirklich keinen — als ob ich Dinge der Vermuthung und des Argwohns mit Thatsachen vermengen wollte: sondern die Dinge von welchen ich spreche, sind wirklich Thatsachen, Dinge von augenscheinlicher Erweislichkeit" . . .

. . . „Ich sage Euch, während Ihr mitten in diesen Verhandlungen gewesen seid, hat jene Partei, jene Cavalier-Partei, Pläne und Vorbereitungen gemacht, um diese Nation auf's Neue in Blutvergiessen zu stürzen; so ist es wirklich! Und ich wünschte nur, dass Einige von ihnen hier zugegen wären, um zu hören, was ich sage. Aber weil ich überzeugt

bin, dass keine von jener Sorte hier sind, deshalb werde ich
davon Nichts mehr sagen" . . .

Nur das noch will er hinzufügen, dass er sie aufmerksam
macht auf die grossen Gefahren, die ihnen von allen Seiten
durch die Machinationen der Gegner drohen. Und wir ersehen
also aus dieser, wie aus den früheren Reden ganz deutlich, in
welcher Art sich seine Auffassung von der seiner Gegner unterscheidet: sich stützend auf jene Mittelpartei, die in gewaltigen
Schlachten die grossen Siege der Republik erfochten hatte, steht
er fest und ruhig im Centrum der grossen Staatsinteressen,
nach allen Seiten hin die Ordnung aufrechterhaltend, die Unruhen verhindernd, die Ausschreitungen bestrafend. Die aus
den Reden gegebenen Auszüge genügen bereits, uns auch sein
Verfahren zu charakterisiren denen gegenüber, welche unter
dem Scheine der gesetzlichen parlamentarischen Opposition doch
fortwährend sein grosses Werk zu stören und zu hemmen
suchten: er erzählt ihnen ausführlich, wie Alles bisher gegangen
sei, giebt dabei Enthüllungen und Aufschlüsse über die geheimsten
Motive der grossen Actionen im Felde, wie im Parlement, macht
gegen alle Arten von Redekünsten, Umschweifen und Hemm-
nissen die wirklichen Schwierigkeiten und die realen Interessen
des neu erwachten Staatslebens geltend und bekräftigt seine
eigene Ehrlichkeit und Wahrhaftigkeit mit häufiger Berufung
auf besonders ergreifende Reminiscenzen der heiligen Schrift.
Das Letztere giebt seinen Reden jene eigenthümliche Färbung,
wie sie dem Englischen Protestantismus des 17. Jahrhunderts
entspricht; auch Clarendon setzt über jedes seiner Bücher eine
Bibelstelle, und darunter so schöne und bedeutsame, wie die
folgenden über dem 10. Buche: „Wie geht es denn zu, dass
ich alle Männer sehe ihre Hände auf ihren Hüften haben,

wie Weiber in Kindesnöthen und alle Angesichter so bleich sind?" (Jer. 30, 6.) . . . „O Du Schwert des Herrn, wann willst Du doch aufhören? Fahre doch in Deine Scheide, und ruhe, und sei stille." (Jer. 47, 6.) Wehe den Hirten Israel's, die sich selbst weiden! Sollen nicht die Hirten die Heerde weiden?" (Ezl. 34, 2.) Wir ersehen daraus, dass die Berufung auf Gottes Wort nicht ein Privilegium einer Partei ist, sondern dass damals namentlich jede Richtung für ihre besonderen Tendenzen das allgemeine Interesse des religiösen Lebens und die Kraft der biblischen Erinnerungen zu verwerthen suchte. Aber es ist freilich ein Unterschied, ob die Anführung solcher Stellen nur als eine Art äusserlicher Decoration benutzt wird, oder ob man aus jedem Worte, jeder Rede und allem Thun und Lassen die reine Macht und den tiefen Ernst einer gottbegeisterten Helden- seele herausleuchten fühlt. Dass das letztere in der Darstel- lung Clarendon's nicht der Fall ist, wird uns Jeder zugeben, der auch nur einen Blick in sein Buch hineingeworfen hat: es ist eine gemeine Seele in dem Manne gewesen, trotz all' seiner glänzenden äusseren Erscheinung und all' seiner Verbindung mit Königen, Herzogen, Fürsten, Grafen und Edlen aller Art. Die Art, wie Oliver Cromwell spricht und in all' seinem Thun sich dargestellt, verhält sich zu der Darstellung des Lord Hyde, wie tiefe Ueberzeugung zu Phrasen und Redensarten. Als Cromwell die hohe Stellung erreicht hat, in denen seinen grossen Ideen die Ausführung gesichert ist, da steht er persönlich auch sofort über allen einzelnen Parteien, indem er sich den grossen religiösen und politischen Interessen seines Vaterlandes unter- ordnet und nichts Anderes sein will, als der treue Diener und die machtvolle Executive dieser Interessen. Man kann es ihm wirklich nicht verdenken, wenn er von diesem hohen Stand-

punkte aus, von dieser Alles überschauenden Warte gleichsam
es nicht ruhig und nicht gutmüthig erträgt, dass ihm eine berathende Versammlung, in welcher naturgemäss allen Intriguen
des In- und Auslandes Thür und Thor geöffnet ist, in practisch
nothwendigen Dingen hemmend oder auch nur aufhaltend entgegentreten will. Als er daher sieht, dass es nicht gehen will,
wie er nach allem bisher Geschehenen doch einsieht, dass es
nothwendig gehen muss, entlässt er dieses Parlament — und
zwar in demselben Momente, in welchem die junge Republik
nach allen Seiten, zur See, wie auf dem Lande, jene furchtbar
grossartige Machtstellung entfaltet, die alle Europäischen Staaten
mit Einem Schlage überflügelte *). Wir finden daher das Aus-
zeichnende und Hervorragende seines Charakters, wie sich derselbe nach allen bisherigen Actionen und Reden darstellt, nicht
vorzugsweise in seiner biblischen Stimmung, worauf Carlyle uns
etwas zu starken Nachdruck zu legen scheint, sondern vielmehr
in der wirklichen grossartigen Tüchtigkeit und äusserst massiven
Geschicklichkeit, womit er diese alle Parteien und die ganze
Zeit beherrschende religiöse Stimmung für die grossen National-
Interessen Englands zu verwerthen wusste. Er war der Re-
präsentant dieser Interessen in einem Grade, wie selbst Königin
Elisabeth es kaum gewesen war: er war das grosse „I" der
Nation. Gerade das, was ihn von dieser grossen Königin, wie
von allen Fürsten und Höfen so specifisch unterscheidet, die
geringere Bildung und sein Mangel an Verständniss und Interesse in Allem, was reine Kunst und höhere Wissenschaft für
ewig im Menschenleben bedeuten werden, gerade das gab ihm
seine Macht bei den mittleren Ständen und bei seinen Soldaten,

---

*) 1655.

die für solche Dinge ebenfalls keine Zeit und kein Talent hatten. Sie alle waren Männer der Action im grössten Sinne des Wortes, aus grobem Stoffe geschaffen, viele darunter einem recht knorrigen alten Eichbaume so auffallend ähnlich, dass man sich nicht genug wundern kann über die Macht eines religiösen Glaubens, der auch solch ein sprödes und hartes Material zu bewältigen, im Dienste einer grossen Idee zu erziehen und zu glänzender Repräsentation emporzuheben, ja auf der erreichten Höhe ihm so feine Blätter und zarte Blüthen zu entlocken wusste, wie wir sie in den Briefen und Reden Cromwells unzweifelhaft vor uns haben. Es liegt doch etwas höchst Eigenthümliches gerade in dieser Verbindung des religiösen Ideales mit der härtesten Wirklichkeit. Durch Kampf zum Siege, durch Nacht zum Lichte, durch harte Arbeit, Strapazen ohne Gleichen, Schlachten und Blut und Wunden und Tod hindurch zu den Höhen empor, wo die ewigen Ideen der befreiten, der erlösten Menschheit thronen — wirklich, darin liegt Etwas, was Heroen, Helden der That und Helden des Geistes, zu schaffen vermag. In den Mittelpunkt dieser treibenden Idee müssen wir uns hineinzuversetzen wissen: dann werden wir dem Verständnisse Oliver's und anderer Helden der Geschichte einigermassen näher kommen.

Es ist bekannt, wie dieser erste grossartige Versuch eines christlich-protestantischen Gemeinwesens im practischen Sinne des Wortes allmälig gescheitert ist. Die parlamentarischen Streitigkeiten einerseits, die alten Reminiscenzen der früheren bequemeren Zeit andererseits, die royalistischen Sympathien endlich, concentrirt in dem fortwährend weiter intriguirenden Sohne des gerichteten Königs, unterstützt durch mächtige Parteien auf dem Continent, und dem Allen gegenüber die immer

straffer und immer rücksichtsloser alle Kraft der Regierung
zusammenfassende Militär-Organisation des ganzen Landes, und
zwar nach so strengen religiösen Principien, dass kein Schauspiel, kein überflüssiges Wirthshaus, keine von jeher beliebte
Volksbelustigung geduldet, ein herzhafter Fluch aber als Gottes-
lästerung mit Gefängniss oder gar mit dem Tode bestraft
wurde — fürwahr, wer auf solche Weise glaubt dauernde Zustände begründen zu können, der kennt das Volk nicht und
kennt die menschliche Natur nicht. Jede Einseitigkeit und jede
zu scharfe und zu strenge Anspannung aller Kräfte nach einer
Richtung hin wird auf die Dauer unerträglich: schon wenn
Einer fortwährend Milton (oder Klopstock) lesen oder jeden
Tag Predigten anhören sollte, würde es ihm höchst wahrscheinlich
sehr bald des Guten zu viel werden; ein Buch, wie das von
Carlyle und 18 solcher Reden, wie die Cromwell's durchzustu-
diren, schon dazu gehört die ganze Geduld des wissenschaftlich
gebildeten Gelehrten; und nun denke man sich den ganzen
lieben langen Tag und alle Personen und Zustände nur mit
solchen erhabenen Dingen angefüllt und beschäftigt — Himmel!
was muss das in jenen Jahren ein Zustand und eine Stimmung
im Volke von England gewesen sein! Heutzutage ist doch
wenigstens nur der Sonntag in England von jener unerträg-
lichen Langweiligkeit umschattet, die jedes an freie und unbe-
fangene Zustände gewöhnte Gemüth in einen Zustand gelinder
Verzweiflung versetzt, wenn man einmal genöthigt ist, solche
Sonntagsfeier der Landessitte wegen mitzumachen: damals war
gleichsam alle Tage solch ein Sonntag namentlich für die er-
leuchteten Heiligen, die ausser ihrem Bibellesen und Predigen
zudem vorzugsweise noch die angenehme Aufgabe einer stets
bewaffneten Gendarmerie und Polizei zu lösen hatten gegen

Alle, denen diese Lebensordnung nicht recht behagen mochte. Alle zwei Meilen Militair-Posten aufgestellt, Alles beaufsichtigt, bespionirt und untersucht, jeder Versuch der Opposition gegen solch eine unnatürlich forcirte Ordnung mit blutiger Gewalt niedergeschlagen, nirgends Zerstreuung, Erholung, Abwechselung und Befriedigung all' der verschiedenen Anlagen, die auch in der menschlichen Natur und im Geiste der Geschichte nach Befriedigung verlangen — die tapferen Kämpfer um die englische Freiheit hatten es sich wohl nicht träumen lassen, dass diese Unfreiheit einst das Ziel ihrer Freiheitskämpfe und ihrer glorreichen Revolution sein würde! Aber es giebt eine Grenzlinie in dem, was der Mensch erträgt, die Niemand ungestraft überschreitet — kein Einzelner, keine officielle Staatsmacht, keine kirchliche Gemeinschaft: von dem Momente an, wo die General-Majors anfangen das Land zu tyrannisiren, schlimmer als jemals die Stuarts oder irgend eine andere Regierung früher das Land tyrannisirt hatten, von diesem Momente an beginnen die Heiligen Cromwells das Spiel zu verlieren; denn die Sympathien des Volkes fangen an, sich ihrem Werke vollständig zu entziehen. Es bedurfte nur noch der Zeit und eines äusseren Anstosses, um das ganze System wieder für lange Jahre zu beseitigen, dessen Aufbau und Durchführung so viel. Arbeit und so unermessliche Opfer gefordert hatten.

Bei grossen äusseren Erfolgen die Agonie eines inneren Todeskampfes — das ist das Schauspiel, welches die letzten Jahre Cromwells darbieten. Der Mann war doch wohl zu einfach, zu ehrlich, zu religiös und zu naiv, als dass ihm die Beherrschung eines widerstrebenden Landes und Volkes auf die Dauer geklingen onnte. Es scheint namentlich, als ob er, die Verschiedenheit der Menschen nicht beachtend, zu sehr Alle und Jeden mit den gleichen Mitteln hat gewinnen oder bezwingen wollen. Eine durchaus einseitige Politik! Der wahrhaft grosse Staatsmann rechnet stets mit realen Potenzen: Einseitigkeiten, Abstractionen, Naivetäten und Specialitäten wird er als Mittel und Wege für seine höheren Zwecke zu verwerthen suchen; aber er wird sie nicht gewaltsam unterdrücken, nicht abstract beseitigen, nicht von der Theilnahme am Staatsleben künstlich fernhalten. Dem Religiösen die Freiheit des Glaubens und Gottesdienstes, dem Künstler die Pflege und Begünstigung seiner herzerfreuenden Talente, dem Sänger und Dichter die entschiedenste Begünstigung, der Schule, den Gelehrten, den Philosophen Schutz und Unterstützung, dem Kaufmanne und dem Gutsbesitzer Aufschliessung der grossen Handelswege und Credit-Eröffnung zu rationeller Landwirthschaft, dem Handwerker und Tagelöhner Arbeit und Verdienst, dem ganzen Volke Freiheit, Natürlichkeit, Unbefangenheit, öffentliche Spiele und Erholungen aller Art, und im Nothfalle Bewaffnung und siegreiche Erfolge des ganzen Volkes gegen äussere Feinde — das sind so einige von den Grundzügen eines modernen Staatssystems, die zur Kritik der damaligen ersten Versuche eines solchen dienen können. Disciplinirung eines modernen Volkes nach alten Judengeschichten ist dagegen ein höchst dürftiges Aequivalent: wir glauben überhaupt nicht daran, dass irgend ein gesundes Volk unter einer wahrhaft nationalen Dynastie oder auch als Republik durch irgend ein exclusives Religionsystem sich jemals wird düpiren lassen — ägyptische oder orientalische Hierarchie ist eben durchaus nicht unser Ideal.

Vierzig Jahre lang dauerte es noch nach dem Tode Karl's des Ersten, dass die englische Nation zu einigermassen erträglichen Zuständen gelangte. Als Cromwell kaum 3 Jahre in der angedeuteten Weise regiert hatte, begann die vielfache Enttäuschung, die er fortwährend erleben, die tiefe Verstimmung, welche die Verkennung seiner wirklich guten und grossen Absichten in ihm erzeugen musste, und dazu sein zunehmendes Alter seine Gesundheit anzugreifen. Er fing an zu kränkeln. Der Tod lieber Verwandten kam dazu: vor Allem muss ihn das frühe Hinscheiden seiner geliebtesten Tochter schmerzlich ergriffen haben. Fortwährende Attentate auf sein Leben einerseits, das Anerbieten des königlichen Titels und damit der wirklichen alten Krone von England andererseits mussten ihm die Gefährlichkeit des Postens, den er so mühevoll sich errungen hatte, immer vor Augen halten. Er lehnte die Annahme der Königskrone nach längerer Bedenkzeit ab: vielleicht ist schon darin ein Zeichen beginnender Schwäche zu sehen; denn factisch war er längst König von England. Er liess sich von seinen Mitofficieren hineinreden: also siegte eines anderen Meinung über sein königliches Wissen; von dem Momente an war er allerdings nicht mehr, was er sein konnte — der Monarch der drei Nationen. Bei nachträglicher Ueberlegung musste auch diese Erfahrung zu seiner tieferen Verstimmung beitragen. Der Versuch, die factische Gewalt des Protectors mit der parlamentarischen Freiheit auf diese Weise auszugleichen, misslang also ebenfalls:*) wie Vieles kam zusammen, selbst eine so mächtige Existenz allmälig zu unterwühlen und von innen heraus zu zerstören! Bemerkenswerthe Aeusserungen, wie die, dass er lieber der erste Constabler der Nation bleiben wolle, zeigen bis zuletzt, wie gut und ehrlich er es mit dem Volke

---

*) Die Einzelheiten dieser sehr interessanten Vorgänge sind von Ranke so eingehend dargestellt, dass wir sie als bekannt voraussetzen dürfen.

von England meinte: er wollte Ordnung halten, nichts weiter!
Ja, er bot sogar seinen Rücktritt an, wenn es gelinge, ohne ihn
feste Einrichtungen zu treffen: er mochte eben wohl fühlen,
welch ungeheure Last und welch eine schwere Verantwortlichkeit
solch ein Amt mit sich führe. Selbst das Zureden seiner Familie
konnte seine Bedenken nicht beseitigen: das Widerstreben der
republikanischen Kampfgenossen einerseits, die laut werdenden
Hoffnungen der Royalisten andererseits, dass dieser Titel ihn
um den letzten Rest seiner Popularität bringen werde, bestimmten ihn wirklich, den letzten Schritt zur Realisirung einer
souveränen Autorität zu vermeiden. Er lehnte die Krone ab.

Wir können nicht umhin, abweichend von den meisten
Historikern, unsere Ansicht dahin auszusprechen, dass dies der
grösste politische Fehler und der Anfang zu seinem Ende war.
Ein seit einer Reihe von mehr als 30 Jahren in der Revolution
befindliches Volk bedurfte vor Allem der Ruhe und fester Regierungsform: Cromwell musste die Monarchie mit
eiserner Faust begründen; dies war das einzige
Mittel, sich und seine Principien auf der Höhe zu
erhalten. Er hatte noch nicht die Härte, die auch diesen
letzten Schritt ermöglichte: von diesem Momente an wachsen
auch ihm die Verhältnisse über den Kopf. Er hatte mit der
Einrichtung der Militär-Verwaltung den ersten Schritt zur absoluten Regierungsform gethan: er durfte den letzten nicht unterlassen — oder seine Generale nahmen ihm das Heft der
Entscheidung aus der Hand. Der letztere Fall trat nur zu
bald ein.

Ein Seesieg Robert Blake's über die spanische Silberflotte
(20. April 1659) war so ziemlich der letzte Glückstag des Pro-
tectorats. Der darauf folgende Krieg auf dem Continent in

Verbindung mit Mazarin und Karl Gustav von Schweden eröffnet bereits so weit verzweigten Intriguen Thür und Thor, dass mitten in London sich ein Comité bilden kann zur Zurückführung König Karl's II.; mit ihm stand eine royalistische Verschwörung in Verbindung, die sich über das ganze Land erstreckte. Lambert verweigerte bereits den Eid der Treue, den der Staatsrath zu leisten hatte, und zog sich ganz auf das Land und in sein privates Familienleben zurück. Andere Officiere (Harrington z. B.) legen Cromwell ausführliche Denkschriften über republikanische Verfassungen vor und geben ihm so in ziemlich unzweideutiger Weise zu erkennen, in welchem Grade sie sich durchaus als seines Gleichen betrachten: und das Alles lässt er sich gefallen. Er vermählt darauf seine Töchter mit Earls und Viscounts aus den berühmten alten Geschlechtern der Warwick und Fauconberg und beschäftigt sich mit der Bildung eines Hauses der Lords, im Parlament von 1658: und nun begann sofort der Kampf zwischen beiden Häusern wieder in so offener Weise, dass tiefer Blickende bereits wahrnehmen konnten, was im dunklen Grunde unter der Oberfläche der Ereignisse sich vorbereitete. Diesem Hause der Lords wurde sogar die Anerkennung seines Bestehens überhaupt versagt; Arthur Haslerig verschmähte die Ehre, in diesem Oberhause einen Sitz einzunehmen: er zog immer noch das House of Commons vor. Vergebens sucht Cromwell in neuen gewaltigen Reden*) den beginnenden Zwiespalt beizulegen, vergebens seinem House of Lords Anerkennung zu verschaffen: so eine „erste Kammer" wollte man gar nicht mehr; man fand schon in dem Namen Erinnerungen an Papst-

*) Sieh Carlyle, IV.

thum, Prälaten, Bischöfe und sonstigen Rumpelkammer-Raritäten-
kram der Weltgeschichte. „Wofür sei denn all das Blut ge-
flossen?“ rief Scott. „Das Volk wolle sich endlich selbst seine
Gesetze geben!“ —

    Mit einem Worte, der Protector und das Parlament ver-
trugen sich nicht zusammen: die National-Souveränetät der
Commons erblickte in Cromwell nicht mehr den Repräsentanten
ihrer Interessen. Schwer entrüstet, fühlte er noch einmal den
alten Geist in sich erwachen: am 4. Februar 1658 löste er
auch dieses Parlament auf. Noch ein letzter Sieg, die Behauptung Jamaica's gegen die Angriffe der Spanier, hatte bereits
einen solchen Charakter, dass die protestantischen Principien
Cromwell's nicht mehr in ihrer ganzen Reinheit dabei vor-
herrschten: die aus England und Irland nach den Barbadoes
Deportirten haben im rein politischen Interesse des gemeinsamen Vaterlandes dabei mitgeholfen; schottische und irische
Fahrzeuge, zusammen mit englischen Schiffen waren ebenfalls
angelangt und repräsentirten zum ersten Male ein gemeinsames
Zusammenwirken der drei Nationen im Interesse des Einen
Grossbritanniens. Von Neu-England her waren Lebensmittel
geschickt worden. D'Oyley, ein von Cromwell zurückgesetzter
Oberst, erhielt den entscheidenden Posten und setzte den Sieg
der englischen Waffen gegen die Spanier durch — Alles Anzeichen bereits, dass eine grosse Wendung bevorstehe. Die
darauf folgende Eroberung Dünkirchen's war ein Sieg Frankreichs über die Spanier, in welchem Engländer auf beiden
Seiten mitgefochten haben: die Royalisten unter dem Herzog
von York auf Seiten der Spanier, die Puritaner unter Cromwell's Gesandten Lockhart auf Seiten der Franzosen unter
Turenne. Die letzteren haben den Sieg davongetragen. Dün-

kirchen selbst wurde freilich noch von den Engländern besetzt und befestigt, auch eine protestantische Gemeinde dort eingerichtet und ein Flamänder, der bisher heimlich wie in den ersten Zeiten der Verfolgung getreu seines Amtes gewaltet hatte, zum Prediger gemacht. Aber hierbei waltete schon, wie der französische Gesandte damals ausdrücklich bemerkt hat, die Ansicht vor, dass die Ereignisse im Norden, namentlich die Verwicklung zwischen Schweden, Dänemark, Polen und dem mächtig aufstrebenden Brandenburg, von entscheidendem Einflusse darauf gewesen seien. Und jener Gedanke repräsentirt auch so sehr unsere Auffassung dieser hochinteressanten Wendung in der modernen Geschichte, dass wir in einem besonderen Werke über Friedrich Wilhelm, den grossen Churfürsten von Brandenburg, auf diesen wichtigen Punkt ausführlicher zurückzukommen gedenken: Der grosse Churfürst hat in höherer Form für seinen Staat fortgesetzt, was Cromwell für England in einem ersten höchst genialen Versuche begonnen hat.

Cromwell machte darauf eine letzte Anstrengung, seine wankende Autorität neu zu befestigen. Er reinigte die Armee von den Officieren, die sich gegen ihn aussprachen; darunter waren Männer, die seiner ersten Compagnie angehört hatten. Er reinigte sie auch von Anabaptisten, Leute, die ihm immer treu gedient und viel zum Gelingen des grossen Werkes bisher beigetragen hatten: in ihrer Adresse an den König Karl II., einem für jenen Moment überhaupt sehr wichtigen Actenstücke, mussten diese also sogar schon einen Stuart um Gewährung der Religionsfreiheit ersuchen; und dieser wies sie nicht zurück. Noch strenger wurden jetzt wieder die bekannten Royalisten und die Katholiken verfolgt: mehr als 12000 Menschen sollen nur ihrer Meinungen wegen damals die Gefängnisse gefüllt haben. Ja, in die Familie des Protectors selbst ist der Streit und Hader eingedrungen, und ein paar nahe Verwandte, Henry Slingsby und Doctor Hewitt, wurden wirklich ebenfalls angeklagt, eingezogen, verurtheilt und hingerichtet. Die Antipathien wurden unüberwindlich nach allen Seiten: die City und das Commoncouncil verweigerten bereits die Realisirung einer Anleihe; bei der Erhebung der Steuern kam es zu Widersetzlichkeiten. Der Kreis war erfüllt und geschlossen: man stand wieder bei dem Punkte, an welchem der Streit mit Karl I. begonnen hatte. Einige von den Kindern besuchten nicht mehr das Haus des Vaters. Lady Claypole, die geliebteste Tochter des Protectors, starb in seinen Armen.

Auch er begann zu kränkeln, ernster und immer ernstlicher: auch für ihn wurde es Zeit, dahin zu gehen, woher Niemand wiederkehrt. Was er erfüllen konnte, das hatte er erfüllt, in einem Umfange, wie es vor und nach ihm kaum jemals einem einzelnen Privatmann, der aus unbedeutenden Verhältnissen hervorgegangen war, gelungen ist. Er war für eine ganze Generation der Mann des Schicksals gewesen, und in wunderbarer Weise hatte dieses ihn begünstigt und emporgetragen vom Pfluge des Landmannes bis zu jener glänzenden Höhe, wo er die Dictatur über die vereinigten Reiche von Grossbritannien in machtvoller Weise repräsentirte, ja wie ein König Salomo dem höchsten Herrn alles Lebens und Todes einen Tempel erbauen und seine Heiligthümer verwalten durfte, in so würdiger Weise, wie es kaum jemals einem anderen Manne vor ihm war gewährt worden. Auch ist er auf der Höhe seiner Macht nicht in jene Thorheiten verfallen, die gewöhnlich dem Glückbegünstigten zuletzt die Sinne zu umnebeln beginnen.

Man kann in Wahrheit von ihm sagen, dass er einen guten Kampf gekämpft habe bis zum Ende, nach bestem Wisssen, mit redlichem Willen, in breitströmender Kraftbethätigung, mit überwältigenden Erfolgen. Wenn ihm der letzte Accent der ihrer selbst absolut gewissen Persönlichkeit gefehlt, wenn ihm auf der höchsten Höhe seiner äusseren Erfolge die Kraft versagt hat, auch nach Innen die factische Ueberlegenheit seines grossen Willens rücksichtslos geltend zu machen und despotisch durchzuführen, da es auf parlamentarischem Wege nicht gehen wollte, so findet er in jener Zeit der beginnenden Freiheitskämpfe doch auch dafür manche Entschuldigung. In einer romanischen Nation führten ein Ludwig XI., ein Richelieu, Mazarin und Ludwig XIV. allerdings das despotisch durch, was das erste Ziel der modernen Nationen sein muss: Vereinigung der provinzialen Sonderkräfte zu einem einzigen mächtigen Staatsganzen. Aber in einer germanischen Nation hat man mit ganz anderen Potenzen zu rechnen., Wie der innere Werth und das persönliche Selbstbewusstsein jedes einzelnen Mannes unter den Germanen von jeher freier entwickelt gewesen ist, so dass sich nicht so gar leicht Alles einem einfachen Schema unterordnet, so bethätigen auch die provinzialen Interessen, die besonderen religiösen Meinungen und die einzelnen politischen Parteien jede für sich ein weit freieres und selbstständigeres Leben. Die weitere Entwickelung der englischen Geschichte, welche indessen ebenfalls einer besonderen Darstellung muss vorbehalten bleiben, gewinnt bekanntlich erst nach dreissig weiteren Jahren diejenige Gestaltung, welche den germanischen Nationen seitdem immer als Ideal vorgeschwebt und zum Muster der Nachahmung gedient hat.

E n d e.

March of David Lesley.

I.

March, march, pinks of election!
Why the devil don't you march onward in order?
March, march, dogs of redemption!
Ere the blue bonnets come over the border.
      You shall preach, you shall pray,
      You shall teach night and day;
You shall prevail o'er the kirk gone a whoring;
      Dance in blood to the knees,
      Blood of God's enemies!
The daughters of Scotland shall sing you to snoring.

II.

March, march, dregs of all wickedness!
Glory that lower you can't be debased.
March, march, dunghills of blessedness!
March and rejoice for you shall be raised
      Not to board, not to rope,
      But to faith and to hope;
Scotland's athirst for the truth to be taught her;
      Her chosen virgin race,
      How they will grow in grace,
Round as a neep, like calves for the slaughter!

III.

March, march, scourges of heresey!
Down with the kirk and its whilliebaleery!
March, march! down with supremacy
And the kist fu'o' whistles, that maks sick a cleary;
      Fife men and pipers braw,
      Merry deils, take them a'
Gown, lace and livery, lickpot and ladle;
      Jockey shall wear the hood,
      Jenny the sark of God,
For codpiece and patticoat, dishclout and daidle.

Chanson des cavaliers contre David Lesley et les troupes écossaises rappelées d'Angleterre au secours de l'Écosse presbytérienne vaincue par Montrose.

I.

En avant, en avant, cruches d'élection! Pourquoi diable ne marchez-vous pas en avant et en ordre? En avant, en avant, chiens de rédemption! Arrivez avant que les bonnets bleus [1]) passent la frontière. Vous prêcherez, vous prierez, vous endoctrinerez nuit et jour; vous triompherez de l'Église, qui n'est plus qu'une coureuse; dansez dans le sang jusqu'aux genoux, dans le sang des ennemis de Dieu; les filles de l'Écosse vous chanteront jusqu'à vous endormir.

II.

En avant, en avant, lie de perversité! Rien ne saurait souiller la gloire qui vous attend; en avant, en avant, fumier de sainteté! Marchez et réjouissez-vous, car vous serez élevés, non pas à l'échafaud, non pas à la potence. L'Écosse a soif qu'on lui enseigne la vérité: combien vont croître en grâce ses jeunes filles, race élue, rondes comme un navet, grasses comme des veaux prêts pour la boucherie!

III.

En avant, en avant, fouets de l'hérésie! à bas l'Église et sa vorace hyprocrisie! En avant, en avant! à bas la suprématie et le coffre aux tuyaux [2]) qui rend des sons si brillants! Fifres, braves joueurs de cornemuse, gais démons, à bas le surplis, les dentelles, la livrée, la léche-frile et la cuiller à pot [3])! Jockey portera la capuce pour bonnet, et Jenny la soutane pour jupon, pour torchon et pour baveron.

[1]) Les montagnards de Montrose qui étaient sur le point d'entrer en Angleterre.
[2]) L'orgue.
[3]) Manière insultante et populaire de désigner les pauvres curés et vicaires de l'Église anglicane.

IV.

March, march, blest ragamuffins!
Sing, as ye go, the hymns of rejoicing!
March, march, justified ruffians!
Chosen of heaven! to glory you' re rising.
    Ragged and treacherous,
    Lousy and lecherous,
Objects of misery, scorning and laughter;
    Never, o happy race!
    Magnified so was grace:
Host of the righteous! rush to the slaughter!

(Hogg. Jacobite Relics of Scotland, t. I, p. 5, 163.)

IV.

En avant, en avant, chenapans bénis! chantez en marchant les hymnes de réjouissance; en avant, en avant, bandits sanctifiés! élus du ciel, vous marchez à la gloire, traîtres en haillons, porcilleux et paillards, proie de la misère, objects de rire et de mépris; jamais, o race bienheureuse! jamais la grâce n'a brillé avec tant d'éclat; armée de justes, en avant! au carnage!

Leipzig,
Druck von Alexander Edelmann.

Verlag von Paul Frohberg in Leipzig:

Golowin, Iwan, Russland unter Alexander II. 1. 25

Beauvais, L. A., Etudes historiques.
   Tome I.: Histoire ancienne. Extraite des ouvrages
     de Ségur, Farcy, Rollin, Chassagnol, Barthélemy,
     Th. Le Moine, Ed. Corbière &c. &c. Seconde
     Édition. 1. 10
   Tome II.: Histoire du moyen âge. Extraite des
     ouvrages de Guizot, Lacépède, Robertson, Michaud,
     Daru, Capefigue, Marmier, Michelet &c. &c. . . . 1. 10
   Tome III.: Histoire moderne. Extraite des ouvrages
     de Guizot, Daru, Lacretelle, Robertson, Schoell, An-
     cillon, Hume, Capefigue, Jay &c. &c. Seconde
     Édition. 1. 15

Check Out More Titles From HardPress Classics Series In this collection we are offering thousands of classic and hard to find books. This series spans a vast array of subjects – so you are bound to find something of interest to enjoy reading and learning about.

Subjects:
Architecture
Art
Biography & Autobiography
Body, Mind &Spirit
Children & Young Adult
Dramas
Education
Fiction
History
Language Arts & Disciplines
Law
Literary Collections
Music
Poetry
Psychology
Science
…and many more.

Visit us at www.hardpress.net

Im The Story
personalised classic books

"Beautiful gift.. lovely finish. My Niece loves it, so precious!"

Helen R Brumfieldon

★★★★★

UNIQUE GIFT

FOR KIDS, PARTNERS AND FRIENDS

Timeless books such as:

Kids

Alice in Wonderland • The Jungle Book • The Wonderful Wizard of Oz
Peter and Wendy • Robin Hood • The Prince and The Pauper
The Railway Children • Treasure Island • A Christmas Carol

Adults

Romeo and Juliet • Dracula

Highly Customizable

Change Books Title

Replace Characters Names with yours

Upload Photo and inside pages

Add Inscriptions

Visit
Im The Story .com
and order yours today!

CPSIA information can be obtained
at www.ICGtesting.com
Printed in the USA
BVHW071442140819
555860BV00025B/2060/P

9 780461 009101